TOUS LES DEUX

NICHOLAS SPARKS

TOUS LES DEUX

Traduit de l'anglais (États-Unis)
par Jean-Noël Chatain

Du même auteur chez le même éditeur

Un choix, 2009
La Dernière Chanson, 2010
Le Porte-bonheur, 2011
Un havre de paix, 2012
Une seconde chance, 2013
Chemins croisés, 2014
Si tu me voyais comme je te vois, 2015

À vous, mes fidèles lecteurs,
merci pour ces vingt dernières années.

1

Et de trois… avec le bébé

— Waouh ! Génial !

Je me rappelle avoir crié ces mots dès que Vivian est sortie de la salle de bains pour me montrer son test de grossesse positif.

À vrai dire, je pensais plutôt… « Ah bon ? Déjà ? »

J'étais sous le choc et un tantinet terrorisé. Ça faisait un peu plus d'un an qu'on était mariés et elle m'avait d'ores et déjà annoncé qu'elle souhaiterait rester les premières années à la maison quand on déciderait d'avoir un bébé. Lorsqu'elle le disait, j'approuvais toujours — je voulais la même chose ; mais à ce moment-là, j'ai également compris que notre vie de couple avec deux revenus allait bientôt s'achever. Par ailleurs, je n'étais pas certain d'être prêt à devenir père, mais que pouvais-je faire ? Ce n'était pas comme si elle m'avait piégé, ou dissimulé son envie d'enfant, d'autant qu'elle m'avait prévenu qu'elle avait arrêté la pilule. Moi aussi je voulais des enfants, bien sûr, mais ça faisait à peine trois semaines qu'elle ne la prenait plus. Je me souviens d'avoir pensé que ça me laissait sans doute quelques mois avant que son corps reprenne son état normal de mère en puissance. Pour ce que j'en savais, ce serait peut-être difficile pour elle de tomber enceinte, peut-être même que cela prendrait un an ou deux.

Mais pas pour ma Vivian. Son corps s'était aussitôt réajusté. Ma Vivian était fertile.

Je l'ai prise dans mes bras tout en la détaillant du regard pour voir si elle avait déjà un teint éclatant. Mais c'était trop tôt, pas vrai ? D'ailleurs, ça signifie quoi au juste, cette histoire de « teint éclatant » ? N'est-ce pas une autre façon de dire de quelqu'un qu'il a chaud et qu'il est en nage ? Comment notre vie allait-elle changer ? Et jusqu'à quel point ?

Les questions se bousculaient dans ma tête tandis que j'étreignais ma femme. Et moi, Russell Green, je n'avais aucune réponse.

*

* *

Quelques mois plus tard, le jour J est arrivé, même si je dois bien admettre qu'il reste en grande partie flou dans ma mémoire.

Avec le recul, j'aurais sans doute dû mettre tout ça par écrit tant que c'était encore frais dans mon esprit. On doit garder de ce jour-là un souvenir bien précis… et pas les vagues réminiscences qui sont les miennes. Si je m'en souviens, c'est surtout grâce à Vivian. Chaque détail semblait gravé dans sa mémoire, mais c'était elle qui allait accoucher, et la douleur n'a pas son pareil pour vous affûter l'esprit, parfois. C'est ce qu'on prétend, du moins.

Ce que je sais en revanche, c'est qu'en nous remémorant les événements de ce jour-là, nos opinions respectives diffèrent légèrement. Par exemple, je considérais mes actes tout à fait compréhensibles compte tenu des circonstances, alors que Vivian me jugeait soit égoïste, soit carrément abruti. Quand elle racontait l'histoire à des amis – et elle l'a fait maintes fois –, les gens éclataient de rire à tous les coups, ou bien ils secouaient la tête en la gratifiant d'un regard compatissant.

En toute impartialité, je ne pense pas m'être comporté en égoïste ou en parfait crétin ; après tout, il s'agissait de notre premier enfant et ni elle ni moi ne savions exactement à quoi nous attendre quand surviendraient les douleurs de l'accouchement. Est-ce que quiconque se sent vraiment prêt pour ce qui va arriver ? Les phases de travail, m'avait-on dit, sont imprévisibles ; au cours de sa grossesse, Vivian m'avait rappelé plus d'une fois qu'entre les premières contractions et la délivrance proprement dite il pouvait s'écouler plus d'une journée – surtout pour le premier enfant –, et un travail de douze heures ou davantage n'était pas inhabituel. Comme la plupart des futurs jeunes papas, je considérais mon épouse comme une experte en la matière et la croyais sur parole. Après tout, elle avait lu tous les ouvrages sur la question.

Je devrais aussi ajouter que je n'étais pas complètement à l'ouest ce fameux matin. J'avais pris mes responsabilités au sérieux. Son sac

10

de voyage et celui du bébé étaient faits, de même que j'avais vérifié et revérifié le contenu des deux. L'appareil photo et la caméra vidéo étaient chargés et prêts à l'emploi, et la chambre du bébé pleine de tout ce dont un enfant aurait besoin au moins pour un mois. Je connaissais le chemin le plus court pour rejoindre l'hôpital et j'avais prévu des trajets de remplacement, au cas où un accident serait survenu sur l'autoroute. Je savais aussi que le bébé n'allait pas tarder à venir ; dans les jours qui précédèrent la naissance, on avait eu plein de fausses alertes, mais même moi j'étais conscient que le compte à rebours avait officiellement démarré.

Autrement dit, je n'ai pas été complètement surpris quand ma femme m'a réveillé en me secouant à 4 h 30 du matin, le 16 octobre 2009, pour m'annoncer que les contractions s'espaçaient de cinq minutes et qu'il était temps de filer à l'hôpital. Je ne doutais pas de sa bonne foi ; elle savait faire la différence entre Braxton Hicks[1] et les vraies contractions… Et même si je m'étais préparé à l'événement, je n'ai pas tout de suite songé à enfiler mes vêtements et à charger la voiture ; en fait, mes premières pensées n'ont pas été pour ma femme et notre enfant sur le point de naître. Voilà plutôt ce qui m'a traversé l'esprit : *Aujourd'hui, c'est le grand jour et les gens vont prendre plein de photos. D'autres vont regarder ces photos pendant des lustres et, comme c'est pour la postérité, je ferais mieux de sauter dans la douche avant de partir, vu que j'ai les cheveux en pétard comme si j'avais passé la nuit dans une soufflerie.*

Non pas que je sois narcissique à ce point ; je pensais juste avoir tout mon temps, si bien que j'ai dit à Vivian que je serais prêt à partir en quelques minutes. En règle générale, je me douche rapidement – pas plus de dix minutes les jours normaux, rasage compris ; mais je n'avais pas sitôt appliqué la mousse à raser que j'ai cru entendre ma femme crier dans le salon. J'ai écouté à nouveau : plus rien. Mais je me suis quand même dépêché. Alors que je me rinçais, je l'ai entendue hurler. Aussi bizarre que ça puisse paraître, elle ne m'appelait pas mais braillait sur moi. J'ai enroulé une serviette autour de ma taille et je suis sorti, dégoulinant, dans le couloir sombre. Et Dieu sait que j'étais resté moins de six minutes sous la douche !

---

1. Par opposition aux véritables contractions utérines, les fausses contractions dites « de Braxton Hicks » doivent leur nom au médecin les ayant définies en 1872. *(Toutes les notes sont du traducteur.)*

Vivian a recommencé, mais j'ai mis une seconde à comprendre qu'elle se tenait à quatre pattes et braillait dans son portable que j'étais « DANS CETTE FOUTUE DOUCHE ! » et : « QU'EST-CE QUE CE CRÉTIN PEUT BIEN AVOIR DANS LA TRONCHE ?!?!?! » Crétin, soit dit en passant, fut le terme le plus aimable qu'elle utilisa pour me décrire dans cette même conversation ; en vérité, son langage se révéla un soupçon plus fleuri. J'ignorais aussi que les contractions n'étaient plus espacées de cinq minutes, mais de deux à présent, et que Vivian ressentait des douleurs dans les reins. C'était d'une violence inouïe et elle poussa un hurlement si puissant qu'il devint une sorte d'entité vivante, au point qu'il résonne peut-être encore dans notre quartier de Charlotte, Caroline du Nord, un lieu au demeurant très paisible.

Inutile de préciser que je suis aussitôt passé en mode turbo : j'ai enfilé mes vêtements sans me sécher complètement et chargé la voiture. J'ai aidé Vivian à marcher jusqu'au véhicule, sans faire de commentaire sur le fait qu'elle enfonçait ses ongles dans mon avant-bras. En un éclair, j'étais au volant et, une fois sur la route, j'ai appelé l'obstétricien, qui a promis de nous accueillir à l'hôpital.

Les contractions s'espaçaient encore de quelques minutes quand on est arrivés, mais comme Vivian continuait à s'angoisser, on l'emmena directement en salle de travail et d'accouchement. Tout en lui tenant la main, j'essayais de l'aider à contrôler sa respiration – elle m'a alors gratifié d'un chapelet de noms d'oiseau, en ajoutant : « Tu sais où tu peux te la coller, cette foutue respiration ! » – jusqu'à l'arrivée de l'anesthésiste pour la péridurale. Au début de sa grossesse, elle avait hésité avant de décider d'avoir recours à cette technique, mais à présent cela se révélait une bénédiction. Sitôt que le médicament a agi, sa douleur a disparu et Vivian a souri pour la première fois depuis qu'elle m'avait tiré du lit. Son obstétricien – la soixantaine, cheveux poivre et sel impeccables et visage sympathique – entrait dans la salle toutes les vingt ou trente minutes pour voir où en était la dilatation, et dans l'intervalle j'ai téléphoné à ses parents et aux miens ainsi qu'à ma sœur.

Le moment était venu. On a appelé les infirmières et elles ont préparé le plateau technique avec calme et professionnalisme. Puis, tout à coup, le médecin a demandé à ma femme de pousser.

Vivian s'est exécutée le temps de trois contractions ; à la dernière, le praticien a soudain remué les mains et les poignets comme un magicien qui sort un lapin de son chapeau. Je n'ai pas eu le temps de réfléchir que j'étais désormais papa.

En un clin d'œil.

Le médecin a examiné notre fille et, bien qu'elle soit légèrement anémiée, elle avait dix doigts, dix orteils, un cœur en bonne santé et des poumons qui fonctionnaient à l'évidence à merveille. J'ai interrogé l'obstétricien au sujet de l'anémie – il m'a répondu qu'il n'y avait aucune raison de s'inquiéter ; et, après qu'il a injecté une substance visqueuse dans les yeux de notre bébé, les infirmières l'ont nettoyé et emmailloté, avant de le poser dans les bras de mon épouse.

Comme je l'avais prédit, on a pris des photos toute la journée mais plus tard, bizarrement, quand les gens les ont vues, personne n'a paru choqué par mon allure hirsute.

*
* *

On dit qu'à la naissance les bébés ressemblent soit à Winston Churchill, soit au Mahatma Gandhi ; mais comme ma fille avait le teint un peu grisâtre en raison de son anémie, j'ai tout de suite pensé qu'elle ressemblait à Yoda, sans les oreilles, bien sûr. Une Yoda ravissante, cela dit, une Yoda époustouflante, une Yoda si prodigieuse que lorsqu'elle a agrippé mon doigt, mon cœur a failli exploser. Mes parents sont arrivés quelques minutes plus tard et, en les retrouvant dans le couloir, j'étais si nerveux et enthousiaste que j'ai lâché les premières paroles qui me sont venues à l'esprit : « On a un bébé tout gris ! »

Ma mère m'a regardé comme si j'étais devenu fou, tandis que mon père a glissé un doigt dans son oreille comme s'il se demandait si un bouchon de cire l'empêchait d'entendre correctement. Ignorant tous les deux ma remarque, ils sont entrés dans la chambre et ont vu Vivian avec notre fille dans ses bras, une expression sereine sur le visage. Mon regard a suivi celui de mes parents et je me suis alors dit que London devait être la petite fille la plus mignonne de toutes depuis la nuit des temps. Même si, à mon avis, tous les nouveaux papas pensent la même chose au sujet de leur progéniture, il ne peut malgré tout exister qu'une enfant qui soit réellement « la plus mignonne de toutes depuis la nuit des temps », et une partie de moi s'étonnait que d'autres personnes présentes dans l'hôpital ne viennent pas dans notre chambre s'émerveiller de la beauté de ma fille.

Ma mère s'est avancée vers le lit en tendant le cou pour regarder le bébé de plus près.

– Vous avec décidé d'un prénom ? a -t-elle demandé.

– London, a répondu ma femme, toute son attention portée sur notre enfant. On a décidé de l'appeler London.

*
* *

Mes parents ont fini par s'en aller, puis ils sont revenus dans l'après-midi. Entre-temps, ceux de Vivian sont eux aussi passés. Ils avaient pris l'avion à Alexandria, Virginie, où Vivian avait grandi ; et, même si elle était aux anges, j'ai aussitôt senti la tension monter dans la chambre. J'avais toujours cru qu'ils pensaient que leur fille avait trouvé ses marques en décidant de m'épouser, mais qui sait ? Ils ne donnaient pas non plus l'impression d'apprécier mes parents, et le sentiment était réciproque. Si tous les quatre se montraient toujours cordiaux, chaque couple préférait manifestement éviter la compagnie de l'autre.

Ma sœur aînée, Marge, est aussi venue avec Liz, en apportant des cadeaux. Marge et Liz étaient ensemble depuis plus longtemps que Vivian et moi – plus de cinq ans, à l'époque ; et, outre le fait que je considérais Liz comme une compagne formidable pour ma sœur, je savais que Marge était la sœur aînée la plus géniale dont on puisse rêver. Avec mes deux parents qui travaillaient – papa était plombier et maman réceptionniste dans un cabinet dentaire jusqu'à ce qu'elle prenne sa retraite quelques années auparavant –, Marge avait parfois tenu non seulement le rôle de mère de substitution mais aussi celui de confidente en m'aidant à traverser les affres de l'adolescence. Marge et Liz n'appréciaient pas non plus les parents de Vivian, un sentiment qu'elles partageaient depuis mon mariage, quand les parents de Vivian refusèrent de les laisser s'asseoir ensemble à la table principale.

Cela dit, Marge s'était rendue à la réception et Liz non – et ma sœur avait opté pour le port d'un smoking, et non d'une robe ; mais c'était le genre d'affront que ni l'une ni l'autre n'avaient pu pardonner, puisque d'autre couples – hétérosexuels, eux – s'étaient vu accorder le privilège de la table des mariés. Franchement, je n'en veux pas à Marge ou à Liz, d'autant que l'attitude de mes beaux-parents m'avait également dérangé. Ma sœur et Liz s'entendent mieux que la plupart des couples mariés de ma connaissance.

Alors que les visiteurs entraient et sortaient, je suis resté dans la chambre avec ma femme pendant le restant de la journée, en m'asseyant tour à tour dans le rocking-chair près de la fenêtre ou sur le lit à ses côtés, sans cesser de nous murmurer, émerveillés, que nous avions une fille. Je contemplais mon épouse et mon bébé, en sachant avec certitude que j'appartenais à ces deux femmes et que nous resterions tous les trois unis à jamais.

Ce sentiment me donnait le vertige, comme tout le reste ce jour-là ; et, malgré moi, j'imaginais déjà quel genre d'ado London deviendrait, ce dont elle rêverait, ou ce qu'elle ferait de sa vie. Chaque fois que la petite pleurerait, Vivian la porterait d'instinct à son sein, et je serais le témoin d'un autre miracle.

Comment London peut-elle savoir faire ça ? me demandais-je. *Comment est-ce possible ?*

*
* *

Je garde certes un autre souvenir de cette journée, mais il n'appartient qu'à moi.

Ça s'est produit lors de cette première nuit à l'hôpital, longtemps après le départ de nos derniers visiteurs. Vivian dormait et moi je somnolais dans le rocking-chair, quand j'ai entendu ma fille s'agiter un peu. Jusque-là, je n'avais jamais vraiment tenu un nouveau-né dans les bras et, en la prenant, je l'ai serrée tout contre moi. Je pensais que j'allais devoir réveiller Vivian mais, à ma grande surprise, London s'est calmée. J'ai regagné tout doucement le fauteuil et, durant les vingt minutes qui ont suivi, je n'ai pu que m'émerveiller des sentiments que ma fille provoquait en moi. Je l'adorais : ça, je le savais déjà ; mais, à présent, la seule pensée de vivre sans elle me paraissait inconcevable. Je me souviens lui avoir murmuré qu'en ma qualité de père je serais toujours là pour elle, et, comme si elle comprenait ce que je disais, elle a fait sa crotte dans sa couche et s'est mise à se tortiller. Finalement, je l'ai rendue à Vivian.

2

Au début

— Je lui ai annoncé aujourd'hui, a déclaré Vivian.

On était dans la chambre, elle avait enfilé son pyjama et s'était glissée dans le lit. Bref, on se retrouvait enfin seuls. C'était la mi-décembre et London dormait depuis moins d'une heure ; à huit semaines, elle ne s'assoupissait que trois à quatre heures d'affilée. Vivian ne se plaignait pas, mais elle n'en était pas moins fatiguée. Belle, mais fatiguée.

— Annoncé quoi à qui ? ai-je demandé.

— À Rob, a-t-elle répondu en parlant de son patron à l'agence de communication où elle travaillait. Je lui ai fait officiellement savoir qu'après mon congé maternité, je ne reviendrais pas.

— Oh… ai-je fait en éprouvant la même terreur que lorsque j'avais vu le résultat positif du test de grossesse.

Vivian gagnait quasi autant que moi et, sans son salaire, je n'étais pas certain qu'on puisse se permettre de conserver notre style de vie.

— Il a répondu que la porte serait toujours ouverte si je changeais d'avis, a-t-elle ajouté. Mais je lui ai dit que London ne serait pas élevée par des étrangers. Sinon, à quoi bon avoir un enfant pour commencer ?

— Tu prêches un convaincu, ai-je approuvé en faisant de mon mieux pour dissimuler mes sentiments. Je suis de ton côté. (Enfin, une partie de moi l'était.) Mais tu sais ce que ça veut dire : on ne pourra plus sortir autant au restaurant et on va devoir rogner sur les extras.

— Je sais.

— Et tu es d'accord pour ne plus faire autant de shopping ?

— À t'entendre, on dirait que je gaspille l'argent. Ça n'a jamais été le cas.

Les relevés de cartes de crédit semblaient parfois indiquer le contraire — tout comme son dressing, qui débordait de vêtements, de chaussures et de sacs ; mais je sentais bien l'agacement dans le ton de sa voix et n'avais pas du tout envie de me disputer. Alors, je me suis tourné vers elle puis l'ai attirée contre moi, avec une autre idée en tête. J'ai blotti mon nez au creux de son cou pour l'embrasser.

— Maintenant ? a-t-elle demandé.

— Ça fait longtemps…

— Et mon pauvre chéri a l'impression qu'il est à deux doigts d'exploser, c'est ça ?

— Franchement, je n'ai pas envie de courir ce risque.

Elle a éclaté de rire et, tandis que je commençais à déboutonner sa veste de pyjama, le babyphone s'est mis à grésiller. On s'est aussitôt tous les deux figés.

Rien.

Toujours rien.

Et juste au moment où je croyais la voie libre et que je me détendais — alors que j'avais retenu mon souffle sans même m'en rendre compte —, le babyphone est entré pleinement en action. Dans un soupir, j'ai roulé sur le dos, tandis que Vivian se levait. Quand London s'est enfin calmée, ce qui lui a pris une bonne demi-heure, Vivian n'était plus d'humeur pour des câlins avec moi.

Le lendemain matin, Vivian et moi avons eu plus de chance. À tel point, en fait, que je me suis volontiers proposé pour m'occuper de London à son réveil, afin que Vivian puisse se rendormir. Toutefois London devait être aussi fatiguée que sa mère ; j'ai eu le temps de finir ma deuxième tasse de café quand j'ai entendu des bruits, mais pas de pleurs, en provenance du babyphone.

Dans sa chambre, le mobile au-dessus de son lit tournoyait et London gigotait, débordante d'énergie, ses petites jambes pédalant dans le vide comme des pistons. Je n'ai pu m'empêcher de sourire et elle m'a soudain souri aussi.

Ce n'était pas une grimace due à une gêne gastrique, ni un tic de pur instinct. Je connaissais ces mimiques ; cette fois, je n'en croyais pas mes yeux. Il s'agissait d'un vrai sourire, aussi vrai qu'un lever de soleil, et lorsqu'elle émit un petit gloussement inopiné, mon début de journée déjà formidable se révéla mille fois plus fabuleux.

*

* *

Je ne suis pas un homme sage.

Je ne suis pas dépourvu d'intelligence non plus, remarquez. Mais la sagesse outrepasse l'intelligence, car elle englobe la compréhension, l'empathie, l'expérience, la paix intérieure, l'intuition… et, avec le recul, ces caractéristiques me font manifestement défaut.

J'ai aussi appris qu'en prenant de l'âge on ne devenait ni plus sage ni plus intelligent. Je sais, ce n'est pas une idée répandue : ne considérons-nous pas nos aînés comme sages, en partie à cause de leurs rides et de leurs cheveux poivre et sel ? Mais récemment j'en suis venu à croire que certaines personnes naissent avec la capacité d'acquérir la sagesse et d'autres non ; et chez certains autres, la sagesse semble évidente, même lorsqu'ils sont jeunes.

Prenons ma sœur Marge. Elle est pleine de discernement, alors qu'elle a seulement cinq ans de plus que moi. Franchement, elle a toujours possédé cette sagesse, d'aussi loin que je me souvienne. Liz aussi. Plus jeune que Marge, ses remarques se révèlent toujours censées et pleines d'empathie. Après une conversation avec elle, je me surprends souvent à réfléchir à ce qu'elle m'a dit. Mon père et ma mère sont eux aussi pétris de bons sens, et j'y songe souvent ces temps-ci, car il est clair que si la sagesse est une valeur partagée par la famille, j'en suis absolument dépourvu.

Si j'en avais eu, après tout, j'aurais écouté Marge ce fameux été 2007, quand on quittait en voiture le cimetière où nos grands-parents étaient enterrés ; elle conduisait et m'avait demandé si j'étais tout à fait certain de vouloir épouser Vivian.

Si j'en avais eu, j'aurais écouté mon père quand il m'avait demandé si j'étais certain de vouloir me mettre à mon compte et de lancer ma propre agence de pub, à trente-cinq ans.

Si j'en avais eu, j'aurais écouté ma mère quand elle m'avait conseillé de passer le plus de temps possible avec London, car les enfants grandissent vite et qu'on ne peut jamais revenir en arrière.

Mais comme je le disais, je ne suis pas un homme sage, et voilà pourquoi ma vie est partie en vrille. Encore maintenant, je me demande si je m'en remettrai un jour.

*
* *

19

Par où commencer pour tenter de trouver une certaine logique à une histoire qui en a aussi peu ? Par le début ? Mais où se situe le début, au juste ?

Allez savoir…

Alors commençons comme ça. Enfant, j'ai grandi en sachant que je me sentirais adulte lorsque j'aurais dix-huit ans, et j'avais raison. À dix-huit ans, je faisais déjà des projets. Ma famille avait vécu d'un salaire sur l'autre, et je n'avais aucune intention d'en faire autant. Je rêvais de monter ma propre affaire, d'être mon propre patron, même si je ne savais pas trop précisément dans quel domaine. Persuadé que la fac m'aiderait à trouver ma voie, je suis allé à l'université d'État de Caroline du Nord ; mais plus j'étudiais, plus j'avais l'impression de me sentir jeune. Et, mon diplôme en poche, impossible de m'ôter de l'esprit que j'étais quasiment le même gars qu'au lycée.

La fac ne m'avait pas non plus aidé à me décider sur l'affaire que j'allais monter. Je n'avais pas vraiment le sens des réalités, et encore moins le capital pour me lancer ; alors j'ai remis mon rêve à plus tard et j'ai décroché un job dans la pub pour le compte d'un certain Jesse Peters. Je portais des costumes au bureau, faisais des tonnes d'heures et malgré tout, la plupart du temps, je me sentais toujours plus jeune que mon âge véritable. Le week-end, je fréquentais les mêmes bars qu'à la fac et je me disais souvent que je pourrais me réinscrire en première année et m'intégrer dans n'importe quelle confrérie étudiante. Dans les huit ans qui suivraient, il y aurait davantage de changements. J'allais me marier, acheter une maison et conduire une voiture hybride ; mais, même à ce moment-là, je n'avais pas forcément le sentiment d'être la version adulte de moi-même. Après tout, Peters avait pour l'essentiel pris la place de mes parents : comme eux, il pouvait me dire comment agir – *sinon gare !* – au point que j'avais toujours l'impression de faire semblant. Parfois, quand j'étais assis à mon bureau, j'essayais de me convaincre : *OK, maintenant, c'est officiel. Je suis désormais un adulte.*

Cette prise de conscience m'est venue, bien sûr, quand London est née et quand Vivian a démissionné. Je n'avais pas encore trente ans, et la pression qui pesait sur moi pour subvenir aux besoins de ma famille au cours des années suivantes a exigé de moi des sacrifices que je n'avais même pas soupçonnés ; alors, si ça n'est pas être adulte, j'ignore ce que c'est. Après mon job à l'agence – les jours où je rentrais chez moi à une heure correcte –, je franchissais la porte et j'entendais London s'écrier : « Papa ! » et regrettais chaque fois de ne pas passer suffisamment de temps avec elle. Elle accourait vers moi et je la prenais dans les bras, et elle passait les siens autour de mon cou ; alors je me rappelais que tous les sacrifices valaient la peine, ne serait-ce qu'en raison de notre merveilleuse petite fille.

Dans la frénésie de la vie de tous les jours, je n'avais aucun mal à me convaincre que tout ce qui était important – ma femme et ma fille, mon travail, ma famille – allait bien, même si je ne pouvais pas devenir mon propre patron. Dans les rares moments où je me projetais dans l'avenir, je me voyais mener une existence pas si différente de celle de ce temps-là, et ça m'allait bien aussi. En apparence, tout semblait se passer à merveille, mais j'aurais dû prendre cela comme un avertissement. Croyez-moi si je dis que j'ignorais vraiment que deux ou trois ans plus tard, je me réveillerais le matin en me sentant dans la peau de ces immigrants à Ellis Island – qui débarquaient en Amérique avec rien d'autre que leurs vêtements sur le dos, sans parler la langue – et que je me demanderais : *Qu'est-ce que je vais bien pouvoir faire maintenant ?*

À quel moment précis tout s'est-il mis à aller de travers ? Si vous demandez à Marge, la réponse coule de source : « La situation a commencé à se gâter le jour où tu as rencontré Vivian », m'a-t-elle dit plus d'une fois. Bien sûr, fidèle à elle-même, elle rectifiait dans la foulée : « Je retire ce que j'ai dit. Ça a commencé bien avant, quand t'étais encore en primaire et que t'as accroché ce poster dans ta chambre, celui avec la fille en bikini hyper-mince et les gros lolos. J'ai toujours aimé ce poster, soit dit en passant, mais il a déformé ta vision de la vie. » Puis, après une profonde réflexion, elle secouait la tête, en gambergeant. « Maintenant que j'y repense, t'as toujours été un peu barré, et venant de celle qu'on a toujours considérée comme la barrée de la famille, c'est tout dire ! Peut-être que ton vrai problème, c'est que t'as toujours été beaucoup trop sympa et ça t'a joué des tours. »

Et voilà. Dès qu'on commence à chercher ce qui a foiré – ou, plus précisément, à quel moment vous avez foiré –, ça revient un peu à éplucher un oignon. On trouve toujours une nouvelle couche, une autre erreur commise dans le passé, ou un souvenir douloureux qui remonte à la surface, et ça nous entraîne encore plus loin dans le temps, puis encore plus loin, en quête de la vérité ultime.

Pour ma part, j'ai atteint le point où j'ai cessé de chercher à comprendre le pourquoi du comment. Une seule chose compte à présent, savoir suffisamment tirer les leçons du passé pour éviter de commettre à nouveau les mêmes erreurs.

*
* *

Pour saisir mon point de vue, il est important de me comprendre, moi. Et ce n'est pas facile, cela dit. Voilà plus de trente ans que je suis dans ma peau et, une fois sur deux, je ne me comprends pas moi-même. Alors laissez-moi commencer ainsi : en prenant de l'âge, j'en suis venu à croire qu'il existe deux genres d'homme au monde. Le genre qui se marie et le genre célibataire. Le gars qui se marie est du style à jauger toutes les filles avec lesquelles il sort, pour savoir si oui ou non elle pourrait être l'épouse idéale. C'est ce qui pousse les femmes trentenaires et quadras à souvent faire des remarques du style « Les meilleurs sont déjà casés ». En disant cela, elles pensent aux hommes qui sont prêts, disposés et capables de s'investir dans une relation de couple.

J'ai toujours été du genre à vouloir me marier. À mes yeux, former un couple me semble naturel. J'ignore pourquoi au juste, mais je me suis toujours senti plus à l'aise en présence des femmes que des hommes, même en amitié. Et passer du temps avec une seule femme qui se trouve être en plus folle amoureuse de moi équivaut au meilleur des mondes possibles.

Et ça peut l'être, je suppose. Mais c'est là où ça devient un peu délicat, parce que tous les gars aptes au mariage ne se ressemblent pas. Il existe des sous-groupes, des types qui peuvent aussi se considérer comme romantiques, par exemple. Sympa, non ? Le genre de gars que toutes les femmes réclament ? Probablement, et je dois admettre que j'appartiens à cette sous-catégorie. Dans de rares cas, cependant, ce sous-groupe bien précis aime faire plaisir à tout le monde et, quand on les rassemble, ces trois critères (romantique, préféré des femmes, et qui aime faire plaisir) m'incitent à penser qu'avec un tout petit effort de ma part – si seulement je m'étais appliqué davantage – ma femme m'adorerait toujours comme je l'ai adorée.

Mais qu'est-ce qui m'a rendu comme ça ? Était-ce simplement dans ma nature ? L'influence de la dynamique familiale ? Est-ce que j'ai juste regardé un peu trop de films romantiques à un âge influençable ? Ou bien tout ce que je viens de citer plus haut ?

Aucune idée… mais j'affirme sans hésiter que si j'ai visionné trop de films romantiques, c'est entièrement à cause de Marge. Elle raffolait des classiques comme *Elle et Lui* et *Casablanca*, mais *Ghost* et *Dirty Dancing* arrivaient aussi en bonne place à son box-office personnel, sans compter qu'on a dû regarder *Pretty Woman* au moins vingt fois : celui-là était son préféré, toutes catégories confondues. Ce que j'ignorais, bien sûr, c'est que Marge et moi aimions le visionner parce que Julia Roberts nous faisait tous les deux craquer à fond à l'époque, mais là n'est pas la question. Le film passera sans doute à la postérité, parce qu'il fonctionne. Il y a une véritable alchimie entre les personnages joués par Richard Gere et Julia Roberts. Ils se parlent. Contre toute attente, ils apprennent à se faire mutuellement confiance. Ils tombent amoureux. Et comment pourrait-on oublier la scène où Richard Gere attend Julia Roberts, car il a prévu de l'emmener à l'opéra, et où elle surgit dans une robe qui la métamorphose complètement. Le spectateur voit l'expression stupéfaite de Richard, qui ouvre ensuite un petit coffret en velours, lequel contient le collier en diamants que Julia portera aussi ce soir-là. Au moment où elle tend la main, Richard rabaisse le couvercle… Clac ! Et Julia, surprise, éclate de rire…

Tout est là, franchement, dans ces quelques scènes. Le romantisme, je veux dire : la confiance, les attentes, et la joie associée à l'opéra, les tenues de soirée, les bijoux… Bref, tout conduit à l'amour. Dans mon cerveau de préado, ça faisait tilt : une sorte de guide pratique pour impressionner une fille. Il me suffisait de garder en tête que les filles devaient d'abord être attirées par le gars, et les petits gestes romantiques mèneraient ensuite à l'amour. À la fin, un autre romantique voyait le jour dans le monde réel.

Lorsque j'étais en sixième, une nouvelle élève a rejoint ma classe. Melissa Anderson venait du Minnesota et, avec ses cheveux blonds et ses yeux bleus, elle avait toutes les apparences de ses ancêtres suédois. Quand je l'ai vue le premier jour de son arrivée en cours, je suis sûr que j'ai dû rester bouche bée. Et je n'étais pas le seul. Tous les garçons parlaient d'elle en chuchotant et, à mes yeux, ça ne faisait pas l'ombre d'un doute : c'était de loin la plus jolie fille à avoir jamais mis les pieds dans la classe de Mme Hartman, à l'école Arthur E. Edmonds.

Mais je me différenciais des autres garçons car je savais exactement comment la séduire, alors qu'eux pas du tout. J'allais la courtiser et, même si je n'étais pas Richard Gere avec une flotte de jets privés et une multitude de colliers en diamant, j'avais un vélo et savais aussi faire des bracelets en macramé en y insérant des perles en bois. Mais nous y reviendrons plus tard. D'abord, à l'instar de Richard et Julia, on devait apprendre à s'apprécier l'un l'autre. J'ai donc trouvé des prétextes pour m'asseoir à sa table au déjeuner. Pendant qu'elle parlait, je l'écoutais et posais des questions ; et quelques semaines plus tard, quand elle m'a enfin dit qu'elle me trouvait sympa, j'ai su qu'il était temps pour moi de passer à l'étape suivante. Je lui ai écrit un poème sur sa vie dans le Minnesota et sur sa beauté, et je le lui ai offert dans le bus scolaire avec une fleur. J'ai pris place, en sachant tout à fait ce qui se passerait : elle comprendrait que j'étais différent, et une révélation encore plus forte l'inciterait à me prendre la main, et à me demander de la raccompagner chez elle à la descente du bus.

Sauf que ça ne s'est pas du tout passé comme ça. Au lieu de lire le poème, elle a jacassé avec sa copine April pendant tout le trajet, et le lendemain elle s'est assise à côté de Tommy Harmon au déjeuner et ne m'a plus adressé la parole. Pas davantage le lendemain ou le surlendemain. Quand Marge m'a trouvé plus tard boudant dans ma chambre, elle m'a dit que j'en faisais trop avec cette fille et que je devais simplement être moi-même.

– Je suis moi-même.

– Alors il faudrait peut-être que tu modifies ton approche, a répliqué ma sœur, parce que tu passes pour un minable.

Le hic, c'est que je n'ai pas suffisamment réfléchi. Est-ce que Richard Gere réfléchissait à deux fois, lui ? Il en savait plus que ma sœur, c'est clair, et une fois de plus la sagesse et moi roulions en sens opposés. Parce que *Pretty Woman* était un film, et moi je vivais dans la réalité. Mais le mode de fonctionnement que j'avais mis en place avec Melissa Anderson a continué, avec des variantes, jusqu'à ce que ça se transforme en une habitude dont je ne me pouvais plus me défaire. Je suis devenu le roi de l'attention romantique : fleurs, petits mots, cartes et j'en passe. Et, à la fac, je fus même « l'admirateur secret » d'une fille qui me faisait fantasmer. Je tenais les portes pour ces demoiselles et réglais les notes de restaurant, et j'écoutais leurs confidences, même quand elles me confiaient à quel point leur ex-petit copain leur manquait. La plupart des filles m'appréciaient sincèrement. Je tiens à le dire. À leurs yeux, j'étais un ami, le genre de gars qui se fait inviter par une bande de copines chaque fois qu'elles sortent entre elles… mais je réussissais rarement à séduire celle qui se trouvait dans ma ligne de mire. Vous n'imaginez pas le nombre de fois où j'ai entendu : « Tu es le gars le plus gentil que je connaisse et je suis sûre que tu rencontreras quelqu'un d'exceptionnel. J'ai deux ou trois copines à moi avec lesquelles je pourrais te brancher… »

Ce n'était pas facile d'être le garçon « parfait pour quelqu'un d'autre ». Ça m'a souvent brisé le cœur et je n'arrivais pas à comprendre pourquoi les femmes me disaient rechercher certaines qualités comme le romantisme et la gentillesse, la curiosité et la faculté d'écoute, puis oubliaient ces critères quand je les leur offrais sur un plateau d'argent.

Je n'ai pas été complètement malheureux en amour, tout de même. Au lycée en seconde, j'avais une petite amie nommée Angela. Et l'été qui a suivi l'obtention de mon diplôme à la fac, quand j'avais vingt-deux ans, j'ai rencontré une certaine Emily.

Elle vit encore dans la région et je l'ai croisée ici et là au fil du temps. Elle fut la première femme que j'ai aimée, et comme romantisme et nostalgie se mêlent souvent, il m'arrive encore de penser à elle. Emily était un peu bohême ; elle aimait les longues jupes à fleurs et les sandales, se maquillait peu et était étudiante aux beaux-arts, spécialisée dans la peinture. Elle était aussi très belle, avec des cheveux châtains et des yeux noisette pailletés d'or, mais son charme ne résidait pas dans sa seule apparence physique. Elle avait le rire facile, sympathisait avec tous les gens qu'elle rencontrait, et c'était une femme intelligente, dont j'admirais souvent la manière de penser. Mes parents l'adoraient, Marge aussi ; et quand on était ensemble, même le silence ne nous gênait pas. Notre relation était simple et détendue ; plus que des amants, on était des amis. On pouvait non seulement parler de tout, mais elle se régalait des petits mots que je lui glissais sous l'oreiller ou des fleurs que je faisais livrer à son travail sans la moindre raison. Emily m'aimait autant qu'elle aimait les petits gestes romantiques et, après l'avoir fréquentée pendant deux ou trois ans, j'ai décidé de lui faire ma demande, allant jusqu'à verser des arrhes pour une bague de fiançailles.

Et puis j'ai tout fait foirer. Ne me demandez pas pourquoi. Je pourrais mettre ça sur le compte de l'alcool ingurgité ce soir-là – je prenais un verre avec des potes dans un bar ; mais, pour je ne sais quelle raison, j'ai engagé la conversation avec une certaine Carly. Jolie, plutôt douée pour flirter, elle venait de rompre avec son petit ami de longue date. Un verre en a entraîné un autre, le flirt est devenu plus poussé, et on a fini ensemble au lit. Au matin, Carly m'a clairement fait comprendre que ça resterait une aventure sans lendemain et, bien qu'elle ait ponctué son au revoir d'un baiser, elle n'a pas pris la peine de me laisser son numéro de téléphone.

Dans ce genre de situation, il existe deux règles masculines très simples, et voici la première : Ne jamais rien dire. Si votre petite amie a le moindre soupçon et vous pose directement la question, adoptez aussitôt la règle numéro deux : Nier, nier, nier.

Tous les mecs connaissent ces règles, mais le hic, c'est que je me sentais coupable. Horriblement coupable. Même un mois plus tard, je ne parvenais pas à oublier cet épisode malencontreux et me trouvais impardonnable. Garder le secret me paraissait inconcevable ; je ne pouvais envisager un avenir avec Emily en sachant qu'il était au moins en partie construit sur un mensonge. J'en ai parlé à Marge et, Marge, comme toujours, m'a aidé de sa manière sororale bien à elle.

– Ferme ta gueule, espèce de d'abruti ! T'as fait une connerie et tu devrais te sentir coupable. Mais si tu ne recommences jamais, alors ne va pas en plus faire de la peine à Emily. Ce truc l'anéantira, sinon.

Je savais que Marge disait vrai, et pourtant…

Je souhaitais le pardon d'Emily, parce que je n'étais pas sûr de pouvoir me pardonner sans elle, si bien que je suis allé la voir et j'ai prononcé ces mots qu'encore aujourd'hui j'aimerais pouvoir retirer.

– J'ai un truc à te dire, ai-je commencé, et puis j'ai tout déballé.

Si l'objectif consistait à se faire pardonner, eh bien ça n'a pas marché. Si l'autre but éventuel consistait à essayer de construire une relation à long terme sur un fond d'honnêteté, ça n'a pas marché non plus. Les larmes aux yeux, elle est partie, en colère, en disant qu'elle avait besoin de temps pour réfléchir.

Je l'ai laissée tranquille pendant une semaine, j'ai attendu qu'elle m'appelle, tout en broyant du noir dans mon appartement, mais le téléphone n'a jamais sonné. La semaine suivante, je lui ai laissé deux messages ; en réitérant à chaque fois mes excuses, mais elle ne m'a toujours pas rappelé. Il a fallu attendre encore huit jours pour qu'on déjeune enfin ensemble, mais l'ambiance était tendue et, en sortant du restaurant, elle m'a demandé de ne pas la raccompagner à sa voiture. Quelque chose était brisé entre nous et, huit jours plus tard, elle m'a laissé un message me disant que c'était fini pour de bon. J'ai mis des semaines à m'en remettre.

Au fil du temps, ma culpabilité s'est émoussée – le temps a toujours cet effet. Et j'ai essayé de me consoler à l'idée que mon erreur était un mal pour un bien, au moins pour Emily. Quelques années plus tard, l'ami d'un ami m'a appris qu'elle avait épousé un Australien et, chaque fois que je l'apercevais par hasard, la vie semblait plutôt la combler. Je me disais alors que j'étais content pour elle : Emily, plus que quiconque, méritait une existence merveilleuse, et Marge partageait cet avis. Même après mon mariage avec Vivian, ma sœur me disait parfois : « Cette Emily, elle était drôlement chouette. T'as vraiment tout bousillé, pas vrai ? »

*

* *

Je suis né à Charlotte, Caroline du Nord, et hormis une seule année passée ailleurs, j'ai toujours vécu là. Encore maintenant, je me dis qu'il était quasi impossible que Vivian et moi nous soyons rencontrés ailleurs, ou même que nous nous soyons rencontrés tout court. Après tout, elle était comme moi originaire du Sud et, comme moi, son travail exigeait de longues heures de présence, et elle sortait rarement en soirée. Quelles étaient donc les probabilités pour que je rencontre Vivian à un cocktail en plein Manhattan ?

À l'époque, je travaillais à la succursale new-yorkaise de mon agence située dans Midtown, ce qui doit sembler bien plus prestigieux que ça ne l'était en réalité. Aux yeux de Jesse Peters, quiconque semblait prometteur à l'agence de Charlotte devait passer au moins un peu de temps dans le Nord, ne serait-ce que parce qu'un certain nombre de nos clients sont des banques et toute banque jouit d'une présence plus marquée à New York. Vous avez sans doute vu certaines des pubs sur lesquelles j'ai travaillées ; j'aime à croire qu'elles sont réfléchies et sérieuses, et traduisent l'essence même de l'intégrité. La première d'entre elles, d'ailleurs, fut conçue quand je vivais dans un petit studio sur la 77ᵉ Rue Ouest, entre les avenues Columbus et Amsterdam, et m'interrogeais sur le solde de mon compte courant affiché sur l'écran de mon DAB : à savoir juste de quoi m'offrir une formule repas au fast-food du quartier.

En mai 2006, le P-DG d'une des banques qui *adorait ma créativité* organisait un événement caritatif pour le bénéfice du MoMA[1]. L'homme s'intéressait particulièrement à l'art ; ce que j'ignorais ; et, bien qu'il s'agisse d'une réception huppée avec tenue de soirée exigée, je n'avais pas voulu y aller. Mais cette banque faisait partie de nos clients et Peters était un patron du genre « Fais-ce-que-je-dis-sinon-gare-à-toi ». Alors, avais-je vraiment le choix ?

Je ne me souviens quasiment pas de la première demi-heure, hormis le fait que je ne me sentais pas du tout à ma place. Il faut dire que la moitié des personnes présentes auraient pu être mes grands-parents, et presque tout le monde venait d'une différente stratosphère quant à nos niveaux de fortune respectifs. À un moment donné, je me suis retrouvé en train d'écouter deux messieurs aux cheveux gris débattre des mérites du G IV par rapport à ceux du Falcon 2000. J'ai mis un moment à comprendre qu'ils comparaient leurs jets privés.

En me détournant de la conversation, j'ai aperçu son patron de l'autre côté de la salle. Je l'ai reconnu pour l'avoir vu à une émission de fin de soirée, et Vivian allait par la suite m'apprendre qu'il se considérait comme un collectionneur d'art. Elle avait plissé le nez en le disant, comme pour signifier qu'il avait certes de l'argent mais aucun goût, ce qui ne m'a pas surpris. En dépit des invités prestigieux qu'on y recevait, l'humour qui caractérisait ce talk-show ne volait pas bien haut.

Elle se tenait donc près de lui, quoique hors de mon champ de vision ; mais, lorsqu'il s'est avancé pour saluer quelqu'un, je l'ai vue. Avec ses cheveux bruns, sa peau parfaite et des pommettes dont rêvent les top models, elle était à mes yeux la plus belle femme qui me soit jamais apparue.

---

1. Museum of Modern Art (MoMA) : musée d'Art moderne et contemporain de Manhattan.

Au début, j'ai cru qu'elle sortait avec lui, mais plus je les observais, plus j'étais persuadé qu'ils n'étaient pas ensemble, mais que, vraisemblablement elle travaillait pour lui. Elle ne portait pas d'alliance non plus, encore un bon signe… mais, franchement, quelle chance je pouvais avoir ?

Néanmoins, le romantique en moi ne s'est pas laissé abattre et, quand elle s'est rendue au bar pour prendre un cocktail, je l'ai rejointe.

De près, elle se révélait encore plus sublime.

– C'est à vous… ai-je dit.

– Pardon ?

– Que les dessinateurs de Disney ont pensé pour les yeux de leurs princesses ?

Pas terrible, je l'admets. Balourd, pour ne pas dire ringard. Et dans le silence gêné qui a suivi, j'ai compris que je m'étais planté. Mais figurez-vous qu'elle a éclaté de rire.

– J'avoue que c'est une phrase d'approche que je n'avais jamais entendue.

– Ça ne marcherait pas avec n'importe qui. Je m'appelle Russell Green.

Elle paraissait amusée.

– Et moi Vivian Hamilton, a-t-elle dit… et j'ai failli m'étrangler.

Elle s'appelait Vivian.

Comme le personnage incarné par Julia Roberts dans *Pretty Woman*.

*
* *

Comment savoir au juste à quel moment une autre personne vous convient ? À quel genre de signaux se fier ? Au point de la rencontrer et de se dire : *c'est celle avec qui j'ai envie de passer le restant de mes jours*. Par exemple, comment Emily pouvait-elle sembler me convenir, au même titre que Vivian, alors qu'elles étaient aussi différentes que le jour et la nuit ? Que nos relations étaient aussi différentes que le jour et la nuit ?

Je ne sais pas mais, quand je songe à Vivian, je n'ai aucun mal à me souvenir des sensations fortes et grisantes de nos premières soirées en tête à tête. Là où pour Emily et moi, c'était calme et chaleureux, pour Vivian et moi, c'était carrément torride, presque depuis le début, à croire que notre attirance mutuelle était écrite.

Comme j'appartiens au type de gars qui se marie, j'ai commencé à fantasmer sur la direction que notre vie commune allait prendre, en vivant à jamais une relation passionnée.

Après deux ou trois mois, j'étais certain de vouloir épouser Vivian, même si je n'ai pas pipé mot. Vivian a mis plus longtemps avant d'éprouver la même chose à mon égard, mais après six mois de fréquentation, entre elle et moi c'était du sérieux ; on avait tâté le terrain l'un et l'autre sur notre rapport à la religion, l'argent, la politique, la famille, nos quartiers de prédilection, les enfants, et les valeurs auxquelles on tenait. La plupart du temps, on tombait d'accord et, en m'inspirant d'un autre film romantique, je lui ai fait ma demande sur la terrasse panoramique de l'Empire State Building, le jour de la Saint-Valentin, une semaine avant que de devoir repartir pour Charlotte.

Je croyais savoir ce qui m'attendait quand j'ai mis un genou à terre. Mais en y repensant, Vivian savait avec certitude que j'étais non seulement le genre d'homme dont elle avait envie, mais aussi celui dont elle avait besoin. Et, le 17 novembre 2007, nous avons prononcé nos vœux devant nos amis et nos familles.

*
* *

Que s'est-il passé ensuite ? Vous devez vous le demander.

Comme tous les couples mariés, nous avons connu des hauts et des bas, des défis à relever, des occasions à saisir, des réussites et des échecs. Tout bien considéré, j'en suis venu à croire, du moins en théorie, que le mariage est merveilleux.

En pratique, en revanche, je pense que compliqué serait un mot plus adapté. Le mariage, après tout, n'est jamais tel qu'on l'imagine. Une partie de moi – la partie romantique – voyait sans doute l'aventure comme une pub pour ces cartes de vœux avec des roses, des bougies et tout le reste dans un flou artistique, une dimension où l'amour et la confiance mutuelle pouvaient relever tous les défis. La partie plus pragmatique de ma personnalité savait que préserver son couple sur la durée exigeait des efforts des deux côtés. Un engagement et des compromis, de la communication et de la coopération, surtout que la vie a tendance à vous prendre en traître, souvent quand on s'y attend le moins. Dans l'idéal, le couple surmonte le coup dur sans trop de dégâts ; à d'autres moments, le fait de l'affronter ensemble renforce même la relation.

Mais parfois aussi, ce sale coup nous frappe en pleine poitrine, tout près du cœur, et nous laisse des bleus à l'âme qui semblent ne jamais s'effacer.

3

Et puis après ?

Être le seul à pourvoir aux besoins de la famille n'a pas été facile. En fin de semaine, j'étais souvent épuisé, mais je me souviens d'un vendredi soir bien précis. London allait avoir un an le lendemain et j'avais passé la journée à trimer sur une série de vidéos de ventes pour Spannerman Properties — l'un des plus grands promoteurs immobiliers du Sud-Est — qui faisaient partie d'une action publicitaire majeure. L'agence gagnait une petite fortune pour les efforts qu'elle déployait et les dirigeants de Spannerman se montraient particulièrement exigeants. Des dates limites étaient prévues pour chaque étape du projet — des délais rendus encore plus difficiles par Spannerman en personne, un homme dont le patrimoine atteignait deux milliards de dollars. Il devait approuver chaque décision, et je sentais qu'il avait envie de me compliquer la vie au maximum. Qu'il ne m'apprécie pas, ça ne faisait pas l'ombre d'un doute. C'était le genre de type qui aimait s'entourer de représentantes du beau sexe — la plupart de ses cadres étaient des femmes séduisantes — et tout le monde savait que Spannerman et Jesse Peters s'entendaient à merveille. Moi, en revanche, je détestais à la fois l'homme et sa société. Il avait la réputation de rogner sur les dépenses et de soudoyer les politiciens, surtout en matière de règlements environnementaux ; du reste, les journaux avaient publié plusieurs tribunes libres qui les démolissaient, lui et son entreprise. C'était une des raisons pour lesquelles il avait fait appel en premier lieu à notre agence : il avait sérieusement besoin d'améliorer l'image de sa boîte.

Toute l'année ou presque, j'avais passé des heures éprouvantes à bosser sur le dossier Spannerman, ce qui en faisait de loin l'année la plus pitoyable de mon existence. J'allais travailler à reculons mais, comme Peters et Spannerman étaient copains, je gardais mes sentiments pour moi. Finalement, le dossier fut transmis à un autre cadre de l'agence : Spannerman décida qu'il souhaitait une femme, ce qui ne surprit personne… et j'ai poussé un soupir de soulagement. Si j'avais dû continuer à bosser pour lui, j'aurais sans doute fini par donner ma démission.

Jesse Peters croyait aux primes pour fidéliser les employés motivés et, malgré le sempiternel stress lié au dossier Spannerman, j'ai néanmoins été capable d'optimiser chaque gratification financière. Il le fallait bien. Je ne me sentais pas à l'aise tant que je n'étais pas capable d'épargner et de placer de l'argent sur notre compte d'investissement, mais les primes m'ont aussi permis de maintenir les soldes de nos cartes de crédit à zéro. Plutôt que de diminuer sur l'année écoulée, nos dépenses mensuelles avaient augmenté, bien que Vivian ait promis de réduire « les courses » – comme elle nommait désormais le shopping. Elle semblait incapable d'entrer chez Target ou Walmart sans dépenser au moins deux ou trois cents dollars, même si elle venait simplement chercher de la lessive. Je n'arrivais pas à comprendre ça, je supposais que ça devait remplir une sorte de vide insoupçonné en elle ; et, quand je me sentais vraiment à bout de nerfs, il m'arrivait de lui en vouloir et d'avoir l'impression qu'elle se servait de moi. Pourtant, dès que je tentais d'aborder la question avec elle, ça nous menait le plus souvent à une dispute. Même quand les esprits ne s'échauffaient pas, rien ne semblait pour autant changer vraiment. Elle m'assurait toujours qu'elle achetait uniquement ce dont on avait besoin, ou carrément que j'avais de la chance parce qu'elle avait profité d'une promotion.

Toutefois, ce fameux vendredi soir, ces soucis paraissaient bien loin et, en entrant dans le salon, j'ai vu London dans son parc et elle m'a gratifié de ce sourire qui me faisait toujours craquer. Assise sur le canapé, Vivian, plus belle que jamais, feuilletait un magazine de déco. J'ai embrassé la petite, puis Vivian qui embaumait le talc pour bébé et le parfum.

On a dîné, en discutant de nos journées respectives, puis est venu le moment de préparer London pour la nuit. Vivian y est allée la première, en lui donnant son bain avant de lui enfiler son pyjama. Quant à moi, je lui ai lu une histoire, puis je l'ai bordée, en sachant qu'elle s'endormirait quelques minutes plus tard.

De retour au rez-de-chaussée, je me suis servi un verre de vin, en remarquant que la bouteille était quasi vide : Vivian en était donc probablement à son deuxième verre. Un seul laissait supposer qu'on ferait peut-être des câlins ; un second, que c'était probable et, malgré ma fatigue, j'ai senti que ça me mettait dans de bonnes dispositions.

Vivian feuilletait toujours son magazine quand je me suis installé à ses côtés. Le moment venu, elle l'a tourné vers moi.

– Que penses-tu de cette cuisine ? a-t-elle demandé.

Celle présentée sur la photo disposait d'éléments crème surmontés de plans de travail en granit marron, la palette de couleurs coordonnée aux détails des placards. Un îlot central trônait au milieu des appareils ménagers dernier cri, un fantasme de banlieue chic.

— Magnifique, ai-je admis.

— Super, hein ? Tout dans cette cuisine est classe. Et j'adore l'éclairage. Le lustre est à couper le souffle.

Je n'avais pas remarqué celui-ci et me suis penché pour y voir de plus près.

— Waouh ! C'est bluffant.

— L'article précise que rénover sa cuisine ajoute de la valeur à une maison. Si jamais on décide de vendre...

— Pourquoi on vendrait ? Je me plais beaucoup ici.

— Je ne parle pas de vendre maintenant. Mais on ne va pas vivre ici ad vitam a eternam.

Bizarrement, l'idée qu'on n'y resterait pas pour toujours ne m'avait jamais traversé l'esprit. Après tout, mes parents vivaient toujours dans la maison où j'avais grandi, mais ce n'était pas le sujet dont Vivian avait réellement envie de parler.

— Tu as sans doute raison pour la valeur ajoutée, ai-je dit, mais je ne suis pas sûr qu'on puisse s'offrir ce genre de rénovation en ce moment.

— On a de l'argent sur les comptes épargne, non ?

— Oui, mais c'est notre poire pour la soif. Pour les urgences.

— OK, a-t-elle dit. (Je percevais la déception dans sa voix.) Je me demandais, c'est tout.

Je l'ai observée tandis qu'elle cornait soigneusement le coin de la page, afin de pouvoir retrouver la photo plus tard, et je me suis senti minable. Je détestais la décevoir.

*

* *

La vie de mère au foyer réussissait à Vivian.

Bien qu'elle ait eu un enfant, ma femme pouvait encore passer pour quelqu'un ayant dix ans de moins ; et même après la naissance de London, il arrivait encore qu'on lui demande une pièce d'identité quand elle commandait un cocktail. Le temps n'avait guère de prise sur elle, mais c'étaient d'autres qualités qui la rendaient exceptionnelle.

Vivian m'avait toujours frappé par sa maturité et sa confiance en elle, l'assurance avec laquelle elle dévoilait ses pensées et ses opinions, si bien que, contrairement à moi, elle avait toujours le courage de donner son point de vue. Si elle voulait quelque chose, elle me le faisait savoir ; si quelque chose la perturbait, elle ne le gardait jamais pour elle, au risque de me contrarier. L'affirmation de soi, sans la crainte d'être rejeté par autrui, cela je le respectais, ne serait-ce que parce c'était une chose à laquelle j'aspirais.

Elle était forte, aussi. Vivian ne pleurnichait pas, ne se plaignait pas face à l'adversité ; au contraire, elle devenait presque stoïque. Pendant toutes les années où je l'ai connue, je ne l'ai vue pleurer qu'une fois, et ce fut à la mort de Harvey, son chat. À l'époque, elle était enceinte de London et Harvey vivait avec elle depuis sa deuxième année de fac ; même avec ses hormones en mode turbo, ce furent moins des sanglots que quelques larmes coulant sur ses joues.

Cette absence de propension à pleurer, les gens peuvent l'interpréter à leur guise ; mais le fait est que Vivian n'avait jusque-là pas vraiment eu matière à se plaindre. À ce stade, la vie nous avait épargné le moindre pépin et s'il existait dans l'absolu un motif de déception, c'était que Vivian n'ait pu être enceinte une deuxième fois. Quand London a eu dix-huit mois, on a recommencé à tout faire pour redevenir parents, mais les mois se sont écoulés sans qu'on y parvienne. Et, si j'étais prêt à consulter un spécialiste, Vivian semblait préférer laisser la nature faire son œuvre.

Même sans un deuxième enfant, j'étais ravi d'avoir épousé Vivian, en partie en raison de notre fille. La maternité convient sans doute mieux à certaines femmes qu'à d'autres, et Vivian semblait naturellement faite pour le rôle de maman. Consciencieuse et aimante, elle soignait avec la patience d'une nounou qui ne se laissait pas démonter par une diarrhée ou un vomi. Vivian a lu à London des centaines de livres et pouvait jouer des heures entières avec elle ; toutes les deux fréquentaient les parcs et la bibliothèque, et l'on voyait souvent Vivian faire son jogging avec London dans la cardio-poussette. Il y eut aussi les rendez-vous de jeux avec les gamins du quartier, les activités préscolaires, sans parler des rendez-vous habituels chez les médecins et dentistes : toutes les deux bougeaient tout le temps. Pourtant, quand je repense aux premières années de la vie de London, l'image de Vivian qui me vient aussitôt à l'esprit, c'est l'expression de joie absolue sur son visage quand elle tenait notre fille dans ses bras ou l'observait découvrir progressivement le monde. Un jour, alors que la petite avait environ huit mois et se tenait assise sur sa chaise haute, voilà qu'elle se met à éternuer. Je ne sais pour quelle raison, London a trouvé ça hilarant, et éclaté de rire ; j'ai alors fait semblant d'éternuer, et notre fille a été prise d'un fou rire inextinguible. Si je garde de l'épisode un souvenir charmant, nul doute qu'il fut encore plus enchanteur pour Vivian. L'amour qu'elle portait à notre fille éclipsait tout le reste, même celui qu'elle éprouvait pour moi.

L'aspect dévorant de la maternité – ou telle que Vivian la vivait, du moins – me permettait de me concentrer sur ma carrière, mais cela signifiait aussi que je devais rarement m'occuper seul de London, au point que je n'ai jamais vraiment appris à quel point ça pouvait être difficile. Comme Vivian donnait l'impression de tout gérer sans problème, j'ai cru que c'était facile pour elle ; mais, au fil du temps, elle est devenue plus irritable et sujette à des sautes d'humeur. Les tâches domestiques essentielles furent aussi reléguées au second plan : en rentrant à la maison, je trouvais souvent le salon jonché de jouets et l'évier de la cuisine débordant d'assiettes sales. Le linge à laver s'empilait, l'aspirateur n'était pas passé et, comme j'ai toujours détesté le bazar, j'ai un jour décidé de faire venir quelqu'un deux fois par semaine pour le ménage. Quand London a commencé à marcher, j'ai aussi engagé une baby-sitter trois après-midi par semaine pour que Vivian puisse souffler un peu ; et je m'occupais de London le samedi matin, afin de permettre à Vivian d'avoir son « temps pour soi ». J'espérais qu'elle puisse à nouveau consacrer davantage d'énergie à notre couple. En fait, j'avais l'impression que ma femme avait commencé à se définir en tant que Vivian et mère de la famille que nous formions tous les trois, mais qu'être une épouse et faire partie d'un couple était peu à peu devenue une gêne à ses yeux.

Toutefois, notre relation ne me dérangeait pas la plupart du temps. Je me disais qu'on était comme la plupart des couples mariés avec des gamins en bas âge. Le soir, on parlait en général du quotidien : enfant, travail ou famille, ce qu'on allait manger à dîner ou la balade du prochain week-end, ou encore la voiture à donner à réviser. Cependant, je n'ai pas toujours eu l'impression d'être la cinquième roue du carrosse ; Vivian et moi avons commencé à réserver nos vendredi soirs pour nos dîners « en amoureux ». Même mes collègues de travail étaient au courant et, à moins d'une urgence absolue, je quittais le bureau à une heure raisonnable, mettais de la musique dans la voiture sur le trajet du retour et souriais sitôt que je franchissais la porte. London et moi passions un peu de temps ensemble pendant que Vivian se pomponnait et, une fois la petite au lit, c'était presque comme si Vivian et moi ressortions ensemble. Elle se prêtait volontiers au jeu quand j'étais particulièrement stressé au boulot.

À l'âge de trente-trois ans, j'avais envisagé de donner en reprise ma voiture respectable – l'hybride – contre une Mustang GT, même si ladite reprise n'aurait pas beaucoup fait baisser le prix d'achat. À l'époque, ça n'avait pas d'importance ; lorsque j'ai fait un essai sur route avec le vendeur enthousiaste, j'ai entendu rugir le moteur et su que c'était un véhicule qui m'attirerait des regards envieux. Le commercial a bien sûr abondé dans mon sens et, quand j'en ai parlé ensuite à Vivian, elle ne m'a pas taquiné en disant que j'étais trop jeune pour les folies réservées aux quinquagénaires, pas plus qu'elle ne s'est plainte du fait que je souhaitais à l'évidence une autre vie que celle que je menais. Au lieu de cela, elle m'a laissé vivre mon fantasme un petit moment ; et quand j'ai enfin recouvré la raison, je me suis offert une voiture semblable à celle que je possédais déjà : une autre hybride quatre portes, avec un volume de coffre plus grand et un excellent coefficient de sécurité dans *Consumer Reports* [1]. Et je n'ai jamais regretté mon acquisition.

Bon, peut-être que je l'ai un peu regrettée, mais là n'est pas la question.

Et pendant tout ce temps je n'ai pas cessé d'aimer Vivian, et pas une seule fois je n'ai douté de vouloir passer ma vie avec elle. Dans mon désir de le prouver, j'ai longtemps réfléchi à ce que je souhaitais lui offrir pour Noël, les anniversaires de mariage, son propre anniversaire, de même que pour la Saint-Valentin et la Fête des Mères. Je lui ai fait livrer des fleurs quand elle ne s'y attendait pas, j'ai glissé des mots doux sous son oreiller avant de partir au travail, et je l'ai surprise parfois en lui apportant le petit déjeuner au lit. Au début, elle appréciait ces petites attentions ; avec le temps, elles ont semblé perdre un

---

1. Mensuel américain équivalent à *Que choisir* en France.

peu de leur attrait parce qu'elle s'y attendait plus ou moins. Alors je me suis creusé la cervelle, en essayant de trouver d'autres moyens de lui plaire, quelque chose qui lui ferait comprendre tout ce qu'elle représentait à mes yeux.

Et Vivian s'est vu offrir entre autres choses la cuisine qu'elle avait souhaitée, celle du magazine.

*
* *

Vivian avait toujours prévu de reprendre le travail dès que London irait à la maternelle : un emploi à mi-temps, qui lui permettrait toujours de passer l'après-midi et la soirée à la maison. Vivian insistait bien sur le fait qu'elle n'avait aucune envie de compter parmi ces mères qui deviennent des bénévoles permanentes à l'école ou décorent la cafétéria pour les fêtes de fin d'année. Pas plus qu'elle ne souhaitait passer ses journées dans une maison vide ; outre le fait d'être une maman géniale, Vivian est aussi une personne brillante. Diplômée de l'université de Georgetown avec mention très bien, avant de devenir mère au foyer, elle avait occupé avec succès le poste d'attachée de presse non seulement pour l'animateur de talk-show à New York mais aussi dans la société de médias où elle travaillait, et ce jusqu'à la naissance de London.

Quant à moi, j'avais non seulement optimisé la moindre prime depuis mes débuts à l'agence mais aussi bénéficié de promotions, au point qu'en 2014 j'étais chargé de certains des plus gros clients de l'agence. Vivian et moi étions mariés depuis sept ans, London venait d'en avoir cinq, et moi j'en avais trente-deux. En plus de notre cuisine, nous envisagions de rénover notre suite parentale. La bourse avait été généreuse avec nos investissements – surtout Apple, notre plus gros portefeuille ; et, hormis le prêt immobilier, nous n'avions pas de dettes. J'adorais ma femme et ma fille, mes parents ne vivaient pas très loin, et ma sœur et Liz étaient mes meilleures amies au monde. Vue de l'extérieur, ma vie semblait enchanteresse, et je ne manquais pas de le dire à quiconque me posait la question.

Cependant, tout au fond de moi, je savais que je mentais.

Même si tout se passait bien au travail, aucun de ceux ou celles qui se trouvaient sous la responsabilité de Jesse Peters ne s'est jamais senti à l'aise ou en sécurité à son poste. Peters avait lancé l'agence vingt ans plus tôt et, avec des succursales à Charlotte, Atlanta, Tampa, Nashville et New York, elle restait de loin la plus importante boîte de pub dont le siège social était implanté dans le Sud-Est. Peters, avec ses yeux bleus et ses cheveux devenus argentés avant la trentaine, était une légende dans le métier en raison de son caractère rusé et impitoyable ; son *modus operandi* avait consisté à couler d'autres agences, soit en leur piquant leur clientèle, soit en bradant ses honoraires ; quand ce genre de stratégie ne fonctionnait pas, il rachetait tout bonnement ses concurrents. Ses réussites successives enflèrent son ego déjà sur le point de friser la mégalomanie, et son style de gestion reflétait tout à fait sa personnalité. Il était certain de toujours détenir la vérité et avait des préférences parmi ses employés, opposant souvent les uns aux autres, ce qui rendait tout le monde nerveux. Il entretenait une atmosphère où la plupart tentaient de s'attribuer plus de mérite sur leurs succès qu'ils ne le valaient, tout en laissant supposer que la moindre erreur incombait à leurs collègues. C'était en quelque sorte une forme brutale de darwinisme social, où seuls quelques heureux élus avaient une chance de survivre à long terme.

Heureusement, pendant plus d'une décennie, j'avais été relativement épargné par les intrigues de bureau qui avaient provoqué plus d'une dépression parmi le personnel d'encadrement ; au début parce que j'occupais une fonction trop secondaire pour m'en soucier, et plus tard parce que j'avais amené des clients qui appréciaient mon travail et réglaient à la société des honoraires en conséquence. Avec le temps, je suppose que je me suis convaincu qu'à force de faire gagner beaucoup d'argent à Peters, j'étais devenu trop précieux à ses yeux pour qu'il s'en prenne à moi. Après tout, Peters était loin de se montrer aussi dur envers moi qu'il l'avait été avec d'autres employés. Alors qu'il bavardait volontiers avec moi dans le couloir, d'autres cadres – dont certains avec plus d'expérience que moi – sortaient souvent traumatisés de son bureau. Quand je les croisais, je ne pouvais m'empêcher de pousser un soupir de soulagement – et peut-être même que je faisais le fier –, trop heureux de n'avoir jamais vécu ça.

Mais les suppositions ne restent valables que pour celui qui les formule, et je me suis trompé quasiment sur toute la ligne.

Ma première grande promotion a coïncidé plus ou moins avec mon mariage ; j'ai obtenu la deuxième quinze jours après le passage de Vivian au bureau, venue déposer ma voiture après l'avoir récupérée au garage ; ce genre de visite qui pouvait mal tourner avait, en l'occurrence, poussé le patron à nous rejoindre dans mon bureau avant qu'il finisse par nous inviter à déjeuner. Ma troisième promotion eut lieu moins d'une semaine après que Peters et Vivian eurent passé trois heures à discuter lors d'un dîner offert aux clients. Avec le recul, je me suis seulement rendu compte que Peters s'intéressait moins à mes prouesses professionnelles qu'à Vivian… et c'était cette bonne et simple raison qui l'avait empêché de me tomber dessus depuis le début. Notons au passage que Vivian ressemblait de manière frappante aux deux épouses précédentes de Peters, et je le soupçonnais de ne souhaiter rien d'autre que lui faire plaisir… ou, si possible, l'épouser en troisième noce, quitte à ce qu'il m'en coûte mon propre mariage.

Je ne plaisante pas. Pas plus que je n'exagère. Chaque fois que Peters s'adressait à moi, il ne manquait jamais de prendre des nouvelles de Vivian, ou de la complimenter sur sa beauté, ou de me demander comment ça allait entre nous. Lors des dîners où l'on invitait nos clients – trois ou quatre fois par an –, Peters trouvait toujours le moyen de s'asseoir auprès de ma femme, et à chaque soirée de Noël je ne manquais jamais de les voir tous les deux en tête à tête dans un coin. J'aurais sans doute pu ignorer tout ça, si ce n'était la réaction de Vivian face à l'attirance manifeste qu'il éprouvait pour elle. Bien qu'elle ne fasse rien pour encourager Peters, elle ne faisait rien non plus pour le décourager. Aussi terrible qu'il puisse être en tant que patron, Peters pouvait se montrer tout à fait charmant en présence des femmes, surtout si elles étaient jolies comme Vivian. Il écoutait, riait et glissait un compliment au bon moment ; et comme il était riche comme Crésus, j'ai compris qu'il était possible – voire probable – que Vivian soit flattée de l'intérêt qu'il lui portait. Son attirance pour elle n'avait, aux yeux de Vivian, rien d'extraordinaire. Les gars lui tournaient autour depuis l'école primaire, si bien qu'à la longue elle s'y attendait toujours ; ce qu'elle détestait, en revanche, c'était que ça me rendait quelquefois jaloux.

En décembre 2014, un mois avant l'année la plus catastrophique de mon existence, on se préparait pour la fête de Noël habituelle de l'agence. Quand je lui ai fait part de mes soucis concernant la situation, elle a poussé un soupir appuyé en répliquant :

– Tu t'en remettras !

Et j'ai tourné les talons en me demandant pourquoi ma femme faisait aussi peu cas de mes sentiments.

*
* *

Revenons un peu sur notre couple…

Aussi épanouissante que fut la maternité pour Vivian, le mariage me parut perdre de son attrait. Je me rappelle m'être dit que Vivian avait changé au fil du temps, mais récemment j'en suis venu à penser qu'elle avait tout bonnement évolué, en se rapprochant davantage de celle qu'elle avait toujours été : une personne que je percevais peu à peu comme étrangère.

La métamorphose a été si subtile que je l'ai à peine remarquée. La première année de la vie de London, j'ai accepté les sautes d'humeur et l'irritation passagères de Vivian en me disant que c'était normal et prévisible, une phase qui bientôt s'estomperait. Je ne peux pas dire que ça me réjouissait, mais je m'y suis habitué, même quand ça frisait le mépris. Toutefois cette phase semblait ne jamais finir. Dans les années qui ont suivi, Vivian paraissait de plus en plus agacée, déçue, et même dédaigneuse envers moi. Elle s'emportait souvent pour des futilités, me lançait des insultes que je n'aurais même pas osé chuchoter. Son agressivité était vive, sans équivoque, en général dans le but de m'obliger à lui présenter des excuses et à céder. Comme je déteste les conflits, j'en arrivais au point où je capitulais presque toujours sitôt qu'elle élevait la voix, quels que soient mes éventuels griefs à son encontre.

Les répercussions de sa colère étaient souvent pires que l'attaque elle-même. Il semblait quasi impossible d'obtenir son pardon et, plutôt que de poursuivre la discussion ou de simplement passer à autre chose, Vivian préférait se replier sur elle-même. Elle ne me parlait pas, ou très peu, parfois pendant des jours, en répondant aux questions par monosyllabes. Elle concentrait en revanche toute son attention sur London et se retirait dans notre chambre dès que notre fille était au

41

lit, en me laissant seul au salon. Ces jours-là, elle respirait carrément le mépris, et je me demandais si ma femme m'aimait encore.

Pourtant tout cela était imprévisible, avec des règles qui changeaient soudain puis se modifiaient à nouveau. Vivian ne décolérait pas puis adoptait une attitude passive-agressive, selon l'humeur du moment. Ce qu'elle attendait de moi devint de plus en plus flou et, la moitié du temps, je ne savais plus trop quoi faire ou ne pas faire ; après une scène, je me repassais le film dans ma tête et tentais de trouver en quoi j'avais bien pu la contrarier. Elle ne prenait pas la peine de me l'expliquer ; au lieu de ça, elle niait qu'un truc clochait ou m'accusait carrément d'exagérer. J'avais souvent l'impression d'avancer dans un champ de mines, où à la fois mon état psychique et mon mariage étaient en danger… Et puis, tout à coup, pour des raisons tout aussi mystérieuses, notre relation reprenait une tournure proche de la normalité. Elle me demandait comment s'était passée ma journée ou si je souhaitais un plat particulier pour le dîner et, après que London était couchée, on faisait l'amour : preuve ultime que j'étais pardonné. Ensuite, je poussais un soupir de soulagement, en espérant que la situation redeviendrait un jour comme avant.

Vivian démentirait ma version de ces événements, ou du moins l'interprétation que j'en fais. Elle nierait avec rage. Ou alors elle qualifierait ses actes et son comportement de réactions à ma propre attitude. Elle dirait que j'avais un point de vue irréaliste sur le mariage, que je m'attendais plus ou moins à voir notre lune de miel durer à jamais, ce qui n'était tout bonnement pas possible. Vivian prétendrait que je ramenais le stress du travail à la maison et que le seul à être d'humeur changeante, c'était moi et non pas elle ; que je lui en voulais d'avoir été capable de rester à la maison et le lui faisais souvent sentir.

Quelle que soit la version objective des événements, je désirais plus que tout au monde que Vivian soit heureuse. Ou, plus précisément, heureuse avec moi. Je l'aimais toujours, après tout, et sa manière de me sourire et de rire quand on était ensemble me manquait ; nos conversations à bâtons rompus et nos mains entrelacées me manquaient. La Vivian qui m'avait incité à croire que j'étais un homme digne de son amour me manquait.

Pourtant, à l'exception de nos soirées en amoureux du vendredi, notre relation a continué d'évoluer vers quelque chose que je n'ai pas toujours approuvé, ou même souhaité. L'attitude méprisante de Vivian commençait à me blesser. J'ai passé la plupart de ces années à m'en vouloir en permanence de la décevoir et à me jurer de faire tout mon possible pour la satisfaire.

*
* *

À présent, revenons à cette fête de Noël à l'Agence.

– Tu t'en remettras ! m'avait-elle lancé.

Ses paroles résonnaient encore dans ma tête pendant que je m'habillais.

Des paroles acerbes, dédaigneuses, dénuées de la moindre empathie ; malgré tout, ce dont je me souviens le plus de cette soirée, c'est que Vivian était encore plus éblouissante que d'habitude. Elle portait une robe de cocktail noire, des escarpins et le collier à pendentif en diamants que je lui avais offert pour son dernier anniversaire. Ses cheveux étaient lâchés sur ses épaules et, lorsqu'elle était sortie de la salle de bains, j'avais écarquillé les yeux d'admiration.

– Tu es splendide !

– Merci, avait-elle répondu en attrapant son sac à main.

Dans la voiture, l'ambiance demeurait tendue entre nous. On avait maladroitement parlé de tout et de rien et, quand elle avait senti que je n'allais pas ramener le sujet de Peters sur le tapis, son humeur s'était radoucie. En arrivant à la soirée, on aurait dit qu'elle et moi avions accepté tacitement de faire comme si ma remarque et sa réaction n'avaient jamais existé.

Toutefois elle m'avait écouté. Aussi agacée qu'elle ait pu être, Vivian ne m'avait quasiment pas quitté d'une semelle de toute la soirée. Peters était venu bavarder avec nous en trois occasions et avait demandé à deux reprises à Vivian si elle souhaitait un verre – à l'évidence, il voulait qu'elle le rejoigne au bar ; et les deux fois elle avait secoué la tête, en répondant qu'elle avait déjà passé commande à l'un des serveurs. Elle s'était montrée polie et amicale en le disant, au point que je m'étais demandé malgré moi si je n'avais pas un peu exagéré cette histoire avec Peters. Il pouvait toujours flirter avec elle mais, à la fin de la soirée, elle rentrerait avec moi. Et c'était le plus important, non ?

La fête en elle-même n'avait rien eu de transcendant : ni meilleure ni pire, ni même différente de n'importe quelle autre soirée de Noël au bureau ; mais, de retour chez nous et, après avoir pris congé de la baby-sitter, Vivian m'avait demandé de lui servir un verre de vin et d'aller voir si London dormait bien. Lorsque je l'avais enfin rejointe dans la chambre à coucher, elle avait allumé des bougies et portait de la lingerie fine… et…

Bref, du Vivian tout craché ; c'était souvent inutile d'essayer de deviner ce qu'elle ferait ensuite ; même après sept ans, elle pouvait encore m'étonner, parfois d'une manière divinement tendre.

*
* *

Erreur fatale.

C'est tout à fait ce que je pense de cette soirée à présent, du moins par rapport à ma carrière à l'agence.

Il s'avère que Jesse Peters n'avait pas apprécié que Vivian l'ait évité à la fête et, la semaine suivante, un vent glacial révélateur a commencé à souffler entre son bureau et le mien. Ce fut subtil au début ; quand je le vis dans le couloir, le lundi qui a suivi la soirée, il me croisa en me saluant d'un bref hochement de tête et, quelques jours plus tard, pendant la réunion de créa, il posa des questions à tout le monde sauf à moi. Il a continué plus ou moins à me snober mais, comme je me retrouvais encore plongé dans une campagne complexe – pour une banque qui souhaitait tout axer sur l'intégrité tout en exprimant le renouveau –, je n'y ai pas vraiment prêté attention. Ensuite est arrivée la période des fêtes et, comme la folie régnait toujours au bureau en début d'année, c'est seulement vers la fin janvier que j'ai pris conscience du fait que Jesse Peters ne m'adressait quasiment plus la parole depuis au moins six semaines. À ce moment-là, j'ai tenté maintes fois de passer à son bureau, mais son assistante me rétorquait toujours qu'il était en rendez-vous ou occupé. J'ai enfin compris à quel point je l'irritais à la mi-février, quand il a pris le temps de me recevoir. En fait, par l'intermédiaire de sa secrétaire puis de la mienne, il a demandé à me voir, ce qui en fait signifiait que je n'avais pas le choix. La société avait perdu un gros client, un concessionnaire automobile avec huit succursales dans Charlotte, et je l'avais en portefeuille. Après lui avoir expliqué en détail les raisons qui, selon moi, avaient poussé le client à choisir une autre agence, Peters m'a fixé sans ciller. Plus inquiétant encore, il n'a pas fait allusion à Vivian ni demandé de ses nouvelles. À la fin de notre entretien, j'ai franchi la porte comme ces cadres auxquels je me sentais supérieur, ceux que j'avais vu frôler la dépression nerveuse. La mort dans l'âme, j'ai alors pensé que mes jours au sein du Peters Group étaient comptés.

J'avais d'autant plus de mal à le supporter que ce n'était pas ce que j'avais pu faire ou non pour le concessionnaire – un homme proche des soixante-dix ans – qui l'avait poussé à nous quitter. J'ai vu les pubs dans la presse et les spots TV réalisés par l'agence qui a pris ma suite, et je reste convaincu que nos idées se révélaient plus créatives et plus efficaces. Mais la clientèle peut se montrer volage. Une récession économique, un changement de direction, ou simplement le désir de rogner sur les dépenses à court terme… autant de facteurs qui peuvent affecter notre métier, mais parfois ça n'a absolument rien à voir avec le business. Dans ce cas précis, le client se trouvait en plein divorce. Réduire son budget pub pour les six mois à venir allait lui faire économiser plus de cent mille dollars, et il avait besoin de fonds car sa femme avait engagé un avocat réputé féroce. Bref, avec les frais juridiques qui augmentaient et un jugement sans doute en sa défaveur, le gars rognait sur les moindres frais, et Peters le savait.

Un mois plus tard, quand un autre client mit un terme à notre colla-boration – une chaîne de cliniques réservées aux soins d'urgences –, le mécontentement de Peters envers moi devint d'autant plus manifeste. Il ne s'agissait pas d'un gros client – tout au plus ce qu'on qualifierait de client moyen –, et le fait que je n'aie apporté que trois nouveaux clients depuis le début de l'année ne semblait pas l'émouvoir du tout. En revanche, après m'avoir à nouveau convoqué, il s'est hasardé à déclarer : « Il se pourrait que tu aies perdu la main » et aussi « Les clients ont peut-être cessé d'avoir confiance en ton jugement. » Pour conclure l'entretien par un point d'exclamation, il a fait venir Todd Henley dans le bureau et m'a annoncé que dorénavant, on allait « travailler ensemble ». Henley était une des stars émergentes de la boîte – il y bossait depuis cinq ans – et, bien qu'il soit plutôt créatif, son véritable talent résidait surtout dans sa capacité à naviguer dans les eaux troubles de l'agence. J'avais appris qu'il tentait de prendre ma place : il n'était pas le seul, mais le plus lèche-bottes du lot. Lorsqu'il s'est brusquement mis à passer plus de temps dans le bureau de Peters, sans doute afin de s'attribuer plus de lauriers qu'il n'en méritait pour n'importe quelle campagne de pub sur laquelle on travaillait, et qu'il en sortait avec un petit sourire satisfait, j'ai su que je devais réagir.

À l'époque, mon expérience, ma situation et mon salaire ne me laissaient guère de choix. Comme Peters dominait le marché de la pub dans Charlotte et les alentours, il me fallait ratisser plus large. À Atlanta, Peters était numéro deux et il se développait en absorbant de petites agences et en décrochant de nouveaux contrats. Le leader du marché actuel avait connu deux changements récents de direction, et ses embauches étaient gelées. J'ai ensuite pris contact avec des boîtes de Washington, de Richmond et de Baltimore, en me disant que si on se rapprochait des parents de Vivian, la pilule du déménagement passerait mieux pour elle. Mais là non plus, je n'ai pas pu décrocher ne serait-ce qu'un entretien.

D'autres possibilités s'offraient à moi, bien sûr, selon l'éloignement de Charlotte que j'étais prêt à accepter ; j'ai donc contacté sept ou huit boîtes dans le Sud-Est et le Midwest. Pourtant, à chaque coup de fil, ma certitude de ne pas vouloir déménager ne cessait de croître. Mes parents habitaient ici, Marge et Liz aussi ; Charlotte, c'était chez moi. Et en même temps, l'idée de lancer ma propre affaire – une petite agence de pub à taille humaine – se mit à renaître de ses cendres comme le phénix de la mythologie. Et, par ailleurs, cela convenait parfaitement comme enseigne…

L'Agence Phénix. Le succès à tire-d'aile !

D'un seul coup, je voyais le slogan imprimé sur mes cartes de visite ; je m'imaginais bavarder avec des clients et, lors d'une visite chez mes parents, j'ai évoqué le projet, l'air de rien, à mon père. Il m'a aussitôt répliqué que ce n'était pas une bonne idée. Vivian n'était pas enchantée non plus. Je la tenais au courant de ma recherche de postes et quand j'avais parlé de l'Agence Phénix, elle m'avait suggéré de prospecter à New York et à Chicago, deux villes où je considérais mes démarches vouées à l'échec. Malgré tout, je ne pouvais me défaire de mon rêve, d'autant que les avantages commençaient à se bousculer dans la tête.

Si j'opérais en solo, déjà j'aurais des frais généraux réduits.

J'appelais les P-DG et pas mal de cadres sup de Charlotte par leur prénom.

J'étais excellent dans mon job.

Ce serait une petite boîte, qui s'occuperait seulement de quelques clients.

Je pouvais leur facturer moins et gagner plus.

Dans l'intervalle, au bureau, je commençai à faire les comptes et des prévisions. J'ai appelé des clients pour leur demander s'ils étaient satisfaits des services et des tarifs offerts par le Peters Group, et leurs réponses ont renforcé ma certitude que je ne pouvais pas me planter. Entre-temps, Henley me coulait verbalement des godasses en ciment et me balançait par-dessus bord chaque fois qu'il passait voir Peters dans son bureau. Peters a fini par me regarder d'un sale œil.

Et j'ai alors compris qu'il allait me virer : je n'avais donc plus d'autre choix que de me lancer en free-lance.

Il ne me restait plus qu'à l'annoncer officiellement à Vivian.

*
* *

Quoi de mieux que de fêter ma réussite future lors de notre soirée hebdomadaire en amoureux ?

OK, j'aurais pu choisir un autre moment, mais je voulais partager mon enthousiasme avec elle. J'avais envie de son soutien. De lui faire part de mes projets et qu'elle me prenne les mains par-dessus la table en disant : « Tu n'imagines pas depuis combien de temps j'attendais que tu te lances. Je ne doute pas un instant de ta réussite. J'ai toujours cru en toi ».

Un an plus tard environ, quand j'ai confié à Marge les espoirs que je mettais dans cette soirée, elle a littéralement éclaté de rire.

– Bon… Voyons si j'ai bien pigé, m'a-t-elle dit. Grosso modo, tu la privais de son sentiment de sécurité et lui annonçais que t'allais chambouler votre vie… et tu croyais sincèrement qu'elle allait trouver l'idée géniale ? T'avais un enfant, pour l'amour du Ciel. Un crédit immobilier. Et d'autres charges. T'as perdu la tête ou quoi ?

– Mais…

— Il n'y a pas de mais qui tienne. Tu sais que Vivian et moi ne sommes pas toujours d'accord, mais ce soir-là elle avait raison.

Peut-être que Marge disait vrai, mais avec le recul on cerne toujours nettement mieux les situations. Le soir en question, une fois London au lit, j'ai fait griller des steaks – à peu près la seule chose que je savais cuisiner correctement – pendant que Vivian préparait une salade, cuisait des brocolis à la vapeur et faisait sauter des haricots verts avec des amandes effilées. Précisons au passage que Vivian ne mangeait jamais ce qu'on pouvait considérer comme des glucides « mauvais pour la santé » : pain, crème glacée, pâtes, sucre ou tout ce qui contenait de la farine blanche, autant d'aliments que je jugeais plutôt goûteux et dont je me délectais quand je déjeunais seul – ce qui expliquait sans doute mes poignées d'amour.

Cependant le dîner fut tendu dès le début. J'avais l'intention de prendre les choses à la légère, mais ça avait l'air de la mettre encore plus sur les nerfs, comme si elle se préparait à toute éventualité. Vivian avait toujours su lire en moi comme dans un livre ouvert, et son malaise grandissant me poussait à en faire des tonnes dans le style désinvolte, ce qui l'incitait à se tenir encore plus raide sur sa chaise.

J'ai quasiment attendu la fin du repas. Elle avait pris quelques bouchées de son steak et je lui avais de nouveau rempli son verre, quand je lui ai parlé de Henley et Peters, et de ma crainte d'être viré. C'est tout juste si elle a hoché la tête, alors j'ai pris mon courage à deux mains et lui ai fait part de mes projets : j'ai exposé mes prévisions en détail, tout en soulignant chacune des raisons m'ayant conduit à cette décision. Tandis que je parlais, Vivian aurait pu aussi bien être remplacée par une statue de marbre. Elle se tenait immobile comme je ne l'avais jamais vue, sans même lancer un regard sur son verre de vin. Et elle ne m'a pas non plus posé de questions après que j'ai terminé. Silence assourdissant dans la pièce.

— Tu es sûr que c'est une bonne idée ? a-t-elle enfin demandé.

Ce n'était pas le soutien vibrant que j'attendais, mais elle n'a pas non plus quitté la table comme une furie, ce que j'ai pris pour un bon signe. Idiot que je suis.

— En fait, ai-je admis, j'ai la trouille, mais si je ne le fais pas maintenant, je ne sais pas si je me lancerai un jour.

— Tu n'es pas un peu jeune pour monter ta propre agence ?

– J'ai trente-cinq ans. Peters n'en avait que trente quand il a créé la sienne.

Elle a pincé les lèvres et je voyais quasiment les mots se former dans sa tête : « Mais tu n'es pas Peters ». Heureusement, elle n'a rien dit de tel. Au lieu de quoi elle a froncé les sourcils, encore qu'aucune ride ne creusait son front. Décidément cette femme n'accusait pas la moindre trace de vieillissement.

– Sais-tu seulement comment lancer ta propre agence ?

– C'est comme dans n'importe quel domaine, et les gens démarrent leur propre affaire tout le temps. À la base, ça revient à remplir de la paperasse administrative, à engager un bon avocat et un bon comptable, puis à installer son bureau.

– Combien de temps ça va prendre ?

– Un mois, peut-être ? Et une fois dans mes murs, je signerai avec des clients.

– S'ils décident de t'engager.

– Je peux les trouver, ai-je dit. Ce n'est pas ce qui m'inquiète. Peters est cher et j'ai travaillé avec certains d'entre eux pendant des années. Je suis sûr qu'ils quitteront le navire si je leur en donne l'occasion.

– Mais tu ne vas rien gagner pendant un petit moment.

– Eh bien, on aura juste besoin de réduire un peu nos dépenses. Comme celles pour la femme de ménage, par exemple.

– Tu veux que je fasse le ménage ?

– Je peux t'aider, lui ai-je assuré.

– Évidemment. Où vas-tu trouver l'argent pour tout ça ?

– Je prévoyais d'utiliser une partie de nos investissements.

– Nos investissements ?

– On a plus qu'assez pour vivre pendant un an.

– Un an ? a-t-elle encore répété.

– Et dans l'optique où je n'aurais aucun revenu, ai-je précisé. Ce qui ne sera pas le cas.

Elle a hoché la tête.

– Aucun revenu.

– Je sais que là maintenant ça a l'air flippant, mais au final tout ça vaudra le coup. Et ta vie ne va pas changer.

– Hormis le fait que je dois m'attendre à devenir ta bonne, c'est ça...

— Ce n'est pas ce que j'ai dit…

Elle m'a coupé la parole :

— Peters ne va pas se contenter d'applaudir ton courage. S'il pense que tu essaies de lui piquer ses clients, il fera tout son possible pour te couler.

— Il peut toujours essayer. Mais au bout du compte, c'est l'argent qui a le dernier mot.

— Il en a plus que toi.

— Je parle de l'argent des clients.

— Et moi de l'argent pour notre famille, a-t-elle rétorqué, une note acerbe dans la voix. Et nous alors ? Et moi ? Tu t'attends à ce que je te suive sans sourciller ? On a un enfant, pour l'amour du Ciel.

— Alors je suis censé faire une croix sur mes rêves ?

— Ne joue pas les martyrs. Je déteste quand tu fais ça.

— Je ne joue pas les martyrs. J'essaie d'avoir une discussion…

— Pas du tout ! a-t-elle explosé. Tu me dis juste ce que toi tu as envie de faire, même si ça risque de causer du tort à notre famille !

J'ai expiré lentement, en cherchant à ne pas élever la voix.

— Je t'ai déjà dit que j'étais certain que Peters allait me virer et qu'il n'y avait pas d'autres postes dans le coin.

— Tu as essayé de lui parler ?

— Bien sûr.

— C'est ce que tu dis.

— Tu ne me crois pas ?

— En partie seulement.

— Quelle partie ?

Elle a flanqué sa serviette dans son assiette puis s'est levée de table.

— La partie où tu vas faire ce que tu as envie de faire, même si c'est au détriment de nous deux et de notre enfant.

— Tu es en train de dire que j'en ai rien à faire de notre famille ?

Mais elle avait déjà quitté la pièce.

Cette nuit-là, j'ai dormi dans la chambre d'amis. Et si elle est restée plus ou moins cordiale, disons, en me répondant par monosyllabes, Vivian ne m'a pas vraiment adressé la parole pendant les trois jours suivants.

*
* *

Si Marge s'est bien occupée de moi dans ma jeunesse et a toujours su trouver les mots pour corriger mes défauts, une partie d'elle-même rechignait à devoir me surveiller dès qu'elle est devenue ado. Elle passait un temps incroyable au téléphone et moi, en conséquence, je regardais beaucoup la télé. Je ne peux pas parler pour les autres gamins, mais j'ai appris beaucoup de ce que je sais aujourd'hui sur la pub simplement par osmose. Ce n'est pas à la fac ou auprès de mes aînés, plus expérimentés, de l'agence puisqu'une moitié d'entre eux employaient leur énergie créative à tenter de saboter les carrières de l'autre moitié, avec la bénédiction de Peters. Une fois livré à moi-même dans le boulot, comme je ne savais pas trop comment procéder, j'écoutais les clients me décrire ce qu'ils souhaitaient, je puisais dans mes souvenirs et je revisitais d'anciennes pubs TV en les interprétant à ma façon.

Ce n'était pas aussi simple, bien sûr. La publicité embrasse de nombreux domaines, et pas seulement les spots télé. Au fil des années, j'ai trouvé des slogans accrocheurs pour des pubs presse ou des affiches ; j'ai rédigé les scripts de pubs radio et de publi reportages ; j'ai aidé à renouveler des sites web et lancé des campagnes qui tenaient la route sur les réseaux sociaux ; j'ai fait partie d'une équipe qui donnait la priorité aux recherches Internet et aux bannières publicitaires ciblées par zones géographiques, revenus et niveaux d'étude ; et, pour un client particulier, j'ai conçu et géré l'utilisation de pubs sur des camionnettes. Si presque tout le travail était exécuté à l'agence par différentes équipes, en tant que free-lance, j'allais devenir responsable de tout ce dont le client aurait besoin. Or si j'étais solide dans certains domaines, je me sentais plus faiblard dans d'autres, surtout sur le plan technique. Heureusement, j'étais depuis assez longtemps dans la profession pour connaître des sous-traitants qui me fourniraient les services adéquats ; je les ai donc contactés un par un.

Je ne mentais pas à Vivian en lui annonçant que trouver des clients ne m'inquiétait pas, malheureusement j'ai commis une erreur... L'ironie du sort aura voulu que j'oublie de préparer une campagne de pub pour ma propre boîte. J'aurais dû investir plus d'argent pour mettre en ligne un site web de qualité et créer des supports promotionnels susceptibles de refléter l'agence que j'avais l'intention de diriger, et non pas celle que je démarrais de zéro. J'aurais dû organiser un publipostage ciblé incitant les clients à me contacter.

Au lieu de quoi, j'ai quand même passé le mois de mai à m'occuper de la mise en place de l'infrastructure censée satisfaire ma réussite. J'ai posé des jours de congé, pendant lesquels j'ai engagé un avocat et un comptable, et j'ai rempli les documents administratifs nécessaires. J'ai ensuite signé un bail commercial pour la location d'un bureau, avec un service d'accueil téléphonique partagé. J'ai acheté du matériel de bureau, loué d'autres outils de bureautique, et rempli mon local de toutes les fournitures qui me seraient nécessaires. J'ai lu des bouquins sur la création d'entreprise, et tous insistaient sur l'importance d'un financement adéquat. À la mi-mai, j'ai donné mes deux semaines de préavis. Si mon enthousiasme a quelque peu diminué, c'était surtout dû au fait que j'avais sous-estimé les coûts engendrés par ma start-up, alors que les frais fixes continuaient de tomber. L'année sans revenus dont j'avais parlé à Vivian était désormais réduite à neuf mois.

Mais peu importe. Le 1er juin est arrivé, il était temps de lancer officiellement l'Agence Phénix. J'ai contacté par courrier les clients avec lesquels j'avais travaillé par le passé, en décrivant les services que je pouvais offrir, tout en leur promettant des économies substantielles, et je concluais en disant que j'espérais avoir de leurs nouvelles. J'ai commencé à passer des coups de fil, à organiser des rendez-vous, puis je me suis calé dans mon fauteuil et j'ai attendu que le téléphone sonne…

4

L'été de mon déplaisir[1]

Ces derniers temps, j'en suis venu à croire qu'un enfant chamboule notre perception du temps, en mélangeant passé et présent un peu comme dans un mixeur. Chaque fois que j'observais London, le passé ressurgissait souvent dans mes pensées à mesure que les souvenirs m'envahissaient.

— Pourquoi tu souris, papa ? me demandait ma fille.

— Parce que je pense à toi…

Et dans ma tête je la revoyais bébé, endormie dans mes bras, ou avec son premier vrai sourire expressif… ou encore quand elle s'était retournée pour la première fois dans son lit. Elle avait un peu plus de cinq mois et je l'avais allongée sur le ventre pour une sieste, tandis que Vivian se rendait à son cours de yoga. Au réveil, j'ai dû y regarder à deux fois, en découvrant que London était maintenant sur le dos et me souriait.

À d'autres moments, je la revoyais apprenant à marcher, lorsqu'elle avançait prudemment à quatre pattes ou se cramponnait à la table pour tenir debout ; je me rappelle que je lui tenais les mains pendant qu'on déambulait de long en large dans le couloir avant qu'elle puisse se lancer toute seule.

Pourtant j'ai manqué beaucoup de choses, surtout les premières fois. J'ai manqué son premier mot, par exemple, et je me trouvais en déplacement quand elle a perdu sa première dent de lait ; j'ai manqué la première fois où elle a mangé de la nourriture en petit pot, et pourtant ça n'a atténué en rien mon enthousiasme quand j'ai enfin assisté à ces événements. Pour moi, après tout, il s'agissait quand même d'une grande première.

---

1. Allusion au monologue de *Richard III* de William Shakespeare, acte I, scène 1. […] « Donc, voici l'hiver de notre déplaisir – changé en glorieux été par ce soleil d'York ».[…], traduction de François-Victor Hugo, *Œuvres complètes de Shakespeare*, Pagnerre, 1866.

Malheureusement, il y a des tas choses dont je ne me souviens pas. Tout ne peut pas se réduire à un seul événement. À quel moment précis est-elle passée d'un pas hésitant à une marche assurée ? Quand a-t-elle assemblé plusieurs mots pour formuler une courte phrase ? Ces différentes étapes semblent se brouiller dans ma tête et j'ai parfois l'impression de tourner à peine le dos pour découvrir qu'une nouvelle version de London a déjà remplacé l'ancienne.

Je ne sais pas non plus à quel moment sa chambre, ses jeux et ses jouets ont changé. Je visualise clairement la pièce dans ses moindres détails, jusqu'à la frise du papier peint avec des canetons. Mais quand a-t-on rangé les cubes et les chenilles en peluche dans le coffre désormais relégué dans un coin ? Quand la première Barbie a-t-elle fait son apparition, et comment London a-t-elle commencé à imaginer la vie fantastique de la poupée et la teinte du vêtement qu'elle devait porter quand elle était dans la cuisine ? À quel moment London est-elle passée de la petite fille qui porte ce prénom à London, ma fille à moi ?

Il m'arrive de regretter le bébé et le bout de chou qui commençait à marcher et que j'ai connu et adoré. Elle est désormais remplacée par une fillette qui sait comment elle veut être coiffée, qui a demandé à sa mère de lui vernir les ongles et qui passera bientôt la majeure partie de sa journée à l'école, sous la tutelle d'un enseignant que je n'ai pas encore rencontré. Ces derniers temps, je souhaiterais malgré moi pouvoir remonter le temps afin de profiter pleinement des cinq premières années de London : je ferais moins d'heures au bureau, passerais plus temps à jouer avec elle et m'émerveillerais avec elle en regardant voler les papillons. J'avais envie que London sache tout le bonheur qu'elle a apporté à ma vie et de lui dire que j'ai fait du mieux que j'ai pu. Je voulais qu'elle comprenne que, même si sa mère était toujours avec elle, je l'aimais autant que n'importe quel père pouvait aimer sa fille.

Alors pourquoi ai-je parfois l'impression que ça ne suffit pas ?

*

* *

Le téléphone n'a pas sonné.

Ni la première semaine, ni la deuxième, ni la troisième. Alors que j'avais rencontré plus d'une dizaine de clients potentiels qui avaient tous manifesté leur intérêt pour ma démarche, ma ligne au bureau restait muette. Pire encore, alors que le mois allait s'achever, aucun d'entre eux n'avait souhaité me parler quand je les avais contactés, et leur secrétaire m'avait finalement demandé de cesser d'appeler.

Peters.

Il était forcément derrière tout ça, et je repensais à la mise en garde de Vivian : « S'il pense que tu essaies de lui piquer ses clients, il fera tout son possible pour te couler. »

Début juillet, j'étais à la fois déprimé et inquiet, une situation aggravée par la réception de mon dernier relevé de cartes de crédit. Vivian m'avait visiblement pris au sérieux quand je lui avais dit que sa vie ne changerait pas ; elle s'était déchaînée sur les « courses » et, comme j'avais remercié la femme de ménage, une pagaille monstre régnait souvent à la maison. Après le travail, je devais passer une heure à ranger, faire la lessive, aspirer la moquette et nettoyer la cuisine. J'avais l'impression que Vivian voyait dans ma reprise de contrôle des tâches domestiques – et de la facture des cartes de crédit – une sorte de pénitence nécessaire.

Depuis que j'avais lancé mon agence, nos conversations étaient superficielles. Je parlais peu de mon travail et Vivian avait vaguement déclaré un jour qu'elle allait prospecter pour trouver un mi-temps. Bref, on discutait de nos familles, des amis et du voisinage. Mais surtout de London, la plupart du temps, un sujet sans risque. On sentait bien tous les deux que le moindre désaccord ou la moindre parole de travers risquait de mener à une dispute.

Le 4 juillet tombait un samedi et je n'avais qu'une envie : passer la journée à décompresser. Je souhaitais oublier mes soucis d'argent, les factures, ou les clients qui ignoraient mes coups de fil ; je voulais faire taire ma petite voix intérieure qui commençait à me suggérer de prendre un deuxième job ou de prospecter à nouveau dans d'autres villes. En fait, je voulais oublier ma condition d'adulte responsable pendant une journée et conclure ce week-end férié par une soirée romantique au restaurant avec Vivian, histoire d'avoir l'impression qu'elle croyait toujours en moi, même si sa foi commençait à chanceler.

Jour férié ou pas, le samedi matin était consacré au « temps pour soi » de Vivian : à peine levée, elle filait à son cours de yoga, avant de rejoindre la salle de gym. J'ai donné des céréales à London, puis on s'est rendus tous les deux au parc ; dans l'après-midi on est allés tous les trois à une fête de quartier pour la Fête nationale. Il y avait des jeux pour les enfants et Vivian a discuté avec d'autres mères de famille, pendant que je sirotais une ou deux bières avec les pères.

Je ne les connaissais pas très bien ; comme moi, jusqu'à une date récente, ils avaient tendance à travailler énormément et, tout en les écoutant parler, je n'arrêtais pas de penser au fiasco financier qui me menaçait.

Plus tard, tandis que les feux d'artifice illuminaient le ciel au-dessus du BB&T Ballpark[1], je sentais toujours la tension dans mon cou et mes épaules.

*
* *

Dimanche, ça n'allait pas mieux.

J'espérais encore pouvoir me détendre mais, après le petit déjeuner, Vivian m'a annoncé qu'elle avait des courses à faire et donc serait absente une grande partie de la journée. Le ton qu'elle avait employé, à la fois désinvolte et provocateur, annonçait clairement qu'elle serait absente jusqu'au soir et se tenait prête pour la moindre dispute si j'en souhaitais une.

Je n'en avais pas envie. Au lieu de quoi, un nœud à l'estomac, je l'ai regardée sauter dans le 4 x 4, en me demandant non seulement comment j'allais tenir mais aussi comment j'allais occuper London. Je me suis alors souvenu d'un slogan que j'avais créé la première année où je travaillais dans la pub.

« En cas d'ennuis, si vous avez besoin d'être épaulé… »

Je l'avais conçu pour un spot destiné à un avocat spécialisé dans les préjudices corporels et, même si le gars était passé devant le conseil de discipline, avant d'être rayé du barreau, la pub avait incité une foultitude d'autres avocats du coin à travailler avec notre agence. J'avais été responsable de la plupart des dossiers ; la personne *ad hoc* pour toute forme de pub juridique, et Peters avait gagné un maximum d'argent. Deux ou trois ans plus tard, un article était paru dans le *Charlotte Observer*, affirmant que le Peters Group était considéré comme le « chasseur d'ambulances du monde de la publicité », au point que certains dirigeants du milieu de la banque et de l'immobilier n'avaient pas apprécié qu'on les associe à l'agence. Peters avait mis un terme à certains contrats avec ces mêmes clients et, des années plus

---

1. Stade de base-ball de Charlotte.

tard, il lui arrivait encore de se plaindre d'avoir été rançonné par ces banques qu'il avait pressurisées sans vergogne, du moins au niveau des honoraires qu'il leur facturait.

Quoi qu'il en soit, j'avais « des ennuis et besoin d'être épaulé »… et j'ai décidé sur un coup de tête d'aller voir mes parents.

Si eux ne t'épaulent pas, t'as du souci à te faire, me suis-je dit.

*

* *

J'ai beaucoup de mal à imaginer ma mère sans tablier. Elle semblait convaincue que les tabliers étaient des pièces aussi incontournables qu'un soutien-gorge et autres sous-vêtements dans la garde-robe féminine, en tous cas à la maison. Dans notre enfance, elle portait un tablier quand Marge et moi descendions pour le petit déjeuner ; elle en passait un dès qu'elle rentrait du travail et continuait à le porter bien après la fin du repas et le rangement de la cuisine. Quand je lui demandais pourquoi, elle me répondait qu'elle aimait les poches ou que le tablier lui tenait chaud, ou encore qu'elle allait prendre un déca plus tard et n'avait pas envie pas de le renverser sur ses vêtements.

Pour ma part, je pense que c'était juste une marotte, mais ça nous facilitait la tâche pour les cadeaux de Noel et d'anniversaire, si bien qu'au fil des années sa collection de tabliers n'a cessé de s'étoffer. Elle en avait de toutes les couleurs, de toutes les tailles et de tous les styles ; des tabliers saisonniers, avec des slogans, ou certains que Marge et moi lui avions confectionnés quand on était petits, des tabliers avec le prénom Gladys imprimé au pochoir, et même deux ou trois avec de la dentelle, qu'elle jugeait trop osés pour les porter. Je savais pertinemment qu'il existait sept cartons de tabliers soigneusement pliés au grenier et deux meubles de cuisine entièrement dédiés à sa collection. Ma sœur et moi nous sommes toujours demandé comment notre mère choisissait son « tablier du jour », ou même comment elle trouvait celui qu'elle souhaitait parmi tous les autres. Mystère…

Depuis sa retraite, maman n'a guère changé ses habitudes pour ce qui est du port du tablier. Elle a travaillé non pas parce qu'elle adorait son job mais par nécessité pour le budget familial et, sitôt retraitée, elle a rejoint un club de jardinage, est devenue bénévole au

57

foyer des anciens et membre actif de la Red Hat Society[1]. À l'instar de Vivian et London, on aurait dit qu'elle avait quelque chose de prévu chaque jour de la semaine, des choses qui lui faisaient plaisir, et mon petit doigt me dit que les tabliers qu'elle avait choisis ces dernières années reflétaient une humeur plus guillerette. Les tabliers tout simples étaient désormais relégués au fond du placard, alors que ceux imprimés de fleurs et d'oiseaux trônaient en haut de la pile, de même que celui affichant un slogan du style : « Retraitée : un esprit jeune dans un corps plus mûr ».

Quand je suis arrivé avec London, ma mère arborait un tablier à carreaux rouges et bleus – sans poches, je l'ai remarqué malgré moi – et son visage s'est éclairé à la vue de ma fille. Avec les années, elle ressemblait de moins en moins à la mère de mon enfance pour devenir le genre de grand-mère que Norman Rockwell aurait volontiers créée pour la couverture du *Saturday Evening Post*. Les cheveux poivre et sel, les joues roses, toute en rondeur et en douceur. Inutile de préciser que London était aussi enchantée qu'elle de la voir.

Mieux encore, Liz et Marge se trouvaient chez mes parents. Après de brèves embrassades, leur attention s'est entièrement reportée sur ma fille et je suis devenu pour ainsi dire invisible. Liz l'a prise dans ses bras dès que London a franchi la porte d'entrée puis a jacassé comme une pie. Marge et Liz étaient suspendues à ses lèvres et, ayant entendu le mot cupcakes, j'ai su que la petite serait occupée pour les deux heures suivantes. London adorait faire de la pâtisserie, ce qui était bizarre puisque Vivian n'aimait pas particulièrement la farine blanche et le sucre.

— Comment s'est passé le 4 juillet chez vous ? ai-je demandé à ma mère. Papa et toi êtes allés voir les feux d'artifice ?

— On est restés à la maison, a-t-elle répondu. La foule et la circulation, on a du mal à supporter maintenant. Et toi ?

— Comme d'habitude. Fête de quartier, puis on est allés au stade.

— Comme nous, a dit Liz. Vous auriez dû nous appeler. On se serait retrouvés.

— Je n'y ai pas pensé. Désolé.

---

1. Fondée en 1998 par Sue Ellen Cooper, la RHS (Red Hat Society) était une association destinée aux femmes de cinquante ans et plus ; elle est désormais ouverte à toutes. La coutume veut que chaque membre arbore un chapeau rouge, plus ou moins extravagant, et une tenue violette.

– Le spectacle t'a plu, London ? a demandé Marge.

– C'était trop beau. Mais parfois ça faisait beaucoup de bruit.

– Oui, en effet.

– On peut faire les cupcakes, maintenant ?

– Bien sûr, ma puce.

Étrangement, ma mère ne les suivit pas toutes les trois. Au lieu de ça, elle resta auprès de moi et attendit qu'elles soient dans la cuisine pour passer une main sur son tablier comme pour le défroisser – ce qu'elle faisait toujours quand elle était nerveuse.

– Ça va, maman ?

– Faut que tu lui parles. Il doit aller chez le médecin.

– Pourquoi ? Qu'est-ce qui se passe ?

– J'ai peur qu'il ait attrapé le cancer.

Ma mère ne disait jamais un cancer. C'était toujours le cancer. Et l'idée du cancer la terrifiait. Il avait emporté ses parents et ses deux aînés. Depuis lors, le cancer était devenu un sujet de conversation récurrent chez ma mère, une sorte de croquemitaine qui menaçait de frapper au moment où on s'y attendait le moins.

– Qu'est-ce qui te fait croire qu'il a un cancer ?

– Parce que le cancer empêche de respirer comme il faut. C'est ce qui est arrivé à mon frère. D'abord, le cancer te prend le souffle, puis il te prend tout le reste.

– Ton frère fumait ses deux paquets de cigarettes quotidiens.

– Mais ton père, non. Et l'autre jour, il avait du mal à retrouver son souffle.

Pour la première fois, j'ai remarqué que ses joues naturellement roses avaient pâli.

– Pourquoi tu ne m'en as rien dit ? Qu'est-ce qui s'est passé ?

– Eh bien, je te le dis maintenant, a-t-elle répliqué en inspirant. profondément. Jeudi, après le travail, il était sous la véranda de derrière. Moi je préparais le dîner et, même s'il faisait une chaleur infernale, ton père s'est mis en tête de déplacer à l'autre bout de la terrasse le pot avec l'érable japonais pour qu'il soit moins au soleil.

– Tout seul ?

Je ne risquais pas de déplacer ce truc-là de quelques centimètres. Il devait peser dans les cinquante kilos, voire davantage.

— Bien sûr, a-t-elle répondu, comme si ma question était carrément idiote. Et après avoir bougé le pot, il a mis plusieurs minutes avant de reprendre son souffle. Il a dû s'asseoir et tout.

— Pas étonnant. N'importe qui aurait été essoufflé après ça.

— Pas ton père.

Elle n'avait pas tort, je l'admettais.

— Et après, il était comment ?

— Je viens de te le dire.

— Combien de temps il a mis pour retrouver une respiration normale ?

— J'en sais rien. Deux ou trois minutes, peut-être.

— Il a dû s'allonger sur le canapé ou ailleurs ?

— Non. Il a fait comme si tout allait bien. Il s'est servi une bière, en fait, et a allumé la télé pour regarder le match.

— Ben alors, s'il avait l'air bien…

— Il a besoin de consulter un médecin.

— Tu sais qu'il ne les aime pas.

— C'est pour ça qu'il faut que ça vienne de toi. Il ne veut plus m'écouter. Il est têtu comme une mule, et ça fait des années qu'il n'a pas vu un docteur.

— Il ne m'écoutera pas non plus. Tu as demandé à Marge ?

— Elle m'a dit que c'était à ton tour.

Merci, Marge…

— Je lui parlerai, OK ?

Ma mère a hoché la tête mais, à voir son air distrait, je savais qu'elle pensait toujours au cancer.

— Où est Vivian ? Elle ne va pas passer ?

— Cet après-midi je suis seul avec London. Viv est allée faire des courses.

— Oh… (Ma mère savait ce que signifiait « faire des courses ».) Ton père devrait être au garage.

*
* *

Heureusement le garage offrait de l'ombre et une température à peu près tolérable pour quelqu'un comme moi, habitué à la clim.

Mon père, en revanche, ne s'en rendait sans doute même pas compte, ou alors il ne s'en plaignait pas. Le garage était son sanctuaire et, dès que je suis entré, l'espèce de désordre organisé qui y régnait m'a encore épaté. Il y avait des outils accrochés au mur, des cartons de fils de fer et d'autres bidules divers et variés dont j'ignorais le nom, et un établi fait maison avec des tiroirs pour toutes les sortes de clous, vis et boulons qui puissent exister. Sans parler des pièces de moteur, des rallonges et des instruments de jardin ; bref, tous occupaient une place bien précise dans l'univers de mon père. Je m'étais toujours dit qu'il aurait été très à l'aise dans les années cinquante ou même à l'époque des pionniers.

Papa était un homme imposant, avec de larges épaules, des bras musclés et une sirène tatouée sur l'avant-bras, vestige de son passage dans la marine. Quand j'étais enfant, il m'apparaissait comme un géant. Même s'il travaillait comme plombier dans la même société depuis près de trente ans, il donnait l'impression de pouvoir tout réparer. Une fenêtre ou un toit qui fuyait, un moteur de tondeuse, une télévision, une pompe à chaleur, peu importe : il savait instinctivement la pièce exacte dont il avait besoin pour que tel ou tel engin recommence à fonctionner parfaitement. Il connaissait tout ce qu'il fallait connaître sur les voitures – tant qu'on les avait construites avant que tout soit informatisé – et passait ses après-midi de week-end à bricoler sur la Ford Mustang 1974 qu'il avait restaurée vingt ans plus tôt et conduisait toujours pour se rendre au travail. En plus de son établi, il avait fabriqué plein de choses dans la maison : la terrasse en arrière-cour, l'abri de jardin, une coiffeuse pour ma mère, et les placards de notre cuisine. Et par tous les temps, il portait un jean et des chaussures de travail ; il usait aussi parfois d'un langage fleuri et haut en couleurs. Il va sans dire que mon père n'avait aucun intérêt pour la culture populaire et n'avait jamais visionné la moindre image vidéo de ce qu'on pouvait qualifier de téléréalité. Il souhaitait voir le dîner servi à 18 heures précises, après quoi il regardait un match de base-ball dans le salon. Le week-end, il travaillait au jardin ou dans le garage, sans compter qu'il entretenait la pelouse. Il n'était pas du genre à embrasser non plus. Mon père préférait serrer la main, même à moi, et je sentais toujours ses callosités et la force de sa poigne.

Ce jour-là, je l'ai trouvé à moitié allongé sous la Mustang. Parler à mon père au garage revenait souvent à s'adresser à un mannequin qu'on aurait laissé dans un coin.

— Salut, papa.

— C'est qui ?

Depuis qu'il avait passé le cap de la soixantaine, mon père commençait à devenir sourd.

— C'est moi, Russ.

— Russ ? Qu'est-ce que tu peux bien fabriquer ici ?

— J'ai eu envie d'amener London pour vous faire un coucou. Elle est à l'intérieur avec maman, Marge et Liz.

— Elle est mignonne, cette petite.

De sa part, c'était le compliment le plus enthousiaste qu'il ait jamais fait, même s'il adorait London. À vrai dire, rien ne lui plaisait plus que d'avoir London sur les genoux lorsqu'il regardait un match de base-ball.

— Maman m'a dit que t'avais du mal à retrouver ton souffle l'autre jour. Elle pense que tu devrais consulter un médecin.

— Ta mère s'inquiète trop.

— C'était quand, la dernière fois que tu as vu un médecin ?

— J'en sais rien. Il y a un an, peut-être. Il a dit que je me portais comme un charme.

— D'après maman, ça fait plus longtemps que ça.

— Peut-être que c'était…

J'ai regardé sa main attraper toute une série de clés à molette posées près de sa hanche puis disparaître sous la voiture. C'était mon signal pour lâcher un peu la pression, ou au moins changer de sujet.

— Qu'est-ce qu'elle a, la bagnole ?

— Une petite fuite d'huile. J'essaie juste de trouver d'où ça vient. Je pense que le filtre doit être défectueux.

— Tu devrais bientôt le savoir.

Moi, en revanche, je n'aurais même pas été capable de trouver le filtre à huile. Bref, on était différents, mon père et moi.

— Comment vont les affaires ? m'a-t-il demandé.

— C'est calme.

— Je m'en serais douté. Ce n'est pas évident de démarrer sa propre boîte.

— T'aurais pas un conseil ?

— Non. Je ne suis même pas sûr de savoir au juste ce que tu fais.

— On en a discuté des centaines de fois. Je lance des campagnes de pub, je scénarise des spots télé et je conçois des pubs pour la presse et sur le Net.

Il a fini par sortir de sous le véhicule en roulant sur son chariot de mécanicien ; il avait les doigts maculés de graisse.

— C'est toi qui fais ces pubs pour les voitures à la télé ? Celles avec le gars qui est toujours en train de gueuler qu'il a l'affaire du siècle ?

— Non.

J'avais aussi déjà répondu à cette question.

— Je déteste ces réclames. Ça braille trop. J'appuie sur la touche *Mute*.

C'était l'une des raisons pour lesquelles je tentais de dissuader les concessionnaires d'élever la voix : la plupart des spectateurs coupaient le son.

— Je sais. Tu me l'as déjà dit.

Il a pris son temps pour se mettre debout. Regarder mon père se lever équivalait à voir une montagne se dresser sous le choc de plaques tectoniques.

— Tu me disais que London était là ?

— Elle est dans la maison.

— Vivian aussi, j'imagine.

— Non. Elle avait des trucs à faire aujourd'hui.

Il a continué à s'essuyer les mains.

— Des trucs de femme ?

J'ai souri. Pour mon père – sexiste invétéré à l'ancienne – les trucs de femme englobaient quasiment tout ce que faisait ma mère actuellement : cuisine, ménage, en passant par la découpe des bons de réduction et les courses alimentaires.

— Oui. Tout à fait.

Il a hoché la tête, jugeant tout ça parfaitement logique, tandis que je m'éclaircissais la voix pour lui annoncer :

— Au fait, je t'ai dit que Vivian envisageait de reprendre le travail ?

— Hum…

— C'est pas parce qu'on a besoin d'argent. Ça fait un petit moment qu'elle en parle, tu sais. Comme London ira bientôt à l'école, je veux dire…

– Hum…

– Je pense que ça lui fera du bien. Un boulot tranquille, à mi-temps. Sinon elle va s'ennuyer.

– Hum…

J'ai hésité, puis :

– Qu'est-ce que t'en penses ?

– De quoi ?

– Du fait que Vivian envisage de reprendre le travail. De ma nouvelle agence.

Il s'est gratté l'oreille, comme pour gagner du temps.

– Tu ne t'es jamais dit que t'aurais pas dû démissionner, pour commencer ?

*
** *

Aussi viril qu'il soit, mon père n'était pas du genre à prendre des risques. À ses yeux, garder un emploi stable et toucher un salaire chaque mois dépassait de loin toute gratification que pouvait éventuellement procurer la direction de sa propre affaire. Sept ans plus tôt, l'ancien patron de son entreprise de plomberie avait proposé à mon père de la lui vendre ; mon père avait décliné l'offre et quelqu'un d'autre avait acheté la boîte, un employé plus jeune et animé par l'esprit d'entreprise.

Pour être franc, je ne m'attendais pas vraiment à ce que mon père me conseille sur le plan professionnel. Ça se trouvait aussi en dehors de sa zone de confort, mais je ne lui en tenais pas rigueur. Lui et moi avions vécu des vies différentes ; alors que j'étais allé à la fac, mon père, une fois le lycée terminé, avait servi à bord d'un contre-torpilleur au Vietnam. Marié à dix-neuf ans, il était devenu père à vingt-deux ; ses parents étaient morts dans un accident de voiture un an plus tard. Il travaillait de ses mains alors que j'effectuais un travail intellectuel et, si sa vision du monde – noir et blanc, bien et mal – pouvait paraître simpliste aux yeux de certains, elle constituait une sorte de feuille de route sur la manière dont un homme réaliste était censé mener sa vie. Se marier. Aimer sa femme et la traiter avec respect. Avoir des enfants et leur enseigner les valeurs de l'effort. Faire son travail. Ne pas se plaindre. Se rappeler que la famille – contrairement à la plupart des gens qu'on croise dans l'existence – sera toujours là pour nous. Réparer ce qui peut l'être ou s'en débarrasser. Se comporter en bon voisin. Aimer ses petits-enfants. Agir comme il se doit.

De bonnes règles. Des règles géniales, en réalité, restées intactes tout au long de son existence. L'une d'elles, toutefois, fut abandonnée. Mon père avait été élevé dans la religion baptiste du Sud, et Marge et moi nous étions rendus aux offices du mercredi soir et du dimanche tout au long de notre jeunesse. Chaque été, nous partions aussi en colonie de vacances chrétienne, et nos parents n'ont jamais remis en question le fait d'aller ou non à l'église. Comme les autres règles, elle ne fut délaissée qu'après que Marge eut annoncé à mes parents qu'elle était homo.

J'imagine à quel point ma sœur devait être nerveuse. On nous avait élevés dans une religion qui affirmait que l'homosexualité était un péché, et mes parents suivaient strictement ce précepte ; d'autant plus, sans doute, qu'ils appartenaient à une autre génération. Bref, mon père a mis fin aux réunions avec le pasteur, le genre de gars qui vous menaçait toujours des flammes de l'enfer à la moindre incartade. Il a dit à mon père que Marge choisirait de vivre dans le péché si elle cédait à sa nature, que mes parents devraient l'amener à lui pour qu'elle prie, dans l'espoir de trouver la grâce de Dieu.

Mon père pouvait parfois se montrer dur, bourru, voire grossier, mais il aimait ses enfants. Il croyait en eux. Lorsque Marge lui annonça qu'elle n'avait pas choisi un mode de vie mais était tout bonnement née comme ça, il hocha une seule fois la tête, lui affirma qu'il l'aimait et, dès ce jour, notre famille a cessé de se rendre à la messe.

De nombreuses personnes, je pense, auraient beaucoup à apprendre de mon père.

*
* *

– T'as une gueule de déterré, m'a dit Marge.

On s'était retranchés sur la terrasse avec deux ou trois cupcakes, tandis que maman, Liz et London attaquaient une deuxième fournée. Mon père dégustait les gâteaux au salon et regardait jouer les Braves d'Atlanta, sans doute en attendant que London le rejoigne.

— Tu sais trouver les mots pour remonter le moral, ai-je répliqué.

— Je suis sincère. T'as une mine de papier mâché.

— Je suis fatigué.

— Ah… Au temps pour moi. C'est pas comme si je ne te connaissais pas, et je sais quand tu mens. T'es stressé.

— Un peu.

— Ton nouveau job ne marche pas bien ?

Je me suis agité sur mon fauteuil.

— J'ai cru que ce serait un peu plus facile de trouver des clients. Ou au moins un.

— Ils vont venir. T'as simplement besoin de laisser du temps au temps. Comment Vivian le vit-elle ? ajouta-t-elle devant mon absence de réaction.

— On n'en parle pas vraiment.

— Pourquoi ? C'est ta femme, après tout.

— Je n'ai pas envie qu'elle se fasse du souci. J'imagine que je lui en parlerai quand j'aurai une bonne nouvelle à lui annoncer.

— Tu vois ? C'est là ton erreur. Vivian devrait être la personne avec qui tu peux parler de tout.

— Je suppose.

— Tu supposes ? Tous les deux, vous devriez franchement travailler sur vos capacités à dialoguer. Allez voir un conseiller conjugal ou je ne sais pas qui.

— Peut-être qu'on devrait fixer un rendez-vous avec Liz. Vu qu'elle est thérapeute, je veux dire.

— Tu ne pourrais pas te le permettre. Tu ne gagnes pas d'argent en ce moment.

— Décidément… t'es douée pour m'aider à me sentir beaucoup mieux.

— Tu préfèrerais que je te brosse un tableau idyllique de la situation.

— N'inverse pas les rôles : c'est moi le publiciste qui vend du rêve.

Elle a éclaté de rire.

— Le fait est que j'ai vu ça se produire des centaines de fois.

— Quoi donc ?

— La même erreur que les gens font quand ils démarrent une affaire, a-t-elle dit avant de prendre une bouchée de cupcake. Trop d'optimisme sur le front des recettes et pas assez de pessimisme côté dépenses pour la boîte ou le ménage. Dans ton cas, les cartes de crédit.

— Comment tu sais ça ?

— Hé, reviens sur terre. Vivian et ses fameuses « courses », ça t'interpelle ? Les factures qui arrivent au milieu du mois ? Ce n'est pas la première fois qu'on a cette conversation.

— Le solde débiteur était un peu élevé, ai-je enfin admis.

— Alors écoute les conseils de ta frangine expert-comptable. Résilie ces cartes. Ou du moins plafonne-les.

— Impossible.

— Comment ça ?

— J'ai dit à Vivian que son train de vie n'allait pas changer.

— M'enfin, qu'est-ce qui t'a pris ?

— Il n'y a aucune raison qu'elle en souffre.

— Tu sais à quel point c'est fou de dire ça, non ? Faire moins de shopping n'a rien à avoir avec la souffrance. De plus, vous êtes censés être des partenaires, tous les deux dans la même équipe, surtout en cas de problème.

— On forme une équipe. Et je l'aime.

— Je sais que tu l'aimes. Tu l'aimes presque trop, je dirais.

— On n'aime jamais trop.

— Ouais, bon… Je dis seulement qu'elle n'est pas toujours la plus facile à vivre des épouses.

— Parce que c'est une femme.

— Dois-je te rappeler à qui tu t'adresses ?

J'ai hésité.

— Tu crois que j'ai commis une erreur ? En me mettant à mon compte ?

— Ne commence pas à avoir des doutes après coup. À moins de vouloir t'installer à l'autre bout du pays, tu n'avais pas le choix. Et puis, j'ai comme l'impression que tout va se décanter pour le mieux.

C'était exactement ce que j'avais besoin d'entendre. Pourtant, alors qu'elle me disait ça, j'ai regretté malgré moi que cet encouragement ne vienne pas plutôt de Vivian.

*
**

— Je présume que les cours de cuisine se passent toujours aussi bien ? ai-je dit à Liz une heure plus tard.

L'année précédente, à Noël, je lui avais offert quelques séances dans un établissement appelé Le Rêve du Chef ; ça lui avait tellement plu qu'elle avait continué les cours. J'en étais alors à mon deuxième cupcake.

— Ils sont d'enfer, ai-je ajouté.

— C'est plutôt ta maman que tu dois remercier. On ne fait pas beaucoup de gâteaux dans notre atelier. En ce moment, on apprend la cuisine française.

— Genre escargots et cuisses de grenouille ?

— Entre autres.

— Et tu manges ça ?

— C'est encore mieux que les cupcakes, crois-le ou non.

— Tu as déjà essayé d'emmener Marge ?

— Non, mais c'est bien comme ça. Et ça me plaît d'avoir un peu de temps pour moi. Par ailleurs, c'est juste un soir par semaine. Pas de quoi en faire en drame.

— Puisqu'on parle de Marge… Elle pense que je suis une carpette.

— Elle s'inquiète pour toi, c'est tout, m'a assuré Liz.

Avec ses longs cheveux bruns, ses yeux noisette en amande et son attitude décontractée, elle évoquait plus une déléguée de classe qu'une pom-pom girl, mais j'avais toujours pensé que ça la rendait d'autant plus séduisante.

— Ta sœur sait que tu es sous pression et elle se fait du souci pour toi. Comment va Vivian ces temps-ci ?

— Ça va, mais elle subit la pression aussi. Je souhaite juste qu'elle soit heureuse avec moi.

— Hum…

— Mais encore ?

— Qu'est-ce que je suis censée ajouter ?

— J'en sais rien. Une objection ? Un conseil ?

— Pourquoi je ferais ça ?

— Parce que, entre autres, tu es thérapeute.

— Tu n'es pas mon patient. Mais quand bien même, je ne suis pas sûre de pouvoir t'aider.

— Pourquoi pas ?

– Parce que conseiller ne revient pas à changer quelqu'un en quelqu'un d'autre. Ça consiste à t'aider à te changer toi-même.

*
* *

Tandis qu'on regagnait la voiture, j'ai pris London par la main.
– Ne dis pas à maman que j'ai pris deux cupcakes, d'accord ?
– Pourquoi ?
– Parce que c'est pas bon pour moi et j'ai pas envie qu'elle soit triste.
– D'accord, je dirai rien. Promis.
– Merci, mon cœur.

*
* *

London et moi sommes revenus dans une maison déserte, avec une fournée de cupcakes à la vanille.

Quand j'ai envoyé un SMS à Vivian pour lui demander où elle était, elle m'a répondu : « Encore deux ou trois trucs à faire – serai à la maison dans un petit moment ». Un message trop énigmatique pour ne pas m'agacer, mais je n'ai pas eu le temps de lui renvoyer un texto que London me tirait par la manche pour m'entraîner vers la Maison de rêve de Barbie qu'elle avait installée dans un coin du salon.

London adorait ses Barbie. Elle les adulait même. Elle en avait sept en tout, avec deux décapotables, et un bac en plastique qui contenait plus de vêtements qu'un grand magasin. Le fait que toutes les poupées portent le même nom ne semblait pas du tout déranger London ; ce qui me fascinait encore plus, c'était que chaque fois que Barbie passait d'une pièce à l'autre de sa maison de rêve toute rose, ou qu'elle changeait d'activité, London s'imaginait qu'un changement de garde-robe s'imposait. Et ça se produisait grosso modo toutes les trente-cinq secondes et, bien entendu, ce que London chérissait encore plus que de changer les vêtements de Barbie, c'était d'avoir papa sous la main pour s'en occuper.

Bref, pendant l'heure et demie qui a suivi, j'ai procédé à quatre changements complets d'une garde-robe quotidienne de Barbie. Si tout ça n'avait aucun sens, je dois admettre que ça n'en avait pas plus pour moi. C'était sans doute en rapport avec la théorie de la relativité – la notion de temps relatif et tout ça –, mais ça n'avait pas l'air de gêner London que je puisse m'ennuyer ou pas, tant que je procédais aux changements de tenues. Elle se moquait aussi de savoir si je comprenais son raisonnement sur les vêtements bien précis qu'elle souhaitait. À un moment donné, alors qu'on abordait la troisième journée de Barbie, je me souviens avoir pris un pantalon jaune pour la poupée quand ma fille a secoué la tête.

– Non, papa ! Je t'ai dit qu'elle devait porter le pantalon jaune quand elle était dans la cuisine.

– Pourquoi ?

– Parce qu'elle est dans la cuisine.

Oh…

J'ai enfin entendu Vivian garer le 4 x 4 dans l'allée. Contrairement à ma Prius, il consommait beaucoup mais était vaste, sécurisant, et Vivian avait toujours décrété qu'elle ne conduirait pas un monospace, même si ça revenait beaucoup moins cher.

– Ta maman est de retour, ma puce, ai-je annoncé en poussant un soupir de soulagement.

London s'est ruée vers la porte.

Dès qu'elle l'a ouverte, je l'ai entendue s'écrier :

– Mamaaaan !

J'ai alors remis un peu d'ordre dans l'espace Barbie et je l'ai suivie. Le temps d'arriver sur le perron, Vivian tenait déjà London dans ses bras, le hayon était ouvert et… j'ai regardé à deux fois. Vivian avait les cheveux nettement plus courts ; ils lui arrivaient aux épaules, un peu dans le style qu'elle arborait lors de notre rencontre.

Elle m'a souri en plissant les yeux sous le soleil déclinant.

– Hé, chéri ! a-t-elle crié. Tu veux bien m'aider à décharger ?

J'ai descendu l'escalier, tandis que London jacassait et racontait sa journée à Vivian. Une fois arrivée à sa hauteur, Vivian a posé la petite par terre. À son expression, j'ai compris qu'elle attendait une réaction de ma part.

– Waouh ! me suis-je exclamé en lui claquant un baiser. Ça me rappelle des souvenirs.

— Ça te plaît ? a-t-elle demandé.

— Tu es magnifique. Mais comment as-tu pu te faire couper les cheveux un dimanche. Quel coiffeur pouvait bien être ouvert ?

— Il y a un salon au centre-ville qui propose des rendez-vous dominicaux. J'ai entendu dire le plus grand bien d'une de leurs coiffeuses et j'ai décidé de tenter le coup.

Pourquoi ne m'en avait-elle pas parlé ce matin-là ? Aucune idée. J'ai remarqué qu'elle s'était aussi fait faire une manucure, et qu'elle n'en avait pas davantage parlé au petit déjeuner.

— Moi aussi, j'aime, maman, a dit London en m'arrachant à mes pensées.

— Merci, mon cœur.

— J'ai fait des cupcakes chez mamie aujourd'hui.

— Ah oui ?

— Et ils étaient tellement bons que papa en a mangé deux.

— Vraiment ?

Ma fille acquiesça, oubliant manifestement sa promesse.

— Et papy en a pris quatre !

— Ils devaient être délicieux, a dit Vivian en souriant. (Elle a plongé le bras dans la voiture et en a sorti deux ou trois sacs plus légers.) Tu veux bien m'aider avec les provisions ?

— OK, a répondu London en tendant la main.

Tandis que ma fille repartait vers la maison, j'ai surpris un soupçon d'espièglerie chez Vivian, dont la bonne humeur était manifeste.

— Deux cupcakes, alors ?

— Qu'est-ce que je peux dire ? ai-je répliqué dans un haussement d'épaules. Ils étaient savoureux.

Elle a alors attrapé d'autres sacs et m'en a tendu quatre.

— On dirait que vous vous êtes bien amusés tous les deux.

— C'était sympa.

— Comment vont tes parents ?

— Ça va. Ma mère craint une fois de plus que mon père ait le cancer. Elle a dit qu'il avait du mal à reprendre son souffle l'autre jour.

— Ça semble un peu inquiétant.

— Je ne vais pas te raconter l'anecdote en détail, mais je suis sûr qu'il n'y a pas de quoi s'inquiéter. Il m'a paru en forme. Mais bon, ma mère a raison. Il a effectivement besoin de faire un bilan.

– Fais-moi signe quand tu rassembleras l'attelage de chevaux sauvages pour l'emmener de force chez le médecin. Je veux absolument faire une photo. (Vivian m'a fait un clin d'œil avant de lancer un regard vers la porte, sa manière à elle de flirter.) Tu veux bien t'occuper du reste ? J'ai envie d'aller voir London.

– Bien sûr.

Elle m'a embrassé et j'ai senti sa langue me titiller les lèvres. Elle flirtait, sans l'ombre d'un doute.

– Il y a d'autre sacs sur la banquette arrière aussi.

– Pas de souci.

Comme elle s'éloignait, j'ai commencé par les sacs de victuailles. J'ai jeté un regard vers l'arrière en m'attendant à en trouver d'autres.

Mais il ne s'agissait plus de courses alimentaires. Le siège était rempli de sacs en provenance de grands magasins de luxe et j'ai cru m'évanouir. Pas étonnant que ma femme soit d'aussi bonne humeur.

Tout en faisant de mon mieux pour ignorer mon nœud à l'estomac, j'ai dû effectuer trois allers-retours pour décharger le 4 x 4. J'ai posé les sacs de grands magasins sur la table de la salle à manger et je terminais le rangement des victuailles quand Vivian est arrivée dans la cuisine. Elle a pris deux verres puis a sorti une bouteille de la cave à vins située sous le placard.

– Je suppose que tu as plus besoin d'un verre que moi, a-t-elle dit en me servant. London m'a raconté que tu as joué aux Barbie avec elle.

– C'est elle qui a joué. Moi, j'étais préposé à la garde-robe.

– Je compatis. Hier, c'était moi qui devais m'en charger.

Elle m'a tendu mon verre puis a pris une gorgée du sien.

– Comment vont Marge et Liz ?

Bien que le changement de ton soit subtil, j'ai néanmoins décelé un manque d'intérêt dans sa question. Les sentiments de Vivian envers Marge reflétaient ceux de Marge envers elle, ce qui était l'une des raisons pour lesquelles Vivian avait tendance à mieux s'entendre avec Liz. Cela dit, si Vivian et Liz se montraient polies et aimables l'une envers l'autre, elles n'étaient pas vraiment proches.

– Elles vont bien, ai-je répondu. London s'est régalée avec elles.

– Je sais qu'elle aime bien les voir.

D'un hochement de tête, j'ai désigné la table de la salle à manger.

– Je constate que tu as fait pas mal de shopping.

– London a besoin de robes d'été.

À l'instar de mon épouse, ma fille donnait l'impression de sortir tout droit d'un catalogue quand elle quittait la maison.

– Je croyais que tu lui avais déjà acheté des vêtements d'été.

– S'il te plaît, ne commence pas… a-t-elle soupiré.

– Quoi donc ?

– À me prendre encore la tête avec le shopping. J'en ai marre d'entendre ça.

– Je ne t'ai rien dit.

– Tu plaisantes ? a-t-elle rétorqué, un soupçon de contrariété dans la voix. Tu ne fais que ça, même quand je profite d'une promotion. Et puis je devais aussi acheter deux nouveaux tailleurs pour mes entretiens cette semaine.

Pendant une seconde, j'ai cru avoir mal entendu.

– Tu as des entretiens cette semaine ?

– Pourquoi j'ai couru comme une folle toute la journée, d'après toi ? a-t-elle lâché en secouant la tête, comme ébahie que je n'aie pas compris. D'ailleurs, maintenant que j'y pense… tu pourras t'occuper de London, OK ? Mardi après-midi et mercredi matin ? Pendant trois heures environ chaque fois ? Je suis censée passer des entretiens avec plusieurs cadres de la société.

– Hum… Ouais, je pense, ai-je répondu en essayant toujours de m'habituer au mot « entretiens ». Tu sais ça depuis quand ?

– Aujourd'hui.

– Un dimanche ? Un week-end férié ?

– Crois-moi, j'étais aussi étonnée que toi. Leurs bureaux n'étaient même pas ouverts vendredi. J'allais à mon rendez-vous chez le coiffeur quand la boîte m'a contactée.

– Pourquoi tu ne m'as pas appelé ?

– Parce que, après, j'ai couru d'une boutique à l'autre, en arrivant tout juste à y croire moi-même. C'est ahurissant, non ? Je pense qu'on devrait fêter ça ce soir, mais si je te montrais d'abord ce que j'ai acheté ?

Sans attendre ma réponse, elle m'a entraîné vers la salle à manger puis a sorti les deux tailleurs – un gris et un noir – et les a posés sur les chaises.

– Qu'est-ce que t'en penses ?

– Très classe, ai-je répondu en essayant d'éviter de regarder les étiquettes… mais je n'ai pu m'en empêcher.

Mon estomac a encore fait la culbute, suivie par une pirouette. Je voyais les dollars danser dans ma tête.

– Le tissu est fabuleux et j'adore la coupe, a-t-elle repris. Et j'ai acheté ça aussi, pour aller avec. (Elle a sorti quatre chemisiers d'un autre sac, en les posant d'abord sur un tailleur, puis sur l'autre.) Ils vont avec les deux… J'ai essayé de ne pas faire de folies.

Ne sachant pas trop comment réagir, j'ai pris la tangente :

– Je n'en reviens toujours pas de ces entretiens. La dernière fois que tu m'en as parlé, tu tâtais juste le terrain pour ainsi dire.

– J'ai eu de la chance.

– Mais encore ?

– J'ai appelé Rob il y a deux ou trois semaines et je lui ai dit que j'envisageais de revenir bosser dans les Relations publiques, et il a promis de me faire signe dès qu'il aurait vent de quelque chose. Ensuite, j'ai contacté mon ancien patron de New York. Tu te souviens de lui ?

J'ai hoché la tête, en me demandant pourquoi elle prenait même la peine de me poser la question. À l'époque on voyait ce gars quasiment chaque soir avant d'éteindre la télé.

– Bref, il a dit qu'il verrait ce qu'il pouvait faire. Je ne m'attendais pas à grand-chose, mais j'imagine qu'il a parlé à son directeur, et son directeur a fini par me rappeler. Il se trouve qu'il connaissait un type qui connaissait un type, etc. Et je suppose que mon nom a circulé entre les bonnes personnes, parce que lundi dernier je me suis retrouvée en train de discuter avec l'un des vice-présidents qui m'a proposé un job et m'a demandé d'envoyer un CV et trois lettres de recommandation.

– T'es sur le coup depuis lundi ? Et tu ne m'en as jamais parlé ?

– Je pensais que ça ne donnerait rien.

– On dirait plutôt que tu devais sentir que ça pourrait bien marcher.

– Oh, s'il te plaît… Comme si j'avais pu prévoir tout ça, a-t-elle répliqué en reposant les chemisiers sur l'une des chaises. De toute manière, il fallait que je me dépêche de trouver une troisième recommandation. Je voulais qu'elle vienne de quelqu'un d'important sur le plan local, mais je n'étais pas sûre qu'il accepterait. Pourtant il a fait tout le nécessaire et j'ai reçu mon papier mercredi.

– Tu disais que c'est un boulot dans les relations publiques ?

– Je travaillerai directement pour le P-DG, pas vraiment pour la société. J'imagine qu'il donne pas mal de conférences de presse et d'interviews. La plupart de ses réalisations immobilières se situent sur la côte et les écologistes s'insurgent toujours contre lui. Sans compter qu'il dispose maintenant d'un Super PAC[1] ; il s'implique de plus en plus politiquement et veut s'assurer de rester toujours cohérent.

– Qui est le P-DG ?

Vivian a fait une pause, en promenant ses doigts sur l'un des tailleurs.

– Avant de te répondre, n'oublie pas qu'on ne m'a même pas encore proposé le poste. Et je ne sais pas si je l'accepterai, même si on m'offre cette situation. Je n'ai pas encore tous les détails.

– Pourquoi ne pas m'en avoir parlé ?

– Parce que je ne voulais pas que ça te contrarie.

– Pourquoi je serais contrarié ?

Elle a commencé à remettre les tailleurs dans leurs sacs.

– Parce que tu le connais. En fait, tu as bossé sur certaines campagnes de pub pour sa boîte.

J'ai aussitôt fait le lien.

– Ce n'est quand même pas Walter Spannerman ?

Elle a quasiment pris un air penaud.

– En fait, si.

Je me suis souvenu à quel point il m'avait empoisonné la vie au bureau ; je me suis aussi rappelé sa propension à embaucher de jolies femmes : je n'étais pas le moins du monde surpris que Vivian l'intéresse.

– Tu sais qu'il est affreux, hein ? C'est aussi valable pour sa société.

– C'est pourquoi il veut une personne en interne, chargée de la communication.

– Et tu serais d'accord pour travailler avec un type pareil ?

---

1. PAC (*Political Action Committee*) : comité d'action politique, créé par un groupe d'intérêt qui souhaite s'impliquer dans le processus électoral. Depuis un arrêt de 2010 de la Cour suprême des États-Unis, les plafonds de dons sont abolis pour les comités d'action politique réputés indépendants des partis politiques et des candidats aux élections. Ces comités sont appelés des Super PAC.

– J'en sais rien. Je ne l'ai pas encore rencontré. J'espère juste pouvoir l'impressionner.

Avec ton allure, je suis certain qu'il ne s'en remettra pas, ai-je pensé.

– Ce serait pour combien d'heures par semaine ?

– Ben… c'est là le hic, a-t-elle répondu. C'est un poste à plein temps. Et il y aura sans doute des voyages.

– Avec nuits à l'hôtel ?

– C'est ce que ça sous-entend, non ?

– Et London ?

– Je n'ai pas encore tous les éléments, OK ? On avisera le moment venu. Mais on n'y est pas encore. Pour l'heure, est-ce qu'on peut simplement prévoir de fêter ça ? Tu veux bien le faire pour moi ?

– Bien sûr…

En disant ces mots, j'ai pensé à Spannerman et à sa relation avec Peters, tout en me demandant malgré moi quelle personne Vivian avait bien pu appeler pour obtenir cette dernière recommandation.

Elle n'aurait quand même pas fait une chose pareille… Si ?

5

Des changements s'opèrent

Quand London a eu quatre ans, un vélo avec des petites roues stabilisatrices est apparu sous l'arbre de Noël. J'avais lourdement insisté pour lui en offrir un ; parmi mes souvenirs d'enfance préférés, je me revoyais pédalant comme un fou sur mon Schwinn, ivre de liberté, par ces journées d'été chaudes et humides. Certes, la plupart de ces réminiscences remontaient à l'époque où j'avais entre huit et treize ans, mais à mesure que les vacances approchaient je me suis dit que London pourrait apprendre à rouler pendant un an ou deux avant qu'on lui retire les petites roues et que, quelques années plus tard, elle se débrouillerait aussi bien que moi à son âge.

Vivian, en revanche, n'était pas emballée par l'idée. Bien qu'elle ait aussi possédé une bicyclette, elle n'y associait pas les mêmes joies d'enfant que moi. Je me revois lui demander si elle avait acheté le vélo dans les semaines précédant Noël et, chaque fois, elle me répondait qu'elle n'avait pas eu le temps. À la fin, je l'ai traînée au magasin et je l'ai acheté moi-même, avant de passer des heures à l'assembler comme l'un des elfes du Père Noël, une fois Vivian partie se coucher.

J'avais hâte de voir London se mettre à pédaler et, sitôt qu'elle l'a eu repéré sous le sapin, elle s'est précipitée sur le vélo et je l'ai aidée à l'enfourcher. Tandis que je commençais à pousser la petite dans le salon, Vivian est intervenue pour nous suggérer d'ouvrir ses autres cadeaux. Comme toujours, j'ai tout de suite pensé que ma fille était trop gâtée : vêtements, jouets, boîtes pour peindre avec les doigts, un mannequin à habiller, et un kit pour créer des bijoux en perles. Sans compter les innombrables accessoires pour Barbie. Bref, j'ai mis une heure pour débarrasser les papiers et les rubans d'emballage qui jonchaient la pièce. Vivian, pendant ce temps, jouait avec London, et il était presque midi quand j'ai enfin pu faire sortir la petite.

Vivian nous avait suivis, mais j'ai compris que c'était plus par devoir que pour partager avec London une toute nouvelle aventure. Elle était restée sur le perron, les bras croisés, tandis que j'aidais ma fille à s'installer sur la selle. Tout en la regardant haleter un peu en pédalant, je marchais courbé à côté d'elle en tenant le guidon. J'ai encouragé London à pédaler tandis qu'on roulait de long en large dans la rue et, au bout d'un quart d'heure, elle m'a avoué qu'elle souhaitait arrêter. Ses joues étaient toutes roses et je lui ai dit qu'elle s'était bien débrouillée. Je ne sais pas au juste pourquoi, mais j'ai supposé qu'on remettrait ça deux ou trois fois avant la fin de la journée.

Pourtant elle a passé le reste du jour de Noël à jouer avec ses Barbie ou à essayer des vêtements, sous le regard radieux de Vivian ; ensuite, elle a fait de la peinture au doigt et confectionné des bracelets de perles. Ça ne m'a pas dissuadé pour autant ; j'avais posé une semaine de congé et je mettais un point d'honneur à la faire rouler en vélo au moins une fois par jour. Dans ceux qui ont suivi, à mesure qu'elle coordonnait mieux ses mouvements et vacillait de moins en moins, je lâchais le guidon pendant des instants de plus en plus longs. London riait quand je faisais semblant de ne pas pouvoir garder l'allure parce qu'elle roulait trop vite. Chaque fois, on restait plus longtemps dehors et, quand elle annonçait enfin qu'elle n'en pouvait plus, je la prenais par la main et on regagnait la maison à pied. C'est alors une London tout excitée qui racontait à Vivian ses progrès, au point que j'étais sûr que London avait attrapé le virus du vélo comme moi quand j'étais gamin, et qu'elle insisterait pour en faire tous les jours quand je serais au travail.

Mais ce ne fut pas le cas. Quand je revenais à la maison – il faisait nuit et souvent London était déjà en pyjama – et que je demandais à la petite si elle avait fait de la bicyclette, elle répondait toujours non. Chaque fois, Vivian avait une bonne raison de ne pas la sortir : il pleuvait, elles devaient faire des courses, ou London risquait d'attraper froid, ou même London n'en avait pas envie. Aussi, quand je rentrais ma voiture au garage, je voyais le petit vélo, qui faisait tant rire ma fille, prendre la poussière dans son coin. Et chaque fois, j'avais comme un pincement au cœur. Je ne devais pas connaître ma fille aussi bien que je le pensais, ou peut-être que London et moi n'aimions pas les mêmes choses. Et, même si je ne suis pas fier de l'admettre, je me demandais parfois si Vivian souhaitait ne pas voir London faire du vélo simplement parce que moi, ça me plaisait.

*
* *

Avec le recul, je pense avoir cru à l'époque que ma démission serait l'événement le plus important de 2015 pour ma femme et moi. En fait, j'avais tout faux, bien sûr ; me mettre à mon compte fut tout bonnement le premier d'une longue succession de dominos qui allaient basculer l'un sur l'autre, sans parler des plus gros qui dégringoleraient plus tard.

La semaine suivante constitua le domino numéro deux.

Le lundi, comme Vivian voulait se préparer pour ses entretiens, je suis rentré du bureau à midi. J'ai nettoyé la maison et fait la lessive, tout en essayant d'occuper London, ce qui était plus simple à dire qu'à faire. Le mardi après-midi, pendant que Vivian passait son entretien, j'ai amené London pour un déjeuner tardif au Chuck E. Cheese, un établissement où ma femme ne mettait jamais les pieds. Après le repas, la petite a joué à quelques jeux de la salle avoisinante, dans l'espoir de gagner suffisamment de tickets à échanger contre un ours en peluche rose. On n'a pas réussi, loin s'en faut, et d'après mes calculs j'aurais pu carrément en acheter trois avec tout ce que j'avais dépensé en jetons.

Le mercredi, j'ai opté pour notre routine habituelle du samedi avec petit déjeuner et parc, mais il m'était impossible d'ignorer mon angoisse grandissante concernant le travail. Je ne cessais d'imaginer que des clients potentiels tentaient de me joindre ou, pire, attendaient devant mon bureau à l'évidence fermé ; mais chaque fois que j'appelais la réceptionniste, elle m'informait qu'il n'y avait aucun message.

Comme je n'avais toujours pas de clients, j'ai décidé de démarcher par téléphone. Entre le mercredi après-midi et toute la journée du jeudi, j'ai passé plus deux cents coups de fil. Les mots « Pas intéressé » revenaient sans arrêt, mais j'ai persévéré et réussi à caler cinq rendez-vous la semaine suivante. Les commerces et prestataires n'avaient rien à voir avec ceux que le Peters Group ciblait en général : un restaurant familial, une sandwicherie, deux chiropracteurs et un centre de remise en forme ; et mes honoraires seraient sans doute faibles, mais c'était toujours mieux que rien.

À la maison, Vivian n'a pas dit grand-chose au sujet de ses entretiens. Par peur du mauvais œil, m'a-t-elle précisé, mais elle paraissait confiante, et lorsque je lui ai parlé de mes rendez-vous de la semaine suivante, elle avait visiblement l'esprit ailleurs. En y repensant maintenant, j'aurais dû y voir un signe.

Le vendredi matin, je venais d'entrer dans la cuisine quand j'ai entendu sonner le portable de Vivian. London était déjà attablée devant son bol de céréales. Vivian a vérifié le numéro entrant puis s'est éloignée sur la terrasse avant de répondre. Tout en songeant que c'était sa mère – la seule personne de ma connaissance à appeler d'aussi bonne heure –, je me suis servi une tasse de café.

– 'jour, ma puce, ai-je dit à London.

– 'jour, papa. Zéro, c'est un chiffre ?

– Oui. Pourquoi ?

– Eh ben, tu sais que j'ai cinq ans, hein ? Et avant, j'avais quatre ans.

– Oui.

– J'avais quel âge avant d'avoir un an ?

– Avant, on parlait de ton âge en mois. Genre, tu as trois mois ou six mois. Et avant d'avoir un mois, ton âge se comptait en semaines. Ou même en jours.

– Et après j'étais à zéro, c'est ça ?

– Oui, j'imagine. Pourquoi toutes ces questions ?

– Parce que j'aurai six ans en octobre. Mais en fait j'en aurai sept.

– Tu en auras six, mon cœur.

Elle a levé les mains et a compté, en dressant un doigt à chaque chiffre qu'elle prononçait.

– Zéro. Un. Deux. Trois. Quatre. Cinq. Six.

Elle a alors brandi cinq doigts dans une main et deux dans l'autre. Sept au total.

– Ça ne fonctionne pas comme ça, ai-je dit.

– Mais tu as dit que j'ai commencé à zéro et que zéro était un chiffre. Il y en sept en tout. Ça veut dire que je vais avoir sept ans, pas six.

Ça faisait trop de choses à digérer avant d'avoir fini ma première tasse de café.

– Quand est-ce que tu as réfléchi à tout ça ?

Plutôt que de répondre, elle a haussé les épaules et je me suis dit une fois de plus qu'elle ressemblait beaucoup à sa mère. Au même moment, Vivian est revenue dans la cuisine, le visage un peu rouge.

– Tout va bien ? ai-je demandé.

Au début, j'ai cru qu'elle ne m'avait pas entendu.

– Ouais… a-t-elle fini par répondre. Ça va.

– Ta mère va bien, alors ?

– J'imagine. Ça fait près d'une semaine que je ne lui ai pas parlé. Pourquoi tu me demandes de ses nouvelles ?

– Ce n'était pas elle que tu avais en ligne ?

– Non.

– Qui t'appelait ? ai-je enfin demandé.

– Rachel Johnson.

– Qui ça ?

– Une des vice-présidentes de chez Spannerman. C'est avec elle que j'ai eu l'entretien mercredi.

Vivian n'a rien ajouté d'autre. J'attendais. Toujours rien.

– Et elle t'appelait parce que… ? ai-je insisté.

– Ils m'offrent le poste, a annoncé Vivian. Ils veulent que je commence lundi. Parcours d'intégration.

Je ne savais pas trop si des félicitations s'imposaient, mais je l'ai quand même complimentée ; j'étais bien loin de soupçonner que tout mon univers allait d'ici peu être complètement chamboulé.

*

* *

Ce jour-là, le travail ne m'a pas paru… normal, et c'était peu de le dire, vu que rien dans mon activité professionnelle n'avait semblé normal depuis que je m'étais mis à mon compte. J'ai commencé à finaliser des présentations sur PowerPoint pour les rendez-vous que j'avais prévus. Elles allaient offrir une vue d'ensemble des diverses campagnes sur lesquelles j'avais travaillé, traiter du rapport qualité/ prix d'un budget publicitaire pour le secteur spécifique du client, et donner un aperçu des services que je pouvais leur proposer. Si le client potentiel témoignait de l'intérêt, j'enchaînerais par une proposition plus précise à l'occasion d'un deuxième rendez-vous.

Même si j'avançais bien dans mes présentations, je repensais par moments à la nouvelle que j'avais apprise ce matin-là.

Ma femme allait travailler lundi pour Spannerman.

Bon sang.

Spannerman.

Malgré tout, c'était notre soirée en amoureux et j'avais hâte de la passer avec Vivian. En franchissant la porte, j'ai pourtant eu l'impression de m'être trompé de maison. Le bazar régnait dans le salon, la salle à manger, la cuisine, et London était plantée devant la télé, un fait pour le moins inhabituel à cette heure-là. Vivian restait invisible et ne répondait pas à mes appels. Je suis passé d'une pièce à l'autre, avant de la trouver enfin dans le bureau. Assise devant l'ordinateur, elle faisait des recherches sur tout ce qui concernait Spannerman. Dans notre vie de couple marié, c'était la première fois que je la voyais aussi stressée. Vêtue d'un jean et d'un tee-shirt, on aurait dit qu'elle n'avait pas cessé de se tripoter les cheveux pour se calmer. À côté d'elle était posé un épais classeur – elle avait imprimé et marqué au surligneur une épaisse liasse de feuilles ; et quand elle s'est tournée vers moi, j'ai bien compris que non seulement le dîner romantique n'était pas au programme mais surtout que ça ne lui avait même pas effleuré l'esprit de toute la journée.

J'ai dissimulé ma déception et, après avoir parlé de tout et de rien, j'ai proposé de commander chez le traiteur chinois. On a donc dîné en famille, mais Vivian est restée distraite ; et, sitôt qu'elle a eu fini de manger, elle a regagné le bureau. Pendant qu'elle cliquait et imprimait à tout va, j'ai nettoyé la maison et aidé London à se mettre au lit. J'ai rempli la baignoire – ma fille était désormais en âge de se laver toute seule –, puis je lui ai brossé les cheveux et me suis allongé auprès d'elle sur le lit avec tout un assortiment de livres. Grande première pour Vivian : elle s'est contentée d'embrasser notre fille en lui souhaitant bonne nuit sans lui lire une histoire. Quand je l'ai retrouvée dans le bureau, elle m'a dit qu'elle en avait encore pour quelques heures. J'ai regardé la télé un petit moment, puis je suis allé me coucher seul ; en me réveillant le lendemain matin, je me suis surpris à regarder Vivian en me demandant à quelle heure elle était enfin venue s'allonger.

Après son réveil, elle avait retrouvé son air normal, mais c'était dimanche matin. Elle est sortie pile à l'heure pour son « Temps pour soi », et pour la cinquième fois en sept jours je me suis retrouvé à jouer les « Monsieur Maman », ne serait-ce qu'à mi-temps. En franchissant la porte, Vivian m'a demandé si je pouvais m'occuper de London pour la journée ; elle a précisé qu'elle n'avait pas tout à fait terminé ses recherches entreprises la veille et qu'il lui restait encore des choses à mettre au point.

— Pas de problème, ai-je répondu.

Et London et moi nous sommes retrouvés de nouveau chez mes parents.

Marge et Liz passaient le week-end à Asheville, si bien que London a eu sa mamie pour elle toute seule la majeure partie de la journée. Ça n'a pas empêché ma mère de me prendre à part pour m'annoncer que, puisque je n'avais pas réussi à emmener mon père chez le médecin, Marge allait s'en charger lundi.

— C'est bon de savoir qu'un de nos deux enfants tient vraiment à son père, a observé ma mère.

Merci maman…

Mon père, comme d'habitude, bricolait au garage. Quand je suis entré, il a passé la tête au-dessus du capot de la voiture.

— Ah, t'es là, m'a-t-il dit.

— J'ai eu envie de passer vous voir avec London.

— Toujours pas de Vivian ?

— Elle a des trucs à faire pour son travail. Elle a décroché un emploi et commence lundi.

— Oh !

— C'est tout ce que ça t'inspire ?

Il a sorti un mouchoir de sa poche et s'est essuyé les mains.

— C'est probablement une bonne chose, a-t-il enfin répondu. Il faut bien que quelqu'un gagne de l'argent dans votre famille.

Merci papa…

Après être resté un petit moment avec lui, pendant que London se régalait à faire de la pâtisserie avec ma mère, je me suis assis sur le canapé du salon pour regarder d'un œil distrait le golf à la télé. Je n'y joue pas et ne regarde pas les compétitions en général, mais je me suis surpris à observer les logos sur les sacs et les polos tout en essayant de calculer l'argent gagné par les agences de pub qui avaient eu cette idée.

Tout ça n'a fait que me déprimer.

Dans l'intervalle, j'ai envoyé deux textos à Vivian et laissé un message sur sa boîte vocale, mais elle ne m'a pas rappelé. Comme je l'imaginais encore courant à droite et à gauche, je me suis arrêté au supermarché en rentrant de chez mes parents, ce qui m'arrive rarement. Je m'y rendais d'ordinaire quand on se trouvait à court d'un produit ou un autre, ou quand j'avais envie d'un plat bien précis pour le dîner ; bref, j'étais le genre de client qui faisait ses courses avec un panier et non pas un Caddie, comme si j'avais toujours hâte de sortir du magasin. Pour London, j'ai pris une boîte de macaronis au fromage, des blancs de dinde et des poires : c'était non seulement diététique mais aussi son menu préféré. Pour Vivian et moi, j'ai opté pour une côte de bœuf et un filet de thon que je pourrais faire griller, de quoi composer une salade, des épis de maïs au naturel, et une bouteille de chardonnay.

Tout en espérant rattraper notre dîner en amoureux annulé, je souhaitais aussi simplement passer du temps avec ma femme. J'avais envie de l'écouter, de la tenir dans mes bras et de discuter avec elle de notre avenir. Je savais qu'il y aurait des changements dans notre vie, voire des défis à relever, et je voulais lui promettre qu'on surmonterait tout ça ensemble comme un couple digne de ce nom. Si Vivian se sentait plus épanouie et plus accomplie au travail, elle serait sans doute de meilleure humeur à la maison ; si on partageait les tâches parentales de manière plus équitable, on commencerait peut-être à se retrouver dans des conditions propices à une relation plus intime. Le soir, on passerait nos journées respectives en revue, on savourerait nos réussites et on se soutiendrait mutuellement dans nos combats, sans parler des revenus supplémentaires qui faciliteraient aussi les choses. Autrement dit, la situation ne pourrait que s'améliorer pour Vivian et moi, et ça commencerait ce soir-là.

Alors, pourquoi étais-je aussi inquiet ?

*
* *

Peut-être parce Vivian ne m'a jamais rappelé ni répondu par SMS, pas plus qu'elle n'était à la maison quand London et moi sommes rentrés.

Ce qui semblait bizarre au début devint peu à peu inquiétant, mais je n'ai pas renvoyé de texto ni rappelé, car je savais que je ne pourrais pas dissimuler mon agacement – ce qui, sans l'ombre d'un doute, mettrait un terme à la soirée avant même qu'elle débute. Au lieu de quoi, j'ai fait mariner la côte de bœuf puis je l'ai mise au frigo avant de trancher les concombres et les tomates pour la salade. Pendant ce temps, London épluchait les épis de maïs. Enchantée de donner un coup de main pour la « soirée en amoureux de papa et maman », elle s'est employée à bien en retirer la barbe puis m'a montré chaque épi au fur et à mesure pour que je l'inspecte, avant de le poser de côté pour attaquer le suivant. J'ai préparé les macaronis aux fromage, pelé et tranché une poire, ajouté la dinde dans son assiette, puis je me suis attablé avec ma fille pendant qu'elle mangeait. Comme je n'avais toujours pas de nouvelles de Vivian, j'ai mis un DVD pour London et me suis installé sur le canapé avec elle, jusqu'à ce que j'entende enfin le 4 x 4 se garer dans l'allée.

London avait déjà franchi la porte d'entrée quand ma femme descendit du véhicule, et je l'ai regardée prendre la petite dans ses bras et l'embrasser. J'ai eu droit moi aussi à un baiser et elle m'a demandé si je pouvais décharger le 4 x 4. Pensant qu'il s'agissait de courses alimentaires, j'ai ouvert le hayon après que Vivian et London ont disparu dans la maison et j'ai découvert une montagne de sacs du magasin de luxe Neiman Marcus et une demi-douzaine de boîtes de chaussures portant des marques italiennes.

Pas étonnant qu'elle n'ait pas appelé ou répondu aux textos. Vivian était… occupée.

Comme la semaine précédente, j'ai dû faire plusieurs allers-retours pour décharger tout ce qu'elle avait acheté et, quand j'ai eu terminé, Vivian était assise sur le canapé avec London blottie contre elle.

Elle m'a souri, avant d'articuler à voix basse qu'elle souhaitait passer encore quelques minutes avec la petite. J'ai hoché la tête, en m'efforçant encore de ne pas trahir la moindre irritation. Dans la cuisine, j'ai rempli deux verres de vin, puis j'en ai apporté un à ma femme, avant de retourner sur la terrasse où j'ai allumé le grill. Sachant qu'il faudrait un peu de temps pour qu'il chauffe, je suis revenu dans le salon et j'ai siroté mon vin en jetant un coup d'œil sur la table de la salle à manger, où j'avais déposé en vrac les achats de Vivian. Le moment venu, elle a planté un baiser sur le front de London puis s'est éclipsée. Elle m'a ensuite fait signe de la rejoindre près des cadeaux qu'elle s'était faits.

– London m'a dit qu'elle avait passé une bonne journée avec toi.

– Tant mieux. Je devine que la tienne a été bien remplie aussi.

– En effet. Après avoir fini mes recherches, j'ai filé d'un magasin à l'autre. À la fin, je n'avais plus qu'une envie : rentrer à la maison et me détendre.

– Tu as faim ? J'ai acheté une côte de bœuf et du thon frais, et le grill est allumé.

– Ah bon ? Ce soir ?

– Pourquoi pas ?

– Parce que j'ai déjà mangé. J'ignorais que tu prévoyais de faire à dîner, a-t-elle enchaîné, sur la défensive en voyant ma tête. Tout ce que je savais, c'est que je n'avais pas pris de petit déj ni de déjeuner, et j'avais tellement faim que mes mains se sont mises à trembler. Bref, j'ai atterri dans un café en sortant de la galerie marchande. Tu aurais dû me prévenir, j'aurais juste pris un truc sur le pouce.

– Je t'ai appelée et je t'ai envoyé des textos, mais tu n'as jamais répondu.

– Mon portable était dans mon sac et je ne l'ai pas entendu. En fait, j'ai vu tes SMS et tes appels manqués alors que j'étais presque arrivée ici.

– Tu aurais dû m'appeler.

– Je viens de te dire que j'avais couru toute la journée.

– Au point de ne même pas pouvoir consulter ton mobile ?

– Ne fais pas comme si je cherchais à gâcher exprès ta soirée, a-t-elle répliqué dans un soupir. Tu peux toujours faire griller la côte de bœuf. Je suis sûre que London a faim.

– Elle a déjà dîné, ai-je dit, en songeant que j'aurais bien aimé lui manquer comme elle m'avait manqué.

– Oh… T'as envie de voir ce que j'ai acheté ?

– Ouais, OK…

– Tu veux me resservir un demi-verre de vin d'abord ? Je veux disposer mes achats d'une certaine manière, avant de te les montrer.

J'ai hoché la tête puis regagné la cuisine, un peu hébété, m'efforçant de comprendre ce qui venait de se passer. Elle devait bien se douter qu'on allait dîner, sinon pourquoi s'arrêter grignoter ? Et pourquoi ne pas avoir consulté son mobile ? Comment se faisait-il que ma femme n'éprouve pas le besoin de prendre des nouvelles de sa famille ? Je lui ai de nouveau rempli son verre puis suis retourné dans la salle à manger en voulant lui poser d'autres questions ; mais, dans l'intervalle,

Vivian avait sorti différentes tenues qu'elle avait étalées sur la table ou posées sur le dossier des chaises.

— Merci, mon chéri, a-t-elle dit en m'embrassant et en posant le verre de côté sans y tremper les lèvres. Je me suis aussi acheté un tailleur bleu marine. Il est génial mais un peu large aux hanches, alors je l'ai laissé pour qu'ils le retouchent.

Puis elle m'a présenté ses tenues l'une après l'autre. Au passage, j'ai aperçu un des tickets de caisse de ses emplettes et manqué défaillir. Le total, sur ce seul ticket, atteignait plus de la moitié de notre remboursement d'emprunt immobilier.

— Ça va ? m'a-t-elle demandé après avoir terminé. Tu as l'air contrarié.

— Je me demande juste pourquoi tu n'as pas appelé.

— Je te l'ai dit. J'étais occupée.

— Je sais, mais…

— Mais quoi ? a-t-elle riposté, des éclairs dans les yeux. Ce n'est pas comme si toi tu m'envoyais des textos ou m'appelais toutes les cinq minutes quand tu étais au travail.

— Tu faisais du shopping.

— Pour le travail, a-t-elle précisé d'une voix qui trahissait nettement la colère, à présent. Tu crois que j'avais envie de rester debout la moitié de la nuit et de passer l'après-midi à courir comme une folle ? Pourtant tu ne m'as pas vraiment laissé le choix, si ? Je dois travailler parce que tu as démissionné. Et tu crois peut-être que je ne t'ai pas vu loucher sur ces tickets de caisse ? Mais avant que tu montes encore sur tes grands chevaux, tu devrais peut-être te rappeler que ta petite aventure nous a coûté bien plus que ce que j'ai dépensé aujourd'hui, alors tu devrais peut-être d'abord te regarder dans le miroir.

— Vivian…

— Il faut que tu arrêtes de me faire passer pour la méchante de l'histoire. Tu n'es pas irréprochable.

— Je n'ai jamais dit que je l'étais.

— Alors cesse de trouver à redire à tout ce que je fais.

— Je ne…

Mais elle avait déjà quitté la salle à manger.

Pendant la demi-heure qui a suivi, on s'est évités. Ou plutôt, elle m'a évité. Elle avait toujours été plus douée que moi dans ce domaine. Je le sais parce que je n'ai pas arrêté de l'épier, dans l'espoir de la voir se radoucir et, malgré moi, je me suis demandé pourquoi on ne pouvait manifestement plus discuter d'un truc qui me dérangeait sans que ça dégénère en dispute.

J'ai fait griller le thon et la côte de bœuf, en espérant au moins qu'elle y goûterait, puis j'ai dressé la table sur la terrasse. Après avoir apporté les plats, j'ai appelé Vivian, que j'ai vu apparaître avec London dans son sillage.

J'ai déposé de petites portions dans leurs assiettes respectives et, si toutes les deux ont pris quelques bouchées, ma femme a continué à me battre froid. Seul aspect positif du repas : London ne semblait se rendre compte de rien, puisqu'elle et sa mère bavardaient comme si je n'étais même pas là.

À la fin du dîner, Vivian m'agaçait autant que je devais l'agacer. Je suis allé dans le bureau, j'ai allumé mon ordinateur en pensant continuer à travailler sur mes présentations, mais ça s'est révélé impossible car je ne cessais de me repasser dans la tête le film des derniers événements.

Je ne pouvais échapper au sentiment d'échec qui me rongeait. Bizarrement, j'avais encore tout foiré, même si je ne savais pas trop ce que j'avais fait de si terrible. À ce moment-là, Vivian avait déjà commencé à préparer London pour la nuit et je l'ai entendue descendre l'escalier.

— Elle t'attend pour une histoire, a-t-elle dit. Mais pas trop longue. Elle bâille déjà.

— D'accord, ai-je répondu, et j'ai cru voir dans son expression le même genre de remords que j'éprouvais au sujet de la soirée. Au fait, je suis désolé pour la manière dont ça s'est passé, ce soir, ai-je ajouté en lui prenant la main.

Elle a haussé les épaules.

— La semaine a été stressante pour nous deux.

J'ai lu une histoire à London, puis je lui ai souhaité bonne nuit avec un bisou. Quand j'ai retrouvé Vivian au salon, elle était déjà en pyjama, un magazine ouvert sur les genoux, devant la télé qui diffusait je ne sais trop quelle émission de téléréalité.

— J'ai troqué mes vêtements contre un truc plus confortable, a-t-elle dit quand je me suis assis à ses côtés, apparemment plus intéressée par le magazine que par moi. Je suis lessivée. Je crois que je ne vais pas faire long feu avant d'aller me coucher.

J'ai compris ce qu'elle sous-entendait. Autant faire une croix sur l'idée même qu'on puisse faire l'amour.

— Je suis crevé moi aussi.

— Je n'en reviens pas qu'elle entre à l'école le mois prochain. Ça me paraît invraisemblable.

— Je ne comprends toujours pas pourquoi ils commencent si tôt, ai-je dit en reprenant le fil de la conversation. Est-ce qu'on ne rentrait pas après la Fête du Travail quand on allait à l'école ? Je veux dire, pourquoi ils rentrent le 25 août ?

— Aucune idée. Sans doute en rapport avec le nombre de jours de classe obligatoires, je pense.

J'ai pris la télécommande.

— Ça t'ennuie si je zappe sur autre chose ?

Ses yeux se sont soudain tournés vers la télé.

— Je ne regardais que d'un œil. Je voulais juste un truc idiot pour m'aider à décompresser.

J'ai reposé la télécommande. Pendant un moment, aucun de nous n'a parlé. Puis j'ai repris la parole :

— Qu'est-ce que tu as envie de faire demain ?

— Je ne suis pas encore décidée. Je sais que je dois passer récupérer le tailleur que j'ai fait retoucher, mais c'est à peu près tout. Pourquoi ? Tu pensais à quoi ?

— Tout ce qui te ferait plaisir. Tu as été très occupée cette semaine, on n'a pas eu l'occasion de passer beaucoup de temps ensemble.

— Je sais. C'était dément.

Peut-être que je me faisais des idées, mais elle n'avait pas l'air aussi perturbée que moi par le récent changement de programme.

— Quant au dîner de ce soir… ai-je commencé

Elle a secoué la tête.

— Évitons d'en parler, Russ. J'ai juste envie de me détendre.

– J'essayais de te dire que je m'inquiétais parce que je n'avais pas de nouvelles de toi…

Elle a levé le nez de son magazine.

– Vraiment ?

– Quoi ?

– Tu veux vraiment aborder ça maintenant ? Je t'ai dit que j'étais fatiguée. Je t'ai dit que je ne voulais pas en parler.

– Pourquoi tu te mets de nouveau en colère ?

– Parce que je sais ce que tu essaies de faire.

– Qu'est-ce que j'essaie de faire ?

– De me pousser à te présenter des excuses, mais je n'ai rien fait de mal. Tu veux que je sois désolée d'avoir trouvé un bon job ? Ou de tenter de m'habiller comme une vraie pro ? Ou d'être allée grignoter un truc parce que j'allais tomber dans les pommes ? Ça ne t'arrive jamais de penser que tu devrais peut-être commencer par t'excuser, toi, plutôt que de toujours chercher la bagarre ?

– Je ne cherchais pas à me disputer.

– C'est exactement ce que tu essayais de faire, a-t-elle riposté en me dévisageant comme si j'étais cinglé. Tu t'es mis dans tous tes états dès que je t'ai annoncé que j'avais déjà mangé, et tu tenais à tout prix à ce que je le sache. Alors j'ai essayé d'être sympa. Je t'ai invité à me rejoindre dans la salle à manger pour te montrer mes achats. Je t'ai embrassé. Et juste après, tu t'en es pris à moi, comme tu le fais toujours.

Je savais qu'il y avait du vrai dans ce qu'elle disait.

– OK, tu as raison, ai-je dit en veillant à garder une voix assurée. J'admets volontiers que j'étais déçu que tu aies dîné avant de rentrer à la maison…

– Oh, tu crois ? a-t-elle répliqué en me coupant la parole. C'est ça le hic avec toi. Crois-le ou non, mais tu n'es pas le seul à être sensible dans cette maison. As-tu seulement pris la peine de penser à toute la pression que j'ai subie ces temps-ci ? Et qu'est-ce que tu fais malgré tout ? Tu en rajoutes une dose dès que je franchis la porte et encore là maintenant, tu refuses de lâcher l'affaire, a-t-elle poursuivi tout en s'apprêtant à quitter la pièce. J'avais juste envie de regarder la télé et de lire mon magazine tranquillement, sans me disputer. Point barre. C'était trop te demander ?

– Où vas-tu ?

— Je vais m'allonger un moment, parce que j'ai envie de me détendre. Si tu veux me rejoindre, tu es le bienvenu, mais si tu préfères qu'on se dispute encore, alors ce n'est même pas la peine.

Sur ces mots, elle a disparu. J'ai éteint la télé, je suis resté assis là sans dire un mot pendant une heure, tout en essayant de comprendre ce qui était arrivé à notre couple.

Ou, plus précisément, comment je pourrais faire en sorte que ça s'améliore entre nous.

*
* *

Le dimanche, je me suis réveillé tard dans un lit vide.

J'ai enfilé un jean, avant d'essayer de discipliner les mèches rebelles qui m'accueillaient chaque matin en me regardant dans la glace. C'était d'autant plus pénible que Vivian était toujours pimpante au réveil.

Comme elle dormait déjà quand je m'étais glissé dans le lit la veille, je ne savais pas trop à quoi m'attendre ce matin-là ; mais, en gagnant la cuisine, j'ai entendu ma femme et ma fille rire.

— Bonjour…

— Papa ! m'a crié London.

Vivian s'est tournée et m'a fait un clin d'œil en souriant, comme si de rien n'était.

— Excellent timing, a-t-elle commenté. Je termine à peine de préparer le petit déj.

— Ça sent super bon.

— Viens par ici, beau gosse.

Je me suis approché, en supposant qu'elle tentait de jauger mon humeur et, une fois arrivé à sa hauteur, elle m'a embrassé.

— Désolée pour hier soir. Ça va ?

— Ouais, pas de souci. Et je suis désolé aussi.

— Que dirais-tu d'une bonne assiette ? J'ai fait le bacon hyper-croustillant, comme tu l'aimes.

— Génial.

— Le café est prêt aussi. Le lait devrait se trouver par là.

— Merci.

Je me suis servi une tasse, puis je l'ai emportée avec moi dans la salle à manger, avant de m'asseoir près de London. Je l'ai embrassée sur le front comme elle attrapait son verre de lait.

— Comment vas-tu, mon cœur ? Tu as fait de beaux rêves ?

— Je me rappelle plus, a-t-elle répondu, avant de boire une gorgée de lait, ce qui lui laissa une moustache blanche.

Vivian apporta deux assiettes à table, avec des œufs brouillés, du bacon et des toasts, en les disposant devant nous.

— Tu veux du jus de fruit ? Je viens de presser des oranges.

— Super. Merci.

Vivian apporta également le jus d'orange avec sa propre assiette. Contrairement aux nôtres, la sienne contenait une petite portion de blanc d'œuf brouillé et des fruits.

J'ai pris une bouchée de bacon.

— Tu t'es levée quand ?

— Il y a une heure peut-être. Tu devais être épuisé. Je ne pense pas que tu m'aies entendue sortir du lit.

— Je devais en écraser, c'est sûr.

— Si tu ne t'étais pas levé, j'allais t'envoyer London pour qu'elle vienne te secouer.

Je me suis tourné vers ma fille, bouche bée.

— Tu n'aurais quand même pas osé ? Et si j'étais encore endormi ?

— Bien sûr que si, a répliqué London en gloussant. Tu sais quoi ? Maman va m'emmener à la galerie marchande pour récupérer ses habits, et après on ira à l'animalerie.

— Qu'est-ce qu'il y a de beau là-bas ?

— Maman a dit que je pourrais avoir un hamster. Je vais l'appeler Mme Sprinkles.

— J'ignorais que tu voulais un hamster.

— Ça fait longtemps que j'en veux un, papa.

— Comment se fait-il que tu ne m'en aies jamais parlé, ma puce ?

— Parce que maman disait que t'en voudrais pas.

— Eh bien… je ne sais pas trop. S'occuper d'un hamster, c'est beaucoup de travail.

— Je sais, a admis London. Mais c'est trop mignon.

— Oui, c'est vrai.

Pendant tout le petit déjeuner, j'ai écouté London s'efforcer de me convaincre qu'elle était assez grande pour s'occuper d'un hamster.

Je sirotais ma deuxième tasse de café à la cuisine pendant que Vivian commençait à charger le lave-vaisselle ; au salon, London jouait avec ses Barbie.

— Elle est assez grande pour avoir un hamster, tu sais, a remarqué Vivian. Même si tu devras nettoyer la cage.

— Moi ?

— Bien sûr. C'est toi le papa.

— Parce que, dans ton esprit, aider ma fille à nettoyer une cage de hamster est dans mon profil de poste, c'est ça ?

— Vois ça comme une bonne manière de te rapprocher d'elle.

— Nettoyer le caca du hamster ?

— Tais-toi donc ! a-t-elle répliqué en me donnant un coup de coude. Ça lui fera du bien. Ça va la responsabiliser. Et puis c'est bien plus simple que de lui prendre un chat. Figure-toi qu'elle adore aussi le yorkshire du voisin, alors estime-toi heureux. Tu as lu la lettre d'info du country club ?

— J'avoue que non.

— Ils proposent des tas de trucs pour les enfants, y compris du tennis. C'est trois jours par semaine à 9 heures du matin pendant quatre semaines, donc ça ne gênera aucune de ses autres activités. Lundi, mardi et jeudi.

De l'endroit où je me tenais, je voyais ma fille remarquant de nouveau à quel point elle ressemblait à sa mère.

— Je ne sais pas si ça lui plaira, ai-je répondu. D'ailleurs, je voulais te demander… qu'est-ce que tu as prévu pour London ?

— Comment ça ?

— Dans la journée, ai-je précisé. Tu commences à travailler demain. Qui va la garder ?

— Je sais, je sais, bredouilla-t-elle en laissant transparaître un léger stress, tandis qu'elle rinçait une assiette avant de la glisser dans le lave-vaisselle. J'avais l'intention de chercher une garderie la semaine dernière, mais je n'ai tout bêtement pas eu le temps. C'est tout juste si j'ai pu garder la tête hors de l'eau et j'ai encore l'impression de ne pas être prête pour demain. La dernière chose que je souhaite, c'est de passer pour une idiote aux yeux de Walter pendant le déjeuner.

– Walter ?

– Mon nouveau patron ! Walter Spannerman !

– Je sais qui c'est. J'ignorais juste que tu déjeunais avec lui demain.

– Je n'en savais rien non plus jusqu'à ce matin. En me levant, je suis tombée sur un e-mail détaillant ma journée d'intégration. Ils m'ont prévu un programme au pas de course : ressources humaines, service juridique, déjeuner, rencontres avec différents vice-présidents. Je dois me trouver là-bas à 7 h 30.

– C'est tôt, ai-je observé en me demandant si elle reviendrait sur le sujet de la garde de London.

Elle a rincé d'autres ustensiles et les mis dans le lave-vaisselle, sans dire un mot. Je me suis éclairci la voix.

– Donc… tu disais ne pas avoir eu le temps de trouver une garderie pour London ?

– Pas encore. J'ai appelé quelques amies qui m'ont dit que leurs garderies étaient très bien, mais j'ai quand même envie de me faire ma propre idée, tu vois ? Faire une visite, rencontrer le personnel, discuter des activités qu'ils peuvent proposer. Je veux m'assurer que l'endroit lui convienne parfaitement.

– Si tu as des noms, je peux appeler et prendre rendez-vous pour nous.

– Eh bien, c'est ça le problème. Je n'ai aucune idée du nombre d'heures que je suis censée effectuer cette semaine.

– Je pense pouvoir décrocher un rendez-vous le soir.

– Ce serait sans doute mieux si je m'en chargeais, tu ne crois pas ? Ça me gênerait de devoir annuler.

– Bon alors… on se débrouille comment demain ? Pour London ?

– Je ne serais pas très à l'aise de la déposer dans je ne sais quelle garderie bizarre. Et toi ? Je veux ce qu'il y a de mieux pour elle.

– Je suis sûr que si tu la déposais dans l'une de celles que tes amies utilisent, elle serait bien.

– Elle est déjà suffisamment nerveuse de me voir reprendre le travail et elle était assez perturbée ce matin. C'est pour ça qu'on a pris un petit déj en famille et que j'ai suggéré l'acquisition d'un hamster. Je n'ai pas envie qu'elle se sente abandonnée cette semaine.

– Qu'est-ce que tu veux me dire, au juste ?

Vivian a fermé la porte du lave-vaisselle.

– J'espérais que tu la garderais cette semaine. Comme ça, London aura le temps de s'adapter.

– Impossible. J'ai des rendez-vous avec des clients tous les jours.

– Je sais que je demande beaucoup et je déteste te faire ça. Mais je ne sais pas comment me débrouiller autrement. Je me disais que tu pourrais soit l'amener au bureau, soit peut-être même travailler à la maison. Quand tu auras tes rendez-vous, tu peux la déposer chez ta mère. Ce ne serait que pour une semaine ou deux.

Une semaine ? *Ou deux* ?

Les paroles résonnaient encore dans ma tête tandis que je lui répondais.

– Je n'en sais trop rien. Je vais devoir appeler ma mère pour lui demander si elle est d'accord.

– Tu veux bien ? J'angoisse déjà suffisamment pour mon nouveau job, je ne veux pas en plus me faire du souci pour London. Comme je te le disais, elle était vraiment déstabilisée ce matin.

J'ai observé London : elle n'avait pas eu l'air troublée au petit déjeuner et ne le semblait pas plus à présent, mais Vivian savait sans doute mieux que moi de quoi elle parlait.

– Ouais, OK. Je vais l'appeler.

Vivian m'a souri, avant de s'approcher et de passer ses bras autour de mon cou.

– C'était adorable d'avoir tenté de me surprendre avec le dîner hier soir. Et je me disais qu'il se pourrait bien que j'aie envie d'un verre de vin quand London sera couchée, ce soir, a-t-elle ajouté en m'embrassant dans le cou pour que je sente son souffle brûlant sur ma peau. Tu serais partant, éventuellement ?

Malgré moi, je me suis soudain demandé si toute la matinée – son apparence, sa bonne humeur, le petit déjeuner – ne faisait pas tout bonnement partie d'un plan pour obtenir ce qu'elle souhaitait ; mais lorsqu'elle m'embrassa de nouveau dans le cou, je lui pardonnai.

*
* *

95

Vivian et London sont sorties jusqu'en milieu d'après-midi. Pendant leur absence, j'ai terminé la présentation pour le chiropracteur, le premier de mes rendez-vous. Entre-temps, j'avais aussi rangé la maison et appelé ma mère. Je lui ai parlé de mes déplacements dans la semaine et demandé si je pouvais lui confier London lundi.

— Bien sûr, m'a-t-elle répondu.

Je raccrochais juste au moment où Vivian et London se garaient dans l'allée et j'entendais déjà ma fille m'appeler avant que j'arrive à la porte.

— Papa ! Papa ! Viens vite !

J'ai dévalé les marches du perron, tout en la regardant brandir une petite cage en plastique. De loin, j'ai d'abord cru voir double parce qu'il y avait apparemment deux hamsters, un noir et blanc, l'autre marron. London souriait jusqu'aux oreilles comme je m'approchais d'elle.

— J'en ai pris deux, papa ! M. Sprinkles et Mme Sprinkles.

— Deux ?

— Elle n'arrivait pas à choisir, a expliqué Vivian. Alors je me suis dit : « Pourquoi pas ? » De toute manière, il fallait prendre une cage.

— Et j'ai tenu M. Sprinkles tout le long du trajet ! a ajouté London.

— Ah bon ?

— Il est trop gentil. Il est resté assis là dans mes mains tout le temps. Après je porterai Mme Sprinkles.

— Super, ai-je dit. J'aime bien leur cage.

— Oh, c'est juste pour les transporter. Leur vraie cage est à l'arrière. Maman a dit que tu peux m'aider à la monter. Elle est énorme !

— Elle a dit ça, vraiment ?

J'ai alors revécu dans ma tête certaines veilles de Noël, où j'avais passé des heures à assembler toutes sortes de trucs… mini-atelier de peinture, Maison de rêve de Barbie, le petit vélo. Inutile de préciser que l'exercice se révéla bien plus difficile qu'il ne l'aurait été pour mon père. Vivian a dû deviner mes pensées parce que je l'ai sentie glisser son bras autour de moi.

— Ne t'inquiète pas, m'a-t-elle soufflé à l'oreille. Ce ne sera pas si terrible. Et je t'encouragerai façon pom-pom girl.

*
* *

96

Plus tard, ce soir-là, après qu'on eut fait l'amour, j'étais allongé sur le côté et j'effleurais du doigt Vivian au creux de son dos. Elle avait les yeux clos, le corps détendu, sublime.

– Tu ne m'as toujours pas dit en quoi consistait exactement ton boulot.

– Il n'y a pas grand-chose à dire. C'est le même genre de job que je faisais dans le temps.

Elle paraissait somnoler et marmonnait.

– Tu sais si tu vas beaucoup voyager ?

– Pas encore. Je ne vais pas tarder à le savoir, j'imagine.

– Ça risque d'être problématique avec London.

– Tout se passera bien pour elle. Tu seras là.

Bizarrement, je m'attendais à ce qu'elle en dise davantage : que London allait lui manquer ou qu'elle espérait trouver un moyen pour avoir moins de déplacements. Au lieu de quoi, elle a inspiré longuement et régulièrement.

– Tu connais déjà ton salaire ?

– Pourquoi ?

– J'essaie juste de prévoir ce que sera notre budget.

– Non. Je ne le connais pas encore.

– Comment ça se fait ?

– Il y a le salaire de base, les primes et différents types d'avantages. Une participation aux bénéfices. J'ai plus ou moins déconnecté quand ils ont commencé à m'expliquer tout ça.

– Tu n'as même pas un chiffre approximatif ?

Elle a laissé tomber mollement une main sur mon bras.

– On doit vraiment discuter de ça maintenant ? Tu sais que je déteste parler d'argent.

– Non, on n'est pas obligés, bien sûr.

– Je t'aime.

– Je t'aime aussi.

– Merci de garder London cette semaine.

Ou deux semaines, ai-je aussitôt pensé, mais je me suis bien gardé de le dire.

– Pas de problème.

Impossible de m'endormir. Après avoir fixé le plafond pendant une heure, je me suis glissé hors du lit et j'ai gagné la cuisine à pas feutrés. Je me suis servi un verre de lait que j'ai bu d'un coup, en songeant que puisque j'étais debout je pourrais en profiter pour aller jeter un œil sur London. Je suis entré dans sa chambre, et j'ai entendu grincer et tourner la roue des hamsters… Ils faisaient la fête en pleine nuit.

Heureusement, ça ne semblait pas déranger ma fille. Elle dormait à poings fermés, son souffle profond et régulier. Je l'ai embrassée avant de remonter les draps sur elle. London a légèrement bougé et, en l'observant, j'ai senti un pincement au cœur, éprouvé un mélange de fierté, d'amour, d'inquiétude et de crainte, dont l'intensité m'a dérouté.

Ensuite, je suis allé m'asseoir sur la terrasse. La nuit était douce et l'air vibrait des stridulations de criquets ; je me rappelais vaguement que mon père m'avait dit quand j'étais gamin que la fréquence des stridulations était liée à la température, et je me suis demandé si c'était vrai ou juste un truc que les pères disaient à leur fils les soirs d'été.

Il semble que cette interrogation ait libéré d'autres pensées, et j'ai soudain compris pourquoi je ne trouvais pas le sommeil.

C'était lié à Vivian, restée évasive sur son salaire. Je ne la croyais pas quand elle prétendait avoir eu l'esprit ailleurs quand on le lui avait expliqué en détail, et ça me dérangeait aussi.

Depuis notre mariage, j'avais toujours dit à Vivian ce que je gagnais exactement. À mes yeux, partager ce genre d'information était l'une des conditions préalables au mariage ; c'était bien la dernière des cachoteries à entretenir dans un couple. Le secret pouvait se révélait destructeur et même masquer un désir de tout contrôler. Mais peut-être que j'étais trop dur envers elle. Peut-être qu'elle n'avait tout simplement pas voulu me vexer parce qu'elle allait avoir un revenu, alors que mon propre business peinait à démarrer.

Je ne savais pas trop… En attendant, je me voyais confier l'entière responsabilité de notre fille et, tout à coup, la véritable raison de mon insomnie m'est apparue comme une évidence.

Nos rôles respectifs dans le couple venaient de s'inverser.

6

Monsieur Maman

Quand on était gamins, mes parents chargeaient le camping-car et nous emmenaient, Marge et moi, dans les Outer Banks¹ chaque été. Au début, on séjournait à Rodanthe, ensuite on allait plus au nord, près de l'endroit où les frères Wright ont écrit l'histoire de l'aviation. Mais à mesure qu'on grandissait, Ocracoke est devenu notre lieu de prédilection.

Ocracoke n'est guère plus grand qu'un village mais, comparé à Rodanthe, c'était carrément une métropole, avec des magasins qui proposaient des crèmes glacées et des pizzas vendues à la part. Marge et moi passions des heures à écumer les plages et les boutiques, à ramasser des coquillages et à nous prélasser au soleil. Le soir, ma mère faisait à dîner, en général des hamburgers ou des hot-dogs. Ensuite, on capturait les lucioles dans des bocaux avant d'aller nous coucher sous une tente, tandis que nos parents dormaient dans le camping-car, sous un ciel constellé d'étoiles.

Une période heureuse. Parmi les meilleures de mon existence. Bien sûr, mon père en gardait un souvenir bien différent.

— Je détestais ces virées en famille, me confessa-t-il alors que j'étais en fac. Marge et toi vous disputiez comme chien et chat pendant le trajet. Tu attrapais des coups de soleil le premier jour et pleurnichais comme un bébé pendant toute la semaine. Marge passait la majeure partie de la sienne à bouder parce qu'elle n'était pas avec ses copines et, comme si ça ne suffisait pas, dès que tu commençais à peler, tu lançais les peaux mortes sur Marge pour la faire hurler. Bref, vous étiez de vrais emmerdeurs, tous les deux.

— Alors pourquoi nous emmener chaque année ?

— Parce que ta mère m'y obligeait. J'aurais préféré partir en vacances.

---

1. Chapelet d'îles le long des côtes de Caroline du Nord.

— On était en vacances.

— Non, rectifia-t-il. C'était une virée en famille, pas des vacances.

— C'est quoi la différence ?

— Tu le découvriras un jour.

Les trois premières années de la vie de London, les sorties à l'extérieur de la ville nécessitaient une préparation digne du débarquement en Normandie : couches-culottes, biberons et poussette ; casse-croûte et shampoing pour bébé, des sacs remplis de jouets pour l'occuper. Ensuite on allait dans des endroits censés lui plaire : l'aquarium, les aires de jeux MacDonald, la plage ; et on finissait sur les rotules, en ayant peu de temps à nous et encore moins pour nous détendre.

Deux semaines avant le quatrième anniversaire de London, en revanche, Peters m'a envoyé à Miami pour une conférence, et j'ai décidé de prendre quatre jours de vacances dans la foulée. Je me suis débrouillé pour que mes parents s'occupent de London et, même si Vivian d'abord un peu hésité à leur laisser notre fille, on n'a pas mis longtemps tous les deux à comprendre à quel point ça nous avait manqué d'être… libres. On a bouquiné au bord de la piscine, siroté des piña coladas et fait des siestes les après-midi. On s'habillait pour dîner, on se détendait autour d'un verre de vin et on faisait l'amour chaque jour, parfois plusieurs fois. Un soir, on est allés en discothèque et on a dansé jusque très tard dans la nuit, et on a fait la grasse matinée le lendemain. En rentrant à Charlotte, j'ai enfin compris ce que mon père avait voulu dire.

Les enfants, ça changeait tout.

*
* *

Un vendredi, je suppose, aurait mieux convenu que ce lundi 13 puisque tout m'a paru bizarre en ce premier jour de travail de Vivian.

Pour commencer, ma femme a filé la première sous la douche, ce qui a chamboulé un planning matinal en vigueur depuis des lustres. Ne sachant trop comment m'occuper, j'ai fait le lit, puis je suis allé à la cuisine préparer le café. Pendant qu'il passait, j'ai décidé de préparer un petit déj à Vivian avec des blancs d'œufs battus, des baies et des tranches de melon. Je me suis préparé la même chose en me disant que ça ne me ferait pas de mal de perdre quelques kilos. J'avais remarqué que mes pantalons commençaient à me serrer un peu à la taille.

Pendant que je m'activais, London m'a rejoint et je lui ai rempli un bol de céréales. Elle avait les cheveux hirsutes et j'ai bien vu qu'elle était fatiguée.

— Tu as bien dormi ? ai-je demandé.

— M. et Mme Sprinkles n'ont pas arrêté de me réveiller. Ils pédalaient tout le temps dans la roue et elle grinçait.

— Ce n'est pas normal. Je vais voir si je peux faire quelque chose, OK ?

Elle a hoché la tête, tandis que je me versais ma première tasse de café. J'en étais à ma troisième quand Vivian est enfin entrée dans la cuisine. Je l'ai regardée à deux fois.

— Waouh ! me suis-je exclamé en souriant.

— Tu aimes ?

— Magnifique, ai-je répondu sincèrement. Je t'ai préparé ton petit déj.

— Je ne sais pas si je peux avaler grand-chose. Je suis si nerveuse que ça me coupe l'appétit.

J'ai fait réchauffer les blancs d'œuf au micro-ondes tandis qu'elle s'asseyait à côté de London, qui lui parla de la roue qui grinçait.

— Je lui ai dit que je verrais si je peux arranger ça, ai-je précisé en apportant les assiettes à table.

Vivian commença à grignoter pendant que je prenais place.

— Tu vas devoir utiliser le spray démêlant sur les cheveux de London, avant de les lui brosser. Il est près du lavabo, le grand flacon vert.

— Pas de problème, ai-je répondu en me rappelant vaguement avoir vu Vivian l'utiliser.

J'ai attaqué mes œufs, tandis que Vivian se tournait vers London :

— Papa va t'inscrire au stage de tennis aujourd'hui. Tu vas adorer ça.

J'ai hésité, ma fourchette en suspens au-dessus de l'assiette.

— Attends… Quoi ?

— Le stage de tennis ? On en a parlé hier. Tu ne te souviens plus ?

— Je me souviens que tu y as fait allusion. Mais je ne crois pas qu'on ait décidé quoi que ce soit.

— L'inscription a lieu aujourd'hui et ils sont sûrs que ça va vite se remplir, alors tâche de te trouver là-bas vers 8 h 30. Ils prennent les noms dès 9 heures. Son cours d'arts plastiques est à 11 heures.

— Il faut que je revoie ma présentation.

— L'inscription ne va pas durer longtemps et tu pourras revoir ta présentation pendant qu'elle sera à son cours. Il y une cafétéria un peu plus loin dans le même complexe. Tu peux la laisser seule au cours… En général, je la dépose et je pars à la salle de gym. Ton rendez-vous est à quelle heure ?

— Quatorze heures.

— Tu vois. C'est parfait. Son cours se termine à 12 h 30, alors tu peux la déposer ensuite chez ta mère. Tu sais où se situe l'atelier, non ? Dans ce petit complexe juste en bas de la galerie marchande avec le TGI Fridays ?

Je connaissais cet endroit, mais mon esprit se concentrait surtout sur ma liste de choses à faire qui s'allongeait à vue d'œil.

— On ne peut pas simplement appeler le club et l'inscrire ?

— Non. Il leur faut une copie de la carte d'assurance maladie et on doit signer une décharge.

Ça continuait à tourbillonner dans ma tête.

— Elle est obligée d'aller à son cours d'arts plastiques aujourd'hui ? Vivian s'adressa à notre fille.

— Tu veux aller au cours d'arts plastiques, ma chérie ?

London a hoché la tête.

— Y a mon copain Bodhi là-bas, a-t-elle répondu. Ça s'écrit B-O-D-H-I et il est trop gentil. Je lui ai dit que j'apporterais M. et Mme Sprinkles pour qu'il les voie.

— Oh, ça me rappelle que tu devras passer acheter des copeaux à l'animalerie, a ajouté Vivian. Et n'oublie pas le cours de danse, en fin d'après-midi. C'est à 17 heures et le studio se trouve dans le même centre commercial que le supermarché Harris Teeter, a-t-elle ajouté en se levant et en serrant très fort London contre elle. Maman va rentrer après le travail, OK ? N'oublie pas de mettre ton linge sale dans la panière.

— OK, maman. Je t'aime.

— Moi aussi je t'aime.

J'ai accompagné Vivian à la porte, que j'ai ensuite ouverte, avant de lui offrir un bref baiser en disant :

— Tu vas leur en mettre plein la vue.

— J'espère, a-t-elle répliqué en arrangeant sa coiffure. J'ai noté l'emploi du temps de London pour te faciliter la tâche, a-t-elle poursuivi en sortant de son sac un bout de papier plié en deux.

J'ai parcouru la liste. Cours d'arts plastiques les lundi et vendredi à 11 heures, leçons de piano les mardi et jeudi à 9 h 30. La danse tombait les lundi, mercredi et vendredi à 17 heures. Et, à partir de la semaine suivante, stage de tennis les lundi, mardi et jeudi à 8 heures.

– Waouh… Sacré planning. Tu ne penses pas que c'est un peu trop ?

– Tout va bien se passer.

Je ne sais pas pourquoi mais j'espérais qu'elle s'attarderait, parlerait un peu de sa nervosité ou autre, mais elle a tourné les talons et marché d'un bon pas vers sa voiture.

Sans un regard par-dessus son épaule.

*
* *

Ne me demandez pas comment, mais je me suis débrouillé pour tout faire. Ménage, inscription, aller-retour avec London avant de la déposer chez ma mère, puis rendez-vous chez le chiropracteur avec quelques minutes à tuer.

Le cabinet de ce praticien offrait une devanture minable dans une zone industrielle décrépite : pas le genre d'endroit où on avait envie de voir un professionnel de la santé. Un rapide coup d'œil m'a suffi pour comprendre que mon client potentiel avait grandement besoin de mes services.

Malheureusement, il pensait le contraire. Ma présentation sur PowerPoint ne l'a pas captivé, pas plus que ce que j'avais à lui dire, surtout comparé à son intérêt pour le sandwich qu'il mangeait. Il était furieux que celui-ci n'ait pas de moutarde. Je le sais, parce qu'il me l'a dit trois fois ; et quand je lui ai demandé s'il avait des questions, il m'a demandé si j'avais éventuellement dans ma voiture des dosettes de moutarde que je pourrais lui céder.

Je n'étais pas de bonne humeur en passant récupérer London chez ma mère et, après un saut à l'animalerie, on est rentrés à la maison. Je me suis remis à l'ordinateur et j'ai travaillé jusqu'à ce qu'il soit l'heure d'emmener ma fille à la danse ; mais trouver la tenue de London nous prit un petit moment, car aucun de nous ne savait où Vivian l'avait rangée. On avait quelques minutes de retard en quittant la maison, et London devenait de plus en plus agitée à mesure que l'heure tournait.

— Mme Hamshaw se met vraiment en colère si on respecte pas ses règles.

— Ne t'inquiète pas. Je lui dirai simplement que c'est de ma faute.

— Ça servira à rien.

Il s'avéra que London avait raison. Le vestibule était occupé par cinq femmes assises qui ne disaient pas un mot ; un peu plus loin se trouvait la piste, ces deux zones étant séparées par un mur bas pourvu d'une porte battante. Sur la droite, des vitrines étaient remplies de trophées et les murs se paraient de bannières proclamant la victoire de diverses équipes lors de concours nationaux.

— Vas-y, ai-je dit à ma fille d'une voix pressante.

— Je peux pas aller sur la piste tant qu'on me dit pas si je peux avancer.

— C'est-à-dire ?

— Arrête de parler, papa. Les parents doivent se taire quand Mme Hamshaw parle. Sinon je vais encore plus me faire disputer.

Mme Hamshaw, une femme sévère aux cheveux teints gris acier et relevés en un chignon serré, aboyait des ordres à un groupe de fillettes de cinq à six ans. Le moment venu, elle s'est avancée vers nous à grandes enjambées.

— Désolé pour le retard, ai-je commencé. La mère de London reprenait le travail aujourd'hui et je n'arrivais pas à trouver sa tenue de danse.

— Je vois, m'a rétorqué Hamshaw en plantant son regard dans le mien. Tu peux avancer sur la piste, lui dit-elle après une longue minute de silence qui manifestait pleinement sa réprobation.

Les yeux baissés, London a franchi la porte en traînant les pieds et est entrée dans le studio.

Mme Hamshaw l'a regardée s'avancer, avant de reporter son attention sur moi.

— Faites en sorte que cela ne se reproduise plus, je vous prie. Les arrivées tardives perturbent le cours et j'ai déjà grand-peine à garder mes élèves concentrées.

Je suis sorti et j'ai appelé ma réceptionniste, uniquement pour apprendre qu'il n'y avait pas de message, puis j'ai passé le reste de l'heure à regarder London et les autres gamines faire de leur mieux pour satisfaire Mme Hamshaw, laquelle semblait drôlement difficile à contenter. À plusieurs reprises, j'ai vu London se ronger les ongles.

Une fois le cours terminé, la tête dans les épaules, ma fille traînait quelques pas derrière moi tandis qu'on rejoignait la voiture. Elle n'a pas soufflé mot jusqu'à ce qu'on sorte du parking.

– Papa ?

– Oui, mon cœur ?

– Je peux avoir des Lucky Charms quand on sera à la maison ?

– Ce n'est pas pour le dîner. C'est pour le petit déjeuner. Et tu sais que ta maman n'aime pas que te voir manger des céréales sucrées.

– La maman de Bodhi le laisse prendre des Lucky Charms au goûter de temps en temps. Et pis j'ai faim. S'il te plaît, papa ?

« S'il te plaît, papa » prononcé d'une petite voix plaintive. Comment résister ?

Je suis passé au supermarché, j'ai attrapé la boîte de céréales, et je suis arrivé à la maison trois minutes plus tard que prévu.

Je lui ai rempli un bol, j'ai envoyé un texto à Vivian pour lui demander quand elle rentrait, puis j'ai réussi à me caler un petit moment pour travailler, en ayant l'impression d'avoir passé ma journée à faire des allers-retours depuis que j'étais debout. Je n'ai pas dû voir le temps passer : quand Vivian s'est enfin garée dans l'allée, je me suis rendu compte qu'il était bientôt 20 heures.

Vingt heures ?

London est arrivée devant moi à la porte, et j'ai regardé Vivian la soulever dans ses bras et l'embrasser, avant de la reposer par terre.

– Désolée, je suis en retard. Il y a eu une urgence au boulot.

– Je croyais que tu suivais ton parcours d'intégration.

– En effet. Pratiquement toute la journée. Et puis à 16 heures, on a découvert qu'un journaliste du *News & Observer* de Raleigh prévoyait un soi-disant « dossier » sur l'un des lotissements de Walter. D'un seul coup, on est passés en mode crise. Y compris moi.

– Pourquoi toi ? C'est ton premier jour ?

– C'est pour ça qu'ils m'ont embauchée, a expliqué Vivian. Et j'ai pas mal d'expérience dans la gestion de crise. Mon patron à New York avait toujours des ennuis avec la presse. Enfin bref, on a dû se réunir et trouver un plan d'attaque, et j'ai dû recontacter les communicants extérieurs de Spannerman. Ensuite, ça n'a pas arrêté. J'espère que tu m'as gardé de quoi dîner. Je meurs de faim. Peu importe ce que tu as préparé.

Oups.

Elle a dû voir l'expression de mon visage, car ses épaules se sont légèrement affaissées.

— T'as rien fait pour dîner ?

— Non. J'étais plongé dans mon boulot…

— Alors London n'a pas mangé ?

— Papa m'a laissé manger des Lucky Charms, a déclaré ma fille en souriant.

— Des Lucky Charms ?

— Juste en guise de goûter, ai-je précisé, me sentant malgré moi sur la défensive.

Mais Vivian n'écoutait déjà plus que d'une oreille.

— Si on voyait ce qu'on peut trouver pour dîner, OK ? Quelque chose de sain.

— OK, maman.

— Comment s'est passé le cours de danse ?

— On était en retard, a répondu London. Et la professeur était très, très en colère contre papa.

Le visage de Vivian s'est crispé, son mécontentement aussi flagrant que celui de Mme Hamshaw.

*

* *

— Hormis l'urgence, comment s'est passée ta première journée au boulot ? lui ai-je demandé plus tard, alors qu'on était au lit.

Je voyais bien qu'elle était encore agacée à cause de moi.

— Super. J'ai juste rencontré des gens et je me suis familiarisée avec l'endroit.

— Et ton déjeuner avec Spannerman ?

— Je crois que ça s'est bien passé, a-t-elle répondu sans rien ajouter.

— Tu sens que tu peux bosser pour lui ?

— Je ne pense pas que j'aurai le moindre problème avec lui. La plupart des cadres sont là depuis des années.

Uniquement si ce sont des femmes…
— Tiens-moi au courant si jamais il se met à te draguer, OK ?
Elle a soupiré.
— C'est juste un travail, Russ.

*
* *

Levé aux aurores, j'ai réussi à caser plusieurs heures de boulot sur l'ordinateur, avant que Vivian se lève ; dans la cuisine, notre conversation était moins personnelle que purement pratique. Elle m'a tendu une liste de courses alimentaires et rappelé que London avait une leçon de piano ; elle m'a aussi dit de demander au prof de piano s'il voudrait bien travailler avec notre fille les mardi et jeudi après-midi, après la rentrée scolaire. En gagnant la porte, elle s'est tournée vers moi.
— Tu veux bien tâcher d'être un peu plus scrupuleux concernant London aujourd'hui ? L'amener à l'heure à ses activités et veiller à ce qu'elle mange correctement ? Ce n'est pas comme si je te demandais de faire un truc que je n'ai pas fait pendant des années.
Sa réflexion m'a piqué au vif mais, avant que je puisse réagir, Vivian refermait déjà la porte derrière elle.

*
* *

London est descendue quelques minutes plus tard et m'a demandé si elle pouvait avoir des Lucky Charms pour le petit déjeuner.
— Bien sûr, ma puce, ai-je répondu. Tu veux aussi du lait chocolaté ?
— Oui !
— Je l'aurais parié, ai-je répliqué, en me demandant ce que Vivian penserait de ça.
London a mangé puis joué avec ses Barbie ; je lui ai démêlé les cheveux et me suis assuré qu'elle soit habillée pour la journée, puis je l'ai amenée à sa leçon de piano. Je n'ai pas oublié de demander au prof si on pouvait changer les horaires, puis j'ai filé chez mes parents.
— Oh, te voilà de retour, a dit ma mère sitôt que j'ai franchi la porte de la maison de mon enfance.

Tandis qu'elle embrassait London, j'ai remarqué que ma mère ne portait pas de tablier mais une robe violette.

— Bien sûr que je suis là, ai-je répondu. Mais je reste juste quelques minutes, car je ne veux pas être en retard.

Elle a tapoté le dos de sa petite-fille en disant :

— London, mon cœur ? Tu veux goûter aux cookies qu'on a faits hier ? Ils sont dans le bocal près du grille-pain.

— Je sais, mamie, a répliqué la petite avant de se faufiler illico dans la cuisine, comme si ses céréales sucrées n'avaient pas suffi.

— J'apprécie vraiment ton coup de main pour London, ai-je repris.

— Eh bien, tu vois, ça pose un léger problème.

— Quoi donc ?

— J'ai un déjeuner aujourd'hui avec la Red Hat Society, a expliqué ma mère en désignant le chapeau rouge posé sur la table voisine.

D'une couleur évoquant un camion de pompiers, il se hérissait de plumes qui, à mon avis, provenaient d'un paon.

— Mais je t'ai dit que j'avais des rendez-vous toute la semaine.

— Je sais. Mais tu m'as seulement demandé si je pouvais garder London lundi.

— J'ai juste supposé que tu saurais ce que je voulais dire. Et London adore passer du temps avec toi.

Ma mère a posé la main sur mon bras.

— Allons, Russ… Tu sais à quel point je l'adore aussi, mais je ne peux pas la garder tous les jours jusqu'à la rentrée scolaire. Comme toi, j'ai des choses à faire.

— C'est temporaire, ai-je protesté. D'ici la semaine prochaine, j'espère que tu n'auras plus besoin de m'aider.

— Demain, je ne serai pas là. Mon club de jardinage accueille un atelier Tulipes et Jonquilles avec des bulbes exotiques que nous pourrons acheter sur place. J'espère surprendre ton père au printemps prochain. Tu sais qu'il n'a jamais eu beaucoup de chance avec les tulipes. Par ailleurs, je fais du bénévolat les jeudis et vendredis.

— Oh… ai-je lâché, comme pris de vertige, tandis que ma mère poussait un soupir.

— Quant à aujourd'hui, comme London est déjà là… à quelle heure auras-tu terminé ton rendez-vous ?

— Midi moins le quart, je pense ?

– Mon déjeuner est à midi, alors pourquoi ne pas venir la récupérer au restaurant. London peut rester avec mes amies et moi jusqu'à ton arrivée.

– Ce serait super, ai-je dit, soulagé. C'est où ?

Elle a cité un établissement que je connaissais, même si je n'y étais jamais allé.

– C'est à quelle heure ton rendez-vous, déjà ?

Mon rendez-vous. Oh merde !

– Faut que je file, maman. Tu n'imagines pas à quel point tu me rends service !

*
* *

– Sérieux ? a demandé Marge. T'es contrarié par l'attitude de maman parce qu'il se trouve qu'elle a une vie ?

Je fonçais sur l'autoroute et discutais sur mon Bluetooth.

– Tu m'écoutes ou pas ? J'ai des rendez-vous toute la semaine. Comment je vais faire ?

– Allô la Terre ? Les garderies, ça existe, non ? Prends une baby-sitter pour quelques heures ! Demande à tes voisins ! Arrange-toi pour qu'elle aille jouer chez des gamins du quartier !

– Je n'ai pas eu une minute à moi pour explorer ce genre de solutions.

– Tu as quand même le temps de me parler en ce moment même, non ?

Parce que j'espère que tu me garderas London demain pendant deux ou trois heures.

– Vivian et moi en avons discuté. London traverse déjà une période difficile depuis que sa mère a repris le travail.

– Vraiment ?

Hormis son aversion apparente pour le cours de danse, je n'avais rien remarqué, mais…

– Bref, je t'appelais parce que j'espérais que…

– N'en dis pas plus, m'a prévenu Marge en me coupant la parole.

– Comment ça ?

– Tu vas me demander si je peux garder London demain, puisque maman n'est pas disponible. Ou jeudi ou vendredi. Ou même les trois.

Comme je le disais, Marge est perspicace.

— Je ne vois pas de quoi tu parles.

J'imaginais ma sœur levant les yeux au ciel.

— Ne fais pas l'idiot et ne te donne pas non plus la peine de nier. Pourquoi tu m'appellerais, sinon ? Tu sais combien de fois tu m'as appelée au boulot ces cinq dernières années ?

— De but en blanc, non.

— Zéro fois.

— Non !

— Tu as raison. Je mens comme je respire ! Tu m'appelles tous les jours. On papote et on glousse comme des collégiennes pendant des heures, et moi je gribouille sur mon calepin. Attends une seconde…

Ma sœur s'est alors mise à tousser comme une forcenée.

— Ça va ?

— Je crois que j'ai chopé un virus.

— En plein été ?

— J'ai dû amener papa chez le médecin hier et la salle d'attente était remplie de malades. Encore étonnant que je ne sois pas sortie sur une civière.

— Comment va-t-il ?

— Il faut attendre quelques jours pour avoir les résultats des analyses, mais le test de résistance à l'effort et l'électrocardiogramme ont montré que son cœur allait bien. Idem pour les poumons. Le docteur avait l'air épaté, même si papa était plus renfrogné que jamais.

— Je l'imagine sans difficulté, ai-je dit, tout en repensant à ma fille. Qu'est-ce que je suis censé faire de London si je ne trouve personne pour la garder ?

— Tu es malin. Tu vas trouver une solution.

— C'est agréable de se sentir soutenu et aidé par sa frangine.

— J'essaie.

*
**

Le rendez-vous avec les propriétaires de la sandwicherie se déroula à peu près aussi bien que celui de la veille avec le chiropracteur. Non par désintérêt. Les patrons, un couple marié venu de Grèce, savaient que la publicité améliorerait leur affaire ; le problème, c'était qu'ils gagnaient juste assez pour couvrir leurs frais et ne pas mettre la clé sous la porte. Ils m'ont demandé de revenir quelques mois plus tard, quand ils maîtriseraient mieux la situation, et ils m'ont offert un sandwich au moment où je m'apprêtais à partir.

– C'est délicieux, vous verrez, m'a dit le mari. Tous nos produits sont servis sur du pain pita que nous fabriquons sur place.

– C'est la recette de ma grand-mère, a renchéri sa femme.

J'ai volontiers admis que le pain sentait divinement bon et pu constater de visu avec quel soin le mari avait confectionné le sandwich. Sa femme m'a demandé si je voulais des chips et une boisson – pourquoi pas ? – et tous deux m'ont tendu mon déjeuner avec un grand sourire.

Ensuite, ils m'ont présenté la note.

*
* *

Je suis arrivé au repas de la Red Hat Society à midi moins le quart. Malgré les désagréments évidents que j'avais causés à ma mère, j'ai eu l'impression qu'elle était fière d'exhiber sa petite-fille qui apportait un peu de fantaisie dans ce groupe.

– Papaaa ! s'est écriée London dès qu'elle m'a vu, avant de se lever pour courir vers moi. Les dames m'ont dit que je pourrais revenir quand je veux à leurs repas !

Ma mère s'est levée de table et m'a serré dans ses bras, à l'écart du groupe.

– Merci de l'avoir gardée, maman.

– De rien. Elle a eu un franc succès.

– J'ai vu ça.

– Mais demain et le reste de la semaine…

– Je sais, ai-je dit. Les tulipes. Le bénévolat.

En sortant, j'ai pris la main de ma fille. Elle était toute petite dans la mienne, chaude et …

– Papa ?

– Oui.

– J'ai faim.

111

– Rentrons à la maison et je te ferai un sandwich au beurre de cacahuètes et à la confiture.

– On peut pas.

– Pourquoi donc ?

– On n'a pas de pain.

*
* *

On est allés au supermarché où, pour la première fois, j'ai pris un Caddie.

Dans l'heure suivante, j'ai lentement fait les courses indiquées sur la liste de Vivian, en revenant plus d'une fois dans l'allée précédente. J'ignore comment je me serais débrouillé si London n'avait pas été là pour m'aider, dans la mesure où sa connaissance des marques dépassait de loin celle d'une gamine de cinq ans. Je ne savais absolument pas où trouver de la courge spaghetti, pas plus que je n'aurais su dire si un avocat était mûr en le tâtant ; mais avec l'aide de ma fille et de quelques employés du magasin, j'ai pu cocher tous les articles de la liste. Au supermarché, j'ai vu des mères et des enfants de tous âges, dont la plupart semblaient aussi submergées que moi, si bien que je me suis trouvé quelques affinités avec elles. Je me demandais combien d'entre elles auraient comme moi préféré se trouver dans un bureau plutôt qu'au rayon viande du supermarché… où j'ai mis près de cinq minutes à trouver les blancs de poulet fermier bio que Vivian avait spécifiés.

De retour à la maison, après avoir fait un sandwich pour London et rangé les courses, j'ai passé le reste de l'après-midi à travailler et à faire le ménage en alternance, tout en veillant à ce que ma fille aille bien, et en ayant sans cesse l'impression de nager à contre-courant. Vivian est arrivée à 18 h 30 et a passé un petit moment avec London, avant de me retrouver à la cuisine où je préparais une salade composée.

– Comment se présente le poulet Marsala ?

– Le poulet Marsala ?

– Accompagné de courge spaghetti ?

– Euh…

Elle a éclaté de rire.

– Je rigole. Je vais m'en occuper. Ce ne sera pas long.

— Comment c'était au boulot aujourd'hui ?

— Je n'ai pas arrêté, a-t-elle répondu. J'ai passé le plus clair de mon temps à me documenter sur le journaliste dont je t'ai parlé hier et j'ai essayé de trouver sous quel angle il a l'intention de rédiger son papier. Et, bien sûr, comment juguler l'article quand il sera publié et le contrer par une couverture médiatique positive.

— Tu as ta petite idée sur ce que gars risque d'écrire ?

— Je soupçonne qu'on aura droit aux âneries habituelles, semblables à ce qui a déjà été écrit. Le journaliste est un fou d'écologie et il a discuté avec des gens qui prétendent qu'un des programmes d'immeubles en copropriété situés sur le front de mer non seulement flirte avec l'illégalité mais a aussi entraîné une érosion sévère sur une autre partie de la plage lors de la dernière tempête tropicale. Bref, toujours la même rengaine : en gros, on accuse les riches chaque fois que la Nature fait des siennes.

— Tu sais que Spannerman n'est pas très respectueux de l'environnement, non ?

Vivian se servait un verre de vin.

— Walter n'est plus comme ça. Il a beaucoup changé depuis la dernière fois que tu l'as vu.

J'en doute, pensai-je, tout en préférant déclarer :

— J'ai l'impression que tu maîtrises bien la situation.

— En tout cas, je suis ravie que l'article ne sorte pas cette semaine. Walter a une grosse levée de fonds prévue ce week-end à Atlanta. Pour son PAC.

— Il a un PAC maintenant ?

— Je t'en ai déjà parlé.

Elle a posé une poêle sur la cuisinière, y a ajouté le poulet, puis a farfouillé dans l'étagère à épices.

— Il a démarré il y a deux ou trois ans en le finançant lui-même au début. À présent il a décidé de solliciter le soutien d'autres personnes. Et c'est ce que je vais superviser dans les trois jours qui viennent. Il a même fait appel à une société spécialisée dans l'événementiel qui se charge du programme et, même s'ils ont fait du bon boulot, il veut que ce soit parfait. C'est là que j'interviens. Il sait que j'ai bossé dans le spectacle et m'a demandé de trouver une attraction musicale. Quelque chose qui en jette.

— Pour ce week-end ? Ça ne te laisse pas beaucoup de temps.

— Je sais. Et c'est exactement ce que je lui ai dit. J'ai passé un coup de fil à mon ancien patron, qui m'a indiqué des personnes à appeler, alors on va voir. Le côté positif, c'est que Walter est prêt à débourser ce qu'il faut, mais ça veut dire que je vais sans doute travailler tard tout le week-end. Et je vais devoir aller à Atlanta.

— Tu plaisantes ! C'est seulement ton deuxième jour à ce poste.

— Ne commence pas, a-t-elle répliqué en commençant à faire dorer le poulet. Ce n'est pas comme s'il m'avait laissé le choix. Tous les gros promoteurs, du Texas à la Virginie, seront là, et tous les cadres de la boîte doivent y aller. Et puis ça ne dure pas tout le week-end : je m'envole samedi matin et reviens dimanche.

Ça ne me plaisait pas, mais que pouvais-je faire ?

— OK. J'ai l'impression que tu es déjà en passe de devenir indispensable.

— J'essaie, a-t-elle dit en souriant. Comment était London aujourd'hui ? Elle s'est bien débrouillée au piano ?

— Elle a été super, mais je ne suis pas sûr qu'elle aime beaucoup la danse. Elle n'a pas dit un mot après son cours hier.

— La prof était contrariée à cause de votre retard. Alors London l'était aussi.

— Cette femme m'a l'air de prendre les choses un peu trop à cœur.

— En effet. Et c'est pour cette raison que ses équipes remportent plein de concours, n'est-ce pas chérie ? Pendant que je m'occupe du dîner, tu veux bien faire couler le bain de London ?

— Maintenant ?

— Comme ça, tu pourras lui lire une histoire après le repas et la préparer pour le coucher. Elle est fatiguée et, comme je te le disais, j'ai une tonne de boulot qui m'attend.

— Bien sûr, ai-je répondu en réalisant une fois de plus que j'irais probablement me coucher seul.

7

Deux par deux

Quand London avait trois ans et demi, nous sommes allés tous les trois pique-niquer au bord du lac Norman. On ne l'a fait qu'une fois. Vivian avait préparé un délicieux repas et, à l'aller, comme il soufflait une brise légère, on s'est arrêtés dans une boutique de loisirs créatifs pour acheter un cerf-volant. J'avais choisi un modèle très en vogue quand j'étais gamin ; simple et bon marché, rien à voir avec les cerfs-volants que des mordus de ce hobby rêveraient de faire voler.

Il a paru être le cerf-volant parfait pour une enfant. J'ai pu le lancer moi-même et, une fois dans les airs, c'était presque comme s'il était collé au ciel. Peu importe les mouvements que j'exécutais ; je pouvais rester sur place ou marcher ici et là, et quand j'ai tendu le dévidoir à London en l'attachant à son poignet, elle aussi a pu rester libre de ses mouvements. Elle pouvait cueillir des fleurs ou gambader en chassant les papillons ; un couple sympa se promenait avec un petit cocker anglais, et la petite a pu s'asseoir et jouer avec le chiot pendant que le cerf-volant flottait toujours dans le ciel. Quand on s'est installé pour déjeuner, j'ai enroulé le fil autour d'un banc voisin et le cerf-volant a continué à claquer dans la brise au-dessus de nous.

Vivian était d'humeur joyeuse et on est restés dans le parc la plus grande partie de l'après-midi. Sur le chemin du retour, je me souviens m'être dit que c'était pour des moments comme ça que la vie valait d'être vécue et que, quoi qu'il arrive, je n'abandonnerais jamais ma famille.

Mais c'était exactement ce qui m'arrivait maintenant. Ou du moins l'impression que j'éprouvais. Comme si je laissais tomber tout le monde, y compris moi-même.

On était mercredi, troisième jour de travail pour Vivian, et je me retrouvais seul avec London.

Toute la journée.

Debout avec la petite devant le deuxième cabinet de chiropraxie, j'avais l'impression d'envoyer ma fille en terre inconnue. L'idée de la laisser dans la salle d'attente en compagnie d'étrangers me mettait mal à l'aise ; les journaux et les émissions du soir à la télé poussaient les parents d'aujourd'hui à croire qu'un monstre était toujours tapi dans l'ombre, prêt à fondre sur sa proie.

Je me demandais si mes parents s'étaient jamais inquiétés pour Marge et moi à ce sujet, mais cette pensée ne m'a traversé l'esprit qu'un quart de seconde. Bien sûr que non. Mon père me faisait asseoir sur le banc installé devant une vieille taverne qu'il fréquentait parfois quand il prenait une bière avec des amis. Et ce banc était situé à l'angle d'une rue passante, près d'un arrêt de bus.

— Tu as compris que c'était un rendez-vous important pour papa, hein ?

— Oui, je sais, a répondu ma fille.

— Et je veux que tu restes assise sagement.

— Et pis je dois pas me lever et me balader un peu partout, et je dois pas parler aux inconnus. Tu me l'as déjà dit.

Vivian et moi avons dû réussir à faire passer le message, car London a fait exactement ce qu'on lui a dit. À l'accueil, la secrétaire a observé qu'elle s'était comportée en petite fille bien élevée pendant le rendez-vous, ce qui apaisa mon inquiétude.

Malheureusement, le client n'était pas intéressé par mes services. À ce stade, j'en étais à 3 à 0. Au restaurant, le lendemain, j'allais passer à 4 à 0.

Tandis que je m'efforçais de rester optimiste, c'est le vendredi après-midi que j'ai réussi ma meilleure présentation. La patronne d'un centre de remise en forme – une quinquagénaire blonde à la langue bien pendue – s'est montrée enthousiaste et, si je devinais que son établissement marchait déjà bien, elle savait qui j'étais et connaissait même certaines de mes campagnes de pub. En discutant avec elle, je me suis senti détendu et confiant et, à la fin j'ai eu l'impression que je n'aurais pas pu mieux faire. Néanmoins, les astres n'étaient pas dans le bon alignement pour moi.

J'avais non seulement échoué à décrocher d'autres rendez-vous pour la semaine suivante, mais mon score atteignait 5 à 0.

*
* *

Malgré tout, la soirée en amoureux du vendredi arrivait. Quand on n'a rien à fêter, on fait quand même la fête, non ?

Ce n'était pas tout à fait vrai. Si je n'avais eu aucun succès professionnel, Vivian faisait manifestement des étincelles dans son nouveau job. Elle avait même réussi à réserver une attraction musicale, un groupe des années quatre-vingt, en l'occurrence, dont j'ai reconnu le nom. Comment y était-elle parvenue ? Aucune idée. Pour ma part, j'avais aussi passé plus de temps en tête à tête avec London, ce qui témoignait d'un grand changement.

Sauf… que ce n'était pas mon impression. Comme je courais toujours d'un endroit à l'autre, c'était presque comme si je travaillais pour London au lieu de prendre du bon temps avec elle.

Étais-je le seul à éprouver ça ? D'autres parents avaient-ils la même impression ?

Quoi qu'il en soit, la soirée en amoureux était sacrée ; et, pendant que London faisait des entrechats à son cours de danse, je suis passé au supermarché prendre du saumon, du steak et une bonne bouteille de chardonnay. Le 4 x 4 de Vivian était garé dans l'allée quand je suis arrivé à la maison, et London a sauté de ma voiture en appelant sa mère. Je l'ai suivie avec mon sac de victuailles pour le dîner, sauf que London est redescendue aussi sec. Vivian ne semblait nulle part en vue, mais je l'ai entendue appeler depuis la chambre.

London a couru dans cette direction et j'ai entendu Vivian s'exclamer :

– Te voilà, mon cœur ! Comment s'est passée ta journée ?

J'ai suivi leurs voix et découvert ma femme et ma fille près du lit, sur lequel était posée une valise ouverte, déjà remplie, avec deux nouveaux sacs vides de grands magasins.

Des courses…

– Tu prépares tes affaires pour demain, à ce que je vois.

– En fait, je dois partir ce soir.

– Tu t'en vas ? a lâché London avant moi.

J'ai regardé Vivian poser une main sur l'épaule de la petite.

– Je n'en ai pas envie, mais il le faut. Je suis désolée, ma puce.

– Mais moi j'ai pas envie que tu partes, a répliqué London.

– Je sais, mon cœur. Mais dimanche, à mon retour, je me rattraperai. On fera un truc sympa, rien que toi et moi.

– Comme quoi ?

– À toi de choisir.

– Peut-être que… on pourrait aller à la Blueberry Farm ? La ferme où tu m'as déjà amenée ? Et on cueillera des myrtilles et on caressera les animaux ?

– C'est une super idée ! s'est exclamée Vivian. On fera ça, alors.

– Et pis faut aussi qu'on nettoie la cage des hamsters.

– Ton papa s'en occupera pendant mon absence. Mais pour le moment, tâchons de te faire quelque chose à manger, d'accord ? Je pense qu'il nous reste du poulet et du riz que je peux réchauffer. Tu veux bien attendre maman dans la cuisine, pendant que je parle une minute avec papa ?

– OK.

– Donc, tu t'en vas ce soir, ai-je dit, quand London nous eut laissés seuls.

– Je dois filer dans une demi-heure. Walter souhaite que deux autres cadres et moi vérifiions le moindre détail avec le directeur du Ritz-Carlton, pour s'assurer que tout soit installé comme prévu.

– Le Ritz-Carlton ? C'est là que tu descends ?

Elle a hoché la tête.

– Je sais, ça doit sans doute te contrarier. Pour info, ça ne m'enchantait pas non plus de savoir que je serais absente deux soirs de suite. Mais bon, j'essaie de faire avec.

– T'as pas trop le choix, ai-je dit avec un sourire forcé.

– Laisse-moi passer un petit moment avec London, tu veux bien ? Je pense que tout ça la déstabilise.

– OK.

Elle a planté son regard dans le mien.

— Tu es en colère contre moi.

— Non. J'aimerais juste que tu ne sois pas obligée d'y aller. Je veux dire, je comprends, mais j'avais hâte de passer du temps avec toi ce soir.

— Je sais. Moi aussi, a-t-elle dit en se penchant pour me donner un bref baiser. On se rattrapera vendredi prochain, OK ?

— OK.

— Tu veux bien fermer ma valise ? Je n'ai pas envie de me casser un ongle. Je viens de les faire laquer, a-t-elle précisé en me montrant ses mains. La couleur, ça va ?

— Super, dis-je en fermant et en soulevant la valise du lit. Alors vous allez passer tout le programme en revue ce soir, à l'hôtel ?

— Il faut dire que cet événement a pris de l'ampleur.

— Atlanta est à quatre heures de route.

— Je n'y vais pas en voiture. Je prends l'avion.

— À quelle heure ?

— Dix huit heures trente.

— Tu ne devrais pas déjà être en route pour l'aéroport ? Ou carrément à l'aéroport ?

— Non, on prend le jet privé de Walter.

Walter… Je commençais à détester entendre prononcer ce prénom, presque autant que le mot courses.

— Waouh ! Tu montes d'un cran dans l'échelle sociale.

— C'est pas mon jet, a-t-elle dit en souriant. C'est le sien.

*
* *

— Je savais que tu pourrais te débrouiller tout seul, a dit Marge. Tu devrais être fier.

— Je ne suis pas fier. Je suis épuisé.

On était chez mes parents aux alentours de 11 heures du matin, le dimanche, et il faisait déjà une chaleur étouffante. Marge et Liz étaient assises en face de moi sous la véranda, pendant que je leur racontais dans les moindres détails la semaine mouvementée que je venais de vivre. London aidait ma mère à préparer des sandwichs ; mon père, comme d'habitude, était au garage.

— Donc ? Tu me l'as dit toi-même, tu as trouvé ton rythme lors de ta dernière présentation.

— Comme si ça m'avait réussi, tu parles ! Je n'ai aucun rendez-vous programmé pour la semaine prochaine.

— Le bon côté des choses, a dit Marge, c'est que ça devrait drôlement te faciliter la vie pour emmener London à toutes ses activités et… tu auras plus de temps pour la cuisine et le ménage.

Comme je la fusillais du regard, Marge a éclaté de rire.

— Oh, détends-toi… Avec Vivian qui reprenait le travail, tu te doutais bien que ce serait une semaine de folie. Et tu sais aussi ce qu'on dit : « Après la pluie, le beau temps » ? Je sens qu'une éclaircie va bientôt se produire.

— J'en sais trop rien. Dans la voiture ce matin, je me disais que j'aurais dû être plombier, comme papa. Les plombiers ont toujours du boulot.

— C'est vrai, a admis ma sœur, mais bon… ils ont souvent les mains dégueulasses.

Malgré mon humeur maussade, j'ai ri dans ma barbe.

— Très drôle.

— Que veux-tu que je te dise ? Je répands la joie et l'allégresse autour de moi. Et je déride même les petits frangins pleurnichards.

— Je ne pleurnichais pas.

— Mais si. Tu pleurniches depuis que tu t'es assis.

— Liz ?

Elle a tripoté l'accoudoir d'un air absent, avant de répondre :

— Peut-être que tu pleurnichais un peu.

*
* *

Après le déjeuner, comme il faisait encore plus chaud, j'ai décidé d'emmener London au cinéma voir un dessin animé. Marge et Liz nous ont accompagnés et ont paru s'amuser autant que London. Quant à moi, j'avais envie de profiter du film, mais je ne cessais de penser à la semaine qui venait de s'écouler, en me demandant ce qui pourrait bien arriver ensuite.

Après le film, je n'ai pas eu envie de rentrer chez moi. Marge et Liz semblaient vouloir elles aussi traîner chez mes parents, si bien que ma mère nous a préparé un gratin au thon, soit un vrai festin aux yeux de London, avec toute cette farine blanche dans les pâtes. Elle en a pris une portion plus grosse que d'habitude et a somnolé dans la voiture sur le trajet du retour ; je me suis dit que je lui ferais couler son bain, lui lirais quelques histoires et passerais le reste de la soirée scotché devant la télé.

Mais je me trompais… Dès qu'elle est entrée dans la maison, elle a filé voir les hamsters et je l'ai entendue crier depuis l'étage.

– Papa ! Viens vite ! Je crois que Mme Sprinkles a un problème !

Je suis allé dans sa chambre et j'ai examiné la cage, en observant un hamster qui paraissait vouloir pousser le verre pour passer au travers. Ça sentait le fauve dans la pièce.

– Elle m'a l'air en forme, ai-je dit.

– C'est M. Sprinkles. Mme Sprinkles ne bouge pas.

J'ai plissé les yeux.

– Je pense qu'elle dort, ma puce.

– Et si elle était malade ?

J'ignorais comment agir dans ce cas-là, alors j'ai soulevé le couvercle et pris Mme Sprinkles dans la paume. Elle était tiède, toujours un bon signe, et je l'ai sentie bouger.

– Elle va bien ?

– À mon avis, oui, ai-je répondu. Tu veux la tenir ?

London a acquiescé et mis ses mains en coupe ; j'y ai déposé le hamster. Je l'ai observée quand elle a rapproché la petite bestiole de son visage.

– Je crois que je vais la tenir un petit peu pour être sûre.

– D'accord, mais pas trop longtemps, OK ? ai-je dit en lui embrassant le front. Il est presque l'heure d'aller au lit.

Je me dirigeais vers la porte, quand ma fille m'a interpellé :

– Papa ?

– Oui ?

– Faut que tu nettoies leur cage.

– Je le ferai demain, d'accord ? Je suis un peu fatigué.

– Maman a dit que tu nettoierais la cage.

– Je le ferai. Je viens de te dire que je m'en occuperai demain.

– Mais si ça rend Mme Sprinkles malade… Je veux que tu la nettoies maintenant.

Non seulement elle n'écoutait pas, mais sa voix grimpait dans les aigus, et je n'étais pas d'humeur à discuter.

— Je reviens dans un petit moment, le temps que tu te prépares à aller au lit. N'oublie pas de mettre ton linge sale dans la panière, OK ?

Dans la demi-heure qui a suivi, j'ai zappé d'une chaîne à l'autre sans rien trouver à regarder. Plus d'une centaine de canaux, et rien de valable... Mais bon, outre la fatigue, j'étais un peu grincheux. Le lendemain j'allais enlever les crottes d'une cage de hamster, ma liste de clients restait bloquée à zéro et, à moins d'un miracle, ça ne changerait pas de la semaine. Pendant ce temps-là, ma femme se déplaçait en jet privé et descendait au Ritz-Carlton !

Le moment venu, je me suis levé du canapé et j'ai regagné la chambre de London. Dans l'intervalle, ses hamsters avaient réintégré la cage et ma fille jouait avec ses Barbie.

— Alors, mon cœur, tu es prête pour prendre ton bain ?

Elle a répondu sans se tourner vers moi :

— J'ai pas envie ce soir.

— Mais tu as transpiré aujourd'hui, en aidant mamie à la cuisine.

— Non.

J'ai battu des paupières.

— Qu'est-ce qui ne va pas, ma puce ?

— Je suis en colère contre toi.

— Pourquoi donc ?

— Parce que tu t'en fiches de M. et Mme Sprinkles ?

— Bien sûr que non, voyons. Ils vont très bien, tes hamsters. Allez, au bain !

— Je veux que maman s'en occupe.

— Je sais. Mais maman n'est pas là.

— Alors je vais pas prendre de bain.

— Tu veux bien me regarder quand tu me parles ?

— Non.

J'ai cru entendre Vivian et j'étais désemparé. London a continué à se déchaîner avec sa Barbie dans la Maison de rêve ; la poupée semblait sur le point de renverser tous les meubles.

— Et si je remplissais la baignoire, OK ? Ensuite, on pourra en parler. Je mettrai encore plus de bulles.

Comme promis, j'ai ajouté une dose supplémentaire de bain

moussant et, quand j'ai coupé le robinet, London n'avait pas bougé. Barbie pestait toujours dans la maison de poupée, avec Ken à ses côtés.

— *Je peux pas faire le petit déjeuner*, faisait dire London à Barbie en s'adressant à Ken, *parce que je dois aller travailler*.

— *Mais c'est les papas qui vont travailler normalement*, a répliqué Ken.

— *Peut-être que t'aurais dû y penser avant de démissionner*.

J'ai senti mon estomac se nouer.

— Ton bain est prêt.

— Je t'ai dit que je voulais pas prendre un bain !

— Allez, viens…

— NOOON ! a-t-elle hurlé. Je vais pas prendre un bain et tu peux pas m'obliger ! T'as déjà obligé maman à aller travailler !

— Je ne l'ai pas obligée du tout…

— SI ! C'EST CE QUE T'AS FAIT ! a vociféré ma fille, et j'ai vu des larmes ruisseler sur ses joues quand elle s'est tournée vers moi. Même qu'elle m'a dit qu'elle a dû prendre un travail parce que tu travailles pas !

Un autre père aurait moins été sur la défensive, mais j'étais épuisé et ses paroles me piquaient au vif, ne serait-ce que parce ce que je me sentais déjà suffisamment mal à l'aise.

— Je travaille ! ai-je répliqué en haussant le temps. Et je m'occupe de toi et de la maison !

— Je veux maman ! a-t-elle crié !

Et, pour la première fois, j'ai réalisé que Vivian n'avait pas appelé de la journée.

Mais je ne pouvais pas lui téléphoner ; la soirée devait battre son plein à ce moment-là.

J'ai pris une grande inspiration.

— Maman sera là demain et vous irez toutes les deux à la Blueberry Farm, tu t'en souviens ? Tu veux être toute propre pour maman, non ?

— NOOON ! Je te déteste !

Avant même de m'en rendre compte, j'ai traversé la chambre et attrapé London par le bras. Elle s'est mise à gesticuler et à hurler, mais je l'ai traînée dans la salle de bains : on se serait cru dans une vidéo sur Youtube mettant en scène un mauvais père.

— Soit tu te déshabilles toute seule et tu entres dans le bain, soit c'est moi qui m'en charge. Je ne plaisante pas.

– VA-T'EN !

J'ai posé son pyjama sur le plateau de la vasque et fermé la porte. Dans les minutes qui ont suivi, je l'ai entendu pleurer et parler toute seule, tandis que j'attendais dans le couloir.

– Entre dans la baignoire, London, ai-je prévenu à travers la porte. Sinon, je vais t'obliger à nettoyer la cage des hamsters.

Elle a râlé un peu puis, une minute plus tard, je l'ai entendu grimper dans la baignoire. J'ai continué d'attendre. Au bout d'un petit moment, je l'ai entendu barboter avec ses jouets de bain et sa colère semblait dissipée. La porte s'est enfin ouverte et London était en pyjama, les cheveux trempés.

– On peut me sécher les cheveux plutôt que de les laisser tout mouillés ?

J'ai serré les dents.

– Bien sûr, mon cœur.

– Maman me manque.

Je me suis accroupi et je l'ai prise dans mes bras ; elle sentait bon le bain moussant et le shampoing.

– Je sais qu'elle te manque, mon lapin, ai-je dit en la serrant fort.

Et je me demandais comment un père aussi paumé que moi avait pu participer à la conception de cet adorable bout de chou, même quand ma petite fille a fondu en larmes.

*
* *

Je lui ai lu l'histoire de l'Arche de Noé, tous les deux allongés sur le lit. Son passage préféré, celui que j'ai dû lire une seconde fois, c'était quand l'arche était terminée et que les animaux commençaient à monter à bord.

– Deux par deux, ils arrivèrent des quatre coins du monde. Des lions et des chevaux, des chiens et des éléphants, des zèbres et des girafes…

– Et des hamsters, a ajouté London.

– Et des hamsters, ai-je admis. Et, deux par deux, ils montèrent dans l'arche. Comment pourraient-ils tous y tenir ? se demandait-on. Mais Dieu avait également prévu cela. Les animaux montèrent donc à bord et il y avait beaucoup de place, et tous les animaux étaient heureux. Et, deux par deux, ils restèrent à bord de l'arche alors que la pluie commençait à tomber.

Comme j'achevais l'histoire, London papillonnait des paupières. J'ai éteint la lumière et je lui ai fait un bisou.

– Je t'aime, London, ai-je chuchoté.

– Moi aussi, je t'aime, papa, a-t-elle marmonné d'une voix somnolente.

Puis je quittai la chambre sur la pointe des pieds.

Deux par deux, ai-je songé en descendant l'escalier. London et moi, le père et la fille, on se débrouillait tous les deux du mieux possible.

Malgré tout, j'avais l'impression de la décevoir, de tout rater.

8

Nouvelles expériences

En février dernier, quand tout allait de mal en pis pour moi à l'agence, London a attrapé la grippe, et ce n'était pas beau à voir. Elle a vomi quasi non-stop pendant deux jours, et on a dû l'emmener à l'hôpital pour arrêter les vomissements et la soigner par voie intraveineuse.

J'étais effrayée. Vivian aussi, alors qu'en apparence elle affichait davantage de confiance en les médecins que moi. Lorsqu'elle s'adressait à eux, elle était calme et détendue, tout en posant les bonnes questions.

London n'a pas dû passer la nuit à l'hôpital et, quand on l'a ramenée à la maison, Vivian l'a veillée jusqu'à minuit. Comme elle n'avait pas fermé l'œil la nuit précédente, j'ai pris le relais. À l'instar de Vivian, je me suis assis dans le rocking-chair et j'ai tenu ma fille dans mes bras. Elle était encore fiévreuse et je me souviens à quel point elle paraissait petite et fragile, enveloppée dans une mince couverture, transpirant et frissonnant à la fois. Elle se réveillait toutes les vingt minutes. Vers 6 heures du matin, je l'ai enfin mise au lit et suis descendu me préparer un café. Une heure plus tard, alors que je me servais une autre tasse, London est arrivée dans la cuisine et s'est assise à table à côté de Vivian. Ses mouvements étaient comme ralentis et son visage blafard.

— Salut, ma puce. Comment tu te sens ?

— J'ai faim, a répondu London.

— C'est bon signe, a observé Vivian, qui a posé la main sur le front de la petite puis a souri. Je pense que ta fièvre est tombée.

— Je me sens un peu mieux.

— Russ ? Tu veux bien verser des Cheerios dans un bol ? Sans lait ?

— Bien sûr.

— Essayons les céréales sans le lait, OK ? J'ai pas envie que tu aies mal au ventre.

J'ai apporté le bol de Cheerios à table avec mon café, et je me suis assis à côté d'elles.

— Tu as été drôlement malade, ai-je dit. Ta maman et moi, on s'est fait beaucoup de souci pour toi.

— Alors on va y aller doucement aujourd'hui, OK ?

London a hoché la tête en mastiquant. J'étais content de la voir manger.

— Merci de m'avoir tenue dans tes bras quand j'étais malade, maman.

— C'est normal, mon cœur. Je te tiens toujours dans mes bras quand tu es malade.

— Je sais.

J'ai pris une gorgée de café, en attendant que Vivian ajoute que j'avais apporté mon aide.

Mais en vain.

*
* *

Les gamins ont du ressort. Je le sais parce que, d'aussi loin que je me souvienne, j'ai toujours entendu mes parents utiliser cette expression, surtout pour décrire leur propre philosophie parentale à Marge et moi. « Pourquoi, pourquoi, pourquoi vous nous avez fait subir ça ? » leur demandait-on. « Pas de quoi en faire un drame. Les gamins ont du ressort. »

En toute impartialité, il y a du vrai dans leurs propos. Quand London est descendue le dimanche matin, elle semblait avoir complètement oublié sa crise de la veille au soir. Elle était d'humeur bavarde et encore plus guillerette quand je l'ai laissée prendre des Lucky Charms, pendant que je montais nettoyer la cage des hamsters. J'ai rempli un demi-sac plastique de copeaux de bois souillés – c'était dégoûtant – et je l'ai jeté à la poubelle. Dans un coin, j'ai aperçu le vélo de London et, même s'il commençait à faire chaud, j'ai su comment on allait occuper notre matinée.

— Hé, tu veux faire un truc sympa ? ai-je lancé à London en revenant dans la cuisine.

— Quoi ?

— Si on allait refaire du vélo ensemble ? Peut-être sans les petites roues.

— Je vais tomber, a-t-elle dit.

— Je te promets que non. Je serai juste à côté de toi et je te tiendrai à la selle.

— Ça fait longtemps que j'ai pas fait de vélo.

Et jamais sans les petites roues, ai-je pensé.

— Pas de problème. Si ça ne te plaît pas où si tu as peur, on peut s'arrêter.

— J'ai pas peur, a-t-elle rétorqué. Mais maman va pas être contente si je suis tout en sueur.

— Si tu transpires, eh bien tu te laveras. C'est pas grave. Tu veux essayer ?

Elle a réfléchi.

— Peut-être un peu, a-t-elle répondu, évasive. Maman revient quand ?

Comme si ma femme, à des kilomètres de là, avait entendu notre fille, mon mobile a sonné. Le prénom Vivian s'est affiché sur l'écran.

— Eh bien, on va le savoir tout de suite. C'est ta maman, ai-je dit en décrochant. Salut, ma chérie. Comment vas-tu ? Ça s'est bien passé ? London est à côté de moi, j'ai mis le haut-parleur.

— Salut, ma puce ! a dit Vivian. Comment vas-tu ? Désolée ne de pas t'avoir appelée hier. Je n'ai pas arrêté de courir à droite et à gauche depuis que je suis arrivée. Ça va, sinon ? Qu'as-tu fait de beau hier ?

— C'était génial, a répondu London. Je suis allée chez mamie et après, papa et moi, tatie Marge et tatie Liz, on est tous allés voir un film, et c'était super rigolo…

Pendant que Vivian bavardait avec London, je me suis resservi du café et j'ai fait signe que je retournais dans la chambre pour me changer. J'ai enfilé un short et un tee-shirt, et la paire de baskets que je mettais pour la salle de sport. Quand je suis revenu à la cuisine, London parlait des hamsters à sa mère, qui a demandé à me parler.

J'ai pris le téléphone et coupé le haut-parleur.

— Salut toi.

— Elle est de bonne humeur. On dirait que vous prenez du bon temps, tous le deux. Je suis jalouse.

J'ai hésité, en repensant à la veille au soir.

— Ça se passe bien. Et de ton côté, ta soirée ?

128

– Chose étonnante, tout s'est déroulé à merveille. Walter était aux anges. Les présentations vidéo étaient géniales et la musique aussi. Le groupe a fait un tabac dans le public.

– Je suis ravi que ça ce soit bien goupillé.

– Et comment ! On a collecté beaucoup d'argent. Il s'avère que Walter n'est pas le seul que l'administration actuelle et le Congrès agacent en matière d'immobilier. La règlementation frise le ridicule. Les promoteurs subissent un tas de pressions et c'est presque impossible de gagner correctement sa vie.

Comme le prouve le jet privé de Walter…

– Tu seras de retour à quelle heure ?

– Vers 13 heures, j'espère. Mais il se peut qu'on déjeune avec un promoteur du Mississippi. Le cas échéant, j'arriverai plutôt vers 15 heures.

– Attends une seconde, ai-je répliqué, en passant de la cuisine au salon. Et la Blueberry Farm ?

– Je ne sais pas trop si on aura le temps d'y aller.

– Mais tu l'as promis à London.

– Pas du tout.

– J'étais présent, Viv. Je t'ai entendue. Et je t'ai soutenue hier soir.

– Comment ça ?

Je lui ai raconté l'épisode « grosse colère » de la veille.

– Super… Tu n'aurais pas dû le lui rappeler.

– T'es en train de dire que c'est de ma faute ?

– Ça va encore plus la perturber.

– Parce que tu as dit que tu l'amènerais là-bas.

– Arrête, Russ, OK ? J'ai été sur la brèche pendant près de vingt heures d'affilée et je n'ai quasiment pas dormi. Alors parle-lui, OK ? Explique-lui.

– Que veux-tu que je lui dise ?

– N'emploie pas ce ton avec moi, s'il te plaît. Ce n'est pas moi qui ai prévu le déjeuner. Je suis à la merci de Walter ici, et il y a pas mal d'argent en jeu.

– Spannerman en a déjà un paquet. Il est milliardaire.

Je l'ai entendue pousser un long soupir.

– Comme je te l'ai dit, a-t-elle repris d'une voix tendue, je pourrai peut-être arriver à temps. Si le repas n'a pas lieu, je serai à la maison vers 13 heures. Je devrais en savoir plus d'ici une heure ou deux.

— Entendu, ai-je dit en pensant à London. Tiens-moi au courant.

J'ai décidé de ne rien dire à ma fille tant que je n'en saurais pas plus, et elle m'a suivi à l'extérieur, en me regardant faire. Comme le vélo était couvert de poussière, je l'ai nettoyé au jet d'eau puis séché avec une serviette. Ensuite j'ai regonflé les pneus en m'assurant qu'ils n'étaient pas percés. Après, j'ai dû me mettre en quête d'une clé à mollette — pourquoi les outils semblent-ils toujours disparaître ? — et j'ai retiré les petites roues. Comme London avait grandi, j'ai relevé la selle et le guidon ; le vélo fin prêt, London m'a suivi dans la rue et elle l'a enfourché.

— Tu te rappelles de ce que tu dois faire ? ai-je demandé en ajustant son casque.

— Ben je dois pédaler. Mais tu vas pas me lâcher, hein ?

— Pas tant que tu n'es pas prête.

— Et si je suis pas prête ?

— Dans ce cas, je ne te lâcherai pas.

London a commencé à pédaler en vacillant un peu, tandis que je tenais la selle, en trottinant, plié en deux. Je n'ai pas tardé à haleter, puis à transpirer, puis à dégouliner. On n'a pas cessé de rouler de long en large et, juste au moment où je sentais que j'allais devoir faire une pause, son équilibre est devenu plus stable, du moins en ligne droite. Petit à petit, j'ai pu lâcher la selle par à-coups. Ensuite, je l'ai tenue à peine du doigt, juste assez pour rattraper London si elle penchait.

Puis j'ai complètement cessé de la tenir.

Pas longtemps au début — quelques secondes à peine — et j'ai recommencé. Ensuite, quand je l'ai sentie prête, j'ai prononcé les paroles magiques.

— Je vais te lâcher une seconde, ai-je dit, pantelant.

— Non, papa !

— Tu peux le faire ! Essaie ! Je serai là pour te rattraper !

J'ai lâché la selle et accéléré le pas, en trottinant à côté du vélo pendant une seconde ou deux. London m'a vu, le regard émerveillé, puis j'ai repris ma position d'origine en tenant de nouveau la selle.

— J'ai réussi, papa ! Toute seule !

Je tenais la selle comme on faisait demi-tour au bout de l'impasse et, quand je l'ai sentie bien équilibrée, je l'ai de nouveau lâchée, cette fois pendant cinq ou six secondes. Puis dix secondes d'affilée. Ensuite elle a roulé toute seule dans la ligne droite.

— Je roule toute seule, papa ! Je fais du vélo ! hurlait-elle, exaltée.

Et, même si j'étais en nage, à bout de souffle, j'ai réussi à lui crier :

— Je sais, ma chérie ! Tu fais du vélo comme une grande !

*
* *

Quand London a voulu s'arrêter, j'avais mal partout et ma chemise était complètement trempée. J'ai poussé la bicyclette dans le garage et suivi ma fille dans la maison, puis j'ai remercié le ciel en sentant sur moi le souffle frais de la clim !

— Papa a besoin de se reposer, ai-je dit, encore un peu pantelant.

— OK, papa.

J'ai filé sous la douche en alternant eau fraîche et glacée. Je suis resté sous le jet jusqu'à ce que je recouvre un aspect à peu près humain, puis je me suis habillé et j'ai gagné la cuisine.

Un texto de Vivian s'affichait sur mon portable.

Déjeuner annulé. Je pars à l'aéroport. Dis à London que je rentre bientôt.

J'ai trouvé ma fille au salon, qui jouait avec ses Barbie.

— Maman est sur le chemin du retour, ai-je annoncé. Elle ne devrait pas tarder.

— OK, a dit la petite, étrangement indifférente.

*
* *

J'ai préparé une salade et mis le saumon à griller pour Vivian, tout en confectionnant des sandwichs pour London et moi. Quand ma femme a franchi la porte d'entrée, la table était mise et les aliments sur la table.

Après avoir embrassé et câliné London, elle m'a rejoint en cuisine et m'a également embrassé.

— Waouh ! s'est-elle exclamée. Tu as mis les petits plats dans les grands pour le déjeuner.

— J'avais les victuailles sur place, alors que je me suis dit : pourquoi pas ? Le vol s'est bien passé ?

— Génial. C'est si agréable de ne pas avoir à se garer, à franchir les portillons de sécurité ou à caser sa valise dans le porte-bagage. Voler en jet privé, c'est l'idéal.

— Je garde ça en tête pour le jour où je commencerai à gagner des millions.

— Qu'avez-vous fait, London et toi, ce matin ?

— J'ai sorti le vélo du garage.

— Ah oui ? Et elle s'est bien débrouillée ?

— Vers la fin, elle roulait comme un vrai cycliste.

— Je n'aurais pas aimé être à ta place. Il fait tellement chaud aujourd'hui.

— Ce matin, ce n'était pas aussi étouffant, ai-je menti.

— T'as pensé à lui mettre de la crème solaire ?

— Non. J'ai oublié.

— Tâche de te rappeler ce genre de trucs. Tu sais à quel point le soleil peut être nocif pour sa peau.

Elle m'a de nouveau embrassé et on a déjeuné ; elle m'a raconté son week-end et a parlé avec London de ses activités de la semaine précédente. Ensuite toutes les deux sont parties en voiture, pendant que je mettais de l'ordre dans la cuisine.

Pour la première fois depuis mardi, la petite n'était pas avec moi. J'aurais pu travailler, mais je ne n'avais rien à faire. Tout en me disant que j'allais profiter de mon après-midi de tranquillité, j'ai plus ou moins traîné dans la maison en songeant à London, étonné qu'elle puisse me manquer autant.

*
* *

Vivian et London son rentrées aux alentours de 17 heures,

chargées de sacs de grands magasins. Pas une seule trace de terre sur les mains ou le visage de la petite.

— Vous êtes allées faire la cueillette à la ferme ? ai-je demandé.

— Non, a répondu Vivian en posant les sacs sur la table.

— Il faisait bien trop chaud pour aller là-bas cet après-midi. Finalement, on est allées faire un tour au centre commercial. London a besoin de nouveaux vêtements pour l'école.

Bien sûr...

Avant qu'on puisse approfondir le sujet, Vivian a rejoint la cuisine, en passant devant moi d'un air désinvolte. Je l'ai suivie et j'ai essayé d'engager la conversation mais, à l'évidence, elle était à cran et pas d'humeur à marmonner autre chose que des bribes de mots. Finalement elle a préparé des pâtes et des légumes sautés pour London et moi, ainsi qu'une salade pour elle, et on a expédié le dîner. Mais en chargeant le lave-vaisselle je lui ai enfin demandé ce qui clochait.

— Tu ne m'as pas dit que tu avais retiré les petites roues à son vélo. En fait, elle a roulé toute seule.

— Désolé. J'ai pensé que tu comprendrais.

— Comment étais-je censée deviner ce que tu voulais dire ? Tu n'as pas été clair.

— Ça te contrarie ?

— Oui, en effet. Pourquoi je ne serais pas contrariée ?

— Je ne suis pas certain de le savoir.

— Parce que je n'étais pas présente. Ça ne t'a pas traversé l'esprit que j'aurais peut-être aimé voir London faire du vélo comme une grande pour la première fois ?

— C'est juste une débutante. Elle ne sait pas encore tourner sans perdre l'équilibre.

— Et alors ? Le problème, c'est que tu as décidé de lui apprendre à faire du vélo sans moi. Pourquoi ne pas avoir attendu mon retour ?

— Je n'y ai pas pensé.

Vivian a attrapé un torchon et s'est séché les mains.

— C'est exactement mon souci, Russ. Chaque fois, tu me fais le coup. Depuis qu'on est ensemble, tu fais toujours ce que tu décides, toi.

— Ce n'est pas vrai, ai-je protesté. Et comment savoir que tu aurais seulement envie de regarder ? Tu ne voulais même pas de vélo au départ.

— Bien sûr que si ! Qu'est-ce qui te fait croire ça ? C'est moi qui le lui ai acheté pour Noël.

J'ai dû te traîner au magasin, me suis-je dit en la dévisageant. Elle ne s'en souvenait donc pas ? Ou alors je devenais fou ?

Tandis que je méditais sur la question, elle a tourné les talons.

— Où vas-tu ?

— London a besoin d'un bain, a-t-elle répondu. Ça ne te dérange pas si je passe un peu de temps avec ma fille ?

Tandis qu'elle quittait la cuisine, ses paroles résonnaient encore dans ma tête.

Ma fille ?

*
* *

Une fois London au lit, Vivian et moi étions assis sur le canapé, avec la télé sur la chaîne culinaire Food Network. Vivian sirotait un verre de vin. J'avais envie d'aborder à nouveau le problème de la garderie, mais je ne savais pas trop si elle m'en voulait encore pour l'épisode du vélo. Elle m'a lancé un regard et adressé un bref sourire, avant de revenir au magazine qu'elle feuilletait. *Toujours mieux que d'être ignoré*, me suis-je dit.

— Dis-moi, Viv ?

— Mmm ?

— Désolé que tu n'aies pas vu London rouler pour la première fois sans les petites roues. Je ne pensais pas que c'était si important.

Elle a paru réfléchir à ce que je venais de dire et j'ai vu ses épaules se détendre un peu.

— N'en parlons plus. Je regrette juste de ne pas avoir été là. Je déteste ça.

— Je comprends. Au fil des années, j'ai raté plein de ses premières fois aussi.

— Tu n'es pas sa maman. C'est différent pour les mères.

— J'imagine, ai-je dit sans comprendre vraiment.

Mais inutile d'en rajouter.

— Peut-être que demain soir vous pourrez me montrer, a-t-elle dit d'une voix douce.

Et j'ai revu la Vivian dont j'étais tombé amoureux il y a si longtemps. C'était troublant de constater une fois encore que le temps n'avait apparemment aucune prise sur ma femme.

— Je suis content que ta soirée se soit déroulée sans anicroche. Je parie que ton patron te mange déjà dans la main.

— Walter n'est pas le genre à manger dans la main de qui que ce soit.

— La semaine prochaine, qu'est-ce que tu as de prévu ?

— J'en saurai plus demain. J'aurai peut-être un autre déplacement mercredi.

— Encore une levée de fonds ?

— Non. Cette fois, c'est un voyage à Washington. Et je sais que ça va encore perturber London. J'ai l'impression d'être une mère atroce.

— Tu ne l'es pas. Et London sait que tu l'aimes.

— Mais c'est son dernier été avant la maternelle et elle a sans doute l'impression que je l'abandonne. Elle a besoin de stabilité et en ce moment elle n'en a pas.

— Je fais de mon mieux.

— Je sais bien. Elle m'a confié qu'elle aimait passer du temps avec toi, mais c'est bizarre pour elle.

— Elle trouve ça bizarre ?

— Tu sais ce qu'elle a voulu dire. Elle est juste habituée à moi, c'est tout. Ça lui fait un grand changement. Tu en as conscience.

— Malgré tout, le mot bizarre ne me plaît pas.

— C'est une enfant. Elle ne possède pas un vocabulaire étendu. Ce n'est pas grave. Tu es prêt à aller te coucher ? On peut éteindre la télé et se détendre.

— Serais-tu en train de me faire des avances ?

— Ça se pourrait.

— Ça signifie oui ou non ?

— Et si je finissais d'abord mon verre de vin.

J'ai souri et, plus tard, tandis que nos deux corps s'entremêlaient, je n'ai pu m'empêcher de penser que si la semaine avait été pénible, elle s'achevait néanmoins à la perfection.

9

Un passé toujours présent

Il y a quelques années, en proie à la nostalgie, j'ai réfléchi à certains jours marquants de ma vie. Je me suis rappelé ceux de remise de diplôme au lycée et à l'université, celui où j'avais fait ma demande en mariage, celui de mes noces et, bien sûr, celui de la naissance de London. Pourtant, aucun de ces moments n'avait été une surprise, car je les avais vus venir.

Je me suis aussi souvenu des mémorables premières fois de mon existence, comme celles avec London. Mon premier baiser, la première fois où j'ai fait l'amour avec une femme, ma première bière, et la première fois où mon père m'a laissé prendre le volant. Je me suis aussi remémoré mon tout premier vrai salaire et l'espèce de ferveur avec laquelle j'ai fait le tour du premier bien immobilier que j'avais acquis.

Néanmoins il y a eu d'autres souvenirs précieux, des souvenirs qui n'étaient ni des premières fois ni des événements attendus, mais de parfaits moments de joie spontanée. Un jour, quand j'étais enfant, mon père m'a réveillé au beau milieu de la nuit et m'a emmené dehors pour observer une pluie d'étoiles filantes. Il avait étalé un drap de bain dans l'herbe et, tandis qu'on admirait les traînées blanches strier le ciel, j'ai senti dans l'enthousiasme avec lequel il les montrait du doigt tout l'amour qu'il me portait mais qu'il peinait si souvent à exprimer. Je me suis aussi rappelé la fois où Marge et moi avions passé une nuit blanche à papoter et à rigoler en dévorant un sac entier de cookies aux pépites de chocolat, la première nuit où j'ai vraiment compris qu'on pourrait toujours compter l'un sur l'autre. J'ai repensé à la soirée où ma mère, après deux verres de vin, m'a parlé de son enfance si subtilement que je l'ai perçue sous les traits de l'adolescente qu'elle avait été autrefois, une fille que j'ai pu imaginer comme une amie.

Ces instants sont restés gravés en moi à jamais, en partie à cause de leur simplicité, mais aussi parce qu'ils étaient révélateurs. Ils ne se sont pas non plus répétés, et je ne peux m'empêcher de penser que si d'aventure je tentais de les reproduire, les souvenirs d'origine me glisseraient entre les doigts comme des grains de sable, en diminuant l'emprise que j'ai sur eux à ce jour.

*
* *

Le lundi matin, Vivian quitta la maison à 7 h 30 avec un sac fourre-tout.

— J'ai envie de caser une séance de gym si je peux, a-t-elle dit. J'ai l'impression de me ramollir de plus en plus.

London et moi l'avons suivie quelques minutes plus tard, vêtus d'un short et d'un tee-shirt. On se rendait au club pour la première leçon de tennis de ma fille et, quand j'ai vu des hommes cravatés au volant de leur voiture sur la route, j'ai eu l'impression d'avoir été viré du seul club dont j'avais toujours voulu être membre. Sans travail, c'est comme si j'avais perdu une partie de mon identité ; et si je ne reprenais pas ma vie en main, j'allais me perdre complètement.

Bref, il était temps de me remettre à prospecter.

Quand j'ai eu garé la voiture, London a repéré des fillettes du quartier et a filé les rejoindre sur le court. Je me suis dirigé vers les gradins avec un bloc-notes et j'ai tapé les mots « chirurgiens esthétiques » dans le moteur de recherche de mon portable. Comme les avocats, ils représentaient un domaine professionnel que Peters évitait : selon lui, ils étaient pingres et jouaient les divas ; mais à mon sens les médecins possédaient l'argent et l'intelligence pour comprendre de quelle manière la pub pouvait bénéficier à leur cabinet. Certains d'entre eux étant installés dans le secteur de Charlotte et répartis sur plusieurs cabinets — un bon signe —, j'ai alors testé plusieurs phrases d'ouverture, dans l'espoir de trouver la bonne combinaison de mots pour garder le responsable administratif, ou le médecin si j'avais cette chance, suffisamment longtemps au téléphone pour l'intéresser et décrocher un rendez-vous.

— C'est incroyable qu'il fasse déjà si chaud à cette heure-ci, non ? ai-je entendu à mes côtés, dans un fort accent du New Jersey. Je vous jure que je vais fondre sur place.

En me tournant, j'ai découvert un homme qui avait quelques années de plus que moi, massif, les cheveux bruns et la peau hâlée. Outre son costume, il portait des lunettes d'aviateur aux verres miroirs.

– Vous me parlez ?

– Bien sûr que je vous parle. Hormis vous et moi, on se croirait à une convention d'œstrogènes. On est les seuls mecs à une centaine de mètres à la ronde. Au fait, je suis Joey Taglieri, dit le Bulldog, a-t-il précisé en s'approchant pour me tendre la main.

– Russell Green, ai-je dit en la lui serrant. Le Bulldog ?

– La mascotte de l'Université de Géorgie, là où j'ai étudié, et puis j'ai le cou épais. Le surnom est resté. Ravi de vous rencontrer, Russ. Et si je fais une crise cardiaque ou un AVC, soyez sympa et appelez le 911. Adrian aurait dû me prévenir qu'il n'y aurait pas un seul coin ombragé par ici.

– Adrian ?

– Mon ex. La numéro trois, je précise. Elle m'a collé cette responsabilité hier parce qu'elle savait que c'était important pour moi, et Dieu sait qu'elle n'est pas du genre à m'accorder des faveurs ces temps-ci. Elle sait que je suis censé être au tribunal à 9 h 30, mais vous croyez que ça l'inquiète ? D'après vous ? Elle s'en fiche. Ce n'est pas comme si elle devait aller voir sa mère. Qu'est-ce que ça peut faire que sa mère soit à l'hosto ? Elle y va tous les quinze jours parce qu'elle est hypocondriaque. Ce n'est pas comme si les médecins lui trouvaient un truc qui clochait. Cette femme va sans doute vivre centenaire. (Il a montré mon bloc-notes.) Vous préparez vos remarques préliminaires ?

– Des remarques préliminaires ? ai-je répété.

– Ce que vous dites aux jurés ? Vous êtes avocat, non ? Je pense vous avoir croisé au tribunal.

– Non. Ce n'était pas moi. Je ne suis pas avocat. Je travaille dans la pub.

– Ah ouais ? Quelle boîte ?

– Phénix. C'est ma propre agence.

– Sans déconner ? Les gars qui font mes pubs sont une bande d'abrutis, à mon humble avis.

J'ai dressé l'oreille.

– Quelle agence ?

Il m'a dit le nom et j'ai reconnu une agence nationale spécialisée dans les spots de pub pour avocats, ce qui signifiait que la plupart étaient fabriqués à l'emporte-pièce avec les mêmes images et de légères variations dans le scénario. Avant que je puisse approfondir, il a changé de sujet.

– Depuis combien de temps vous êtes membre du country club ?

– Quatre ans environ.

– Ça vous plaît ? Je viens à peine de prendre ma carte.

– Vu que je ne joue pas au golf, ça me va. La cuisine est bonne et la piscine est très fréquentée l'été. Vous pouvez rencontrer plein de gens intéressants ici.

– Je suis comme vous niveau golf. J'ai essayé pendant un an, je me suis bousillé le dos, alors j'ai refilé les clubs à mon frère. J'ai pris ma carte pour le tennis. Je sais que je n'en ai pas l'air comme ça, mais je ne suis pas trop mauvais. Bourse universitaire, j'ai rêvé de devenir pro, mais mon service était trop rapide en raison de ma taille. C'est dans l'ordre des choses, j'imagine. Alors maintenant, je me suis dit que ma fille commencerait jeune de sorte que lorsqu'elle sera ado on aura un truc à partager quand elle va se mettre à me détester. C'est la gamine là-bas, avec le haut turquoise, au fait. Cheveux bruns, longues jambes. C'est laquelle la vôtre ?

Je lui ai montré London, qui se tenait debout sur la ligne de fond avec d'autres filles.

– Là-bas, ai-je dit. La deuxième en partant de la gauche.

– Elle va être grande elle aussi. C'est bien.

– On verra si ça lui plaît. C'est le premier jour où elle touche une raquette. Vous disiez que vous étiez avocat ?

– Ouais. Dommages corporels, recours collectif à l'occasion. Je sais ce que vous devez penser des types comme moi, et j'en ai franchement rien à battre. Personne n'aime les avocats spécialisés dans les dommages corporels jusqu'à ce qu'on en ait vraiment besoin, et alors tout à coup je deviens votre meilleur ami et votre sauveur. Et pas seulement parce que j'obtiens presque toujours pour mes clients l'argent qu'ils méritent. Mais parce que j'écoute. La moitié de notre boulot consiste à écouter. J'ai appris ça quand je travaillais dans le droit de la famille, avant que mon épouse numéro un se fasse la malle avec le voisin et que je comprenne que je devais gagner beaucoup d'argent. Le droit de la famille, ça ne payait pas assez. Vous voulez un conseil ? Faites toujours établir un contrat de mariage.

— C'est bon à savoir.

Il a montré mon calepin.

— Des chirurgiens esthétiques, alors ?

— J'envisageais de me diversifier dans ce domaine.

— Ah ouais ? Quelques-uns m'ont fait gagner pas mal de fric. Ils auraient pu tout aussi bien utiliser une tronçonneuse sur certaines de mes clientes. Vous voulez un conseil à propos de ces gars-là ? De la part de quelqu'un qui a eu affaire à eux dans le passé ?

— Je vous écoute.

— Ils se prennent pour le bon Dieu mais sont nuls en affaire, alors flattez leur ego et promettez-leur de les aider à s'enrichir. Faites-moi confiance. Ça captera leur attention.

— Je note ça dans un coin de ma tête.

Il a désigné le court.

— Pour l'heure, je ne suis pas convaincu par le joueur pro là-bas. Qu'est-ce que vous en pensez ?

— Je ne m'y connais pas assez pour hasarder la moindre appréciation.

— On voit bien qu'il a de la bouteille, mais j'ai pas l'impression qu'il a déjà coaché des gamins auparavant. C'est une autre paire de manches. Leur attention se relâche et s'éparpille comme des moucherons. La clé, c'est de ne pas relâcher la pression, sinon les enfants ne tiennent pas en place.

— C'est logique. Peut-être que vous devriez être entraîneur.

Il a éclaté de rire.

— Ah ben ce serait pas mal, hein ? Naaan, c'est pas pour moi. Ne jamais coacher sa propre gamine. C'est une de mes règles. Elle finirait sans doute par me haïr, et encore plus qu'elle le fera plus tard. Sinon, c'est quoi qui vous amène ici ? Vous jouez ?

— Non. C'était une idée de ma femme.

— Et pourtant vous êtes là.

— En effet, ai-je admis, tandis que Joey portait de nouveau son attention sur le court.

J'ai continué à noter des phrases d'ouverture sur mon calepin, tout en sachant que j'allais devoir effectuer plus de recherches avant de pouvoir faire une présentation. De temps à autre, Joey glissait une remarque sur la position des pieds ou du bras pour frapper la balle et on papotait deux ou trois minutes.

Quand la leçon s'est achevée, Joey m'a de nouveau serré la main.

– Vous êtes là demain ?

Comme j'acquiesçais, il a ajouté :

– Moi aussi. À demain alors.

J'ai quitté les gradins et rejoint London lorsqu'elle sortait du court. Avec la chaleur ambiante, elle avait le visage tout rouge.

– Tu t'es bien amusée ? ai-je demandé.

– Maman pense que je dois jouer. Elle me l'a dit ce matin.

– Je sais. Je voulais savoir ce que toi tu en pensais.

– Il faisait chaud. C'était qui le monsieur avec qui tu parlais ?

– Joey.

– C'est un ami à toi ?

– On vient de faire connaissance. Pourquoi ?

– Parce qu'on aurait dit que vous étiez amis.

– Il est sympa.

Comme on s'approchait de la voiture, j'ai réfléchi à ce qu'il m'avait dit sur son agence de pub rassemblant « une bande d'abrutis ».

Et, bien sûr, je n'ai pas oublié que je le reverrais le lendemain.

*

* *

J'ai acheté un truc à grignoter à London, en sachant qu'elle avait besoin de souffler un peu avant le cours d'arts plastiques. Dans le même temps, j'ai repensé aux pubs que j'avais conçues pour des cabinets d'avocats, avant que Peters y mette un terme. Je me suis revu en train de filmer des spots dans des bureaux tapissés de bibliothèques regorgeant d'ouvrages juridiques, et de recommander des dépenses ciblées sur les chaînes du câble entre 9 heures et midi, au moment où les victimes d'accidents étaient susceptibles de regarder.

De nos jours, comme la plupart des spots à diffusion nationale étaient conçus par une seule et unique agence, une possibilité de marché de niche s'offrait à moi, si je souhaitais la saisir. Je pensais pouvoir négocier de meilleurs contrats auprès des chaînes câblées puisque j'entretenais de longue date des relations de travail avec les acteurs clés de ce secteur, contrairement à une boîte de pub d'envergure nationale. À terme, ce ne serait peut-être pas bon pour ma propre agence – je risquais de suivre les traces de Peters et d'abandonner cette clientèle ; mais beaucoup d'eau aurait coulé sous les ponts entre-temps et je n'avais pas envie d'y penser. Je suis donc resté concentré sur le fait que Taglieri pourrait – éventuellement – être ouvert à l'idée de changer d'agence.

London a mis moins de temps que je ne l'aurais cru pour récupérer et elle a parlé de Bodhi quasiment tout le long du trajet. Dès qu'elle a franchi la porte de l'atelier, elle s'est retournée et je me suis accroupi. Elle a passé les bras autour de mon cou et m'a serré fort.

– Je t'aime, papa.

– Moi aussi, je t'aime.

En me relevant, je l'ai vue se précipiter vers un jeune blondinet, puis tous deux se sont également serrés dans les bras l'un de l'autre.

Trop mignons.

Tout à coup, j'ai froncé les sourcils. Réflexion faite, je ne savais pas trop quoi penser de ma petite fille qui faisait déjà des câlins aux garçons. J'ignorais ce qui était normal en pareille situation.

Après avoir brièvement fait signe à l'animateur pour le saluer, je suis parti à la cafétéria avec mon ordinateur, en prévoyant de jeter un œil sur les dernières tendances publicitaires des cabinets juridiques, et de me renseigner sur la règlementation – elle avait peut-être changé depuis ma dernière campagne dans ce secteur.

J'ai commandé un café, me suis trouvé un siège puis j'ai ouvert mon ordinateur. J'ai sélectionné quelques infos préliminaires et je les parcourais quand j'ai entendu une voix m'interpeller sur le côté.

– Russ ?

Impossible de ne pas la reconnaître. Ses cheveux châtains effleuraient ses épaules et sa coiffure accentuait ses pommettes naturellement saillantes, tandis que ses yeux noisette étaient toujours aussi saisissants.

– Emily ?

Elle s'est avancée vers ma table, une tasse de café à la main.

– Je me suis dit que c'était toi à l'atelier, a-t-elle dit. Comment vas-tu ? Ça fait longtemps, dis donc.

– Je vais bien, ai-je répondu en me levant.

En se penchant pour m'embrasser brièvement, elle déclencha aussitôt une multitude de souvenirs heureux.

— Qu'est-ce que tu fais là ? Pourquoi étais-tu à l'atelier ?

— Mon fils est inscrit au cours. Il tient ça de sa mère, j'imagine, a-t-elle dit dans un sourire chaleureux et sincère. Tu as une mine splendide.

— Merci. Toi aussi. Comment vas-tu ?

De près, j'ai remarqué que ses yeux étaient pailletés d'or, une particularité que j'avais oubliée, je crois.

— Ça va.

— Sans plus ?

— Ouais, tu sais. La vie…

J'ai compris ce qu'elle voulait dire et, bien qu'elle tente de le cacher, j'ai cru déceler dans sa voix une pointe de tristesse. Les mots suivants me sont venus machinalement, même si j'étais conscient que passer du temps avec quelqu'un qu'on avait aimé dans le passé pouvait se révéler compliqué si on n'était pas prudent.

— Tu veux bien te joindre à moi ?

— Vraiment ? Tu as l'air occupé.

— Juste des recherches sur le Net. Rien d'important.

— Alors oui, ça me ferait très plaisir, a-t-elle dit. Mais je ne peux rester que quelques minutes. J'ai un colis à expédier à ma mère et, s'il y a la queue à la poste, ça va me prendre un temps fou.

Une fois tous les deux assis, je l'ai regardée, stupéfait que onze années se soient écoulées depuis notre rupture. Comme pour Vivian, le temps ne semblait avoir aucune emprise sur elle ; mais j'ai chassé cette pensée, m'efforçant de revenir sur un terrain moins glissant.

— Quel âge a ton fils ?

— Cinq ans, a-t-elle répondu. Il entre en maternelle à l'automne.

— Ma fille aussi. Il ira où ?

Lorsqu'elle a cité le nom de l'école, j'ai arqué un sourcil.

— Quelle coïncidence ! C'est là que London fera aussi sa rentrée.

— Il paraît que c'est une école géniale.

Et chère…

— C'est aussi ce que j'ai entendu dire. Comment vont tes parents ? Ça fait des années que je ne leur ai pas parlé.

— Ils vont bien. Mon père prend enfin sa retraite l'an prochain.

– De la compagnie AT&T ?

– Ouais… Il y a fait carrière. Il m'a confié qu'il voulait acheter un camping-car et sillonner le pays. Bien sûr, ma mère ne veut pas en entendre parler, alors elle continue à travailler à l'église jusqu'à ce que la lubie de mon père passe.

– Paroisse St. Michael ?

– Bien sûr. Mes parents ont travaillé au même endroit toute leur vie. Ça n'arrive plus de nos jours. Et toi ? Tu bosses toujours pour le Peters Group ?

– Je n'en reviens pas que tu t'en souviennes. Mais non, j'ai démissionné il y a quelques mois pour me mettre à mon compte.

– Ça se passe bien ?

– Ça peut aller.

– Génial. Je me souviens que tu disais vouloir monter ta boîte.

– J'étais jeune et naïf à l'époque. Maintenant, je suis vieux mais toujours naïf.

Elle a éclaté de rire.

– Comment va Vivian ?

– Très bien. Elle vient de reprendre un travail. Je n'ai pas réalisé que tu la connaissais.

– Je ne la connais pas vraiment. Je l'ai aperçue une ou deux fois à l'atelier un peu plus tôt cet été, mais elle n'est jamais restée pour le cours. Elle était toujours habillée pour aller à la salle de sport.

– Tout à fait elle. Et… ton mari ?

– David, tu veux dire ?

– Bien sûr. David.

– On est divorcés. Depuis janvier dernier.

– Désolé de l'apprendre.

– Je suis désolée aussi.

– Vous êtes restés mariés combien de temps ?

– Sep ans.

– Je peux te demander ce qui s'est passé ?

– Oh, je n'en sais rien… C'est dur à expliquer. Dire qu'on s'est éloignés l'un de l'autre, ça fait un peu cliché… Ces derniers temps, quand les gens me posent la question, je leur réponds simplement que le mariage a marché jusqu'à… ce qu'il ait foiré, mais ce n'est pas la réponse que la plupart des gens ont envie d'entendre. À croire qu'ils veulent pouvoir s'en servir plus tard pour alimenter leurs ragots, ou réduire tout ça à un simple incident de parcours. Ça fait combien de temps que vous êtes ensemble, Vivian et toi ?

— Bientôt neuf ans.

— Ça roule, alors. Bravo.

— Merci.

— Donc, Vivian a repris le boulot ?

J'ai hoché la tête.

— Elle travaille pour un gros promoteur de Charlotte. Elle est chargée de sa communication. Et toi ? Tu travailles ?

— J'imagine qu'on peut dire ça. Je peins toujours.

— Vraiment ?

— Mon ex était doué pour ça. M'encourager, je veux dire. Et ça se passe plutôt bien. Bon, je ne serai jamais Rothko ou Pollock, mais une des galeries du centre-ville expose mes toiles et j'en vends dix à douze par an.

— C'est fabuleux, ai-je dit avec sincérité. Tu as toujours eu beaucoup de talent. Quand je te regardais peindre, je me demandais comment tu parvenais à utiliser des couleurs et…

J'ai hésité, en essayant de me rappeler le mot.

— La composition ?

— Oui. Tu fais toujours du moderne ?

Elle a acquiescé.

— En un sens. Je travaille dans le réalisme abstrait.

— Tu sais que je n'ai aucune idée de ce que ça signifie, hein ?

— À la base, je commence par des scènes réalistes, puis je me laisse grosso modo guider par le pinceau… en ajoutant des couleurs qui vibrent ou des formes géométriques, ou des taches, des torsades, des coulures jusqu'à ce que j'aie le sentiment que mon tableau est achevé. Bien sûr, une peinture ne l'est jamais vraiment ; je retravaille certaines toiles depuis des années parce qu'elles ne me paraissent pas abouties. Le problème, c'est que je ne suis pas toujours certaine de savoir y remédier.

— Une démarche artistique qui me dépasse un peu, ai-je répliqué en souriant à belles dents.

Elle a éclaté de rire, exactement comme dans le souvenir que j'en gardais.

— Tant que ça rend bien sur les murs de la plupart des gens et que ça fait réfléchir quelqu'un, je suis satisfaite du résultat.

– Tout simplement ?

– C'est ce qu'aime dire le galeriste quand il essaie de vendre une de mes toiles, alors oui.

– J'aimerais voir ton travail.

– Tu peux passer quand tu veux à la galerie, a-t-elle dit, avant de me donner son nom que j'ai aussitôt retenu. Comment va Marge ? J'ai toujours voulu une grande sœur comme elle.

– Elle va bien… toujours avec Liz, bien sûr.

– La même Liz que j'ai rencontrée quand on sortait ensemble ?

– Oui. Elles ne se sont pas quittées depuis. Ça fait presque onze ans.

– Waouh ! Bravo à elles. Elle est comment, Liz ?

– Gentille, prévenante et d'un grand soutien. Je n'ai aucune idée de ce qu'elle trouve à Marge.

Une lueur de reproche est apparue dans le regard d'Emily.

– Tu pourrais être plus sympa, quand même.

– Tu sais bien que je rigole. Elles forment un couple génial. Je ne suis pas sûr de les avoir déjà vues se disputer. Elles prennent un peu la vie comme elle vient.

– C'est une bonne chose. Et tes parents ? Ils travaillent encore ?

– Ma mère est à la retraite, mais mon père bosse toujours à plein temps.

– Il bricole toujours sur sa voiture ?

– Tous les week-ends.

– Et ta mère ?

– Elle est maintenant membre de la Red Hat Society et elle s'est mis en tête de planter des tulipes.

Comme Emily fronçait les sourcils, intriguée, je lui ai parlé de ma conversation avec ma mère la semaine précédente.

– Tu sais que tu ne peux pas lui en vouloir. Elle a déjà rempli ses devoirs de parent.

– C'est ce que Marge a dit. Marge non plus n'a pas voulu me donner un coup de main.

– Et pourtant tu t'es bien débrouillé.

– Marge a dit ça aussi.

Emily a poussé un long soupir.

– C'est incroyable où la vie nous menés, hein ? Depuis qu'on se connaît ? Bien sûr, on n'était que des gamins à l'époque.

– On n'était pas des gamins.

Elle a souri.

– Tu plaisantes ? Peut-être qu'en théorie on était assez âgés pour voter, mais je me souviens comme si c'était hier d'une certaine exubérance de ta part. Comme la fois où tu as décidé de voir si tu pouvais engloutir une côte de bœuf énorme, afin d'avoir ta photo sur le mur du restaurant. Il était gros comment déjà ?

Le souvenir m'est revenu d'un seul coup. On était au bord du lac avec un groupe d'amis et j'avais repéré un restaurant sur l'autoroute proclamant qu'en plus de ma photo sur le mur le repas serait offert.

– Deux kilos cent.

– Tu n'es même pas arrivé à la moitié.

– J'avais faim quand je l'ai attaquée…

– Tu étais pompette aussi.

– Peut-être un peu.

– C'était le bon temps, a-t-elle dit en riant encore. Malheureusement, je vais devoir filer. Tu dois travailler, ajouta-t-elle en montrant mon ordinateur d'un geste vague, et il faut vraiment que j'expédie ce colis aujourd'hui.

Je me suis alors rendu compte que je n'avais pas envie qu'elle s'en aille, même si cela valait sans doute mieux.

– Tu as probablement raison.

Elle s'est levée de table.

– C'était agréable de te revoir, Russ.

– Pour moi aussi, ai-je dit. C'était sympa de prendre de nos nouvelles.

– À plus tard.

– Plus tard ?

– Quand le cours sera terminé ?

– Bien sûr. J'avais compris.

Tandis qu'elle ouvrait la porte en la poussant de l'épaule, j'ai remarqué malgré moi qu'elle m'avait lancé un regard et décoché un sourire avant de disparaître de mon champ de vision.

*
* *

J'ai passé l'heure suivante à surfer sur Internet et j'ai pu dénicher deux spots de pub pour les cabinets juridiques de Joey Taglieri, dont l'un n'était plus diffusé. Des spots pros, informatifs et, je dus bien l'admettre, assez semblables à ceux que je filmais dans le temps. J'ai aussi visionné les spots de pub d'autres cabinets d'avocat de la ville, avant d'en conclure que ceux de Taglieri n'étaient ni meilleurs ni pires.

Pourquoi, dans ce cas, Joey Taglieri qualifiait-il d'abrutis les créas de l'agence ?

Si les spots de pub n'étaient pas si mauvais, je pensais néanmoins que Taglieri n'en avait pas pour son argent en ce qui concernait la campagne dans son ensemble. Son site web était franchement démodé et manquait de peps, sans compter qu'un coup de fil à un de mes copains m'a appris qu'il ne se passait pas grand-chose sur la Toile sur le plan de la pub. J'ai appelé d'autres gens et découvert que Taglieri ne faisait pas non plus de campagne presse ou d'affiches. Bref, je me suis demandé s'il serait ouvert à ces supports, tout en évitant de trop m'emballer.

Un coup de téléphone à mon bureau m'y a aidé : rien, nada, que dalle, aucun message ; et, après avoir quitté la cafétéria, j'ai récupéré London au cours d'arts plastiques. Elle m'a alors montré fièrement un bol qu'elle avait confectionné et j'ai fait signe à Emily en sortant. Elle a souri et levé la main à son tour – elle discutait avec l'animateur. Après avoir ramené ma fille à la maison, je ne savais pas trop comment occuper les prochaines heures jusqu'au cours de danse. Il faisait trop chaud pour sortir avec London, sans compter que sa journée était déjà bien remplie, et elle voulait peut-être simplement se détendre et jouer un peu dans son coin.

Finalement, j'ai décidé de préparer à dîner pour Vivian. J'ai feuilleté quelques livres de cuisine, en admettant que bon nombre de recettes dépassaient mes capacités culinaires. Toutefois j'en ai trouvé une avec du bar de mer chilien et, en fouillant rapidement dans les placards, j'ai constaté que j'avais la plupart des ingrédients. Parfait. J'ai conduit London à la danse et, pendant que les élèves devaient à tous les coups décevoir la sinistre Mme Hamshaw, j'ai fait un saut au supermarché pour acheter ce qui me manquait. La préparation du repas était déjà bien avancée quand Vivian a franchi la porte d'entrée.

Avec du riz pilaf et des haricots verts amandine qui cuisaient à petit feu, impossible de m'éloigner des fourneaux.

— Je suis dans la cuisine !

Et j'ai bientôt entendu les pas de Vivian résonner dans mon dos.

— Waouh ! s'est-elle exclamée en s'approchant. Ça sent super bon ici. Qu'est-ce que tu prépares ?

Quand je lui ai répondu, elle s'est penchée au-dessus des casseroles sur le feu.

— En quel honneur ?

— Rien de spécial. Je me suis juste dit que je pourrais tenter quelque chose de nouveau. Et, après le dîner, j'ai pensé que je sortirais le vélo pour que tu puisses voir London rouler.

Elle a pris un verre dans le placard, puis le vin dans le frigo.

— Faisons ça demain, OK ? Je suis vannée et London a eu une grosse journée. Elle m'a déjà l'air lessivée.

— Comme tu veux.

Elle a rempli son verre.

— Elle s'est débrouillée comment, au tennis ?

— À peu près comme tout le monde. Le premier jour, elle a appris à tenir la raquette correctement et toutes les bases. Il y avait deux ou trois gamines du quartier, alors elle avait l'air contente.

— Je pense que le tennis lui fera du bien. C'est un sport génial pour se faire des amis.

— Et les filles sont mignonnes en short, pourrais-je ajouter.

— Ha ha ! Et l'atelier d'arts plastiques ? La danse ?

— Elle s'est bien amusée en arts plastiques mais, pour ce qui est de la danse, je ne crois pas qu'elle aime beaucoup ça.

— Laisse-lui du temps. Quand les concours vont démarrer, elle va adorer.

Je me demandais qui, selon Vivian, emmènerait la petite aux concours, mais j'ai gardé ces pensées pour moi.

— Tu as pu caser une séance en salle de sport ?

— À l'heure du déjeuner, a-t-elle répondu. Ça m'a fait un bien fou, à vrai dire. J'ai été en pleine forme tout l'après-midi.

— Tant mieux. Et ta journée ?

— Rien à voir avec la semaine dernière, c'est sûr. C'est bien plus calme au bureau. Pendant quelques minutes, j'ai vraiment eu l'impression de pouvoir prendre mes marques et souffler un peu.

— J'ai eu une journée assez intéressante, ai-je dit en souriant.

— Ah ouais ?

— T'as déjà entendu parler d'un gars appelé Joey Taglieri ?

Elle a froncé les sourcils.

— L'avocat, tu veux dire ?

— Tout à fait.

— J'ai vu ses spots de pub. Ils passent le matin.

— Qu'est-ce que t'en penses ?

— De quoi ?

— De ces pubs.

— Je ne m'en souviens pas vraiment. Pourquoi ?

Je lui ai alors raconté ma rencontre et ce que ça m'avait inspiré par la suite.

— T'es sûr de vouloir faire ça ? a-t-elle demandé d'un air sceptique.

— Qu'est-ce que tu veux dire ?

— Ça ne vole pas très haut, non ? Les pubs pour avocat ? Est-ce que Peters n'a pas cessé d'en faire parce que d'autres clients désapprouvaient ça ?

— Oui, mais c'est pas comme si j'avais d'autres clients dont je devais me soucier. J'ai juste envie de démarrer, tu sais ? Et c'est clair qu'il dépense pas mal en publicité.

Elle a hoché la tête, avant de boire une gorgée de vin.

— OK. Si tu penses que c'est mieux comme ça.

On ne peut pas dire qu'elle applaudissait des deux mains mais, comme elle semblait dans de meilleures dispositions que ces derniers temps, je me suis éclairci la voix avant de passer à la suite :

— Tu as trouvé une garderie pour London ?

— Quand est-ce que j'en aurais eu l'occasion ?

— Tu veux que je commence à me renseigner sur les mieux cotées ?

— Non, a-t-elle répondu, l'air agacé. Je vais m'en charger. C'est juste que...

— Que quoi ?

— Est-ce qu'on doit vraiment l'inscrire maintenant ? Elle va devoir abandonner le piano, le tennis et les arts plastiques. Et jusqu'ici tu as pu l'emmener partout, en fait.

— Il y a des activités à la garderie.

— Comme elle a déjà été déstabilisée samedi soir, je dis seulement que je ne suis pas certaine que ce soit une bonne idée. La rentrée a lieu dans quelques semaines, de toute manière.

— Pas quelques semaines, ai-je rectifié en faisant un rapide calcul. Ce n'est pas avant cinq semaines.

— Et il s'agit de notre fille. De ce qui est mieux pour elle. Dès qu'elle ira à l'école, tu auras tout le temps de te concentrer sur ton agence. Continue de faire ce que tu fais en ce moment et, quand tu as un rendez-vous, dépose-la chez ta mère.

— Ma mère ne peut pas garder London tous les jours. Elle m'a dit qu'elle avait d'autres trucs à faire ?

— Ah bon ? Pourquoi tu ne m'en as pas parlé ?

Parce que tu m'as quasiment ignoré toute la semaine, tout comme tu ne m'as posé aucune question sur mon boulot.

— Il ne s'agit pas de ma mère, Vivian. J'essayais de te parler de déposer la petite à la garderie.

— Je t'ai entendu. J'ai pigé. Tu penses que refiler notre fille à une bande d'inconnus est une bonne idée pour que tu puisses être libre de faire ce que tu veux.

— Je n'ai pas dit ça.

— Inutile ! Ça revient au même. Tu te comportes en égoïste.

— Je ne suis pas égoïste.

— Bien sûr que si. C'est notre fille. Elle va mal et ça se voit.

— C'est arrivé une seule fois. Elle a fait une colère parce que tu étais en déplacement.

— Non. Elle était bouleversée parce que son univers était chamboulé, et maintenant tu veux aggraver les choses. Je n'arrive pas à comprendre pourquoi tu trouves ça génial de t'en débarrasser. Ça ne te plaît pas de passer du temps avec elle ?

J'ai senti mes mâchoires se contracter et j'ai soufflé lentement, en m'efforçant de garder un ton posé.

— Bien sûr que si. Mais tu disais que je devrais la garder une semaine, deux au maximum.

— J'ai aussi dit que je souhaitais ce qu'il y a de mieux pour notre fille ! Je n'ai pas eu le temps de trouver la garderie idéale et quand je l'aurai trouvée et qu'elle sera inscrite, ce sera déjà la rentrée scolaire, alors à quoi bon ?

– Elle aura toujours besoin d'être gardée en sortant de l'école, ai-je observé.

– J'en parlerai à London, OK ?

– Tu vas lui parler de la garderie ?

– Je suppose que tu ne l'as pas fait. J'ignore ce qu'elle en pense.

– Elle a cinq ans. Elle n'en sait pas assez pour avoir son avis sur la question.

– Maman ? J'ai faim.

Je me suis tourné et j'ai vu London à l'entrée de la cuisine. Vivian m'a fusillé du regard et j'ai compris qu'on se demandait tous les deux ce que la petite avait entendu de notre conversation.

– Salut, mon cœur, a dit Vivian d'un ton aussitôt plus léger. Le dîner sera prêt dans quelques minutes. Tu veux m'aider à mettre la table ?

– OK, a répondu London.

London s'est approchée du placard. La petite et elle ont dressé la table, puis j'ai apporté les plats.

Ma fille a pris quelques bouchées puis m'a souri.

– C'est drôlement bon, papa.

– Merci, ma puce.

Le compliment m'a mis un peu de baume au cœur.

Mon couple avec Vivian était peut-être un peu chaotique en ce moment et mon agence ne démarrait pas mais, au moins, j'apprenais à cuisiner.

Cela dit, je ne me sentais pas mieux pour autant.

10

On va de l'avant

Dans ma jeunesse, l'été réunissait les moments les plus formidables de l'existence. Comme mes parents croyaient en une éducation non interventionniste et au grand air, j'étais en général dehors avant 10 heures et ne rentrais qu'au dîner. Il n'existait aucun mobile pour me pister et, chaque fois que ma mère appelait un voisin pour demander où j'étais, celui-ci n'en savait souvent pas plus sur les allers et venues de son propre enfant. En fait, il y avait une seule règle, à ma connaissance : je devais être à la maison à 17 h 30 car mes parents aimaient dîner en famille.

Je ne me rappelle pas exactement comment j'occupais ces journées. Les souvenirs me reviennent simplement sous la forme d'instantanés : je me revois construire des châteaux-forts, jouer au roi de la colline sur la cage à écureuil de l'aire de jeux, ou courir après un ballon de foot pour tenter de marquer un but. Je me revois m'amuser dans les bois aussi. À l'époque, notre maison était entourée de terrains vagues, et on se battait à coups de mottes de terre avec mes copains en jouant à la guerre ou à la prise du drapeau ; quand on a eu des pistolets à air comprimé, on pouvait passer des heures à tirer sur des boîtes de conserve ou les uns sur les autres. Je partais en expédition sur mon vélo et des semaines entières s'écoulaient durant lesquelles je me levais chaque matin sans avoir la moindre activité programmée.

Bien sûr, il y avait des gamins dans le quartier qui ne menaient pas une vie aussi insouciante. Ils allaient en colonie de vacances ou participaient aux championnats d'été de divers sports, mais ces enfants-là constituaient une minorité. De nos jours, en revanche, les enfants ont un agenda rempli du matin au soir – et London ne faisait pas exception à la règle –, parce que les parents l'ont exigé.

Mais comment est-ce arrivé ? Et pourquoi ? Qu'est-ce qui a modifié la vision des parents de ma génération ? La pression sociale ? Le fait de vivre par procuration la réussite de son enfant ? Vouloir lui construire un CV pour l'Université ? Ou simplement la crainte qu'en permettant à son enfant de découvrir le monde par lui-même, il n'en sortirait rien de bon.

Je ne sais pas.

Je pense, en revanche, qu'on a perdu quelque chose dans le processus : le plaisir tout simple de s'éveiller le matin sans avoir rien de prévu.

*
**

— Le problème avec les spots de pub ? a demandé Joey Taglieri en répétant la question que je lui avait posée.

On était mardi matin : leçon de tennis numéro 2. Toujours en colère contre moi depuis la veille, Vivian était partie travailler sans m'adresser la parole.

— Le hic, c'est qu'ils sont rasoirs, a-t-il enchaîné. On ne voit que moi, qui m'adresse à la caméra, dans un bureau plein à craquer. Bon sang, je me suis endormi en les regardant et ils m'ont coûté une fortune.

— Comment les feriez-vous pour qu'ils soient différents ?

— Quand j'étais gamin, ma famille a vécu quelques années en Californie du Sud pendant que mon père servait encore dans les Marines. J'ai détesté le coin, soit dit en passant. Ma mère pareil. Sitôt que mon père a pris sa retraite, ma famille est revenue s'installer dans le New Jersey. Mes deux parents venaient de là-bas. Vous êtes déjà allé dans le New Jersey ?

— Je crois que j'ai dû décoller de Newark deux ou trois fois.

— Ça ne compte pas. Et ne croyez pas non plus toutes les inepties que vous voyez dans les téléréalités sur Jersey. C'est un coin génial. Si je pouvais, c'est là que j'élèverais ma fille, mais sa mère est ici… et même si c'est une vraie mégère sans pitié, c'est quand même une bonne mère. Mais bon… revenons à la Californie du Sud. Il y avait un concessionnaire du nom de Cal Worthington. Vous en avez déjà entendu parler ?

— Pas vraiment.

— Le vieux Cal Worthington a eu les meilleures pubs de tous les temps. Chaque spot nous le présentait, lui et son chien Spot – sauf que ce Spot était tout sauf un chien. Il pouvait s'agir d'un singe, d'un lion ou d'un d'éléphant, peu importe. Une fois, il y a même eu une orque. Ce brave Cal avait un petit jingle percutant impossible à oublier, avec un refrain qui disait : « Allez voir Cal, allez voir Cal, allez voir Cal. » Bon sang, j'avais huit ans et je m'en foutais complètement des bagnoles, mais j'avais envie de passer à la concession, ne serait-ce que pour rencontrer ce gars et voir peut-être dans la foulée des animaux exotiques. Voilà le genre de pub que je veux.

— Vous voulez des éléphants dans vos spots ? Et des orques ?

— Bien sûr que non. Mais je veux un truc dont les gens se souviennent, quelque chose qui pousse un type blessé dans son fauteuil à se redresser en se disant : « Faut que je vois ce gars-là. Je veux que ce soit lui qui me défende. »

— Le problème, c'est que les pubs pour avocat sont réglementées par le barreau.

— Vous croyez peut-être que je ne le sais pas ? Je sais aussi qu'en général la Caroline du Nord défend la liberté d'expression en matière de publicité. Si vous êtes dans la pub, vous devriez le savoir aussi.

— Certes. Mais il y a une différence entre le juriste professionnel et compétent auquel on peut se fier et un chasseur d'ambulances de seconde zone.

— C'est exactement ce que j'ai dit aux abrutis qui ont fait les spots. Malgré tout, ils sont revenus avec ce que je pourrais décrire au mieux comme : « Tâchons de plonger les téléspectateurs dans le coma ». Vous les avez vus, au moins ?

— Bien sûr. En fait, ils ne sont pas si mauvais.

— Ah ouais ? C'est quoi le numéro du cabinet, alors ?

— Pardon ?

— Le téléphone du cabinet. Il reste sur l'écran toute la durée des spots. S'ils sont si géniaux, quel est le numéro ?

— Je n'en sais rien.

— Bingo ! Et c'est là que ça coince.

— Les gens se rappellent sans doute votre nom.

— Ouais. Encore un os. Taglieri n'est pas franchement un nom très répandu dans le Sud, vous savez, et ça peut dissuader certaines personnes.

— Concernant votre patronyme, vous ne pouvez pas faire grand-chose.

— Ne vous méprenez pas. Je suis fier de mon nom de famille. Je fais seulement remarquer un autre problème posé par ces spots. On voit trop mon nom et pas assez le numéro de téléphone.

— Pigé. Que pensez-vous d'autres formes de publicité ? Comme les affiches, les sites web, les pubs sur Internet, à la radio ?

— Je ne sais pas trop. Je n'y ai pas beaucoup réfléchi. Et je dispose d'un budget limité, a-t-il avoué.

— Logique, ai-je dit, en songeant que d'autres questions feraient plus de mal que de bien.

Sur le court, j'ai regardé London qui tentait de volleyer avec une autre gamine, mais c'était plus de la course à la balle que des reprises de volée.

— Que fait votre femme ? a demandé Joey en brisant le silence.

— Elle travaille dans les Relations publiques. Elle vient de commencer un nouveau job pour l'un des gros promoteurs de la région.

— Aucune des mes épouses n'a bossé. Bien sûr, je travaille trop. Les contraires s'attirent, vous connaissez la musique. Au fait, je vous ai déjà dit qu'il faut toujours faire établir un contrat de mariage ?

— Oui.

— Ça évite les tortures financières que la gent féminine aime bien nous infliger.

— Vous avez l'air désabusé.

— Au contraire. J'adore les femmes.

— Vous allez vous remarier un jour ?

— Bien sûr. Je crois dur comme fer en cette institution.

— Vraiment ?

— Que voulez-vous que je vous dise ? Je suis un sentimental.

— Qu'est-ce qui s'est passé, alors ?

— J'ai tendance à tomber amoureux de cinglées, voilà ce qui s'est passé.

J'ai éclaté de rire.

— Je me réjouis de ne pas avoir ce problème.

— Vous croyez ? Ça reste quand même une femme.

— Mais encore ?

J'avais l'impression que Joey tentait de me cerner.

— Ma foi, a-t-il fini par répondre, tant que vous êtes heureux, je suis heureux pour vous.

156

*
* *

Comme je pouvais m'y attendre, mercredi, après le cours de danse, London était maussade en grimpant dans la voiture.

– Ce soir, puisque maman est en déplacement, que dirais-tu d'une pizza pour le dîner ?

– La pizza, c'est pas bon pour toi.

– Tant qu'on n'en mange pas tout le temps, ça va. C'était quand, la dernière fois que tu en as mangé ?

Elle a réfléchi un instant.

– Je me rappelle pas. Maman rentre quand, déjà ?

– Elle sera là demain, mon cœur.

– On peut l'appeler ?

– Je ne sais pas si elle est occupée, mais je vais lui envoyer un texto. OK ?

– OK.

Sur la banquette arrière, London semblait plus petite que d'habitude.

– Et si on allait manger une pizza dehors, rien que toi et moi ? Et après, on s'arrêtera prendre une glace, OK ?

Bien qu'elle n'ait pas dit oui, elle n'a pas non plus refusé, si bien qu'on a atterri dans un établissement qui proposait des pizzas correctes à pâte fine. Pendant qu'on attendait d'être servis, Vivian a appelé avec l'appli FaceTime, après quoi London était de meilleure humeur. Quand on est arrivés au Dairy Queen, elle jacassait joyeusement. Sur le trajet du retour, elle n'a fait que parler de son ami Bodhi et de son chien Noodle, et du fait qu'il l'avait invitée chez lui pour lui montrer son sabre laser.

De prime abord, je me suis dit que ma fille était bien trop jeune pour que le moindre garçon lui montre son sabre laser, puis j'ai aussitôt pensé aux suggestions de Marge pour occuper London en invitant des gamins de son âge, tout en devinant que le sabre laser n'était pas une métaphore mais un sabre jouet inspiré par *La Guerre des étoiles*.

Arrivée à la maison, London a gravi l'escalier en trombe pour aller voir M. et Mme Sprinkles et, alors que je m'attendais à ce qu'elle reste un moment dans sa chambre, elle est réapparue dans le salon quelques minutes plus tard.

– Papa ?

– Oui, ma puce ?

– On peut retourner faire du vélo ?

J'ai réprimé un gémissement. J'étais crevé et n'avais qu'une envie : rester scotché sur le canapé.

– Bien sûr, ai-je répondu.

En me levant, je me suis soudain souvenu que Vivian avait manifesté la veille au soir son envie de voir London rouler sur son vélo – mais elle avait dû oublier.

Non ?

*

* *

London est parvenue trois fois à tourner toute seule. En chancelant un peu, mais elle a pu recouvrer son équilibre et, même les autres fois où elle a obliqué, j'ai dû moins l'aider qu'auparavant. En ligne droite, j'effleurais à peine sa selle. Comme elle gagnait en confiance, elle roulait plus vite et, à la fin de séance, j'étais de nouveau en nage et tout essoufflé.

– Et si tu prenais un bain là-haut, pendant que je me douche au rez-de-chaussée ? ai-je suggéré, sans trop savoir à quelle réaction m'attendre.

La dernière fois que Vivian avait été en déplacement, l'épisode bain ne s'était pas si bien passé.

Ce soir-là, la petite a simplement acquiescé.

– OK, papa.

Je me suis douché et, quand je suis monté dans sa chambre, London était assise en pyjama sur le lit, la brosse et le flacon de démêlant posés à côté d'elle. Après la séance de brossage facilité par la magie du produit capillaire, je me suis adossé à la tête de lit.

Je lui ai lu *Deux par deux* et d'autres bouquins. J'ai embrassé London en lui souhaitant bonne nuit et, alors que j'allais éteindre, elle m'a retenu.

– Papa ?

– Oui ?

– C'est quoi, la garderie ? Je vous ai entendu parler de ça, maman et toi.

– C'est un endroit où vont les enfants quand leur maman et leur papa travaillent ; là-bas, des adultes s'occupent bien de toi pour qu'il ne t'arrive rien.

– C'est comme une maison ?

– Parfois. Mais d'autres fois, c'est dans un bâtiment. Il y a des jouets, des jeux et des activités, et beaucoup d'enfants aiment ça parce qu'il y a toujours plein de trucs sympas à faire.

– Mais moi j'aime bien être avec maman et toi.

– Je sais. Et on aime bien être avec toi aussi.

– Pas maman. Plus maintenant.

– Bien sûr que si. Elle t'aime très fort. Elle doit travailler, c'est tout.

– Pourquoi elle doit travailler ?

– Parce qu'on a besoin d'argent pour vivre. Sans argent, on ne pourrait pas acheter de la nourriture, des vêtements ou des jouets, ou même M. et Mme Sprinkles.

Elle parut méditer sur la question.

– Si je les rends au magasin des animaux, maman elle peut s'arrêter de travailler ?

– Non, ma puce. Ça ne marche pas comme ça. Ça va sinon, mon cœur ? Tu as l'air un peu tristounette ?

– Maman est encore partie. J'aime pas quand elle s'en va.

– Je sais bien et je sais aussi qu'elle préfèrerait être avec toi.

– Quand tu travaillais, tu revenais toujours à la maison.

– Maman et moi on n'a pas le même genre de travail. Elle doit parfois se déplacer dans différentes villes.

– J'aime pas ça.

Moi non plus, ai-je songé. Mais je ne pouvais pas y faire grand-chose. J'ai passé un bras autour d'elle et changé de sujet :

– Tu t'es drôlement bien débrouillée avec ton vélo aujourd'hui.

– J'allais super vite.

– Oui, c'est vrai.

– Tu pouvais presque pas me suivre.

– Papa aurait besoin de faire plus d'exercice. Mais je suis content que tu te sois bien amusée.

– C'est rigolo quand on va vite.

– C'est plus rigolo que… les leçons de piano ? ai-je demandé en la chatouillant un peu sur les trois derniers mots.

Elle a gloussé.

— Oui.

— C'est plus rigolo que le… tennis ?

— Oui.

— C'est plus rigolo que la… danse ?

— Oui.

— C'est plus rigolo que les… travaux manuels ?

— Oui. Mais c'est pas plus rigolo que Bodhi.

— Bodhi ! Faire du vélo c'est BEAUUUUCOUP plus rigolo que Bodhi.

— Non, c'est pas vrai.

— Non, non, non.

— Si, si, si ! s'est-elle esclaffée. Et je veux aller chez lui !

Je gloussais autant qu'elle à présent.

— Ooooh, non. Je pense que es BEAUUUUCOUP trop petite pour aller chez BODHI.

— Non, c'est pas vrai. Je suis GRANDE !

— Je ne sais pas…

— Si, si, si. Je suis assez grande pour aller chez Bodhi.

— D'aaaaccord. J'imagine que je peux demander à sa maman.

London était radieuse et a passé ses bras autour de mon cou.

— Je t'aime, papa.

— Moi aussi, je t'aime, mon bébé.

— Je suis plus un bébé, d'abord.

Je l'ai serrée plus fort contre moi.

— Tu seras toujours mon bébé.

*
* *

Après avoir éteint en me disant que j'en étais arrivé au stade où je ne pourrais plus trotter poussivement à côté de London qui pédalait, je suis allé au garage chercher mon vélo. Je l'avais depuis des années et, comme celui de ma fille à un moment donné, il se révélait surtout négligé mais encore en bon état. Je l'ai nettoyé et huilé, en ajoutant du WD-40 sur les pignons, puis j'ai gonflé les pneus avant de rouler un peu pour l'essayer.

C'est bon, me suis-je dit, avant de rentrer et de poser mon ordinateur sur la table de la cuisine. J'ai fait une recherche sur You Tube et trouvé une dizaine de spots publicitaires de Cal Worthington, en songeant que Taglieri disait vrai ; le jingle était accrocheur, et ce brave Cal avait toujours son chien Spot – qui était toujours un animal exotique. Les spots étaient restés certes gravés dans la mémoire, mais l'ensemble symbolisait la pub racoleuse dans toute sa splendeur. Pas étonnant qu'un gamin ait envie de rencontrer le concessionnaire, mais je n'étais pas sûr que ça susciterait la confiance nécessaire pour recruter des clients en tant qu'avocat.

J'ai de nouveau regardé les spots de Taglieri. J'ai ensuite noté le numéro de téléphone sur mon calepin et j'ai associé les chiffres aux lettres en me demandant si je pouvais trouver un mot ou deux pour qu'on retienne bien le numéro. Rien ne m'est venu à l'esprit avec celui en place, mais s'il en ajoutait un deuxième gratuit, je pourrais peut-être trouver quelque chose. J'ai d'abord pensé à simplifier son nom de famille mais, comme il y avait huit lettres et sept chiffres, ça ne pouvait pas marcher, même si les gens se rappelaient de l'ortho-graphe du patronyme, ce dont je doutais. Sinon je pouvais peut-être trouver un truc du genre W-I-N-4-Y-O-U[1] ou T-A-G-I-S-I-T[2], voire B-U-L-L-D-O-G, mais aucun de semblait coller vraiment. J'espérais que l'inspiration me viendrait plus tard.

Tout en sachant que d'autres supports publicitaires conviendraient au cabinet de Taglieri, je me concentrais surtout sur les spots télé, car je savais que c'était un langage qu'il comprendrait. Comment, le cas échéant, les améliorer – et les modifier suffisamment – pour l'inciter à sauter le pas en bossant avec moi ? J'ai donc passé les deux ou trois heures suivantes à noter toutes sortes d'idées jusqu'à ce qu'elles commencent à prendre forme : débarrassons-nous du bureau et du costume, et montrons plutôt Taglieri devant le tribunal, en pull, comme quelqu'un d'accueillant, qui s'intéresse vraiment à vous. Même script, mais plus… familier et décontracté dans l'ambiance et le ton.

Ça tranchait avec le reste, certes, mais je n'étais pas sûr que ce soit du niveau des pubs de Cal Worthington. Peut-être que j'étais fatigué, mais, tout en continuant à bidouiller des slogans et des idées

---

1. Littéralement : Gagner pour vous (*Win for you*).
2. Littéralement : Tag est le bon/celui qu'il vous faut (*Tag is it*).

pour trouver des images fortes, je m'égarais toujours vers l'absurde. Tu voulais du racoleur ? Pourquoi ne pas t'habiller en super héros et défoncer les portes pour affronter les compagnies d'assurance démoniaques ? Et si je te drapais dans un drapeau américain avec des images d'aigles pour montrer à quel point on peut te faire confiance ? Ou peut-être qu'on pourrait te voir faire des trucs cool, comme briser des planches de bois, façon karatéka, histoire de montrer que tu es prêt à tout pour gagner ?

Comme toutes ces images défilaient dans ma tête, je me suis surpris à rire tout seul, même si je ne pouvais pas m'imaginer un seul instant les utiliser. La créativité et l'originalité, c'était peut-être sympa, mais les victimes d'accident n'avaient pas envie de voir du comique tarte à la crème. Ils voulaient de l'expérience, de la ténacité et de la confiance. L'idée m'est alors venue qu'au lieu d'essayer de rassembler tout ça en un seul spot, on pourrait peut-être traduire chaque concept individuellement en plusieurs pubs…

Ça m'a paru valable et j'ai senti mon cœur battre la chamade. Je me suis demandé si Taglieri serait intéressé. Et si je pouvais le persuader de s'asseoir devant une présentation, je savais que j'aurais besoin d'exposer mon idée sur au moins deux ou trois spots de pub. Le premier rappellerait ce qu'il faisait actuellement, mais le deuxième et le troisième ?

Ils devaient être différents et, si l'un était court, l'autre devrait donner l'impression d'un événement spécial, le genre de spot qui ne passe que de temps en temps, qui raconte quasiment une histoire…

Je sentais que ça démarrait, que l'idée prenait forme, et j'ai continué à l'explorer pendant deux ou trois heures, à mesure que les morceaux du puzzle s'assemblaient.

Quant au troisième spot – court, faisant appel à l'humour et focalisé sur un thème unique –, l'idée m'est venue au moment de fermer l'ordinateur. Comme par miracle, une autre a suivi quelques minutes après, tandis que je me sentais plus créatif que jamais.

Content de moi, j'ai éteint la lumière une heure plus tard et, même s'il m'a fallu un petit moment pour m'endormir, j'ai eu ma meilleure nuit de sommeil depuis des semaines.

*
* *

— Vous êtes donc en train de me dire que vous voulez faire une simulation et je suis le pigeon que vous avez choisi ?

C'était jeudi matin. Joey arborait une tenue plus décontractée, short et tee-shirt, comme moi. Ça ne l'empêchait pas de transpirer.

— Je ne le dirais pas en ces termes.

— Vous savez que je suis un homme occupé, pas vrai ? J'ignore si je peux gérer davantage d'affaires.

C'était un motif de rejet tout nouveau, et je ne savais pas trop comment réagir. Il a dû voir mon expression, car il a éclaté de rire.

— Je plaisante. Je dois faire venir le plus de monde possible dans mon cabinet pour pouvoir trouver ces pépites qui paient mes factures. J'ai trois associés et trois assistants juridiques, donc les factures sont élevées. Ma spécialité juridique génère un gros volume d'affaires de nos jours, même si ça nous oblige à faire le tri parmi toutes sortes de tarés avant de décrocher le gros lot à coup sûr. Bref, j'ai besoin que des gens appellent le cabinet et franchissent ma porte.

— Voilà pourquoi je m'adresse à vous. Je peux vous aider.

— Combien de temps il vous faudrait pour mettre un truc au point ?

— J'ai déjà quelques idées d'ensemble, ai-je admis. Ça ne prendrait pas longtemps pour finaliser un projet.

Il m'a regardé attentivement.

— Entendu. Lundi après-midi. À 13 heures. Je suis au tribunal le restant de la semaine et la suivante.

Je ne me voyais pas attendre aussi longtemps, même si ça signifiait que j'allais travailler comme une brute dans les trois jours à venir.

— Va pour 13 heures, ai-je accepté.

— Mais rappelez-vous une chose.

— Quoi donc ?

— Ne me faites pas perdre mon temps. Je déteste ça.

*
* *

Cet après-midi-là, sachant que la présentation devait être la plus informative possible et bien plus détaillée que celles concoctées la semaine précédente, je me suis attelé à la tâche. Même si j'allais proposer un plan média sur plusieurs supports, j'ai commencé par les spots de pub parce qu'ils me semblaient correspondre aux principaux centres d'intérêt de Taglieri. Ma première étape consista à démarrer par le script et, les premières ébauches terminées, j'ai copié-collé des images génériques trouvées sur le Net, afin que Taglieri puisse suivre le fil conducteur des spots tel que je l'avais imaginé. Pendant ce temps-là, London s'amusait avec ses Barbie, mais je travaillais sur la table de la cuisine pour pouvoir garder un œil sur elle.

Vivian est arrivée un peu après 17 heures. Je l'ai rapidement briefée sur ma journée, avant qu'elle passe un peu de temps avec la petite et prépare à dîner. C'est seulement une fois London au lit que Vivian et moi avons pu nous retrouver seuls. Installée sur le canapé, elle feuilletait encore un magazine, un verre de vin presque vide posé sur la petite table basse voisine.

– Elle s'est endormie sans difficulté ?

– Elle était fatiguée. Je n'ai lu que deux livres ce soir.

– Et ton travail, comment ça se passe ?

– J'ai encore du chemin à faire, mais je vais y arriver.

– En me garant, j'ai remarqué que tu avais réparé ton vélo.

– Je veux pouvoir en faire avec London.

– Elle m'a dit que vous aviez de nouveau roulé ensemble.

– Elle pédalait et moi j'ai couru à côté, mais j'ai failli rendre mon dernier souffle. D'où la remise en état de mon vélo. Elle se débrouille drôlement bien. Je n'arrive plus à la suivre en jogging.

– Elle déborde d'énergie.

– Tu l'as dit.

Vivian a tourné une page, puis :

– J'ai pu appeler quelques garderies pendant que j'étais en déplacement.

– Ah bon ?

J'étais à la fois surpris et soulagé, tout en éprouvant une pointe de culpabilité inattendue. Notre précédente discussion sur le sujet m'avait conduit à penser qu'elle ne passerait jamais ces coups de fil.

– Quand as-tu trouvé le temps ? ai-je demandé.

– Quand Walter rencontrait le sénateur Thurman. Mais c'était juste une première prise de contact. Je n'ai fixé aucun rendez-vous, car je ne connaissais pas vraiment mon planning de déplacements pour la semaine prochaine.

— Tu voyages encore la semaine prochaine ?

— Je pense. Mais je ne sais pas encore quels jours exactement.

— Tu penses être fixée quand ?

— D'ici demain, j'espère, mais rien n'est moins sûr. Je te tiens au courant dès que je le saurai.

Comment Spannerman pouvait-il trouver correct vis-à-vis de ses employés de programmer leurs déplacements à la dernière minute ? Cela dit, je savais par expérience qu'il devait sans doute s'en moquer.

— Et les garderies, alors ?

— Je ne me suis pas éternisée. Je voulais juste avoir une idée des activités qu'ils proposaient, combien d'enfants ils accueillaient, ce genre de choses.

— Tu t'es sentie à l'aise avec eux ?

— Ils m'ont paru bien. Les gens à qui j'ai parlé étaient consciencieux, mais même eux m'ont dit qu'on ne pourrait se faire une idée qu'une fois sur place en la visitant.

— Forcément. Et ton voyage, sinon ?

— Fructueux. En plus du sénateur, Spannerman a rencontré deux élus et notre lobbyiste. Maintenant que le PAC a davantage de fonds, c'est bien plus facile de rencontrer les personnes qui nous sont utiles.

— Tu m'étonnes.

Elle a haussé les épaules.

— Alors comme ça, vous vous êtes fait un dîner pizza hier soir ? Et crème glacée en dessert ?

— Je me suis dit que ça lui ferait plaisir. Elle n'était pas franchement joyeuse en sortant du cours de danse.

— Ça lui plaira davantage quand débuteront les concours. C'est là que j'ai commencé à apprécier.

— Tu as fait de la danse ?

— Je te l'ai déjà dit.

Je m'en serais souvenu.

— Pendant combien de temps ?

Elle a continué à feuilleter le magazine.

— Je ne sais plus. Deux ou trois ans ? C'est important ?

— Non. C'était juste pour savoir.

— Rien d'extraordinaire. Ma prof était loin d'être aussi douée que celle de London. Si seulement… J'aurais sans doute continué.

Tu veux bien me le remplir à moitié ? dit-elle en tendant son verre. Je suis épuisée et j'ai vraiment envie de dormir ce soir. Surtout depuis que j'ai promis de me rattraper pour notre soirée en amoureux.

— Ouais, ai-je dit, ravi qu'elle s'en souvienne. Bien sûr.

Je suis allé lui verser un demi-verre à la cuisine. Le temps que je revienne, Vivian avait allumé le poste sur une émission de téléréalité et, bien qu'on soit restés là une heure de plus, elle s'est murée dans le silence, se bornant à regarder la télé et à feuilleter son magazine, faisant totalement abstraction de ma présence.

*
**

Vendredi matin, dès mon réveil, j'ai pensé à la présentation. Quelques minutes plus tard, j'étais debout et, comme la veille, j'ai travaillé sur la table de la cuisine jusqu'à ce que vienne le moment d'amener London à l'atelier d'arts plastiques. Pendant qu'elle faisait de la peinture, je me suis installé à la cafétéria et, perdu dans mes pensées, je n'ai pas vu l'heure tourner. Et, tout à coup, le cours était terminé.

Oups.

J'ai rassemblé mes affaires pour filer vers l'atelier. En arrivant, j'ai repéré avec soulagement London et Bodhi qui discutaient dans un coin. J'allais appeler ma fille, quand j'ai surpris Emily qui m'observait d'un air amusé.

— Salut Russ !

— Oh, salut Emily ! T'es déjà là ?

Elle a souri, visiblement détendue.

— Je t'ai aperçu à la cafète il y a quelques minutes et tu avais l'air carrément plongé dans ce que tu faisais. Comme tu n'arrivais pas, j'ai pensé t'attendre le temps que tu viennes récupérer London.

— Tu n'étais pas obligée.

— Pas de souci. Crois-moi, mon fils était ravi que tu sois en retard.

— Où est-il ?

— Mon fils ? Il discute avec ta fille, regarde.

Je suppose que j'aurais dû déceler la ressemblance ; à présent que je le savais, je la voyais clairement.

166

— Bodhi est ton fils ?

— Le monde est petit, hein ? Ils sont mignons à cet âge-là, non ? poursuivit-elle. Si… innocents, tu sais ?

— Je pensais la même chose.

— Pas de hamsters aujourd'hui ?

— J'étais censé les apporter ?

Elle a éclaté de rire.

— Pas que je sache. Mais Bodhi adore M. et Mme Sprinkles. Depuis que ta fille les a apportés, il me demande si on pourrait nous aussi en avoir à la maison.

— Désolé. Si ça peut te rassurer, London a envie de jouer avec Noodle. Et de voir le sabre laser de Bodhi.

— Ne me parle pas de ce truc. Bodhi l'emporte partout. Il a fondu en larmes quand j'ai refusé qu'il le prenne avec lui à l'église dimanche dernier. Sinon, ton travail se passe bien ?

— Pas mal. J'espère terminer ce week-end. Et ta peinture ?

— J'ai eu du mal à reprendre le rythme. Deux ou trois années difficiles, on va dire.

— J'imagine. Je n'ai pas encore trouvé le temps de passer à la galerie voir tes toiles.

— Je m'en doutais. Entre ton boulot et London, tu es tout le temps sur la brèche. London a un agenda bien rempli. Danse, piano, arts plastiques, et maintenant tennis. Que veux-tu que je te dise ? Bodhi n'arrête pas de parler d'elle, alors je sais tout ce qu'elle fait. Il a envie qu'elle vienne jouer à la maison.

— London aussi, mais franchement je ne sais pas trop comment m'organiser.

J'ai senti que ça l'amusait.

— C'est pas compliqué, Russ. Il suffit de voir ton emploi du temps ? Tu as un créneau lundi après-midi ? London peut venir ?

Sitôt qu'elle a pris les choses en main, j'ai su que ce serait parfait. Mais…

Comme je ne répondais pas, elle a poursuivi.

— Tu as autre chose de prévu ?

— Non… Enfin, c'est-à-dire que je suis censé faire une présentation à 13 heures.

— Eh bien c'est parfait. Je peux venir la chercher ici et l'amener

167

chez moi. Je la ferai déjeuner avec Bodhi, et tous les deux joueront ensemble jusqu'à ce que tu viennes la récupérer.

— Ça ne ressemble pas un peu à du baby-sitting puisque je travaillerai ?

— Ça s'appelle un heureux hasard. Alors, OK, ça marche ?

— T'en es sûre ? J'ai l'impression que je profite de toi.

Nouvel éclat de rire.

— Tu n'as pas beaucoup changé, si ?

— Comment ça ?

— Tu t'inquiètes toujours trop pour des broutilles. Tu ne crois pas que si j'avais un truc à faire, je n'aurais pas trouvé quelqu'un pour garder Bodhi ?

— Merci. Tu m'ôtes une sacrée épine du pied.

— J'en suis ravie, et Bodhi sera enchanté. Bien sûr, il va être super excité tout le week-end, alors je vais devoir gérer ça. Tiens, quand on parle du loup… Les voilà.

J'ai regardé les deux gamins galoper vers nous.

— Maman ? a demandé Bodhi. On peut aller manger au Chick-fil-A[1] ?

— Bien sûr, a répondu Emily.

J'ai senti London me tirer par la manche.

— Papa ? On peut y aller aussi ?

— Tu veux aller au Chick-fil-A ?

— S'il te plaîîîît ?

J'ai senti qu'Emily attendait une réponse, mais impossible de savoir si elle était ravie ou gênée que je puisse me joindre à eux.

— OK, ai-je répondu. On peut y aller.

*
* *

Le Chick-fil-A grouillait de monde. London et Bodhi se sont rués vers l'aire de jeux, tandis qu'Emily et moi parlions de tout et de rien en faisant la queue. Après avoir commandé, on a appelé les enfants et ils ont englouti leur plat puis sont repartis en flèche vers les jeux.

---

1. Chick-fil-A, qui se lit « Chick filet », est une chaîne de fast-food sudiste spécialisée dans les plats à base de poulet.

– J'aime bien venir ici, a dit Emily, ça aide Bodhi à libérer son trop-plein d'énergie. Il est un peu turbulent depuis le départ de son père. Comme son père n'est pas souvent là, c'est un peu dur pour lui.

– Je suis désolé.

– C'est comme ça. Je ne peux pas y faire grand-chose.

– Il n'y a pas moyen d'inciter ton ex à passer plus de temps avec le petit ?

– Je ne vois pas comment. Il est parti pour l'Australie en avril dernier. Bon, il vient dans deux semaines et restera dans le coin jusqu'à la troisième ou quatrième semaine de septembre. Pour un gros projet ou je ne sais trop quoi, et il a dit qu'il aimerait voir Bodhi le plus possible. C'est super, mais ça va chambouler les habitudes du petit d'ici là, et ensuite j'ignore quand il va revenir. Je n'ai aucune idée de la manière dont Bodhi va réagir quand son père repartira. Excuse-moi, ajouta-t-elle d'un air dépité. Je m'étais juré de ne pas devenir comme ces femmes qui parlent sans arrêt de leur ex.

– Parfois c'est difficile de ne pas le faire, surtout quand il s'agit des enfants.

– Je sais que tu as raison, mais c'est pénible. Bon sang, ça me fatigue de m'entendre en parler. Et si tu me disais plutôt sur quoi tu bosses. Tu avais l'air vraiment dans ta bulle quand je t'ai aperçu tout à l'heure.

– Je prépare une présentation pour un client potentiel, un avocat. Et c'est plutôt important pour moi. Mon agence n'a pas vraiment décollé comme je le souhaitais.

– Je suis sûre qu'il va adorer tes idées.

– Comment pourrais-tu le savoir ?

– Parce que tu es intelligent et créatif. Tu l'as toujours été. Tu possèdes ces dons-là.

– J'ai toujours pensé que c'était toi la créative.

– C'est pourquoi on s'est aussi bien entendus. Jusqu'à la fin, en tout cas.

– Comment ça marche niveau peinture, alors ?

– En tant que profession, tu veux dire ? Ou comment je m'y suis mise ?

– Les deux. Je savais que tu te passionnais pour la peinture, mais tu voulais finir ta maîtrise pour aller enseigner quelque part.

– J'ai eu de la chance, voilà tout. Après notre séparation, j'étais un peu déboussolée et je n'ai fait que peindre. J'ai déchargé en quelque sorte toute ma peine et mon angoisse sur plusieurs toiles. À la fin, elles se sont entassées dans le garage de mes parents et je ne savais pas trop quoi en faire. Je n'étais même pas certaine que le moindre tableau soit bon. Peu de temps après, j'ai rencontré David et ma vie est allée de l'avant. Finalement, j'ai entendu parler de ce Festival des Arts et de la Culture à Greensboro. Sur un coup de tête, j'ai décidé de louer un stand et avant même que je finisse de tout installer, j'ai fait la connaissance d'un galeriste. Il a examiné mes toiles et a accepté sur-le-champ d'en prendre quelques-unes. En un mois, elles se sont toutes vendues.

– Incroyable.

– Comme je te le disais, j'ai eu de la chance.

– C'est plus que de la chance. Mais ça me met mal à l'aise.

– Pourquoi ?

– Parce que j'étais la cause de toute cette douleur et de toute cette angoisse. Ce que je t'ai fait subir, ça reste un de mes plus gros regrets, et je suis désolé.

– Tu t'es déjà excusé il y a longtemps.

– Je sais. Mais quand même…

– Culpabiliser ne sert à rien, Russ. C'est ce que me dit ma mère, en tout cas. Pour ma part, j'aurais sans doute pu mieux gérer la séparation aussi.

– Tu t'en es bien sortie.

– Si tu le dis. J'ajoute cependant que ma carrière n'en serait pas là où elle est sans cette expérience. Et mon mariage n'aurait pas duré aussi longtemps non plus. J'ai dû apprendre à pardonner, on va dire.

– David a eu une liaison ?

– Pas une seule. Plusieurs.

– Pourquoi es-tu restée ?

Elle a indiqué Bodhi d'un mouvement de menton.

– À cause de lui. David a peut-être été un mari minable, mais c'était aussi le héros de Bodhi. Et il l'est encore, j'en suis sûre. Et me voilà encore à blablater sur mon ex !

— Pas grave.

Elle s'est tue un moment, puis :

— Tu sais ce qu'il y a de plus dur dans la condition de divorcée ? C'est un peu comme si je ne savais pas vraiment ce que signifiait être une adulte célibataire et indépendante. Je suis quasiment passée de toi à David et, à présent, je n'ai aucune idée de ce que je suis censée faire. Entre le travail et Bodhi, je n'ai pas réellement le temps de traîner dans les bars ou dans des soirées. Et, franchement, ça n'a jamais été mon style, de toute manière. C'est juste que... hésita-t-elle, à la recherche des mots adéquats pour exprimer sa pensée, ce n'est pas la vie que j'avais imaginée. La moitié du temps, je me sens comme une étrangère dans ma peau.

— Je n'arrive pas à imaginer à quoi ressemblerait ma vie si j'étais célibataire.

— Ça ne me plaît pas plus que ça. Mais, crois-moi, l'autre cas de figure se révèle parfois pire.

J'ai acquiescé, sans trop savoir quoi ajouter. Puis elle a repris.

— Je suis juste ravie de pouvoir travailler chez moi. Sinon, ce serait encore plus difficile pour Bodhi que ça ne l'est déjà.

— Il m'a l'air d'être un enfant heureux.

— La plupart du temps, oui. Mais il lui arrive de craquer.

— Je crois que ça arrive à tous les enfants. Même London peut piquer une colère.

— Ah ouais ?

Je lui ai alors raconté l'épisode du week-end précédent. À la fin de mon anecdote, Emily me regardait d'un air indécis.

— Attends une minute. Quand Vivian est rentrée, elle n'a pas emmené votre fille à la Blueberry Farm ?

— Elle a dit qu'il faisait trop chaud, alors elles sont allées au centre commercial. Ça n'a pas eu l'air de déranger la petite. Je pense qu'elle était heureuse que sa mère soit rentrée. Elle est encore en train de s'habituer à l'idée que Vivian travaille pendant que moi je m'occupe d'elle.

— À ce que je peux en voir, tu te débrouilles bien avec London.

— Je n'en suis pas si sûr. La moitié du temps, j'ai l'impression de faire semblant.

— Pareil pour moi. C'est normal.

– Vraiment ?

– Bien sûr. J'adore Bodhi, mais je ne me réveille pas débordante d'enthousiasme à l'idée de l'emmener chez le dentiste, de l'aider à ranger sa chambre ou de le trimbaler ici et là en voiture. C'est normal. Ça fait partie du boulot de parent.

– J'ai malgré tout l'impression de ne pas en faire assez. Hier et ce matin, j'ai travaillé non-stop et je l'ai quasiment laissée se débrouiller toute seule. Bon, j'étais là et je gardais un œil sur elle, mais je n'ai pas passé beaucoup de temps avec elle.

– Ne sois pas trop dur avec toi-même. Je suis certaine qu'elle va très bien. Et tu vas réussir à trouver l'équilibre entre le temps de travail et celui consacré à l'éducation. Regarde ce qui se passe aujourd'hui. Grâce à toi, ta fille peut aller jouer chez son meilleur copain.

En effet.

– Merci. Je passerai la récupérer chez toi dès que j'aurai terminé.

– Parfait.

– Bien sûr, tu n'oublies pas un truc ?

– Comment ça ?

– Tu vas avoir besoin de mon adresse, non ? Et de mon numéro de téléphone ? a répliqué Emily en sortant son portable. Donne-moi le tien et je t'envoie le mien par SMS.

Je le lui ai communiqué, tandis que les enfants revenaient vers nous.

– Hé, maman ! On a fini, a annoncé Bodhi.

– Vous vous êtes bien amusés ?

– On a grimpé tout en haut.

– J'ai vu ça. Tu es un bon grimpeur. Et tu sais quoi ? London va venir lundi pour faire la connaissance de Noodle.

Les visages des enfants se sont illuminés.

– Ah bon ? Merci, maman ! Elle peut apporter M. et Mme Sprinkles ?

Comme Emily se tournait vers moi, j'ai levé les mains.

– À toi de voir, lui ai-je dit. Mais ils ont une cage pour voyager.

– Pourquoi pas ? a dit Emily. Je suis certaine que ça plaira à Noodle.

J'ai éclaté de rire, puis on s'est dit au revoir et, tandis que London et moi marchions vers la voiture, je me suis senti un peu mal à l'aise à l'idée que je venais de déjeuner avec Emily – ce que je n'avais pas fait avec Vivian depuis longtemps –, sans compter que la conversation avait été tout sauf forcée, visiblement.

Mais j'y attachai sans doute une trop grande importance, non ?

11

La vie malgré tout

Emily m'avait dit que la culpabilité était un sentiment inutile, mais je n'en suis pas sûr. Je comprenais où elle voulait en venir – à savoir que ça ne changeait rien au passé –, mais la culpabilité avait été un outil efficace pour ma mère pour nous élever Marge et moi. La phrase « Finis ton assiette. Il y a des gens qui meurent de faim dans le monde » revenait souvent, surtout quand maman servait des « restes surprise », ce qui définissait plutôt bien le plat. Tout ce qui restait dans le frigo en fin de semaine se retrouvait soit dans un ragoût, soit recouvert de pâtes pour lasagnes, et Marge et moi nous demandions comment du bœuf teriyaki et des fettucine au poulet pouvaient être associés de telle manière sans pour autant nous donner des haut-le-cœur. Parmi les autres phrases culpabilisantes, citons : « Si tu tenais vraiment à ta famille, tu sortirais les poubelles » et « Peut-être qu'un jour tu aimeras suffisamment ta mère pour balayer la véranda », toutes ayant pour effet de me faire courber les épaules en me demandant comment je pouvais être un enfant aussi horrible.

Ma mère n'éprouvait pas la moindre culpabilité à l'idée de se servir de celle-ci comme d'un outil pour nous contrôler et, parfois, j'aimerais davantage lui ressembler. J'aimerais pouvoir simplement me pardonner et aller de l'avant mais, une fois de plus, si je voulais vraiment changer, pourquoi ne l'ai-je pas fait ? Un jour, alors que London était encore petite, je l'ai emmenée sur un sentier de randonnée qui traversait le parc. On n'a pas marché longtemps, pas plus qu'on n'est allés bien loin, mais à mi-chemin je voyais bien qu'elle commençait à se fatiguer et je lui ai montré une souche d'arbre où on pourrait faire une pause.

Quelques secondes plus tard, je l'ai entendu crier, puis tout à coup elle hurlait comme une folle et avait manifestement mal. Je l'ai prise dans mes bras, affolé, en essayant de comprendre ce qui avait bien pu se passer, lorsque j'ai repéré quelques fourmis sur sa jambe.

En fait, c'étaient des fourmis rouges avec mâchoires et aiguillon, et drôlement agressives. Elles grouillaient, s'accrochaient à la peau, piquaient, laissaient des zébrures et, tandis que je les chassais, d'autres rappliquaient en masse. Il y en avait dans les vêtements de la petite, dans ses chaussettes et même dans ses chaussures. À ce moment-là, je l'ai reposée par terre et me suis empressé de lui arracher ses vêtements, même sa couche. J'ai agité les mains et écrasé les bestioles, en me faisant piquer un nombre incalculable de fois dans la foulée, puis j'ai ramené mon enfant hurlante le plus vite possible à la voiture.

Je ne savais plus quoi faire. Cette situation, comme tant d'autres, relevait de la compétence de Vivian, et j'ai roulé comme un fou pendant les cinq minutes que dura le trajet de retour à la maison. J'ai porté London à l'intérieur et Vivian a pris aussitôt le relais, en s'adressant durement à moi mais avec douceur à London. Elle l'a emmenée dans la salle de bains puis a frictionnée à l'alcool dénaturé ses piqûres qui enflaient déjà, lui a administré un antihistaminique, enfin a passé un gant de toilette froid sur les parties touchées.

Ce sont peut-être son efficacité et son assurance qui ont fini par calmer London. Pour ma part, j'avais l'impression d'être un piéton qui passait dans une rue où venait de se produire un effroyable accident, ébahi que Vivian ait su exactement ce qu'il fallait faire.

Il n'y eut aucune conséquence à long terme. Je suis retourné au parc et j'ai jeté les affaires de London dans une poubelle, puisque les fourmis grouillaient toujours dessus. Les boursouflures sont restées un jour ou deux, mais ma fille retrouva rapidement son aspect normal. Elle ne se souvient plus de cet épisode — je le lui ai demandé — et, si ça me soulage, je culpabilise toujours en repensant à cette atroce journée. Et puis la culpabilité m'a donné une leçon. Désormais je fais attention aux endroits où London s'assied, quand on est dans les bois ou au parc, et c'est une bonne chose. Elle n'a plus jamais été assaillie par des fourmis rouges.

Autrement dit, la culpabilité se révèle parfois utile. Elle peut nous éviter de commettre deux fois la même erreur.

*
* *

Après le déjeuner au Chick-fil-A avec Emily, j'ai passé l'après-midi à travailler. Pour avoir une idée de ce que Taglieri dépensait, j'ai parlé à un ami qui travaillait au département Recettes publicitaires du câblo-opérateur. Il s'est avéré que Taglieri payait le prix fort et cumulait les créneaux horaires minables : la poisse pour lui, mais une aubaine pour moi. Ensuite, j'ai rappelé l'équipe de tournage que j'avais l'intention d'engager. On avait bossé ensemble dans le passé et on a discuté du genre de prises de vue que je souhaitais ainsi que du budget prévu.

Toutes ces infos furent notées sur un bloc-notes pour les récupérer facilement quand j'en aurais besoin pour la présentation. Après ça, j'ai continué à peaufiner les scripts et j'ai apporté d'autres modifications aux images génériques que j'avais rassemblées ; à ce stade, j'avais défini deux des spots dans leurs grandes lignes.

J'étais de bonne humeur à mesure que la soirée en amoureux approchait, même si je devais emmener London à la danse où régnait la diabolique Mme Hamshaw. Vivian est arrivée à la maison à une heure raisonnable et, après avoir couché la petite, on a dîné aux chandelles et fini dans la chambre à coucher. Malgré tout, la magie était moins présente que je ne l'espérais ; Vivian a commencé à se détendre seulement quand elle a attaqué son troisième verre de vin. Et, même si je sais que la période « lune de miel » d'un couple s'achève bel et bien un jour, je suppose que j'avais toujours cru qu'elle serait remplacée par quelque chose de plus profond, un lien du style « Nous-deux-contre-le-monde-entier », voire une complicité mutuelle sincère. Pour je ne sais quelle raison – peut-être parce que je sentais qu'on s'éloignait encore davantage l'un de l'autre –, je me sentais vaguement déçu à la fin de la soirée.

Le samedi matin, Vivian a profité de son « temps pour soi » avant de passer le reste de la journée avec London. Cela m'a offert la tranquillité nécessaire pour me concentrer sur d'autres aspects de la présentation : une mise à jour du site web, la pub en ligne, les affiches et les pubs sporadiques à la radio. J'ai ajouté le budget annuel prévu pour l'ensemble, en incluant les honoraires des fournisseurs et les miens, avec une estimation des économies réalisées.

Dimanche, j'ai continué à travailler sur le projet, en finissant dans l'après-midi, et j'avais envie de tout revoir avec Vivian. Mais, bizarrement, elle ne semblait pas d'humeur à écouter ou à me parler, et le reste de la soirée s'est passé de cette façon un peu guindée qui semblait devenir la norme pour nous. Même si je comprenais que nos vies avaient pris des directions qu'aucun de nous deux n'avait prévu, je me demandais malgré moi non pas si Vivian m'aimait encore mais si elle m'aimait tout court.

*
* *

Le lundi matin, avant que London se lève, je suis entré dans la salle de bains pendant que Vivian appliquait son mascara.

— Tu as une minute ?

— Bien sûr. Qu'est-ce qui se passe ?

— Je t'ai contrariée ? Tu avais l'air agacée hier soir.

— Vraiment ? Tu veux qu'on en parle maintenant ?

— Je sais que ce n'est sans doute pas le bon moment…

— Non, pas vraiment. Je dois partir bosser dans un quart d'heure. Pourquoi tu fais toujours ça ?

— Quoi donc ?

— Essayer de me faire passer pour la méchante.

— Mais pas du tout. Quand j'ai terminé ma présentation, c'est tout juste si tu m'as parlé.

Ses yeux ont lancé des éclairs.

— Parce que tu nous a quasiment ignorées London et moi tout le week-end, tu veux dire ?

— Je ne vous ai pas ignorées. Je travaillais.

— Ne te cherche pas des excuses. Tu aurais pu faire une pause de temps à autre, mais au lieu de ça tu as fait ce que tu voulais. Comme toujours.

— J'essaie juste de te dire que j'ai l'impression que tu es en colère après moi depuis un moment déjà. Tu ne m'as pas davantage parlé jeudi soir.

— Oh, pour l'amour du ciel, j'étais fatiguée ! N'essaie pas de me faire culpabiliser. Tu as carrément oublié la soirée en amoureux ? Alors que j'étais crevée aussi vendredi soir, je me suis mise sur mon trente et un et on a fait l'amour, parce que je savais que tu en avais envie. J'en ai marre d'avoir l'impression de ne jamais en faire assez.

— Vivian…

177

— Pourquoi il faut toujours que tu prennes tout à cœur comme ça ? répliqua-t-elle en me coupant la parole. Pourquoi tu ne peux pas tout simplement être heureux avec moi ? Je ne te demande pas d'être parfait, mais admets que je ne rentre pas à la maison en râlant parce que tu ne peux même plus subvenir aux besoins de ta famille.

Ses paroles m'ont fait tressaillir. Que croyait-elle que j'avais fait tout le week-end ? Mais elle n'attendait aucune réponse. Elle a préféré passer devant moi sans dire un mot, a attrapé son sac de sport et a quitté la maison comme une tornade, en claquant la porte.

Le bruit a dû réveiller la petite, parce qu'elle est descendue quelques minutes plus tard et m'a trouvé assis à la cuisine. Elle était encore en pyjama et avait les cheveux en pétard.

— Maman et toi, vous vous êtes disputés ?

— On discutait, c'est tout, ai-je répondu, alors que je ne m'étais pas encore remis de la prise de bec avec Vivian.

London se frotta le nez et regarda autour d'elle. Même encore somnolente, je trouvais que c'était la plus jolie petite fille au monde.

— Où elle est ? a -t-elle fini par me demander.

— Elle a dû partir au travail, ma puce.

— Oh… J'ai tennis ce matin ?

— Oui. Et arts plastiques avec Bodhi. Faut pas qu'on oublie d'apporter les hamsters.

— OK.

— Tu me fais un câlin, mon bébé ?

Elle s'est approchée et m'a serré fort dans les bras.

— Papa ?

— Oui ?

— Je peux avoir des Lucky Charms ?

J'ai prolongé le câlin, en me disant que j'en avais vraiment besoin.

— Bien sûr, ma chérie.

*
* *

Taglieri n'était pas sur les tribunes ce matin-là ; à sa place j'ai vu une femme dont j'ai supposé qu'elle était son ex, parce qu'elle est passée devant moi avec la fille de Taglieri. Je ne sais pas trop à quoi je m'attendais – une blonde décolorée, peut-être –, mais elle paraissait bien se fondre dans le groupe des autres mères.

J'avais apporté mon ordinateur dans l'intention de revoir ma présentation, mais j'ai constaté que je ne parvenais pas à me concentrer. Je n'arrêtais pas de repenser aux paroles cassantes de Vivian et, même si j'avais travaillé tout le week-end, sa réaction me semblait disproportionnée et vraiment injuste. J'aurais encore souhaité vouloir la rendre heureuse, mais j'en étais incapable, et son expression face à moi l'affirmait on ne peut plus clairement.

Je n'avais pas seulement été le témoin de sa colère envers moi.

J'avais également vu et entendu son mépris.

*
* *

– Tout va bien ? m'a demandé Emily.

Je venais d'entrer dans l'atelier d'arts et London a foncé tout droit sur Bodhi, en tenant M. et Mme Sprinkles dans leur cage de transport. Comme je la regardais, Emily a dû déceler quelque chose dans mon expression, mais je n'avais pas envie de lui parler de Vivian et moi. Ça me paraissait plus ou moins déplacé.

– Je vais bien. C'était un peu dur ce matin.

– Je vois ça, a-t-elle répliqué. Comment faire pour retourner ce froncement de sourcils ?

– Aucune idée. Un million de dollars pourrait peut-être m'aider.

– Je n'ai pas ça sous la main. Et un Tic Tac ? Je pense en avoir dans mon sac.

Malgré mon humeur sombre, j'ai esquissé un sourire.

– Ça ira, merci.

– Ça tient toujours pour aujourd'hui, hein ? Bodhi n'arrête pas d'en parler depuis qu'il est debout.

– Oui, pas de problème.

– Tu es prêt pour ta présentation ?

– J'espère, ai-je répondu en changeant le portable de main – je le trouvais étrangement lourd. En fait, je suis plus nerveux que je ne l'aurais cru. Taglieri sera mon premier client et je n'ai même pas encore pu revoir ma présentation. Quand je travaillais chez Peters, il y avait toujours quelqu'un dans le coin pour écouter.

– Ça t'aiderait si tu la répétais avec moi ? Je sais que je ne suis pas dans la pub, mais je serais ravie d'y prêter une oreille attentive.

– Je ne peux pas te demander de faire ça.

– Tu ne me le demandes pas. C'est moi qui te le propose. J'ai un peu de temps libre. Et puis je n'ai jamais entendu de présentation de pub auparavant. Ça sera tout nouveau pout moi.

Même si je savais qu'elle voulait être sympa, j'ai éprouvé le besoin d'accepter, ne serait-ce que pour éviter de me repasser en boucle la dispute avec Vivian.

– Merci. Je te revaudrai ça.

– Tu me dois déjà un truc. London vient jouer chez moi avec Bodhi, tu te souviens ? Non pas que je tienne une comptabilité.

– Bien sûr.

On a rejoint tranquillement la cafétéria, on a pris nos boissons et on s'est assis à une table. D'abord, j'ai montré à Emily quelques diapos sur PowerPoint qui parlaient du pouvoir de la pub, puis d'autres sur la répartition des budgets publicitaires dans le monde juridique, et enfin des diapos qui dressaient le profil d'autres cabinets d'avocats de Charlotte avec une estimation de leurs chiffres d'affaires. À partir de là, la présentation mettait l'accent sur l'avantage d'une stratégie publicitaire élargie, en multipliant les supports pour accroître la notoriété du cabinet, et sur une maquette de site web convivial et remis à jour, qui serait plus efficace. J'ai ensuite montré à Emily un échantillon de divers spots, y compris ceux de Taglieri, en insistant sur le manque de différenciation entre eux. Enfin, j'ai passé les diapos qui montraient comment je pouvais non seulement mettre en œuvre une campagne de pub – et tourner trois spots – mais aussi lui faire économiser de l'argent.

– Tu fais toujours autant de boulot en amont ? m'a-t-elle demandé en désignant l'écran.

– Non. Mais je pense que c'est la seule occasion qui me sera offerte par ce type.

– Moi, je t'engagerais.

– Tu n'as pas encore vu les projets de spot.

– Tu m'as l'air déjà plus que compétent. Mais bon, OK, montre-les-moi.

J'ai inspiré un grand coup et je lui ai présenté l'ébauche des deux spots que j'allais présenter, le premier étant plus ou moins semblable à ce que Taglieri utilisait déjà.

Mon idée consistait à démarrer par deux photos d'accident de voiture, la photo d'un chantier de construction et celle d'un entrepôt. En voix off, Taglieri disait : « Si vous avez été blessé lors d'un accident ou au travail, vous avez besoin de l'aide d'un expert. » Taglieri apparaissait ensuite, marchant lentement devant un tribunal, vêtu d'un cardigan, et il s'adressait à la caméra :

« Je m'appelle Joey Taglieri et je suis spécialisé dans les dommages corporels. C'est ce que je fais de mieux et je suis de votre côté. Les consultations sont gratuites et rien ne vous sera facturé jusqu'à ce que j'obtienne l'argent qui vous est dû. J'ai gagné des millions de dollars pour mes clients, et à présent je souhaite vous aider à reprendre le cours de votre vie. Laissez-moi me battre pour vous. Appelez le... »

On voyait un numéro de téléphone gratuit suivi par B-L-E-S-S-É, et Emily a froncé les sourcils en disant :

— Ça me plaît de le voir à l'extérieur, et non pas dans son cabinet.

— Ça le rend plus abordable, tu ne trouves pas ? Je voulais aussi m'assurer que le numéro soit facile à retenir.

— Et tu me disais que tu avais un deuxième spot ?

J'ai acquiescé.

— Celui-ci est dans un autre style, ai-je répondu.

Il débutait sur des images génériques de Charlotte – à la fois des lieux et des gens –, tandis que Taglieri s'exprimait hors champ d'une voix posée.

« Bienvenue dans la Queen City, où commence une nouvelle journée. Les touristes viennent admirer, écouter, respirer tout ce qu'elle propose, mais ses plus belles attractions ne sont pas notre barbecue, notre hippodrome ou nos équipes sportives, pas plus que nos lacs, nos sentiers pédestres ou nos gratte-ciel. Ce sont les habitants. Notre communauté. Nos amis, notre famille, nos collègues de travail et nos voisins, qui font en sorte qu'on se sent bien ici. Et lorsque l'un d'eux est blessé au travail, un étranger mandaté par une compagnie d'assurances, quelqu'un qui ne sait peut-être même pas situer Charlotte sur la carte, fera tout pour refuser de couvrir le préjudice subi, au risque de détruire des vies dans la foulée. À mes yeux, c'est tout simplement intolérable. »

La caméra se déplaçait ensuite sur Taglieri en chemise et cravate, mais sans veste.

« Je m'appelle Joey Taglieri et si vous avez été blessé et avez besoin d'un conseil, téléphonez-moi. Après tout, nous sommes voisins. Je suis de votre côté, et c'est ensemble que nous allons surmonter cette épreuve. »

La présentation terminée, j'ai pressé une touche du clavier et éteint l'écran.

— Qu'est-ce que tu en penses ?

— Très populaire.

— Trop populaire ?

— Pas du tout, a-t-elle répliqué. Et assurément original.

— Est-ce que c'est bon ou mauvais ?

— Il va être épaté.

— J'ai pas envie de lui faire perdre du temps, c'est tout. Il déteste ça.

— Il te l'a dit ?

— Oui.

— Au moins il est honnête. Ça me plaît.

*
* *

En entrant dans les bureaux de Joey Taglieri, j'avais encore les nerfs à vif et j'ai dû me maîtriser pour ne pas trembler.

Je venais à présent de finir la majeure partie de la présentation et le premier des deux spots – je gardais le deuxième et la partie financière en réserve –, et à la fin, j'ai attendu que Joey dise quelque chose. N'importe quoi. Au lieu de ça, il a continué à fixé la dernière image.

— Ce numéro de téléphone est disponible ?

— Jusqu'à vendredi dernier, il l'était. Et c'est le genre de numéro que les gens retiendront.

Taglieri hocha la tête.

– Il me plaît. Donc, sur cette partie-là, il n'y a rien à dire. Et je comprends comment les autres supports de pub peuvent m'aider. Mais je ne peux pas dire que le spot m'accroche vraiment.

J'ai acquiescé, sachant qu'il ressentirait ça.

– Après avoir entendu ce que vous disiez sur Cal Worthington, mon concept consiste moins à avoir un seul spot que toute une série de spots. En même temps, je ne voulais pas trop m'avancer. Si les avocats spécialisés dans les dommages corporels utilisent ce style de spots, c'est parce qu'ils fonctionnent.

– Une série de spots de pub ? Ça ne sera pas hors de prix ?

J'ai alors présenté les diapos sur le budget prévisionnel.

– D'entrée de jeu, il y aura sans doute des coûts supplémentaires, mais sur l'année vous aurez non seulement économisé de l'argent mais aussi gagné davantage en retour. Et non seulement plus de spots, mais encore une publicité plus étendue sur des supports variés.

Son regard se fixa sur la ligne qui montrait combien il dépensait et il la montra du doigt.

– Comment avez-vous su combien je déboursais ?

– Je suis bon dans mon boulot, ai-je répondu.

Je ne savais pas trop ce que ma réponse lui inspirait. Dans le silence qui a suivi, il a tripoté un stylo sur son bureau.

– Comment vous y prendriez-vous alors ? Vous commenceriez par quoi ?

– J'attaquerais par le site web et la pub en ligne, surtout sur les moteurs de recherche, afin que vous ayez une meilleure exposition. Simultanément, on programmerait le tournage des deux premiers spots. On enregistrera aussi la voix off. Je suis quasi certain de pouvoir faire diffuser le premier d'ici octobre, dès que le nouveau site web sera prêt. Et ça colle à merveille au timing pour la pub en ligne et l'optimisation de la recherche par mots clés. Le deuxième spot sera prêt pour la période des fêtes de fin d'année, et il marquera les gens. Mais ce sera à vous d'en juger.

– Entendu. Voyons votre idée.

Je la lui ai montrée. Il s'est alors calé dans son fauteuil et frotté la mâchoire.

– Je ne sais pas trop quoi en penser, a-t-il avoué. Je n'ai jamais rien vu de pareil.

– C'est le but. Ça vous incite à vous en souvenir parce que ça vous fait réfléchir.

– L'argumentaire de vente n'est pas dément.

– Non, mais votre nom reste dans la course. Je pense qu'on devrait enchaîner avec deux ou trois affiches en janvier. Deux emplacements fantastiques seront libres aux alentours de cette période, et j'aimerais les réserver avec votre accord. Ensuite, bien sûr, viennent les troisième et quatrième spots. Comme le premier, ils seront diffusés toute l'année, avec un qui commence en octobre ou novembre, selon le planning de tournage, et l'autre en janvier, en alternance ensuite. Ils sont plus courts, axés sur un seul thème, et humoristiques.

– Voyons ce que vous avez.

– Je n'ai pas préparé de diapos pour ceux-là.

– Pourquoi donc ?

– Vous n'êtes pas encore mon client.

Il a eu l'air d'y réfléchir.

– Et si vous me donniez un indice ?

– Ils seront focalisés sur votre expérience.

J'ai eu l'impression que le rendez-vous devenait plus important pour lui que je ne l'avais anticipé, ce qui est toujours bon signe.

– J'aurais besoin d'en savoir un peu plus.

– D'accord. Mais uniquement pour l'un des deux. Imaginez une petite fille, dans les huit ans, assise au bureau d'un avocat et entourée d'ouvrages juridiques, dont un intitulé *Dommages corporels*. Elle griffonne sur un bloc-notes, l'air stressé, puis elle décroche le téléphone et dit : « Dolores ? Vous pouvez m'apporter un autre lait chocolaté ? » À ce moment-là, fondu au noir, et les mots apparaissent au fur et à mesure sur l'écran, comme si on les tapait sur un clavier.

« Quand vous êtes blessé au travail et avez besoin d'aide pour vos frais médicaux, vous n'avez pas envie d'un avocat qui débute dans le métier. Vous voulez quelqu'un d'expérience. Vous voulez quelqu'un qui a gagné des millions de dollars pour ses clients. Vous voulez Joey Taglieri. »

Quand j'ai eu terminé, Joey a souri à pleines dents.

– Ça me botte.

J'ai hoché la tête sans dire un mot. Au fil du temps, j'avais appris que ne rien dire était souvent la meilleure chose à faire en présence d'un client qui envisageait de presser la détente.

Nul doute que Joey savait ça aussi, car il s'est de nouveau adossé à son siège.

— Vous devez savoir que je me suis renseigné sur vous, a-t-il dit. Après que vous m'avez incité à prendre ce rendez-vous, j'ai appelé votre ancien patron.

J'ai senti mon cœur se serrer.

— Oh…

— Il est resté vague, comme le sont toujours les patrons, mais il a spécifié que vous étiez parti de votre plein gré il y a deux ou trois mois. Vous m'avez dit que vous possédiez votre propre agence mais sans précisé que vous veniez de démarrer.

Ma bouche devenait toute sèche.

— Je démarre peut-être, mais ça fait treize ans que je bosse dans la pub.

— Il m'a aussi suggéré que, plutôt que de lui parler, ce serait sans doute mieux si je passais des coups de fil pour avoir des recommandations ou des opinons de vos clients actuels.

— Oh…

— Pensez-vous que je pourrais faire ça ? Contacter certains de vos autres clients ?

— Euh… Eh bien…

— Je pensais que vous alliez peut-être me répondre ça. À mon humble avis, je vous soupçonne de ne pas avoir encore d'autres contrats. Donc après avoir parlé à votre patron, je suis passé en voiture près de votre agence ce week-end. Il se trouve que j'ai reconnu l'endroit. Un ancien client à moi possède le local. Ce n'est pas tout à fait le genre de bureau qui inspire confiance.

Je me suis efforcé de garder une voix posée :

— Pour l'essentiel, je rencontre mes clients sur leur lieu de travail. Et si vous souhaitez parler à d'anciens clients, je peux sans doute vous trouver des noms. J'ai travaillé avec des dizaines de personnes dans le secteur de Charlotte.

— Je le sais aussi, a-t-il rétorqué en levant la main. J'en ai déjà appelé quelques-uns. Trois, pour être précis. Ils sont toujours chez Peters, et l'idée de me parler ne les enchantait pas jusqu'à ce que je leur dise que je n'avais pas l'intention de le répéter à Peters.

— Comment avez-vous su…

Il a fini la question à ma place.

— … qui contacter ? Vous êtes bon dans votre travail et moi dans le mien. Mais peu importe, car chacun d'eux a dit que vous étiez génial. Très créatif, très bosseur, et excellent dans ce que vous faisiez.

— Pourquoi me dites-vous ça ?

— Parce que je tiens à ce que vous sachiez que si ça ne m'emballe pas d'être votre premier et unique client, j'ai essayé de me convaincre que ça signifie probablement que vous aurez plus de temps à consacrer à ma campagne. Franchement, je ne suis pas sûr d'en être encore là. Mais après avoir vu ce que vous avez fait, je dois admettre que je suis impressionné par le processus de réflexion que vous avez consacré à tout ça.

Il s'est interrompu et j'ai repris mon souffle.

— Vous disiez quoi exactement ?

*
* *

La tête me tournait après l'entrevue avec Taglieri, alors que je roulais vers la maison d'Emily. Si je n'avais pas eu le GPS sur mon portable, je n'aurais jamais pu la trouver. Bien qu'elle ne se situe pas très loin de chez moi, je n'étais jamais allé dans ce quartier-là et le chemin d'accès principal n'était pas particulièrement bien indiqué. Les terrains étaient très boisés et les maisons dataient des années cinquante, avec de grandes baies vitrées, un revêtement en bardeaux de cèdre et le rez-de-chaussée surélevé ou surbaissé selon la topographie des lieux.

Une fois garé dans l'allée, j'ai suivi un chemin sinueux qui passait au-dessus d'un bassin à poissons et menait à la porte d'entrée. Quand Emily m'a ouvert, j'ai été frappé par la chaleur de son sourire.

— Je ne t'attendais pas si tôt, a-t-elle dit. Je ne sais pas pourquoi, mais je pensais que ta présentation prendrait plus de temps. Entre donc.

Si la dispute avec Vivian m'empêchait de me concentrer et, si le rendez-vous avec Taglieri me tournait la tête, pénétrer dans la maison

186

d'une femme récemment divorcée – avec laquelle j'avais eu une liaison dans le passé – a rendu la journée encore plus irréelle. En un sens, ça semblait déplacé, et je me suis souvenu que je venais simplement récupérer ma fille. Ce n'était pas différent d'aller la chercher chez ma mère. Mais, malgré tout, le sentiment de mal agir n'a fait que s'intensifier comme Emily m'indiquait l'escalier.

– Les gamins sont dans la salle de jeux avec Noodle. Ils ont fini de déjeuner il y a environ une demi-heure, si bien qu'ils ne sont pas là-haut depuis longtemps.

J'ai hoché la tête, en veillant à maintenir une certaine distance entre nous.

– Ils se sont bien amusés ?

– Ils se sont régalés, a-t-elle répondu. Ils ont beaucoup ri. Je pense que ta fille est amoureuse du chien.

– Ça ne me choque pas le moins du monde. Comment s'est comporté Noodle avec les hamsters ?

– Il a reniflé la cage pendant quelques secondes et c'est tout.

– Bien.

J'ai fourré les mains dans mes poches, une petite voix intérieure continuant de me murmurer que je ne devrais pas me trouver là, que ma présence dans la maison d'Emily était inopportune. Tout me détournant d'elle, j'ai balayé la pièce du regard. Avec un espace ouvert et la lumière du jour qui entrait à flots par de grandes baies vitrées à l'arrière, c'était confortable et éclectique, avec tout un bric-à-brac ici et là ; la maison d'une artiste, en somme. Sur les murs, j'ai repéré plusieurs grandes toiles qu'Emily avait dû réaliser.

– Tu as une belle maison, ai-je observé en essayant de maintenir la conversation sur un terrain neutre.

– Merci, a-t-elle dit d'un ton bien plus détendu que le mien. En fait, j'ai pensé vendre. Ça demande trop d'entretien, et deux ou trois pièces ont sérieusement besoin d'être rénovées. Bien sûr, je dis ça depuis que David est parti. Je suis désolée pour le bazar.

– Ça ne m'a pas frappé. Et ce sont tes peintures ?

Elle s'est approchée de moi, pas trop mais suffisamment pour que je respire une bouffée du shampoing au chèvrefeuille qu'elle utilisait.

– Certaines de mes anciennes toiles. J'ai eu envie de les remplacer par des tableaux plus récents, mais ça aussi je l'ai remis à plus tard.

— Je comprends pourquoi le galeriste adore ton travail.

— Ces toiles-là me rappellent l'époque où j'étais enceinte de Bodhi. Elles sont plus sombres et moins texturées que la plupart de celles que je peins maintenant. Plus maussades aussi. Bien sûr, j'ai été malade comme un chien pendant des mois quand j'attendais le petit, alors c'est peut-être lié. Attends une seconde… (Elle s'avança vers l'escalier.) Bodhi ? London ? cria-t-elle. Tout va bien ?

Je les ai entendus répondre en chœur :

— Ouuuui !

— Ton papa est là, London.

Des pas ont résonné au-dessus de nous et j'ai aperçu ma fille qui jetait un coup d'œil par-dessus la balustrade.

— Papa ? Je peux rester encore ? Bodhi a un autre sabre lumineux et il est rouge ! Et pis on joue avec Noodle !

Je me suis tourné vers Emily.

— Ça ne me dérange pas, a-t-elle dit dans un haussement d'épaules. Elle occupe Bodhi et le rend heureux, ça me facilite la vie.

— Peut-être encore quelques minutes ! ai-je crié dans l'escalier. Mais on ne peut pas rester trop longtemps. Rappelle-toi que tu as ton cours de danse ce soir.

— Avec Mme Hamshaw ? a demandé Emily. J'ai entendu des trucs intéressants à son sujet. Et par « intéressants » je veux dire « pas particulièrement sympas », a-t-elle poursuivi pendant que j'acquiesçais de la tête.

— Oui, je ne suis pas sûr que London apprécie tellement ses cours, ai-je admis.

— Alors retire-la.

Avec Vivian, ces choses-là ne sont pas aussi simples…

Dans le silence qui a suivi, Emily a pointé le pouce vers sa cuisine.

— Ça te dirait, du thé glacé en attendant ? Je viens d'en faire.

La petite voix dans ma tête m'a conseillé cette fois de poliment refuser, mais je me suis surpris à répondre :

— Oui, je veux bien.

Je l'ai suivie vers le coin-repas ; la cage des hamsters était posée par terre, près des portes-fenêtres donnant sur le jardin de derrière. Sur le côté, j'ai vu une autre pièce, manifestement son atelier. Des toiles s'empilaient contre les murs et une autre trônait sur un chevalet ;

un tablier était posé sur un vieux bureau cabossé, ainsi que des centaines de pots de peinture.

— C'est là où tu travailles ?

— Mon atelier, oui, a-t-elle répondu en sortant le pichet de thé. C'était une véranda, mais on l'a fait vitrer quand on acheté la maison. La lumière est parfaite le matin.

— C'est dur de bosser à la maison ?

— Pas vraiment. Mais j'ai toujours peint chez moi, alors je ne connais que ça.

— Comment tu te débrouilles avec Bodhi ?

Elle a versé le thé dans les verres, y a ajouté des glaçons puis les a apportés à table.

— Je travaille le matin, avant qu'on démarre vraiment la journée mais, même après, ça ne se passe pas trop mal. Si je ressens l'envie irrépressible de peindre, il monte à l'étage et joue ou regarde la télé. Il s'y est habitué.

Elle s'est assise et je l'ai imitée, en me sentant beaucoup trop mal à l'aise. Si elle éprouvait la même chose, elle ne le montrait pas.

— Comment ça s'est passé avec Taglieri ?

— Plutôt bien. Il m'a engagé pour toute la campagne que je lui ai proposé.

— Génial ! s'est-elle écriée. Félicitations ! Je savais que tu viserais juste. Tu dois être super content.

— Je crois que je n'ai pas encore eu le temps d'intégrer la nouvelle.

— Tu t'en rendras compte assez tôt, j'en suis sûre. Tu vas fêter ça ce soir ?

Je me suis alors remémoré le comportement de Vivian ce matin-là.

— On verra.

— C'est ton premier client. Tu fois fêter ça. Mais d'abord, j'ai envie de savoir comment ça s'est passé. Raconte-moi tout.

Le fait de résumer l'entretien m'a fait oublier ma gêne. Et quand je lui ai raconté comment Taglieri avait contacté Peters et ce qu'il avait dit, elle a porté les mains à sa bouche en écarquillant les yeux.

— Oh, mais c'est affreux ! Tu ne t'es pas liquéfié sur place ?

— Ce n'était pas agréable, j'avoue.

— Moi, j'aurais été mortifiée.

— C'est tout à fait ce que j'ai ressenti. Je pense qu'il voulait juste me mettre un peu mal à l'aise.

— Les avocats font ça. Malgré tout, c'est génial. Je ne pourrais pas être plus heureuse pour toi.

— J'apprécie. Ça m'ôte une sacrée épine du pied, tu sais ?

— Je vois exactement dans quel état tu te trouves. Je me souviens de la première fois où j'ai appris que la galerie avait vendu un de mes tableaux. À l'époque, j'étais certaine de ne pas pouvoir vivre de mon art et j'attendais tout le temps un coup de fil du galeriste me disant qu'il avait commis une erreur en m'exposant, et quand il m'a enfin appelée pour m'annoncer la bonne nouvelle, j'avais tellement peur que j'ai laissé ma boîte vocale prendre le message.

Tandis que j'éclatais de rire, elle a continué :

— Et la suite, alors ? Comment ça se passe dans ton milieu ?

— Je vais lui établir un contrat demain et dès qu'il le signe, je me mets au travail. Il y a le repérage, le planning, l'obtention des permis et le boulot avec mon technicien sur le site web, puis les équipes vidéo et son à appeler, les agences et les répétitions.

— Tu peux gérer tout ça en t'occupant de London ?

Je n'y avais même pas encore pensé, mais j'ai répondu :

— Il va bien falloir. Mais on cherche une bonne garderie.

— Je sais. London m'en a parlé au déjeuner. Elle n'a pas envie d'y aller. Elle a dit que c'était injustifié puisqu'elle ira bientôt à l'école, de toute manière.

Injustifié ? Ça ressemblait plus à un mot de Vivian que de ma fille.

— Elle a dit ça ?

— Ça m'a épatée, moi aussi. Mais bon, elle a l'air bien plus mature que Bodhi.

J'ai bu une longue gorgée, en me demandant ce que Vivian avait encore dit à la petite au sujet des garderies.

— Sinon, London a été sage ?

— Parfaite. Ta fille est adorable. Comme je te disais, elle craque pour Noodle. Elle veut l'emmener chez elle. Je lui ai dit que j'allais devoir te demander.

— On a déjà de quoi faire avec les hamsters, ai-je répliqué. Je ne pourrais pas m'occuper d'un chien en plus de tout le reste. D'ailleurs j'envisage d'arrêter de dormir pendant un petit moment.

Elle a souri et m'a semblé un peu mélancolique.

– London a dit aussi que tu lui apprenais à faire du vélo.

– En effet.

– J'ai toujours eu envie d'apprendre à en faire à Bodhi, mais j'ai peur de ne pas être capable de l'empêcher de tomber. Je pense que je vais devoir aller à la gym d'abord et me muscler. Pendant mon temps libre, je veux dire.

– Les gamins sont chronophages, c'est sûr.

– Je sais. Mais je ne changerais ma situation pour rien au monde.

Elle a tout à fait raison, me suis-je dit en finissant mon verre.

– Merci pour tout. Je ne veux pas t'accaparer davantage et il faut vraiment qu'on file.

– Je suis ravie que London soit venue. Ça m'a permis de mieux connaître la meilleure amie de Bodhi.

Je me suis levé de table, j'ai récupéré la cage des hamsters et suivi Emily jusqu'à la porte. Quand j'ai appelé London, Bodhi et elle ont descendu l'escalier en trottinant, suivis par un petit caniche.

– Noodle le caniche ? ai-je demandé.

– C'est Bodhi qui l'a baptisé.

– Je suis prête ! a annoncé London. Noodle est trooop mignon, hein, papa ? On peut passer à l'animalerie ? Je veux voir s'ils ont un chien comme Noodle.

– Pas aujourd'hui. Malheureusement, papa a du travail à faire. Dis au revoir à Mlle Emily, OK ?

Elle a étreint Emily. Ma fille serrait volontiers tout le monde dans ses bras. Je l'avais vu faire un câlin au facteur et à de vieilles dames dans le parc. Elle a aussi étreint Bodhi et, tandis qu'on regagnait la voiture, j'ai senti sa main se glisser dans la mienne.

– Mlle Emily est super gentille. Elle m'a laissée tartiner du marsh-mallow fluff sur mon sandwich au beurre de cacahuètes.

– Ça m'a l'air drôlement bon. Et je suis ravi que tu te sois bien amusée.

– C'était super. Bodhi pourra venir chez nous la prochaine fois ?

Je me suis demandé comment Vivian prendrait ça.

– S'il te plaît ?

– Il faut qu'on demande à sa maman si elle est d'accord, OK ?

– OK. Et tu sais quoi ?

— Quoi donc, ma puce ?

— Merci de m'avoir amenée ici. Je t'adore, papa !

*
* *

Vivian était visiblement toujours à cran en rentrant du travail, en tout cas vis-à-vis de moi, mais à ce moment-là je ne peux pas dire que ça m'a pris de court. Ce n'est que plus tard ce soir-là, quand j'étais assis à côté d'elle sur le canapé, que j'ai aperçu un semblant de sourire. Il s'est évanoui aussi vite qu'il était apparu, mais je la connaissais depuis assez longtemps pour comprendre que sa froideur ressemblait plus au bac à légumes du frigo qu'au congélo.

— J'ai de bonnes nouvelles, ai-je annoncé.

— Ah ouais ?

— J'ai décroché mon premier client aujourd'hui. Je lui déposerai le contrat demain.

— Avec cet avocat dont tu me parlais ?

— Tout à fait. Je sais que ça ne t'emballait pas trop de me voir bosser avec des juristes, mais je suis très enthousiaste. On va tourner quatre spots différents et utiliser d'autres supports.

— Félicitations. Quand est-ce que tout ça va démarrer ?

— Dès qu'il aura signé. J'ai déjà un gars qui bosse sur le site web et tout ce qui touche à Internet, mais avant qu'on puisse tourner il y a pas de mal de travail préliminaire. On ne commencera sans doute pas avant fin août.

— C'est parfait.

— Pourquoi donc ?

— Parce que London sera à l'école d'ici là.

— Et ?

— Et j'ai rappelé la garderie aujourd'hui et je ne pense pas que ça va coller. Mes deux choix en tête de liste, a-t-elle dit en précisant leurs noms, n'auront pas de place disponible avant la rentrée. Et la troisième option, qui pourrait éventuellement accepter London plus tôt ne me donnera pas une réponse définitive avant la semaine prochaine. Ensuite, le processus d'admission prend au moins une quinzaine de jours, avant qu'elle puisse vraiment aller dans cette garderie. Ça nous mène à la mi-août, ce qui signifie qu'il ne lui restera qu'une semaine ou deux avant la rentrée.

— Pourquoi ça prend autant de temps ?

— Parce que ces garderies font passer des entretiens, vérifient notre solvabilité et nos antécédents. C'est exactement le genre de sécurité dont j'ai besoin pour me rassurer.

— Tu veux que j'appelle pour voir s'ils peuvent éventuellement accélérer le processus ?

— Oui, a dit Vivian dans un haussement d'épaules. Mais je ne crois pas qu'ils puissent faire grand-chose pour les listes d'attente.

— Peut-être qu'on devrait se renseigner pour une nounou.

— Ça nous prendrait au moins deux semaines, et puis leurs prix ne sont pas donnés. Et qu'est-ce qu'on fait à la rentrée ? On la renvoie ?

Je ne savais pas trop quoi penser. En revanche, je savais que si elle avait cherché une garderie dès qu'elle avait décroché le travail, on n'en serait peut-être pas là.

— J'imagine que tu veux dire que je vais devoir continuer de garder London, hein ?

— Moi je ne peux absolument pas et, par ailleurs, tu l'as fait jusqu'ici. Ça ne t'a pas empêché de trouver ton premier client.

— Il y a beaucoup de boulot en amont dont je vais devoir me charger.

— Je ne sais pas comment on peut faire autrement. Surtout avec ce qui se passe au bureau.

— Tu veux parler des déplacements ?

— Pas uniquement. À ce propos… Il faut que j'aille à Atlanta jeudi et je ne serai pas de retour avant vendredi soir.

— Adieu la soirée en amoureux.

Elle a levé les yeux au ciel.

— Je t'ai dit que j'aurais des déplacements cette semaine, alors n'en fais pas une histoire plus terrible qu'elle ne l'est. Mais comme c'est visiblement important pour toi, j'espère être à la maison à une heure raisonnable pour qu'on puisse avoir notre soirée en tête à tête, OK ?

— Marché conclu.

— Ah, les hommes… a-t-elle soupiré en secouant la tête. Quoi qu'il en soit, ce que j'essayais de te dire, c'est qu'un autre truc se prépare au travail. Un truc important. Hormis les cadres, personne d'autre n'est au courant dans la boîte. Alors ne dis rien.

– À qui voudrais-tu que je le répète ?

– J'en sais rien. En parlant de la pluie et du beau temps avec tes clients ? À Marge ? Tes parents ? a-t-elle encore soupiré. Bref, la raison de mon déplacement, c'est que Walter prévoit d'installer le siège social dans ses bureaux d'Atlanta. Il veut que je supervise le processus.

– Tu plaisantes ?

– Il m'en parle depuis mon embauche, mais il a finalement pris sa décision.

– Pourquoi ce déménagement ?

– Il dit que la règlementation de construction sur le littoral de Caroline du Nord est devenue ridicule, alors il a décidé de se concentrer sur les projets en Géorgie et en Floride. C'est logique, si tu réfléchis. Et comme il envisage aussi de se présenter aux élections un jour, il vaut mieux qu'il le fasse en Géorgie. Sa famille est originaire de cet État, et son père a été député là-bas.

Walter et ses projets, je m'en fiche complètement.

– Quelles sont les implications pour ton poste ?

– Tout ira bien pour moi. Il m'a déjà dit de ne pas m'inquiéter.

– Tu travailleras donc au bureau de Charlotte ?

– Aucune idée. Walter et moi avons déjà évoqué le problème mais, comme je te l'ai dit, il n'a pas encore pris sa décision.

– Tu ne penses quand même pas qu'on va devoir déménager ?

– J'espère que non.

J'espère que non ? Je n'aimais pas trop cette réaction.

– Je n'ai pas envie de partir, ai-je dit.

– Je sais. On pense que je pourrais partager mon temps entre ici et là-bas.

Partager son temps ?

– Comment ça ?

– J'en sais trop rien, Russ, répliqua-t-elle, l'exaspération s'insinuant dans le ton de sa voix. Jusqu'au déménagement, j'imagine que Walter et moi devrons aller à Atlanta deux ou trois jours par semaine. Après, qui sait ?

– Uniquement Walter et toi ?

– Pourquoi d'autres cadres devraient-ils y aller ?

Je n'étais pas certain d'apprécier sa réponse.

Non, rectification… Je n'appréciais pas du tout sa réponse.

– Et il aura d'autres déplacements ?

– Probablement.

– C'est tout juste si je te verrai. London ne te verra plus.

– C'est faux et tu le sais, s'énerva-t-elle. C'est pas comme si je partais à l'étranger six mois d'affilée. Beaucoup de couples doivent faire la navette entre deux villes. Et puis c'est Walter le patron, pas moi. Qu'est-ce que je suis censée faire ?

– Tu pourrais toujours démissionner, ai-je suggéré. Et peut-être prendre un mi-temps ?

– Je n'ai pas envie de démissionner. J'aime vraiment ce que je fais et Walter est un patron génial. Sans parler du fait qu'on ne peut pas se permettre de renoncer à mon salaire, si ? Vu que tu n'as qu'un client ?

Sa manière de souligner que c'était d'abord de ma faute si on se retrouvait dans cette situation me déstabilisait. Et peut-être que j'étais responsable, après tout… Cette pensée n'a fait qu'accroître mon agitation.

– Et quand tout ça est supposé démarrer ?

– Courant septembre. C'est pour ça qu'on se rend à Atlanta cette semaine. Pour s'assurer que les bureaux seront prêts à temps.

Septembre, c'était dans six semaines.

– Je ne vois pas comment il est possible de déplacer tout le monde aussi vite.

– Ce sont seulement les cadres qui devront déménager. Il y aura des licenciements à Charlotte, mais tout le personnel ne sera pas viré. On a toujours beaucoup de projets en Caroline du Nord à différents stades de construction. Quant à Atlanta, il est surtout question d'embaucher plus de personnel. D'après ce que j'ai entendu, les bureaux sont déjà plus que spacieux.

– Je ne sais pas quoi dire.

– Il n'y a pas grand-chose à dire tant que je n'en sais pas davantage.

– Je ne comprends pas pourquoi tu n'en as pas parlé avant.

– Parce qu'il n'y avait rien de sûr jusqu'à aujourd'hui.

Si quelqu'un m'avait dit que le jour où je décrocherais mon premier client, Vivian aurait des nouvelles liées au travail ayant encore plus d'impact sur notre vie, j'aurais traité cette personne de cinglée. Ça montre à quel point je ne vois jamais rien venir.

– Entendu, ai-je dit. Tiens-moi au courant.

— Je le fais toujours. Dans un tout autre ordre d'idées, London m'a dit qu'elle était allée jouer chez Bodhi aujourd'hui ?

— Oui, pendant que je faisais ma présentation. Elle s'est bien amusée. Elle a parlé du caniche Noodle tout l'après-midi.

— Bodhi est le fils de ton ex-petite amie, non ? Emily ?

— C'est vrai.

— J'ai entendu des gens parler d'elle à l'atelier d'arts. Ils disaient que son divorce l'avait rendue assez amère.

— Le divorce peut se révéler assez pénible, ai-je dit d'un ton évasif.

— London m'a aussi dit que vous aviez déjeuné avec elle la semaine dernière.

— J'ai emmené la petite au Chick-fil-A. Mais, en effet, Emily se trouvait là-bas aussi.

— Tu devrais cesser de déjeuner avec elle ou d'aller chez elle, même si tu amènes London pour jouer avec Bodhi. C'est comme ça que les rumeurs naissent.

— Quel genre de rumeurs ?

— Tu sais parfaitement à quoi je fais allusion. Elle est divorcée et toi marié et, par-dessus le marché, c'est ton ex-copine ! Pas besoin de s'appeler Einstein pour deviner ce que les gens pourraient raconter.

Oui, ai-je pensé, je le savais pertinemment et, alors que j'étais assis à côté de ma femme, je me suis demandé comment une journée aussi formidable pouvait s'achever sur ce malaise qui m'envahissait.

*
* *

— Emily, hein ? m'a demandé Marge alors qu'on déjeunait ensemble, quelques jours plus tard.

On était chez moi. Vivian était partie de bonne heure à Atlanta et j'avais récupéré le contrat signé par Taglieri – et mon premier chèque en tant qu'entrepreneur ! – juste après la leçon de piano de London. J'avais aussi réservé le numéro de téléphone, un point crucial. Marge, en revanche, n'avait aucune envie de parler de tout ça.

— Comment va la douce Emily ?

Sous la véranda, London mettait le bazar avec la peinture au doigt que Marge lui avait apportée.

– Ne transforme pas ça en quelque chose qui n'existe pas. London était allée jouer avec Bodhi.

– Vous vous étiez mis d'accord lors d'un rancart antérieur au Chick-fil-A.

– C'était pas un rancart.

– Peut-être que tu devrais dire ça devant un miroir. Mais tu n'as pas répondu à ma question.

– Je te l'ai déjà dit. Elle doit encore s'habituer à son divorce, sinon elle va bien.

– Je l'ai toujours appréciée.

– Je sais. Tu me l'as déjà dit.

– Et j'en reviens pas que t'en aies parlé à Vivian.

– Ce n'est pas moi. C'est London qui le lui a dit.

– Alors tu n'allais pas lui en parler ?

– Bien sûr que si. Je n'ai rien à cacher.

– Dommage. Tout le monde a besoin d'un peu de piment dans sa vie de temps en temps.

En voyant mon expression, elle a éclaté de rire, ce qui a provoqué une quinte de toux. Je l'ai regardée sortir un inhalateur et prendre une bouffée.

– C'est quoi, ça ?

– Mon médecin pense que j'ai de l'asthme, alors il m'a prescrit ça. Je dois utiliser ce truc débile deux fois par jour maintenant.

Elle a rangé l'inhalateur dans sa poche.

– Est-ce qu'il a prescrit aussi des lunettes à monture d'écailles et un protège-poche pour ranger tes stylos ?

– Ha ! Ha ! L'asthme, ça peut être sérieux, tu sais.

– Je rigolais. Si tu as bonne mémoire, j'en ai eu quand j'étais petit. À cause de mes allergies. Chaque fois que je m'approchais d'un chat, j'avais la poitrine comme prise dans un étau.

– Je me souviens, mais tu changes de sujet. Ce que je disais, c'est que je sais combien tu aimes Vivian. Et je suis sûre que tu as retenu la leçon en ce qui concerne les revers de la tromperie. C'était avec qui déjà ? Ah oui, c'est vrai. Emily. Et, bien sûr, ça nous ramène au sujet en cours.

– Est-ce que tu prends le temps de préparer ces conversations ? Pour mieux rire à mes dépens ensuite ?

– Ça me vient naturellement. Tout le plaisir est pour moi.

À mon tour de m'esclaffer.

– Avant que j'oublie… Ne dis pas à Vivian que tu es au courant du déménagement des bureaux à Atlanta. Je n'étais pas censé le répéter à qui que ce soit.

– Je suis ta sœur. Ça ne compte pas.

– Elle t'a spécialement mentionnée.

– J'imagine. Mais c'est d'accord, et puisqu'on est passé en mode « échange de secrets », à mon tour de t'en confier un. Liz et moi pensons avoir un bébé.

J'ai souri jusqu'aux oreilles.

– Vraiment ?

– On est ensemble depuis un bout de temps. C'est le moment.

– Vous pensez adopter ou…

– On espère qu'une de nous deux pourra tomber enceinte. Je n'ignore pas que j'avance en âge, alors je pense que ce sera Liz, mais qui sait ? Bien sûr, elle n'a que deux ans de moins que moi. Quoi qu'il en soit, on a rendez-vous chez un spécialiste et j'imagine qu'on va subir un check-up approfondi pour voir s'il y a une possibilité de grossesse. Sinon, eh bien on songera à l'adoption, ou peut-être même qu'on signera pour devenir parents d'accueil.

– Waouh ! C'est sérieux. Quand est-ce que vous démarrez tout ça ?

– Pas avant novembre. Il y a une liste d'attente chez ce fameux spécialiste. Il est censé être le meilleur du pays et il semble que toutes les femmes de nos âges ou qui ont des problèmes veulent le consulter. Quoi ? a-t-elle ajouté en voyant mon sourire idiot.

– Je pensais juste que tu ferais une maman géniale. Liz aussi.

– On est excitées comme des puces.

– Et ça vous a pris quand ?

– Ça faisait un moment qu'on en discutait.

– Et tu ne m'en as jamais parlé ?

– C'est pas comme si on avait pris la moindre décision. C'était juste un truc qui revenait de temps en temps sur le tapis. Mais cette horloge biologique a continué à tourner, et ces derniers temps elle n'a pas cessé de se rappeler à notre bon souvenir. L'autre matin, son carillon m'a même réveillée, figure-toi.

– Tu en as parlé aux parents ?

— Pas encore. Et ne leur en parle pas non plus. Je préférerais qu'on sache d'abord si l'une de nous peut être enceinte ou si on s'oriente plutôt vers l'adoption. Je n'arrête pas d'imaginer le médecin m'annonçant que mon utérus est tapissé de toiles d'araignée.

J'ai manqué m'étrangler de rire.

— Je suis certain que tout va bien se passer.

— C'est parce que moi, contrairement à toi, je fais de l'exercice. Bien sûr, ma toux ne va pas arranger les choses, mais je me force à aller à la salle de sport.

— Tu tousses toujours ?

— Trop. Il faut soi-disant jusqu'à six semaines à tes poumons pour se retaper, même si ton rhume est parti.

— Je l'ignorais.

— Moi aussi. Mais le fait est que, contrairement à toi, je prends toujours soin de ma santé.

— Je n'ai pas le temps de faire du sport.

— Bien sûr que si. Tu peux en faire à la première heure le matin. C'est comme ça que font toutes les mères de famille.

— Je n'en suis pas une.

— Désolée de te l'apprendre, mais depuis quelque temps tu l'es plus ou moins.

— Tu trouves toujours les mots pour me remonter le moral.

— Ça sort tout seul, je n'y peux rien. Et on sait, toi comme moi, qu'un peu d'exercice ne te ferait pas de mal.

— Je suis en forme.

— Bien sûr. Une forme arrondie.

— Tu es vraiment adorable, tu sais ça ?

*
* *

Le vendredi matin, debout devant le miroir, je me suis dit que Marge avait peut-être raison de me conseiller de me remettre au sport. Malheureusement, désolé, ce ne serait pas pour aujourd'hui.

J'avais des choses à faire et, même si je me suis occupé de London et l'ai emmenée à l'atelier d'arts plastiques, j'ai passé le reste de mon temps à établir un calendrier pour la campagne de

Taglieri, en songeant que la garderie n'était vraisemblablement plus d'actualité.

Je pouvais accomplir beaucoup de choses de chez moi : obtenir les permis, les dates de publication et de diffusion convenables, et repérer les lieux de tournage qui nécessitaient pas mal de rendez-vous et de déplacements en voiture. Tant que j'étalais tout ça sur plusieurs jours, je pensais que ça ne dérangerait pas trop London.

Lorsque j'en ai parlé à Vivian, j'ai perçu le soulagement dans sa voix et, pour la première depuis des années, on a passé plus d'une demi-heure à simplement bavarder au téléphone. Ça m'avait manqué, et j'ai eu l'impression que ça lui avait manqué à elle aussi. Et, même si elle est finalement rentrée plus tard qu'elle ne le souhaitait à la maison, elle a ri et souri et même flirté avec moi, et dans la chambre elle était à la fois sexy et fougueuse, ce que je désirais tant et qui m'a persuadé qu'elle tenait encore à moi.

Le lendemain matin, sa bonne humeur ne l'avait pas quittée. Avant de partir faire son yoga, elle a préparé le petit déjeuner pour London et moi, et a demandé si on prévoyait de passer voir mes parents.

Quand je lui ai répondu par l'affirmative, elle m'a dit au revoir en m'embrassant et j'ai senti le léger frétillement de sa langue sur mes lèvres. Comme ça m'a émoustillé, j'ai repensé à la veille au soir et n'ai plus douté des raisons qui m'avaient poussé à l'épouser.

*
* *

En attendant le retour de Vivian, London et moi sommes allés au parc où on a emprunté un chemin de randonnée qui menait au parcours de golf. Des années auparavant, un Eagle Scout avait accompli son projet d'intérêt général en accrochant des petites plaques aux abords des différents arbres avec leurs noms commun et scientifique. Pour chacun, j'ai lu les informations à London et je lui ai désigné l'écorce ou les feuilles, en jouant les érudits. Elle répétait les mots – *Quercus virginiana* ou *Eucalyptus viminalis* – et, même si j'étais persuadé que j'aurais tout oublié en retournant à la voiture, sur le sentier je me suis senti un peu plus intelligent que d'habitude.

En revanche, London n'en a pas perdu une miette. De retour à la maison, alors qu'on mangeait sous la véranda, elle a montré un arbre imposant dans le jardin.

— C'est un *Carya ovata* ! s'est-elle exclamée.

— Celui-là ? ai-je répliqué, sans prendre la peine de cacher ma stupéfaction.

Elle a hoché la tête.

— Caryer ovale.

— Comment tu le sais ?

— Parce que tu me l'as montré. Tu te rappelles ?

Pas vraiment, ai-je pensé. Pour moi, c'était redevenu un arbre tout simplement.

— Je pense que tu as raison.

— Bien sûr.

— Je te fais confiance.

Elle a bu une gorgée de lait, puis a demandé :

— Quand est-ce que maman rentre à la maison ?

J'ai consulté ma montre.

— Elle ne devrait plus tarder.

— Et ensuite on va chez papy et mamie ?

— C'est ce qui est prévu.

— J'ai envie de faire de la pâtisserie aujourd'hui. Encore des cupcakes.

— Je suis sûr que mamie va adorer ça.

— Est-ce que tatie Marge et tatie Liz seront là ?

— J'espère.

— OK. Je ferais bien d'emmener M. et Mme Sprinkles. Je suis certaine qu'ils voudront leur dire bonjour.

— C'est sûr.

Elle mâchonna son sandwich, puis :

— Dis papa ?

— Oui ?

— Je suis contente de rester avec toi.

— Comment ça ?

— Maman m'a dit que j'irais pas à la garderie. Et que tu pourrais travailler et t'occuper de moi en même temps.

— Elle a dit ça ?

La petite a acquiescé.

— Même qu'elle me l'a dit ce matin.

— Elle a raison, mais tu risques de devoir rester dans la voiture avec moi pendant que je fais mon travail.

— Je peux emmener mes Barbie ? Ou bien M. et Mme Sprinkles ?

— Bien sûr.

— OK. Ce sera super alors.

J'ai souri.

— Je suis content moi aussi.

— Quand t'étais petit, t'allais à la garderie ?

— Non, c'est tatie Marge qui me gardait.

— Et tatie Liz ?

— Non. Tatie Liz, on ne la connaissait pas encore.

— Oh…

London a encore mordu une ou deux fois dans son sandwich, en tournant la tête de côté et d'autre comme pour capter le monde qui l'entourait, d'abord dans un sens puis dans l'autre. Je l'observais et la trouvais plus belle que jamais, en me moquant d'être forcément subjectif.

— Papa ! Il y a un oiseau géant dans l'arbre ! s'est-elle écriée.

J'ai suivi la direction de son index et je l'ai repéré. Il était brun chocolat avec des plumes blanches sur la tête qui miroitaient au soleil. Comme je l'observais, il a déployé ses ailes puis les a repliées.

— C'est un pygargue à tête blanche, ai-je annoncé, ébahi.

Durant toutes mes années passées à Charlotte, je n'en avais vu que deux. Ce sentiment d'émerveillement m'a frappé, un thème récurrent durant toutes nos semaines ensemble. En dévisageant ma fille, j'ai soudain compris tout ce qui avait changé entre London et moi. Comme j'étais maintenant à l'aise dans mon rôle de principal responsable de son bien-être, London était plus à l'aise avec moi. Et tout à coup, à l'idée d'être séparé d'elle pendant plusieurs heures d'affilée dès la rentrée, je sentis un pincement au cœur inattendu. Mon amour envers London n'avait jamais été remis en question, mais je comprenais à présent que je ne l'aimais pas seulement comme mon enfant, mais aussi comme la fillette que j'avais appris à connaître depuis peu de temps.

C'est peut-être cette pensée, ou alors à cause de la manière dont la semaine s'est déroulée ; en tout cas, j'ai éprouvé un calme inhabituel, une sorte de paix intérieure. J'avais connu la déprime et je remontais à présent la pente et, même si je me doutais que ce sentiment risquait d'être fugace – privilège de l'âge –, il n'en demeurait pas moins réel que le soleil, la lune et les étoiles. En regardant l'expression fascinée de London qui contemplait l'aigle, je me suis demandé si elle se rappellerait un jour ce moment, ou si elle savait ce que je ressentais à propos de notre complicité toute récente. Mais ça n'avait guère d'importance. C'était déjà suffisant d'éprouver cela moi-même et, quand l'aigle s'est envolé, je me suis accroché à cette image, en sachant qu'elle resterait gravée en moi à jamais.

12

Mauvais temps à l'horizon

En février 2004 – j'avais quitté la fac depuis près de deux ans et je fréquentais Emily depuis presque aussi longtemps –, je suis allé rendre visite à mes parents pour le week-end. L'habitude de les voir régulièrement était déjà bien établie à l'époque. En principe Emily m'accompagnait mais, pour des raisons que j'ai oubliées avec le temps, elle n'a pas pu le faire ce week-end-là ; j'étais donc seul.

À mon arrivée, mon père bricolait sur la voiture de ma mère, et non pas sur sa Mustang. Il avait la tête sous le capot et j'ai vu qu'il ajoutait un litre d'huile.

— Je suis ravi de constater que tu prends soin de la voiture de ta moitié, ai-je plaisanté – ce à quoi mon père a acquiescé.

— Faut bien. Il va neiger cette semaine. Je lui ai déjà mis le kit de survie sur la banquette arrière. Je ne voudrais pas que ta mère soit obligée d'aller le chercher dans le coffre, au cas où elle se retrouverait coincée sur la route.

— Il ne va pas neiger, voyons.

La température était déjà printanière ; je portais un tee-shirt et j'avais même hésité à venir en short.

Il m'a lancé un regard oblique par-dessous le capot.

— T'as regardé la météo ?

— J'ai entendu un truc à ce sujet à la radio, mais tu connais les gars de la météo. Ils se trompent souvent.

— Mes genoux me signalent aussi qu'il va neiger.

— Il fait presque 21 °C !

— À ta guise. Je vais avoir besoin d'aide pour envelopper les canalisations, quand j'en aurai terminé ici. Tu voudras bien me donner un coup de main, comme dans le temps ?

Je devrais préciser que mon père a toujours été ce genre de type. Si un ouragan était censé frapper la côte des Carolines, il passait des jours à nettoyer le jardin, à tout ranger dans le garage et à fermer les volets, en dépit du fait que Charlotte se situait à environ trois cent vingt kilomètres du littoral.

« Vous n'étiez pas là quand Hugo a frappé en 1989, nous disait-il à Marge et moi. Charlotte, c'était comme la ferme de Dorothy dans le magicien d'Oz. Toute la ville a quasiment été soufflée. »

— Ouais, tu peux compter sur moi, ai-je répondu. Mais tu perds ton temps. Il ne va pas neiger.

Je suis entré dans la maison et j'ai discuté un moment avec ma mère ; quand mon père nous a rejoints, j'ai su ce qu'il attendait de moi. Je l'ai donc aidé sans me plaindre mais, même quand je l'ai vu se mettre à bricoler sur sa voiture, je n'ai pas pris ses recommandations au sérieux. Et même si ç'avait été le cas, je n'aurais pas eu la moindre idée de ce que pouvait bien contenir un kit de survie. C'est ce que je me suis dit plus tard, en tout cas. Mais la vraie raison pour laquelle je n'étais pas préparé pour la suite, c'est qu'à l'âge que j'avais alors je me croyais plus malin que lui.

Jusqu'au mardi après-midi, la température frôlait encore les 15° C ; le mercredi, malgré les nuages qui se rassemblaient dans le ciel, elle avoisinait les 10° C, et j'avais complètement oublié les mises en garde de mon père. Le jeudi, la tempête a déferlé sur Charlotte avec fureur. Il a neigé, peu au début puis de plus en plus fort. Au moment où je roulais vers mon travail, la neige s'accumulait sur les autoroutes. Les écoles étaient fermées pour la journée, et seule la moitié des gens ont réussi à venir jusqu'à l'agence. La neige a continué de tomber, et quand j'ai quitté le bureau en milieu d'après-midi, les routes était quasiment toutes impraticables. Des centaines d'automobilistes ont dérapé sur la voie express, dont moi-même, sous plus de trente centimètres de neige, dans une ville avec seulement quelques chasse-neige disponibles. À la tombée de la nuit, Charlotte était immobilisée.

Il a fallu près de cinq heures à la dépanneuse pour venir me débloquer. Même si je n'étais pas en danger — j'avais une veste, un demi-réservoir d'essence et mon chauffage fonctionnait —, je n'ai cessé de penser aux différences entre mon père et moi.

Alors que j'espérais avec insouciance que tout se passerait pour le mieux, mon père était le genre de gars qui s'attendait toujours au pire et s'y préparait.

*
**

Août est arrivé avec sa chaleur étouffante et sa forte humidité, entrecoupées par les orages d'après-midi, mais les semaines menant à la première rentrée scolaire de London semblaient différentes des précédentes, ne serait-ce que parce que j'avais effectivement un revenu.

Même si mon planning journalier était très serré, je me sentais moins stressé qu'au démarrage de mon agence. J'ai travaillé avec l'informaticien pour tout ce qui était lié à Internet, j'ai repéré mes lieux de tournage et obtenu toutes les dates de diffusion nécessaires ; j'ai parlé avec le responsable des équipes vidéo et son, je suis passé prendre les permis, j'ai discuté avec l'agent d'une boîte de casting locale, signé un contrat pour les affiches, et bloqué pas mal de créneaux horaires pour les spots TV. Tout ça venait s'ajouter à la finalisation du planning de répétition et de tournage pour les deux premiers spots et à la supervision du casting pour le troisième, dont l'ensemble se déroulerait la semaine où London attaquerait l'école.

Malgré tout, j'ai pu amener et récupérer ma fille à ses activités, faire du vélo, recevoir un million de câlins et de bisous, et même réussi à reprogrammer ses cours de piano et d'arts plastiques pour la rentrée scolaire. Le stage de tennis s'est terminé au moment où on est allés à une journée portes ouvertes à l'école, et London a eu l'occasion de rencontrer sa maîtresse. Elle a aussi découvert que Bodhi serait dans sa classe, et j'ai pu voir Emily une minute. Comme son ex était venu à Charlotte, ça avait plus ou moins perturbé son agenda et je ne l'avais pas vue beaucoup depuis que London était allée jouer avec Bodhi. Je l'ai présentée à Vivian – l'attitude de ma femme pourrait se décrire au mieux comme distante, pour ne pas dire vigilante – et j'ai compris que j'avais intérêt à ne pas bavarder trop souvent avec Emily, sinon j'allais m'attirer des problèmes.

Vivian passait deux ou trois nuits par semaine à Atlanta et, quand elle était à la maison, elle continuait de souffler le tiède et le frais. C'était mieux que le chaud et le froid, dont j'avais fait l'expérience, mais l'excitation de la soirée en amoureux de la fin juillet ne s'était pas reproduite, et les sempiternelles variations d'humeur de ma femme me laissaient à la fois frénétique et nerveux à l'idée de la voir, chaque fois que son 4 x 4 se garait dans l'allée.

S'il y eut un autre changement dans ma routine à cette période, il fut lié au sport. Le lendemain du jour où je m'étais vraiment regardé dans la glace, j'ai suivi le conseil de Marge : le premier lundi du mois, j'ai mis le réveil quarante minutes plus tôt. J'ai enfilé un short et commencé par me traîner à petites foulées dans le quartier, en croisant au passage des mères qui couraient, dont deux avec une poussette de jogging. Des années auparavant, j'étais capable de courir huit ou neuf kilomètres et de me sentir revigoré quand j'avais terminé ; le premier jour de ma nouvelle hygiène de vie, je me suis pratiquement effondré sur le rocking-chair de la véranda après avoir couru environ deux kilomètres et demi. Néanmoins j'ai remis ça le lendemain matin et le suivant, et ainsi de suite sans interruption. La deuxième semaine d'août, j'ai ajouté des pompes et des abdos à ma routine, et j'ai commencé à être de moins en moins serré dans mes pantalons à mesure que le mois s'écoulait.

London avait pris suffisamment d'assurance sur son vélo pour que je puisse rouler à ses côtés et, le lendemain de la journée portes ouvertes à l'école, on a sillonné le quartier ensemble, en faisant même la course sur tout un pâté de maisons. Je l'ai laissée gagner, bien sûr. Après avoir rangé nos bicyclettes au garage, on s'est tapés dans la main puis on est allés boire de la limonade sous la véranda, en espérant revoir un aigle tandis que le soleil entamait sa descente vers l'horizon.

*
**

— Tu ne crois pas qu'elle a déjà assez de vêtements pour l'école ? ai-je demandé à Vivian.

C'était le samedi précédant la rentrée et comme ma femme était arrivée d'Atlanta tard la veille au soir, on s'était mis d'accord pour décaler notre soirée en amoureux au lendemain.

— Ce n'est pas pour des vêtements, a répondit Vivian en finissant de s'habiller dans la salle de bains. Je vais lui acheter des fournitures scolaires. Sac à dos, crayons, gommes, et d'autres trucs encore. As-tu au moins jeté un œil sur le site web de l'école ?

Non, je ne l'avais pas fait. En toute honnêteté, l'idée ne m'avait même pas traversé l'esprit. En revanche, j'avais reçu et réglé la facture pour le premier trimestre, ce qui écornait un peu plus nos économies.

– Je pensais qu'on allait chez mes parents.

– C'est le cas. Mais les courses ne vont pas prendre trop de temps. Vas-y en premier et on se retrouvera là-bas, d'accord ?

– Ça me va. Tu retournes à Atlanta cette semaine ?

Cette question, je m'étais mis à la lui poser régulièrement.

– Je pars mercredi et il y a un dîner prévu le vendredi soir que je ne peux pas louper, mais on revient après. Je déteste l'idée de rater presque toute la première semaine de London à l'école.

– Tu n'as aucun moyen d'y échapper ?

– Non. J'aimerais bien, a-t-elle dit, mais je ne peux pas. Tu penses qu'elle va m'en vouloir ?

– Si tu manquais son premier jour, ce serait peut-être différent, mais ça va aller.

Je n'en étais pas si sûr, mais je savais que c'était ce que Vivian avait envie d'entendre.

– J'espère que tu dis vrai.

– En parlant de l'école, ai-je poursuivi, la facture concernant les frais de scolarité est arrivée et je voulais te demander ce qu'il en était de tes salaires.

– Comment ça, mes salaires ?

– Tu en as déjà reçu ?

Elle a mis son sac en bandoulière.

– Bien sûr que j'en ai reçu. Je ne travaille pas gratis.

– Je n'ai vu aucun dépôt de chèque sur notre compte courant ou le compte épargne.

– J'en ai ouvert un autre.

Je n'étais pas certain d'avoir bien entendu.

– Un autre compte ? Pourquoi ?

– Ça m'a paru plus simple. Pour qu'on puisse surveiller notre budget et tes dépenses pour l'agence.

– Et tu ne m'en as pas parlé ?

– N'en fais pas toute une histoire.

Mais c'est IMPORTANT, ai-je pensé, m'efforçant toujours de comprendre sa démarche.

– Notre compte épargne a drôlement baissé, ai-je précisé.

– Je vais m'en occuper, OK ? a-t-elle dit en se penchant pour me donner un baiser en vitesse. Mais laisse-moi filer faire les courses avec London pour qu'on puisse arriver à une heure correcte chez tes parents, d'accord ?

– D'accord, ai-je répondu en me demandant si ma femme avait l'intention de me donner le tournis.

*
* *

– Ça tombe nettement dans la catégorie « c'est-très-intéressant », a observé Marge.

– Je ne vois vraiment pas pourquoi elle ne me l'a pas dit.

– Allô la Terre ? C'est très simple. Tout bêtement parce qu'elle n'avait pas envie que tu le saches.

– Comment n'allais-je pas être au courant ? C'est moi qui signe les chèques.

– Oh, elle savait que tu le découvrirais. Tôt ou tard. Et à ce moment-là tu prendrais le temps d'essayer de comprendre de quoi il retournait.

– Pourquoi voudrait-elle faire un truc pareil ?

– Parce que c'est sa manière de fonctionner. Elle aime bien te laisser deviner. Elle a toujours été comme ça.

– Non, pas du tout.

– Liz ? a demandé Marge.

– J'aimerais autant ne pas être impliquée là-dedans, a répliqué Liz en levant la main. Je ne suis pas en consultation. Mais si tu veux connaître une fantastique recette italienne de sauce marinara ou si tu as des idées de safari, je suis partante.

– J'apprécie, Liz. J'ai entendu dire que le Botswana proposait de fabuleux safaris.

– J'aimerais y aller un jour. C'est ma destination rêvée.

– Peut-on revenir au sujet, s'il te plaît ? a insisté Marge. Un truc très intéressant est en train de se passer.

– Les rhinocéros sont intéressants, ai-je dit. Les éléphants aussi.

Liz a posé la main sur le genou de Marge.

– On devrait vraiment programmer un safari dans les deux ou trois ans qui viennent. Tu ne crois pas que ce serait génial ?

– Je n'aime pas quand tu prends son parti alors qu'il essaie de changer de sujet.

– Il n'a pas seulement essayé. Je pense qu'il s'est plutôt bien débrouillé. J'ai vu une pub pour un endroit appelé Camp Mombo. Ça a l'air formidable.

– Je pense que vous devriez absolument trouver un moyen d'y aller, ai-je dit. C'est le genre de choses qu'on ne fait qu'une fois dans sa vie.

– Voudriez-vous tous les deux revenir au sujet initial ?

Liz gloussa en voyant l'air manifestement agacé de Marge.

– Chaque couple a sa propre manière de communiquer avec un code qui lui est propre. À moins de pouvoir le déchiffrer, je ne saurais pas quoi penser de tout ça.

– Tu vois ? a rétorqué Marge. Elle trouve comme moi que c'est louche.

– Non. Elle n'a rien dit du tout.

– C'est juste parce que tu n'arrives pas à déchiffrer son code.

*
* *

– Sérieusement, ai-je dit à Liz plus tard, pourquoi, d'après toi, Vivian ne m'a prévenu qu'elle avait ouvert un autre compte en banque ? Je sais que tu n'es pas dans ton cabinet, mais j'aimerais bien comprendre ce qui se passe.

– Je ne suis pas certaine de pouvoir te le dire. Mon opinion serait aussi valable que la tienne.

– Mais si tu devais te prononcer ?

Elle a semblé réfléchir à ce qu'elle allait me répondre.

– Eh bien, je dirais que ça correspond à ce qu'elle a dit et qu'il n'y avait pas de quoi en faire une histoire. Peut-être qu'elle veut simplement avoir son propre compte pour savoir exactement dans quelle proportion elle contribue au budget du ménage afin de se rassurer.

J'ai médité sur la question.

– As-tu eu des patients qui ont agi comme ça ? D'autres épouses ?

Liz a hoché la tête.

— De temps en temps.

— Mais encore ?

— Comme je te l'ai dit, ça peut signifier un tas de choses.

— Je sais que tu essaies d'être diplomate, mais je suis désemparé. Tu ne peux vraiment pas éclairer ma lanterne ?

Liz prit encore le temps de répondre.

— S'il existe un point commun qui sous-tend ce genre de situations, c'est en général la colère.

— Tu penses que Vivian est en colère contre moi ?

— Je ne passe pas beaucoup de temps avec elle et quand ça arrive, c'est ici avec toute la famille. On ne peut pas apprendre grand-chose dans ce genre de contexte. Mais quand les gens sont en colère, ils agissent souvent de la manière que leur dicte ce sentiment. Ils peuvent faire des choses qu'ils ne feraient pas habituellement.

— Comme ouvrir en secret un compte en banque ?

— C'est pas un secret, Russ. Elle t'en a parlé.

— Alors elle… n'est pas en colère ?

— Je pense que tu serais mieux placé que moi pour répondre à cette question.

*
**

Une autre heure s'était écoulée, et toujours pas le moindre signe de Vivian ou de London. Marge et Liz étaient parties se promener dans le quartier, et mon père regardait un match à la télé. J'ai trouvé ma mère à la cuisine qui coupait des pommes de terre en dés, et une grosse marmite mijotait sur le feu, son arôme très alléchant. Elle portait un tablier orange vif que je me rappelais vaguement lui avoir acheté.

— Te voilà, a-t-elle dit. Je me demandais quand tu finirais par venir parler avec ta vieille maman.

— Désolé, ai-je dit en me penchant pour la serrer dans mes bras. Je ne voulais pas te vexer.

— Oh, tais-toi donc. Je plaisantais. Comment vas-tu ? On dirait que tu as maigri.

Le fait qu'elle l'ait remarqué m'a plu.

– Un peu, je pense.

– Tu manges suffisamment ?

– Je me suis remis au jogging.

– Beurk ! Je ne comprends pas qu'on puisse aimer ça.

– Qu'est-ce que tu prépares ? Ça sent drôlement bon.

– Un bœuf bourguignon… c'est français. Joanne m'a donné la recette et je me suis dit que je tenterais bien le coup.

– Liz doit aussi avoir une recette géniale.

– Je n'en doute pas. Mais Joanne l'a coiffée au poteau.

– Est-ce que je connais Joanne ?

– Elle est membre de la Red Hat society. Tu as dû la voir quand tu es passé prendre London l'autre jour au déjeuner.

– Celle avec le chapeau rouge ? Et le chemisier violet ?

– Ha ha !

– Comment vont ces dames, au fait ?

– Elles sont merveilleuses et on s'amuse beaucoup ensemble. La semaine dernière, après le déjeuner, certaines d'entre nous ont assisté à une conférence donnée par un astronome à l'université. Tu savais qu'on avait récemment découvert une planète de la taille de la nôtre qui gravitait autour d'un autre soleil ? Et que cette planète se situait à la même distance de notre soleil que la Terre ? Et qu'il pourrait y avoir de la vie sur cet astre.

– Je l'ignorais.

– Nous en parlerons à notre prochaine réunion.

– Parce que vous voulez être les premières à accueillir en chapeau rouge les extraterrestres, si d'aventure ils viennent nous voir ?

– Pourquoi tu me taquines ? C'est pas gentil.

J'ai gloussé.

– Désolé, maman. Je n'ai pas pu résister.

Elle a secoué la tête.

– Je me demande où tu es allé pêcher l'idée que taquiner sa mère était bien. Ce n'est certainement pas moi qui t'ai appris ça.

– C'est vrai, ai-je admis en m'approchant de l'oignon posé près de la planche à découper. Tu veux que je t'aide ?

– Tu te portes volontaire dans la cuisine ?

– J'ai un peu cuisiné ces temps-ci.

– En réchauffant des boîtes de conserve ?

– Qui taquine qui, à présent ?

Ses yeux pétillaient.

– Bah, j'essaie d'être à la hauteur de mes enfants. Mais non, je n'ai pas besoin d'aide. Merci quand même. Ton père regarde le match ou il traîne encore au garage ?

J'ai vu la télé scintiller au salon.

– Le match, ai-je répondu.

– J'ai rêvé de lui il y a deux ou trois jours. Ou du moins je pense que c'était lui. C'était un de ces rêves où tout était flou et je n'y voyais pas grand-chose. Mais il était à l'hôpital avec le cancer.

– Hum…

– Bref, il y avait toutes ces machines qui bipaient autour de lui et *Judge Judy* à la télévision. Le médecin venait d'Inde, je pense, et j'ai vu aussi un énorme animal en peluche sur le lit à côté de ton père. Un gros cochon violet.

– Hum…

– Tu penses que ça signifie quoi ? Le cochon violet, je veux dire ?

– Je serais bien en peine de te répondre.

– Tu savais que ma grand-mère était médium ? Elle avait des prémonitions aussi.

– Je croyais que tu disais que c'était un rêve.

– Le fait est que je m'inquiète pour lui.

– Je sais. Mais le médecin a dit qu'il allait bien. Il n'a pas de nouveau été essoufflé, si ?

– Pas à ma connaissance. Mais s'il l'était, il ne me l'aurait pas dit.

– Je vais le lui demander, OK ?

– Merci. Où sont Vivian et London ?

– Elles achètent des fournitures scolaires de dernière minute. Elles devraient bientôt être là. London commence l'école mardi, à propos. J'ignore si ça te plairait de venir, mais tu es la bienvenue.

– Ton père et moi serons là. C'est un grand jour pour elle.

– En effet.

Ma mère a souri.

– Je me souviens de ta première journée à l'école. Tu étais tellement excité, mais après t'avoir amené dans la salle de classe, je me rappelle avoir regagné ma voiture en pleurant.

– Pourquoi tu pleurais ?

— Parce que ça signifiait que tu grandissais. Et tu étais si différent de Marge. Toujours tellement plus sensible qu'elle. Je me faisais du souci pour toi.

Je n'étais pas certain que ça me plaise d'être jugé plus sensible que ma sœur, mais ma mère n'avait sans doute pas tout à fait tort à ce sujet.

— Tout s'est bien passé finalement. Tu sais que j'ai toujours aimé l'école. J'espère que London l'aimera aussi. On est allés à la journée portes ouvertes et elle a fait la connaissance de son institutrice. Ç'avait l'air de bien coller entre elles.

— Tout ira bien. Elle est intelligente, mûre pour son âge et franchement adorable. Bien entendu, mon opinion est subjective.

— C'est une bonne chose.

— Je suis ravie que tu ne m'en veuilles pas.

— Pourquoi je t'en voudrais ?

— Parce que je n'ai pas pu garder London à chaque fois que tu en avais besoin.

— Tu avais raison. Ça ne relevait pas de ta responsabilité. Mais disons que j'ai acquis un regain de respect pour les mères célibataires.

— Ç'a été aussi profitable à London. Elle a beaucoup changé cet été.

— Tu crois ?

— Bien sûr. Tu es simplement trop proche d'elle pour t'en rendre compte.

— En quoi a-t-elle changé ?

— La façon dont elle parle de toi pour commencer. Et le nombre de fois où elle parle de toi.

— Elle parle de moi ?

— Dernièrement, elle n'a fait que ça. Du genre : « Papa et moi on est allés faire du vélo » ou « Papa a joué aux Barbie avec moi », ou encore « Papa m'a emmenée au parc ». Elle ne le faisait jamais jusqu'à maintenant.

— Ça ressemble à ma vie depuis quelque temps.

— Ça t'a fait du bien aussi. J'ai toujours pensé que ça aurait profité à ton père de savoir comment vivait sa moitié.

— Mais dans ce cas, il n'aurait pas été le grand bonhomme bourru que Marge et moi craignions.

— Chut, voyons ! Tu sais bien qu'il vous adore tous les deux.

— Je sais. Tant que je ne lui parle pas trop quand il regarde le match.

Bien sûr, Marge et London peuvent jacasser tout le temps et ça ne lui pose aucun problème.

— C'est parce que Marge s'y connaît mieux que toi en base-ball, et que London se lèvera de ses genoux pour aller lui chercher une bière. Pourquoi tu n'essaies pas ça ? a suggéré ma mère.

— Je suis trop grand pour m'asseoir sur ses genoux, ai-je répliqué.

— Tu es un vrai clown aujourd'hui. Il y a des bières au frigo. Pourquoi ne pas en prendre deux, histoire de voir ce qui se passe… Il aime bien discuter avec toi.

— Je sais exactement ce qui va se passer.

— Oh, ne te laisse pas impressionner par lui. Rappelle-toi une chose… il peut sentir ta peur.

J'ai éclaté de rire et me suis approché du réfrigérateur, certain d'avoir la meilleure mère au monde.

*
* *

— Comment ça va, papa ? ai-je dit en lui tendant une cannette. Tiens, c'est pour toi.

Heureusement, j'arrivais à point nommé : pendant la pub, qu'il avait déjà mise en sourdine.

— Qu'est-ce que tu fabriques ?

— Je t'ai apporté une bière ?

— Pourquoi ?

— Pourquoi ? Parce que je pensais que tu en aurais peut-être envie ?

— Tu ne vas pas me demander si tu peux m'emprunter de l'argent, si ?

— Non.

— Bien. Parce que la réponse est non. C'est pas de ma faute si t'as démissionné.

Mon père, le roi de la phrase qui tue. Je me suis assis sur le canapé à côté de lui.

— Comment se déroule le match ?

— Les Braves sont en train de perdre.

J'ai joint les mains en me demandant ce que j'allais bien pouvoir dire ensuite.

— Comment ça va, papa ? La plomberie, ça roule ?

— Pourquoi ça ne roulerait pas ?

J'en sais rien… Parce que tu me rends nerveux parfois ?

J'ai bu une gorgée de bière.

— Je t'ai dit que j'avais décroché mon premier client, hein ?

— Ouais. L'avocat. Le gars italien.

— Je vais tourner deux spots publicitaires la semaine prochaine. Je dois aussi rencontrer des acteurs enfants, pour filmer un troisième spot.

— J'aime pas les pubs pour les cabinets d'avocats.

— Tu n'aimes pas les pubs en général, papa. C'est pour ça que tu coupes le son.

Il a acquiescé, tandis que le silence s'installait entre nous, avec ma mère qui fredonnait dans la cuisine en guise de fond sonore. Il s'est mis à gratter un coin de l'étiquette de la cannette, en pensant qu'il était sans doute poli de poser une question :

— Comment va Vivian ?

— Elle va bien, ai-je répondu.

— Parfait.

À ce moment-là, le match avait repris et mon père a récupéré la télécommande. Le son est revenu, et un coup d'œil sur le score m'a appris que les Braves étaient menés de trois points et qu'il restait quatre tours de batte.

— On devrait aller voir jouer les Braves un jour. Toi et moi.

Il m'a lancé un regard noir.

— Tu vas jacasser toute la journée ou me laisser profiter du match tranquillement ?

*
* *

— Je crois que tu l'as effrayé, papa, a dit Marge en s'affalant sur le canapé à côté de mon père.

Liz et elle étaient rentrées de leur balade.

— Qu'est-ce que tu racontes ?

Mary m'a désigné de l'index.

— Il est assis là-bas dans son coin comme s'il avait peur de bouger un seul muscle.

Mon père a haussé les épaules.

— Il n'arrêtait pas de parler et de parler, comme ces poupées mécaniques.

— C'est son style, approuva Marge. C'est quoi, le score ?

— Quatre à quatre pour le moment, fin de la huitième manche. Les Braves remontent.

— Ils ont fait entrer leur lanceur de relève ?

— À la septième manche.

— C'est qui ?

Mon père a cité un nom que je n'ai pas reconnu.

— Un bon choix, a remarqué Marge. J'aime vraiment bien sa balle glissante, mais sa balle à changement de vitesse est bonne aussi. Comment il se débrouille jusqu'ici ?

— Beaucoup de lancers. Faut qu'il travaille son mouvement.

— Tu te souviens de l'époque où on avait Maddux, Smoltz et Glavine ?

— Qui ne s'en souvient pas ? C'était l'une des meilleures rotations de tous les temps, mais cette année…

— Oui, je sais. Elle est maudite. Mais au moins ce ne sont pas les Cubs.

— Tu imagines ? Ça fait plus de cent ans qu'ils ont tout remporté. Ça ridiculise la Malédiction du bambino[1], surtout si on considère les dernières années.

— Qui va remporter le championnat d'après toi ?

— Je m'en fiche, tant que c'est pas les Yankees.

— Je pense que les Mets pourraient peut-être bien s'en tirer.

— Ça risque rien d'y croire, a-t-il admis. Ils jouent plutôt bien. Les Royals aussi, et ils ont eu une bonne attaque cette année.

Tandis qu'il parlait, Marge a lancé un clin d'œil, l'air de rien, dans ma direction.

*
* *

---

1. Dans le vocabulaire du base-ball professionnel aux États-Unis, la Malédiction du Bambino est une superstition visant à expliquer l'incapacité pour les Red Sox de Boston de remporter une série mondiale entre 1918 et 2004. L'expression fait référence à Babe Ruth (1895-1948), surnommé le Bambino, le plus célèbre joueur de son époque.

Finalement Marge et moi avons rejoint Liz sous la véranda. On entendait le son du match à la télé dans le salon.

— Je n'ai jamais été fan de base-ball, ai-je dit à ma sœur. Je faisais de l'athlétisme au lycée.

— Et maintenant tu jogges avec les mères de famille. Ne laisse jamais qui que ce soit te dire que tu as abandonné l'athlétisme pur et dur.

Je me suis tourné vers Liz :

— Elle te parle toujours comme ça ?

— Non, a répondu Liz. Sinon elle sait que je ne lui ferai pas à manger. Par ailleurs, tu es une cible facile.

— J'essayais juste de dire que je ne pense pas que mon père aurait eu envie de me parler, même si je m'y connaissais autant que toi en base-ball.

— Ne t'en fais pas, a rétorqué Marge dans un haussement d'épaules. Tu ne t'y connais peut-être pas en base-ball, mais je suis sûre que papa ne peut pas non plus citer tous les accessoires de Barbie, alors tu as au moins cet avantage.

— Je me sens bien mieux, du coup.

— Oh, ne sois pas à fleur de peau comme ça. Papa ne me parle pas quand il est au garage. C'est ta place, pas la mienne.

— Ah bon ?

— Pourquoi tu penses que je me suis donné la peine de tout apprendre sur les Braves ? Il ne me parlerait sans doute pas du tout, sauf pour me demander de lui passer le sel quand on est à table.

— Tu penses que maman et lui se parlent comme dans le temps ?

— Au bout de près de cinquante ans ? J'en doute. Il ne leur reste probablement plus trop de sujets à aborder. Mais bon… c'est clair que ça marche dans leur cas.

— Papaaaa ! ai-je entendu crier dans la cuisine, avant de voir London sautiller dans ma direction.

Elle portait une robe qui aurait eu sa place à la soirée des Oscars et tenait une boîte à déjeuner à l'effigie de Barbie. Un nouvel accessoire à ajouter à ma connaissance encyclopédique de l'univers de la célèbre poupée mannequin, devait se dire Marge.

— Regarde ce que j'ai ! s'est écriée London. Elle rentre aussi dans mon sac à dos Barbie !

— C'est super, mon cœur. Elle est vraiment jolie.

Elle nous a embrassés tous les trois, tandis qu'on admirait à tour de rôle sa boîte à casse-croûte.

— Tu es contente d'aller à l'école ? a demandé Marge.

London a hoché la tête.

— Je commence mardi.

— Je sais, a dit ma sœur. Ton papa me l'a dit. Et aussi que tu avais rencontré ta maîtresse d'école.

— Elle s'appelle Mme Brinson. Elle est vraiment gentille. Même qu'elle a dit que je pourrais peut-être amener M. et Mme Sprinkles pour les présenter à la classe et raconter comment je m'en occupe.

— Ce serait super, a répliqué ma sœur. Je suis sûre que les autres enfants vont les adorer. Où sont-ils d'ailleurs ? Tu les as amenés ?

— Non. Ils sont à la maison. Maman a dit qu'il faisait trop chaud pour les laisser dans la voiture pendant qu'on faisait les courses.

— Elle a probablement raison. Il fait très chaud aujourd'hui.

— Tu as faim ? ai-je demandé à ma fille.

— Maman et moi, on a déjeuné il y a pas longtemps.

C'est donc là que vous étiez.

— Tu as vu mamie à la cuisine ?

— Elle a dit qu'on allait faire un dessert au chocolat avec de la crème fouettée. C'est juste un goûter, alors ça me gâchera pas mon dîner. Et après on va planter des fleurs.

— Ça m'a l'air sympa. Et papy ?

— Je me suis assise sur ses genoux pendant un petit moment. Sa moustache m'a chatouillée quand il m'a fait un bisou. Il aime bien ma boîte à tartines aussi.

— Tu m'étonnes. Tu as regardé le match avec lui ?

— Pas vraiment. On a parlé de M. et Mme Sprinkles et il m'a dit qu'ils lui manquaient. Et après on a parlé de l'école et de mon vélo, et même qu'il a dit qu'il aimerait me voir en faire. Et après il a dit que quand il était petit, il faisait du vélo tout le temps. Même qu'un jour il a roulé jusqu'au lac Norman et il est revenu, tout ça en vélo.

— C'est un long chemin, ai-je commenté, sans douter un instant des exploits de mon père.

Ça ressemblait à un exploit dont il était tout à fait capable. Juste à ce moment-là, Vivian a surgi de la maison.

Je me suis levé pour embrasser ma femme. Marge et Liz aussi, avant de se rasseoir. Vivian s'est jointe à nous.

Elle a rajusté la robe de London.

— Je pense que mamie t'attend à la cuisine, ma puce.

— OK ! a lâché London en disparaissant dans la maison.

Quand la porte s'est refermée derrière elle, je me suis tourné vers Vivian, toujours contrarié au sujet de son compte en banque séparé, mais ce n'était ni le lieu ni le moment de lui dire ce que j'en pensais.

Je me suis donc efforcé de sourire en faisant comme si tout allait bien.

— Comment ça s'est passé alors ?

— Tu n'imagines pas combien c'était pénible, a soupiré Vivian. Ça nous a pris des heures pour trouver le bon sac à dos. Ils étaient quasiment partout en rupture de stock, mais finalement on a eu de la chance dans le dernier magasin. Inutile de te préciser qu'il y avait un monde fou de tous les côtés. À croire que les gens avaient tous eu la même idée à Charlotte, attendre la dernière minute pour les fournitures scolaires. Alors, bien sûr, j'ai dû acheter de quoi grignoter à London, parce qu'elle mourait de faim quand on a eu enfin terminé les courses.

— Le shopping, c'est pas pour les âmes sensibles, a observé Marge.

— Au moins, c'est fait, a repris Vivian.

Elle s'est tournée vers Marge et Liz, en posant son regard quelque part entre elles.

— Comment ça va, les filles ? Des voyages au programme ?

Marge et Liz adoraient toutes les deux voyager ; depuis qu'elles étaient ensemble, elles avaient visité plus d'une quinzaine de pays.

— La semaine prochaine, on va à Houston voir mes parents, a répondu Liz. En octobre, on part au Costa Rica. Juste après l'anniversaire de London.

— Waouh… Qu'est-ce que vous avez prévu là-bas ?

— Place à l'aventure. Tyroliennes, rafting, randonnée dans la forêt montagneuse humide, et on verra le volcan Arenal.

— Programme alléchant.

— J'espère bien. Ensuite, début décembre, on va à New York. Il y a certains spectacles qu'on a envie de voir, et j'ai entendu dire que le Musée commémoratif du 11-Septembre était vraiment émouvant.

– J'adore New York à la période des fêtes. Je n'aurais jamais cru que ça me manquerait quand j'ai déménagé, mais de temps à autre je me surprends à me demander pourquoi j'ai quitté cette ville, en fait.

On l'a quittée parce qu'on se mariait. Je ne l'ai pas dit, mais Liz – fidèle à elle-même – a dû sentir mon agitation et, comme moi, tenait à préserver une bonne ambiance.

– Elle ne ressemble à aucune autre, pas vrai ? a-t-elle dit. On se régale toujours quand on y va.

– Si vous avez besoin de réserver dans certains restaurants, faites-moi signe. Je peux appeler mon ancien patron, je suis sûre qu'il pourra faire marcher ses relations.

– Merci. On y pensera. Comment se passe le transfert des bureaux à Atlanta ?

– Ça se passe, ma foi. Bizarrement, je me suis retrouvée responsable de la logistique et c'est plus de boulot que je ne l'imaginais. Je dois être à Atlanta deux ou trois jours à la fin de la semaine.

– Mais tu seras là pour la rentrée de London ?

– Pas question de manquer ça.

– Je suis sûre que London en sera ravie. Il y a déjà une date officielle pour le déménagement ? À Atlanta, je veux dire ?

– Vers la mi-septembre, j'imagine. Les bureaux vont être formidables. Situés sur Peachtree Street, avec une vue imprenable. Et Walter a même installé une partie des cadres dans des apparts provisoires de la société, ça facilite aussi les choses.

– Tu vas utiliser un de ces logements ?

– Je suppose que ça dépend du temps que je vais y passer.

Ça dépend ?

Avant que je me creuse la tête pour trouver ce que ça *signifiait*, Liz a enchaîné :

– Mais tu pourras toujours travailler principalement à Charlotte, non ?

– J'espère bien, mais qui sait ? Cette semaine, je passe trois jours à Atlanta, mais Walter caresse plus ou moins l'idée de se présenter comme gouverneur. Pas l'an prochain, mais en 2020. Entre ses projets immobiliers, son PAC et maintenant ce truc, ça ne m'étonnerait pas de devoir rester là-bas quatre jours par semaine.

– Ça fait beaucoup de nuits d'hôtel.

– Si j'y passe autant de temps, je vais probablement accepter l'offre de Walter pour un appart de la société.

– Sérieux ? ai-je répliqué en réagissant enfin, incapable de me retenir.

– Qu'est-ce que tu veux que je te dise ? Liz a raison au sujet de la vie à l'hôtel.

– J'aimerais autant que tu ne prennes pas un logement à Atlanta, ai-je dit, en me demandant pour quelle raison je le découvrais à ce moment-là plutôt qu'en privé.

– Je sais bien, mais tu crois que j'en ai envie ?

Je n'ai pas réagi, parce que je n'étais pas certain de connaître la réponse.

– Pourquoi veut-il se présenter comme gouverneur ? a questionné Marge en interrompant mes pensées. Il a déjà tout l'argent et le pouvoir qu'il lui faut.

– Pourquoi pas ? Il réussit tout ce qu'il entreprend. Il fera sûrement un excellent gouverneur.

Pendant que Vivian parlait, je pensais encore au compte en banque et à l'appartement. Marge aussi, sans doute, à en croire son expression. Liz, pendant ce temps, excellait à maintenir la conversation sur un terrain neutre.

– J'ai dans l'idée qu'il va te donner pas mal de boulot dans les années à venir, a suggéré Liz.

– Je suis déjà très occupée tous les jours.

– Et ça te plaît, a observé Liz.

– En effet. Le travail me manquait, et c'est génial comme boulot. J'ai l'impression de redevenir enfin moi-même, si toutefois ça vous parle.

– C'est tout à fait parlant, a admis Liz. Je dis toujours à mes patients qu'un job qui compte pour eux est essentiel à leur bonne santé mentale.

– Être une mère au foyer, ça compte aussi, ai-je fait remarquer.

– La question n'est pas là, a dit Liz. Je crois que tout le monde approuve l'idée que rester à la maison pour élever un enfant, c'est important. Est-ce que ça a été dur de te séparer de London, Vivian ?

– Je sais que je lui manque, a répondu ma femme. Mais je pense qu'il est important aussi qu'elle me voie travailler à l'extérieur. La dernière chose que je souhaite, c'est qu'elle pense que les femmes puissent avoir comme unique but d'être enceinte et de traîner pieds nus dans la cuisine.

Je suis intervenu :

— À quel moment tu t'es retrouvée enceinte et pieds nus dans la cuisine ?

— C'est une image, Russ. Tu vois où je veux en venir. Et franchement, ça t'a fait du bien aussi, mon travail. Je pense que tu respectes beaucoup plus la vie qui a été la mienne pendant cinq ans.

— J'ai toujours eu du respect pour ce que tu faisais, ai-je rétorqué, fatigué d'avoir l'impression d'être en permanence dans l'obligation de me défendre. Et oui, tu as raison de dire que s'occuper de London nécessite beaucoup d'énergie. Mais je travaille aussi, et c'est de jongler entre les deux qui a été le plus difficile.

Vivian a plissé les yeux un instant, détestant manifestement ma remarque. Elle a reporté son attention sur Marge.

— À part ça ? Tout se passe bien au boulot ?

C'était le genre de question bateau qui définissait leur relation : une question sans conséquences, qui maintenait la conversation à un niveau superficiel.

— Comme on dit, chaque fois qu'on veut animer une fête au bureau, on invite deux ou trois croquemorts.

Malgré moi, j'ai souri. Vivian, pas du tout.

— Je ne sais pas comment tu fais, a repris ma femme. Je ne m'imagine pas contemplant sans arrêt des chiffres et négociant avec le fisc.

— Ce n'est pas donné à tout le monde, mais j'ai toujours été douée avec les chiffres. Et ça me plaît d'aider mes clients.

— Alors tant mieux, a dit Vivian.

Elle n'a rien ajouté et aucun de nous quatre n'a plus rien dit. Marge a tripoté ses ongles, tandis que Liz rajustait le bas de son short. Pas besoin d'être un génie pour comprendre que l'ambiance légère qui avait régné tout l'après-midi s'était dissipée sitôt que Vivian était venue s'asseoir sous la véranda. Même elle semblait à court de mots. Son regard se perdit dans le vague avant de se focaliser encore, et à contrecœur, sur Marge :

— À quelle heure vous êtes arrivées, les filles ?

— Vers midi et demie, a répondu ma sœur. Quelques minutes après Russ.

– J'ai loupé quelque chose, sinon ?

– Pas vraiment. C'est juste un samedi comme les autres. Maman a passé la journée dans la cuisine et on est allées se balader. Papa a d'abord bricolé dans le garage jusqu'à ce que le match de base-ball commence. Et bien sûr, j'ai taquiné ton mari pendant un petit moment.

– Bravo. Il a besoin que quelqu'un lui remonte les bretelles de temps en temps. Il est un peu mal luné en ce moment. À la maison, j'ai l'impression de toujours tout faire de travers.

Je me suis tourné vers elle, trop éberlué pour parler à nouveau, et je me suis demandé : *Tu es en train de parler de moi ou de toi ?*

*
* *

Comptes en banque séparés. Appartement de fonction. L'éventualité de quatre nuits par semaine à Atlanta.

Plus je songeais aux « surprises du samedi » de Vivian, plus j'en venais à la soupçonner d'avoir abordé le sujet chez mes parents parce qu'elle savait que je ne ferais pas de scène en présence d'autres personnes. Bien sûr, une fois de retour à la maison, elle dirait qu'on en avait déjà discuté et qu'il n'y avait donc pas lieu d'y revenir ; et si j'insistais, elle dirait que je cherchais la dispute. Bref, c'était une situation gagnant-gagnant pour elle et je n'avais aucun recours ; mais ce qui me dérangeait encore plus que sa manipulation flagrante, c'était que la perspective de passer plus de temps séparés l'un de l'autre ne paraissait pas la troubler. Qu'est-ce que ça signifierait pour nous deux ? Et pour London ?

Je ne savais pas trop. Je n'avais pas envie de quitter Charlotte mais, dans le pire des cas, je le ferais. Mon couple était important à mes yeux – ma famille l'était aussi – et je ferais tout pour qu'on reste ensemble. Quant à mon agence, ce n'était pas comme si j'étais fermement établi à Charlotte ; et si la possibilité de déménager se dessinait, alors je devais peut-être me mettre à prospecter mes clients à Atlanta, à supposer que je connaisse un peu mieux l'emploi du temps à venir de Vivian. Mais tout ça demeurait encore trop flou et incertain.

Et pourtant… si je suggérais l'éventualité d'un déménagement pour nous trois, je n'étais pas sûr de savoir comment Vivian réagirait. Est-ce qu'elle le souhaiterait, en fait ? J'avais l'impression que Vivian et moi glissions chacun peu à peu dans des directions opposées et, plus je tentais de m'accrocher à elle, plus elle semblait déterminée à se détacher de moi. Son désir de cacher des choses me tracassait et, alors que j'avais supposé qu'on se soutiendrait l'un l'autre dans les défis présentés par nos jobs respectifs, je ne pouvais m'ôter de la tête que Vivian n'était pas très emballée par ce genre de dépendance mutuelle. Au lieu de « Elle et moi contre le monde entier », ça ressemblait plus à « Vivian contre moi ».

Mais bon, peut-être que j'attachais une trop grande importance à tout ça ; peut-être que je cherchais trop la petite bête et me focalisais trop sur ses défauts et pas assez sur ses qualités. Dès que London irait à l'école et qu'on se serait adaptés à nos emplois du temps respectifs, la situation pourrait ne pas paraître aussi lugubre et notre vie repartirait de plus belle.

Ou peut-être pas.

Pendant que je gambergeais, Vivian discutait de divers spectacles de New York avec Marge et Liz. Elle a continué en leur recommandant de faire un tour au bar en terrasse de la 57ᵉ Rue, avec vue sur Central Park, qui n'était pas trop connu ; je me revoyais alors y amener Vivian quand on traînait le dimanche après-midi, à l'époque où je croyais compter plus que tout à ses yeux. Tout ça me paraissait si loin désormais.

London est alors arrivée avec les entremets ; elle a tendu une coupelle à Liz et une autre à Marge puis nous a servis, Vivian et moi. Malgré tout ce qui m'agitait intérieurement, London était si enthousiaste que je n'ai pu m'empêcher de sourire.

— Ça m'a l'air délicieux, mon cœur, ai-je dit. Qu'est-ce qu'il y a dedans ?

— Du chocolat et de la crème fouettée, a répondu la petite. C'est comme un gâteau Oreo tout mou et j'ai aidé mamie à les préparer. Je vais aller manger le mien avec papy, OK ?

— Je suis sûr qu'il va adorer. (J'ai pris une bouchée, avant d'ajouter :) Succulent ! Tu es un grand chef.

— Merci papa !

Pour mon plus grand plaisir, elle s'est penchée et m'a fait un bisou avant de rentrer dans la maison, sans doute pour déguster deux ou trois autres coupelles sur les genoux de mon père.

Vivian avait vu London m'embrasser et, si elle avait réagi par un sourire inoffensif, je ne savais pas trop ce qu'elle éprouvait de se sentir exclue. Sitôt que London a refermé la porte, ma femme a reposé le dessert sur la table, le sucre étant son ennemi juré. Contrairement à Marge, Liz ou moi. Marge en était à sa deuxième bouchée quand elle a repris la parole.

— Une grosse semaine t'attend. London fait sa rentrée, Vivian est en déplacement, et tu tournes tes spots de pub, non ? Ça démarre quand ?

— On répète mercredi après-midi et on tourne jeudi et vendredi, puis deux ou trois jours la semaine prochaine. J'ai aussi un casting dans huit jours.

— Très, très occupé.

— Ça va aller, ai-je dit en réalisant que je le pensais vraiment.

Avec London en classe, j'avais huit heures de liberté pour travailler, ce qui semblait un temps infini comparé à la vie que je menais actuellement. J'ai repris une bouchée de dessert en sentant le regard de Vivian sur moi.

— Quoi ? ai-je fait.

— Tu ne vas pas le manger en entier, si ? m'a-t-elle demandé.

— Pourquoi pas ?

— Parce qu'on dîne dans une heure. Ce n'est pas bon pour toi.

— Je crois que je peux me le permettre. J'ai perdu près de trois kilos ce mois-ci.

— Alors pourquoi essayer de les reprendre ? a-t-elle répliqué.

Comme je ne ripostais pas, Liz s'est éclairci la voix, puis :

— Et toi, Vivian ? Tu vas toujours à la gym et tu fais toujours du yoga dans cette salle au centre-ville ?

— Seulement le samedi. Mais je m'entretiens à la salle de sports de l'entreprise deux à trois fois par semaine.

J'ai battu des paupières.

— Il y a une salle sur place ?

— Tu sais bien. Tu m'as vue prendre mon sac de sport en partant au travail. Sinon je n'aurais pas eu le temps. Bien sûr, quelquefois on discute boulot, selon le dirigeant qui se trouve à la salle au même moment.

Même si elle n'a pas cité de nom, j'avais l'impression désagréable que par dirigeant, ma femme faisait en réalité allusion à Walter, ce qui se révélait la « surprise du samedi » la plus cruelle de toutes.

*
* *

À ce stade, j'étais carrément abattu. Vivian et Marge ont poursuivi leur conversation superficielle et je me suis déconnecté, alors que mes pensées explosaient comme des feux d'artifice entre mes oreilles.

London et ma mère ont alors surgi de la maison, toutes les deux avec des gants de jardin. Ma fille avait visiblement emprunté les siens à ma mère, car ils paraissaient avoir trois tailles de trop.

— Hé, ma puce ! me suis-je écrié. C'est parti pour planter des fleurs ?

— J'ai des gants, papa ! Et mamie et moi on va faire une plate-bande trooop jooolie !

— Bravo !

J'ai observé ma mère soulever un bac en plastique contenant des petits pots avec des soucis déjà éclos. London a saisi deux plantoirs et ma mère l'a écoutée attentivement jacasser comme une pie tandis qu'elles s'approchaient de la fameuse plate-bande.

— Tu as remarqué comme maman se débrouillait bien avec London ? a demandé Marge. Elle est patiente, enjouée, sympa.

— Tu as l'air un peu amère en disant ça, a observé Liz.

— Je le suis. Ce n'est pas comme si maman avait jamais planté des fleurs avec moi. Ou montré comment réaliser un dessert. Pas plus qu'elle n'était patiente, enjouée et sympa en général. Quand elle me parlait, elle avait toujours des corvées à me donner.

— Es-tu ouverte à l'idée que tes souvenirs sont peut-être un peu sélectifs ? a répliqué Liz.

— Non.

Liz a éclaté de rire.

— Peut-être que tu devrais simplement accepter le fait qu'elle aime plus London qu'elle ne vous a jamais aimés, Russ et toi.

– Aïe ! Ce n'est pas très thérapeutique.

Vivian est intervenue :

– J'aimerais que London voie davantage mes parents. Ça m'attriste qu'elle n'ait pas les mêmes rapports avec eux. Comme si elle laissait passer l'occasion de connaître ma famille.

– Quand sont-ils venus pour la dernière fois ? a demandé Liz.

– Thanksgiving.

– Pourquoi ne reviendraient-ils pas cet été ?

– La société de mon père s'est engagée dans une énorme fusion et ma mère n'aime pas voyager sans lui. Je pourrais leur amener la petite, mais en ce moment, quand aurais-je le temps ?

– Peut-être que ça changera quand les choses se seront calmées, a dit Liz.

– Peut-être, a dit Vivian en fronçant soudain les sourcils comme elle regardait London creuser la terre, pendant que ma mère plantait les fleurs. Si j'avais su que London allait faire du jardinage, j'aurais apporté des vêtements de rechange. Sa robe est quasiment neuve et elle se mettra dans tous ses états si elle ne peut plus la porter à nouveau.

Je doutais fort que London se soucie autant de la robe que Vivian. La petite ne devait probablement pas se souvenir de la moitié des robes de sa penderie, mais mes pensées furent interrompues par un cri perçant qu'elle venait de pousser, un hurlement de douleur et de peur…

– AÏE ! AÏE ! AÏE ! ÇA FAIT MAL, PAPAAAA !

En un clin d'œil, le monde a explosé en mille et une images incohérentes ; je me suis vu me lever, la chaise dégringolant dans mon dos… Liz et Marge on tourné la tête, effarées… Vivian restait bouche bée… Ma mère tendait la main vers London… Toute rouge, en larmes, secouant la tête, le visage convulsé.

– ÇA FAIT MAL, PAPA !!!

D'un bond, j'ai quitté la véranda en courant vers elle, l'adrénaline me donnant des ailes. Arrivé à sa hauteur, je l'ai prise dans mes bras.

– Qu'est-ce qu'il y a ? Qu'est-ce qui s'est passé ?

London sanglotait trop fort pour me répondre, ses cris l'avaient épuisée, et elle éloignait sa main de son corps.

– Qu'est-ce qui ne va pas ? Tu t'es blessée ?

– Elle a été piquée par une abeille ! s'est écriée ma mère, le visage blême. Elle essayait de la chasser avec la main et…

Vivian, Liz et Marge nous avaient rejoints. Même mon père était apparu et se hâtait vers nous.

– C'était une abeille ? ai-je demandé. Une abeille t'a piquée ?

J'essayais de lui prendre la main, mais London ne cessait de l'agiter avec frénésie, convaincue que l'abeille était toujours dessus.

Vivian lui a rapidement saisi le bras et le lui a tourné, en scrutant enfin le dos de la main de London.

– Je vois le dard ! a-t-elle crié à la petite, qui continuait à gesticuler. Je dois le retirer, OK ?

Vivian lui maintint le bras plus fort.

– Ne bouge pas !

À l'aide de ses ongles, elle s'y est reprise à deux ou trois fois puis, d'un mouvement vif, est parvenue à retirer le dard.

– Je l'ai ôté, mon cœur, annonça-t-elle. Je sais que ça fait mal, mais ça va aller maintenant.

Guère plus de quinze secondes s'étaient écoulées depuis le premier hurlement de London, mais ça nous avait paru bien plus long. London pleurait encore, mais elle gesticulait moins et ses cris avaient cessé quand je l'avais prise dans mes bras. Ses larmes mouillaient encore ma joue, comme tout le monde se pressait autour d'elle pour tenter de la réconforter.

– Chuuut… ai-je murmuré. Tu es avec moi maintenant…

– Ça va mieux ? a demandé Marge lui en caressant le dos.

– Elle a dû avoir mal, pauvre chou… a ajouté Liz.

– Je vais chercher le bicarbonate de soude… a dit ma mère.

– Viens mon bébé, a dit Vivian en tendant les mains vers la petite. Viens contre maman…

Les bras de Vivian s'enroulaient autour de London mais, brusquement, elle a enfoui le visage dans mon cou.

– Je veux papa ! a-t-elle décrété.

Et, quand Vivian l'a soulevée, j'ai senti London me serrer plus fort, en m'étranglant presque, jusqu'à ce que ma femme cède.

J'ai porté la petite jusqu'à ma chaise et m'y suis assis en écoutant ses sanglots diminuer peu à peu. Entre-temps, ma mère avait mélangé du bicarbonate à de l'eau pour former une pâte et l'avait apporté à table, avec une cuiller.

— Ça va faire désenfler la piqûre et apaiser la démangeaison, a-t-elle déclaré. Tu veux voir comment je fais, London ?

La petite s'est détachée de mon cou et a regardé ma mère lui appliquer la pâte sur la peau.

— Ça va piquer ?

— Pas du tout, a répondu ma mère. Tu vois ?

London s'était remise à renifler et, quand ma mère eut terminé, elle rapprocha sa main.

— Ça fait encore mal.

— Je sais bien, mais ça va t'aider à aller mieux, OK ?

London a hoché la tête, tout en examinant sa main. D'un doigt, j'ai essuyé ses larmes.

On est restés assis là autour de la table à parler de tout et de rien, en essayant de distraire London et en guettant une éventuelle réaction allergique. Personne n'en attendait une, car ni Vivian ni moi n'étions allergiques, et London ne l'avait pas été aux fourmis rouges ; mais comme elle se faisait piquer pour la première fois, on avait des doutes. London semblait respirer normalement et sa main n'avait pas enflé davantage ; quand on en est venus à parler de M. et Mme Sprinkles, elle a même paru oublier sa douleur, ne serait-ce que quelques minutes.

Quand on eut compris que la petite irait bien, je me suis dit que tous les adultes avaient paniqué pour rien. Notre affolement, notre empressement à l'apaiser, notre agitation autour d'elle m'ont semblé un peu ridicules. Ce n'était pas comme si elle s'était cassé un bras ou fait renverser par une voiture, après tout. Ses hurlements de douleur étaient bien réels, mais bon… elle avait simplement été piquée par une abeille. Enfant, j'avais dû me faire piquer à cinq ou six reprises, et la première fois ma mère ne m'avait pas fait un cataplasme avec du bicarbonate, pas plus qu'elle ne m'avait pris dans ses bras pour me réconforter. Si ma mémoire est bonne, elle m'avait simplement dit d'aller retirer le dard sous l'eau et mon père un truc du genre : « Arrête donc de pleurer comme un bébé. »

Lorsque ma mère a demandé à London si elle voulait encore du dessert au chocolat, la petite a bondi de mes genoux et m'a embrassé, avant de la suivre à la cuisine. Elle tendait la main devant elle comme un chirurgien prêt à opérer. J'ai d'ailleurs fait la remarque à voix haute en provoquant l'hilarité de Marge et Liz.

Vivian, en revanche, n'a pas ri du tout. Derrière ses yeux mi-clos, son regard semblait m'accuser d'un crime : la trahison.

13

Crime et châtiment

J'avais douze ans et Marge dix-sept quand elle a fait son coming out, ou ce qu'on utilisait à l'époque comme expression politiquement correcte pour dire ça. Marge n'avait pas conscience d'être politiquement correcte, d'ailleurs ; ça s'est passé comme ça, voilà tout. On traînait dans sa chambre et le sujet du bal de rentrée au lycée est venu sur le tapis. Quand je lui ai demandé pourquoi elle n'y allait pas, elle s'est tournée vers moi :

— Parce que j'aime les filles, a-t-elle répliqué brusquement.

Je me souviens de lui avoir dit :

— Oh, moi aussi j'aime les filles.

Je pense qu'une partie de moi soupçonnait plus ou moins Marge d'être homo, mais à cette époque tout ce que je savais de la sexualité se limitait à des conversations en douce dans les couloirs de l'école ou au film interdit au moins de dix-huit ans que j'avais dû voir à l'occasion. Si elle me l'avait annoncé un an plus tard, quand je bloquais la porte de ma chambre quasiment tous les jours avec une chaussure, histoire d'avoir un peu d'intimité, j'ignore comment j'aurais réagi, même si j'imagine que ça aurait fait un drame. À treize ans, au collège, tout ce qui sort de l'ordinaire est considéré comme la pire chose au monde, y compris les frangines.

— Ça te dérange ? m'a-t-elle demandé, soudain obnubilée par ses cuticules qu'elle tripotait.

C'est seulement quand je l'ai regardée — vraiment regardée en face — que j'ai compris à quel point ça l'angoissait de m'en parler.

— Non, je ne pense pas. Papa et maman sont au courant ?

— Non. Et ne leur dis pas un mot. Ça va les faire flipper sinon.

— OK, ai-je accepté sincèrement.

Et ce secret est resté entre nous jusqu'à l'année suivante, lorsque Marge s'est attablée avec mes parents dans la salle à manger et leur a elle-même annoncé la nouvelle.

Ça ne fait pas de moi une âme noble, pas plus qu'on ne peut en déduire quoi que ce soit sur mon caractère. Même si je percevais son angoisse, je n'étais pas assez mûr pour mesurer toute la gravité de ce qu'elle m'avait confié. En grandissant, les choses seraient différentes. Être gay c'était mal, être gay c'était un péché. Je n'avais aucune idée des conflits intérieurs que Marge allait devoir affronter ou des propos que les gens tiendraient dans son dos… et parfois même devant elle. Et je n'ai pas l'arrogance de croire que je puisse vraiment comprendre tout ça, même aujourd'hui. Dans mon cerveau de gamin de douze ans, l'univers était plus simple, et le fait que ma sœur aime les filles ou les garçons n'avait franchement aucune importance à mes yeux. Je détestais, par exemple, quand elle me clouait au sol sur le dos, ses genoux bloquant mes bras, pendant qu'elle me frottait le torse avec ses phalanges ; je détestais quand Peggy Simmons, une fille qui me plaisait, se présentait à la porte et que ma sœur lui disait : « Il ne peut pas venir parce qu'il est aux toilettes et ça fait un bon bout de temps », avant de lui demander : « T'aurais pas des allumettes par hasard, histoire de faire partir l'odeur ? »

Ma sœur. Toujours prête à être sympa avec moi.

Quant à l'apprécier ou non, rien de plus simple. Tant qu'elle ne faisait rien de détestable, j'étais plus que ravi de l'aimer. À l'instar de tous les jeunes frères et sœurs, Marge était un peu mon héros, et sa révélation n'y a rien changé. À mes yeux, mes parents la considéraient comme une jeune adulte, alors qu'ils me traitaient comme un enfant, avant et après sa révélation. Ils attendaient davantage de sa part, qu'il s'agisse des tâches ménagères ou de s'occuper de moi. Je dois aussi admettre que Marge a facilité mon passage à l'âge adulte, parce qu'elle m'avait précédé dans les rapports avec les parents. Après tout, la surprise et la déception vont toujours de pair quand il s'agit d'élever des enfants ; alors, moins il y a de surprises, moins il y a de déceptions.

Quand j'ai filé un soir en douce avec la voiture familiale ? Eh bien, Marge l'avait fait des années plus tôt.

Quand j'ai trop bu à une fête du lycée ? Bienvenue au club !

Quand j'ai grimpé en haut du château d'eau, comme le faisaient les jeunes du coin ? C'était déjà le refuge préféré de Marge.

Quand je suis devenu un ado mal luné qui adressait à peine la parole à ses parents ? Marge leur avait appris aussi à ne pas s'en étonner.

Ma sœur, bien sûr, ne manquait jamais de me rappeler à quel point la vie était plus facile pour moi ; pour être juste, ça m'a souvent conduit à avoir l'impression d'être une pièce rapportée dans la famille — et ce n'était pas simple à vivre non plus.

Bref, chacun de nous deux avait matière à se vexer mais, dans nos combats personnels, on s'est de plus en plus soutenu mutuellement au fil des années.

Quand on en parle aujourd'hui de ce qu'on a traversé, ma sœur minimise la difficulté qui fut la sienne à se déclarer homo face aux autres, et ça m'incite à l'admirer d'autant plus. Être différent n'est jamais facile et j'ai l'impression que le fait de l'être dans le Sud, et dans une famille chrétienne, n'a fait que renforcer sa détermination à donner d'elle-même une image invulnérable. En tant qu'adulte, elle vit dans un monde défini par des chiffres, des tableurs et des calculs. Lorsqu'elle s'adresse à autrui, elle essaie de se cacher derrière son esprit vif et sa dérision. Elle évite toute familiarité avec la plupart des gens et, bien qu'on soit proches, je me demande si ma sœur ne juge pas parfois utile de cacher ses émotions, même à moi. Je sais que si je le lui faisais remarquer, elle nierait ; elle me rétorquerait que si je voulais de la sensibilité, je devrais réclamer à Dieu une nouvelle sœur, du genre à avoir toujours un Kleenex sous la main au cas où une chanson triste passerait à la radio.

Dernièrement, je me suis surpris à souhaiter l'épater en lui montrant que je l'avais percée à jour, que j'avais toujours aimé la personne qu'elle était. Mais aussi proches qu'on puisse être, nos conversations n'atteignaient jamais une telle profondeur. Comme la plupart des gens, je suppose, on parlait de nos activités respectives, en dissimulant nos peurs comme une tortue qui rentre la tête sous sa carapace.

Mais j'ai aussi vu Marge au plus bas.

C'était en rapport avec une certaine Tracey, sa colocataire. Marge était en première année à l'université de Caroline du Nord, à Charlotte et, si elle ne faisait aucun mystère de son orientation sexuelle, elle ne l'étalait pas non plus. Tracey était donc au courant depuis le début, mais ça n'avait apparemment jamais posé problème. Comme elles étaient souvent ensemble, Marge et elle avaient naturellement noué une forte amitié, comme cela arrivait souvent à des colocs de fac. Tracey avait un petit copain dans sa ville d'origine et, après leur séparation, Marge a été là pour ramasser les morceaux. Tracey a finalement remarqué que Marge était attirée par elle et ne l'en a pas dissuadée ; elle a même pensé qu'elle était peut-être bisexuelle, mais sans en avoir la certitude. Et puis un soir c'est arrivé. Marge se réveilla le lendemain matin en ayant le sentiment d'avoir découvert en Tracey cette partie manquante ; Tracey se réveilla encore plus troublée, mais prête à donner une chance à cette relation. Sur la demande insistante de Tracey, elles se montrèrent discrètes, mais ça ne dérangea pas ma sœur ; dans les mois qui suivirent, Marge devint d'autant plus amoureuse. Tracey, en revanche, commença à se détacher d'elle et, au retour des vacances de Pâques, lui annonça qu'elle s'était réconciliée avec son petit copain et n'était pas sûre de pouvoir rester amie avec Marge. Elle lui dit qu'elle *allait déménager dans un appartement loué par ses parents et que ce que Marge et elle avaient partagé n'était rien d'autre qu'une expérience. Bref, ça n'avait rien signifié pour elle.*

Marge m'a appelé juste avant minuit. Elle buvait et bafouillait, me racontait des bribes de l'histoire, en mangeant ses mots et en me disant qu'elle voulait mourir. Je venais d'avoir mon permis de conduire et, curieusement, je savais où la trouver. J'ai roulé à toute vitesse jusqu'au château d'eau et j'ai trouvé sa voiture garée tout près. J'ai grimpé là-haut et découvert ma sœur assise près du bord, les jambes ballant dans le vide. Il y avait une bouteille de rhum entamée à côté d'elle et j'ai tout de suite compris qu'elle était plus que pompette et ne savait plus ce qu'elle disait. En me voyant, elle s'est encore rapprochée du bord.

Tout en lui parlant calmement, j'ai réussi à la convaincre de me laisser m'avancer vers elle ; quand je l'ai enfin touchée, j'ai passé un bras autour d'elle en la faisant reculer peu à peu. Je l'ai tenue ainsi contre moi alors qu'elle sanglotait et on est restés en haut du château d'eau pratiquement jusqu'à l'aube. Elle m'a supplié de ne rien dire à nos parents et après que je le lui ai promis, je l'ai raccompagnée à sa cité universitaire et mise au lit. À mon retour à la maison, mes parents étaient livides : à seize ans, j'avais passé la nuit dehors. Ils m'ont privé de sortie pendant un mois et j'ai perdu le droit de conduire pendant trois mois de plus.

Mais je ne leur ai jamais dit où j'étais allé, ni dans quel état se trouvait ma sœur ce soir-là, ou ce qui aurait pu lui arriver si je ne l'avais pas rejointe. Cela me suffisait de savoir que j'avais été là pour elle, que je l'avais tenue dans mes bras au moment où elle en avait le plus besoin, tout comme je savais qu'elle le ferait pour moi.

*
**

Inutile de préciser qu'après le dîner chez mes parents, la soirée en amoureux décalée n'a pas eu lieu. Vivian n'était pas de bonne humeur quand on est rentrés à la maison. Moi non plus.

Le dimanche matin a débuté paresseusement, à savoir que je me suis accordé une troisième tasse de café après avoir couru huit kilomètres, ma plus longue distance depuis dix ans. London regardait un film au salon et je lisais le journal sous la véranda de derrière, quand Vivian est sortie.

– Je pense que ma fille et moi avons besoin d'une journée « Maman et Moi », a-t-elle annoncé.

– Une quoi ?

— Tu sais bien, des trucs de filles. On va se pomponner, se faire soigner les mains et les pieds, aller chez le coiffeur, des trucs comme ça. Une espèce de petite fête avant son premier jour d'école, et contrairement à hier on n'aura pas besoin de courir comme des cinglées.

— Il y a des salons ouverts le dimanche ?

— On trouvera quelque chose, a-t-elle répliqué. Une manucure ne me ferait pas de mal, d'ailleurs.

— Est-ce que London sait au moins ce qu'est une manucure ?

— Bien sûr. Et ce sera chouette de passer du temps avec elle, tu sais ? Je travaille trop ces temps-ci. Ça te permettra de souffler toi aussi, et tu pourras faire l'andouille, travailler, peu importe.

— Quand m'as-tu vu faire l'andouille ?

— Tu sais très bien ce que je veux dire. Bref, je vais devoir l'aider à choisir ses vêtements. Je veux qu'on soit impeccables pour marquer le coup.

— Une vraie journée entre nanas, quoi. J'espère que vous allez bien vous amuser toutes les deux.

— C'est sûr.

— Combien de temps vous allez vous absenter, d'après toi ?

— Oh, je n'en sais rien. Ça dépend. On risque de ne pas rentrer avant le dîner, si London veut déjeuner sur place. J'ai envie qu'on prenne notre temps, tu vois. Qui sait ? Peut-être qu'elle voudra aller voir un film.

Trois quarts d'heure plus tard, elles franchissaient la porte et j'avais la maison pour moi tout seul. Ce n'était pas si courant ces derniers temps, mais je m'étais tellement habitué à courir ici et là que je ne savais pas trop comment m'occuper. Puisque tout était quasiment réglé pour Taglieri, je n'avais pas vraiment grand-chose à faire côté boulot et, hormis deux ou trois assiettes à mettre dans le lave-vaisselle, la maison était nickel. J'avais fini mon sport et mon journal, et passé la majeure partie de la veille chez mes parents… Bref, au bout d'une heure, je tournais en rond dans la maison. Il me manquait quelque chose – ou plutôt quelqu'un – et j'ai réalisé que ce que j'avais réellement envie de faire – si j'avais eu le choix –, c'était de me promener à vélo avec London, et qu'on profite ensemble d'un merveilleux dimanche après-midi de farniente.

Vivian et London ne sont pas rentrées avant 7 heures du soir et j'ai déjeuné et dîné en solo.

J'aurais aimé être le genre de gars qui serait allé à la salle de sport ou aurait médité, ou passé l'après-midi à lire une biographie de Teddy Roosevelt ; mais cette journée en demi-teinte m'a conduit à une baisse d'énergie, sans la moindre ambition de développement personnel. Bref, j'ai fini par surfer sur Internet, un clic en entraînant un autre, selon ce qui suscitait mon intérêt. J'ai lu un article au sujet d'une méduse géante échouée sur un plage d'Australie, un autre sur les problèmes en cours au Moyen-Orient, un autre encore sur l'extinction imminente des gorilles en Afrique centrale, avant de finit sur les *Dix meilleurs aliments pour réduire rapidement la graisse abdominale* !

Si je pouvais me flatter d'une chose, c'est que je n'avais pas lu un seul potin sur la moindre célébrité. Pas de quoi non plus rouler des mécaniques, mais c'était pas mal, non ?

Vivian et London étaient toutes les deux épuisées en rentrant à la maison, mais c'était une bonne fatigue. London m'a montré ses ongles laqués aux mains et aux pieds, en ajoutant qu'elles avaient déjeuné, vu un film et fait du shopping. Après son bain, je lui ai lu une histoire comme d'habitude, mais elle bâillait déjà franchement avant même que je tourne la dernière page. Je l'ai embrassée, en respirant le parfum de son shampoing pour bébé qu'elle préférait utiliser encore.

Quand je suis descendu, Vivian était assise au salon en pyjama, un verre de vin à la main. La télé était allumée, une émission avec des femmes au foyer, dont la plupart semblaient instables sur le plan émotionnel, mais elle était plus enjouée que d'habitude. Elle a parlé de sa journée, m'a gratifié d'un regard faussement timide quand je lui ai fait une remarque suggestive, et on a fini au lit.

Ce n'était pas exactement une soirée en amoureux programmée, néanmoins j'étais ravi.

*
* *

Le mardi matin, pour le premier jour d'école de London, Vivian et moi avons traversé le parking avec elle jusqu'à la salle de classe. Quand je lui ai demandé si elle voulait que je lui tienne la main, elle a glissé les pouces sous les sangles de son sac à dos en déclarant :

— Je suis plus une petite fille !

La veille, Vivian et moi avions reçu un e-mail de son institutrice disant que le premier jour pouvait se révéler traumatisant pour certains enfants et qu'il valait mieux ne pas s'éterniser en leur disant au revoir. Un petit bisou ou une tape dans le dos, avant de laisser l'enseignant les conduire dans la classe, recommandait le message. On nous dissuadait de nous attarder à la porte pour regarder, ou de scruter trop longtemps par les vitres. On ne devait pas non plus laisser nos enfants nous voir pleurer, quelle que soit notre émotion, car cela risquait d'accroître l'angoisse de notre progéniture. On nous indiquait au passage les numéros de téléphone de l'infirmière de l'établissement, en précisant que la psychologue scolaire serait disponible dans le couloir si des parents souhaitaient discuter de ce qu'ils éprouvaient au sujet de la rentrée scolaire. Je me suis demandé si mes parents avaient reçu ce genre de lettre quand Marge ou moi étions allés en classe pour la première fois, et cette seule pensée m'a fait éclater de rire.

— Qu'est-ce qu'il y a de drôle ? m'a demandé Vivian.

— Je te le dirai plus tard. C'est rien.

Sur le parking, j'ai vu mes parents un peu plus loin, qui attendaient près de la voiture. Mon père portait sa tenue de plombier, laquelle consistait en une chemise bleue à manches courtes avec le logo de l'entreprise, un jean et des chaussures de travail. Ma mère, grâce à Dieu, n'avait ni tablier ni chapeau rouge ; elle se fondait dans la masse, ce que j'ai apprécié, même si London s'en moquait.

La petite les a vus et a couru vers eux. Mon père l'a prise dans ses bras. Il l'a appelée « mon lapin », ce que je n'avais jamais entendu auparavant. Je me demandais si c'était tout nouveau ou si je n'avais pas fait attention jusque-là.

— C'est un grand jour, a dit ma mère. Tu es contente ?

— Ça va être super, a répondit London.

— Je suis sûre que tu vas adorer, lui a assuré ma mère.

Mon père a embrassé la petite et l'a reposée par terre.

– Tu veux bien me donner la main, papy ? a demandé London.

– Bien sûr, mon lapin.

Ma fille a donc ouvert la marche avec mon père, tandis que Vivian parlait à ma mère de l'e-mail qu'on avait reçu de l'enseignante. Ma mère a froncé les sourcils, l'air déconcerté.

– Ils ont une psychologue exprès pour les parents ?

– Elle travaille pour l'école, a expliqué Vivian. Certains parents peuvent être nerveux ou déstabilisés. Je suis sûre qu'elle va hocher la tête en les écoutant et leur dire que tout se passera bien. Ce n'est pas la mer à boire.

– Tu te sens nerveuse ?

– Non. Juste un peu tristounette, comme si c'était la fin d'une époque, mais ça va passer, je suis sûre.

– Bon... c'est bien, alors.

On est entrés dans le bâtiment de l'école primaire et, en regardant les mères et leurs enfants pénétrer dans la salle de classe deux par deux, j'ai pensé à l'histoire de l'Arche de Noé, le livre préféré de London. Je m'attendais à voir Emily et Bodhi, mais je ne les ai pas aperçus ; je me demandais si elle était déjà venue et repartie ou pas encore arrivée.

Mais peu importe, bien sûr. On a fait la queue avec les autres parents et enfants qui se dirigeaient vers la maternelle ; par groupes de deux devant et derrière nous. La file d'attente avançait vite et quand on est arrivés à la porte, Vivian a pris les choses en main, en rejoignant mon père et London.

– OK, mon cœur. Fais un bisou à papy et à mamie ? Ensuite, c'est à mon tour.

London a obtempéré.

– Ton papa viendra te chercher, mais je veux que tu me racontes tout quand tu rentreras. Et n'oublie pas ton cours de piano à 4 heures cet après-midi, OK ? Je t'aime.

– Je t'aime aussi, maman.

L'institutrice souriait.

– Eh bien, bonjour London. Je suis ravie de te revoir. Tu es prête pour une journée où on va bien s'amuser ?

– Oui, madame, a répondu la petite.

En posant doucement la main dans son dos, Vivian a fait avancer la petite, tandis que l'enseignante s'écartait pour la laisser passer. Comme on nous avait mis en garde, on ne s'est pas attardés à l'entrée ou derrière les vitres, même si j'ai pu apercevoir ma fille devant une table basse jonchée d'objets en feutre de formes et de tailles variées. Les gamins les empilaient, réalisaient des motifs. Toujours pas de Bodhi en vue, mais London n'avait pas l'air troublée.

En regagnant la voiture, j'ai soudain réalisé ce qui s'était passé.

— Je n'ai pas eu le temps de lui faire un bisou.

— Pas grave. Tu la verras après l'école, a dit Vivian dans un haussement d'épaules.

— Tu veux passer voir la psy ?

— Ça ne risque pas. Je suis déjà en retard pour le travail. Walter doit m'attendre en faisant les cent pas.

*
* *

Pendant que London était à l'école, j'ai reconfirmé toutes les étapes du tournage avant de rencontrer le responsable de l'équipe vidéo. On a revu le planning ainsi que les images dont j'aurais besoin – surtout pour le spot le plus long, qui comprenait plus d'une dizaine de prises différentes et demanderait trois jours de tournage – et on s'est assurés d'être au diapason. Après ça, j'ai aussi prospecté une demi-douzaine de chirurgiens esthétiques et obtenu deux rendez-vous pour la semaine suivante.

Pas mal pour une journée de travail. Quand je suis allé chercher London, j'ai dû faire la queue jusque dans la rue. Contrairement à l'accueil du matin, la sortie des classes se révélait plus chaotique et laborieuse, au point qu'il m'a fallu vingt minutes avant que la petite grimpe enfin dans la voiture.

— Comment s'est passée ta première journée ? ai-je demandé en la regardant dans le rétroviseur, tandis que je m'éloignais lentement.

— C'était sympa. La maîtresse m'a laissée l'aider à lire *Vas-y le chien !* quand c'était l'heure des histoires. Même qu'il y avait des enfants qui connaissaient pas encore les lettres.

— Ils vont se rattraper. Je ne crois pas que je savais lire quand j'allais à la maternelle.

— Pourquoi ?

— Mes parents ne m'ont pas lu beaucoup de livres. Ils devaient se dire que j'apprendrais à lire quand j'irais à l'école.

— Pourquoi ils te lisaient pas des histoires ?

— Je ne sais pas. Peut-être qu'ils étaient trop fatigués.

— Maman me fait la lecture quand elle est fatiguée. Et toi aussi quand t'es fatigué.

— Les gens sont différents maintenant, j'imagine. Hé, au fait, est-ce que Bodhi est venu à l'école ?

— Oui et on s'est assis à la même table. Il fait trop bien les coloriages.

— Super. C'est sympa de s'asseoir à côté de quelqu'un qu'on connaît déjà.

Je voyais l'école diminuer au loin dans le rétroviseur.

— Papa ?

— Oui ?

— On peut aller au Dairy Queen avant le piano ? Comme je suis allée à l'école aujourd'hui ?

J'ai regardé l'heure et fait un rapide calcul.

— Je pense qu'on peut caser une pause glaces.

*
**

Du coup, on est arrivés devant la maison du professeur de piano avec juste quelques minutes à tuer. London était sur la brèche depuis huit heures, neuf quand la leçon serait terminée et je ne comptais pas le temps nécessaire pour se préparer à aller à l'école. Elle serait épuisée en rentrant à la maison.

Pendant la leçon, je me suis promené dans le quartier. J'avais un peu mal aux genoux à cause du jogging, mais c'était supportable. Je commençais à marcher quand mon portable a sonné. Marge.

— Comment s'est passée la première journée d'école ? a demandé ma sœur sans préambule.

— La petite s'est bien amusée, ai-je répondu. Son ami Bodhi était là.

— Ah ouais ? Et la maman de Bodhi ?

— Je ne l'ai pas vue. On était déjà partis quand sa mère et lui sont arrivés.

— Dieu merci. Sinon la pauvre Emily aurait été pulvérisée par le rayon laser des regards mortels de Vivian.

— Tu n'es pas censée travailler au lieu de t'en prendre à ma femme ?

— Je ne m'en prends pas à elle. Je serais même plutôt de son côté. Je veux dire, si Liz se mettait à traîner avec son ex – qui, soit dit en passant, est une femme sublime, séparée depuis peu –, j'essaierais aussi de l'éliminer avec mes regards au laser.

— Qu'est-ce qui ne tourne pas rond chez vous, les femmes ?

— Oh, s'il te plaît… Ne t'aventure même pas sur ce terrain. Tu rigoles ou quoi ? Je suis sûre que tu adores entendre Vivian citer Walter dans toutes les conversations. Même moi ça me fatigue d'entendre son nom.

— Elle travaille pour lui, ai-je observé, en m'efforçant de minimiser le problème. C'est normal.

— Ah ouais ? Et comment s'appelle mon patron, au fait ?

Comme je ne répondais pas, elle a enchaîné :

— Et qu'est-ce que ça peut faire s'ils travaillent ensemble, font du sport ensemble, voyagent ensemble, voyagent dans le jet privé ensemble, hein ? Et qu'est-ce que ça peut faire si elle cite le nom de son patron milliardaire plus souvent que le tien ? Tu es tellement bien éduqué que tu ne peux même pas éprouver le moindre sentiment de jalousie.

— Tu essaies de me faire sortir de mes gonds ?

— Pas du tout, mais j'aimerais vraiment savoir comment s'est passé le reste du week-end, après votre départ de chez les parents. J'imagine que tu n'as pas abordé les sujets du nouveau-compte-en-banque ou de l'appartement-à-Atlanta ?

— Non. Le samedi soir s'est terminé tranquillement. On s'est couchés tôt. On était tous les trois fatigués. Et le dimanche, j'ai pu souffler, en fait.

Je lui ai vaguement raconté la journée entre filles de Vivian et London.

— Comme si je ne l'avais pas vue arriver, celle-là, a répliqué Marge.

— Mais de quoi tu parles ?

— Tu n'as pas remarqué la façon dont elle te fixait après l'épisode de la piqûre d'abeille ?

Je m'en souvenais parfaitement mais ne voulais pas le lui dire.

242

— Elle était simplement déstabilisée par le fait que la petite avait mal, ai-je préféré répondre.

— Non. Ça l'a perturbée de voir London se précipiter vers toi et non pas vers elle pour se faire consoler. Liz l'a remarqué aussi.

Je me rappelais avoir pensé la même chose et n'en avoir rien dit.

— Alors à quoi elle joue ? a poursuivi Marge. Elle passe toute la journée du dimanche avec London, puis elle s'empresse de pousser quasiment la petite dans la classe, avant que tu aies l'occasion de lui faire un bisou.

— Comment tu sais ça ?

— Parce que maman m'a appelée et me l'a raconté. Elle a trouvé ça bizarre.

— Tu es cinglée, ai-je riposté en me sentant soudain sur la défensive. Tu vois le mal partout.

— Peut-être, a-t-elle admis. J'espère me tromper.

— Et cesse de parler de Vivian de cette manière. Tu dois vraiment arrêter de disséquer tout ce qu'elle fait. Elle a subi une pression énorme ces dernières semaines.

— Tu as raison. J'ai dépassé les bornes. Je suis désolée… Tu fais quoi en ce moment ?

— Tu essaies de changer de sujet ?

— Je fais de mon mieux. Je t'ai déjà présenté mes excuses.

— London est à son cours de piano. Je me balade en attendant. Je me suis dit que je brûlerais quelques calories avant le dîner.

— Bravo. Tu avais l'air plus mince, d'ailleurs. Ça se voyait à ton visage.

— Tu ne peux pas vraiment t'en rendre compte.

— Oh que si ! Ce week-end, j'étais vraiment… waouh !

— T'essaies juste de me passer de la pommade pour que je ne reste pas fâché contre toi.

— Tu ne le restes jamais longtemps. Tu aimes tellement faire plaisir aux autres, tu vas sans doute raccrocher et t'en vouloir de m'avoir blessée parce que tu m'as rembarrée.

J'ai éclaté de rire.

— Bye, Marge !

Même si le jugement que portait ma sœur sur Vivian ne me plaisait pas, je ne pouvais m'empêcher de penser qu'il y avait du vrai dans ce qu'elle disait. Et pas qu'un peu. Le seul épisode qui ne collait pas à l'hypothèse de Marge, c'était notre samedi soir agréable ; mais même l'ardeur inattendue de Vivian à mon égard aurait pu s'expliquer par le sentiment qu'elle avait réaffirmé sa prééminence incontestée dans la vie de London.

En revanche, c'était carrément débile. Qu'est-ce que ça pouvait bien faire que la petite se soit précipitée vers moi après s'être fait piquer par une abeille ? Je ne me serais pas vexé si elle s'était jetée dans les bras de Vivian ; dans les mariages sains, les gens ne se faisaient pas avoir par ce genre de lutte de pouvoir assez mesquine. Vivian et moi formions une équipe.

Enfin, je crois… Non ?

*
* *

J'ai aussitôt senti que Vivian n'était pas d'humeur à son retour du travail et, lorsque je l'ai interrogée sur sa journée, elle m'a répondu que la directrice financière venait de remettre sa démission avec un préavis de deux semaines, ce qui semait la panique dans la société.

— Walter était absolument furieux, a-t-elle annoncé en gagnant la chambre à coucher. (Elle est entrée dans le dressing a retiré ses vêtements de travail.) Et je ne peux pas lui en vouloir. Pas plus tard que la semaine dernière, elle avait officiellement accepté de déménager à Atlanta. Elle en avait même profité pour négocier une prime de relogement, qu'elle a déjà perçue, et voilà qu'elle nous annonce tout à coup qu'elle a pris un nouveau boulot ? Les gens essaient toujours de profiter de Walter, et je vois ça se produire tout le temps. Ça me dégoûte et ça me fatigue.

Toujours ce prénom, me suis-je dit en repensant à Marge qui m'avait asticoté au téléphone. *Prononcé non pas une mais deux fois.*

— Je suis sûre qu'elle fait ce qui est le mieux, selon elle, pour sa famille.

— Tu ne m'as pas laissée finir, a rétorqué Vivian. (À présent en soutien-gorge et culotte, elle enfilait un jean.) Elle a aussi recruté d'autres cadres pour la suivre dans la nouvelle boîte, et le bruit court que certains autres y pensent sérieusement aussi. Tu sais les dégâts que ça pourrait causer à la société de Walter ?

Jamais deux sans trois…

— Ça a été une rude journée, dis donc.

— Atroce, a-t-elle répondu en attrapant un tee-shirt blanc. (Impossible pour moi de ne pas remarquer à quel point elle était classe, même habillée simplement.) Bien sûr, à cause de ce nouvel imprévu, je vais sans doute devoir passer encore plus de temps à Atlanta, au moins au début, en tout cas.

Ça ne m'avait pas échappé.

— Plus de quatre jours ?

Elle a levé la main et pris une longue inspiration.

— S'il te plaît, ne viens pas ajouter ton grain de sel à une journée déjà pénible. Je sais que ça te contrarie. Moi aussi. Laisse-moi juste passer un petit moment avec London et on en reparlera plus tard. Je veux qu'elle me raconte son premier jour à l'école, me détendre, et peut-être boire un verre de vin, OK ?

Mais elle avait déjà filé voir la petite.

Pendant qu'elles étaient au salon, j'ai préparé un dîner vite fait ; poulet, riz, carottes glacées et salade. Quand ç'a été prêt, elles sont venues à table. Vivian, l'esprit encore ailleurs, était tendue. London, en revanche, jacassait de plus belle : comment elle avait joué à la marelle avec Bodhi à la récréation, comment Bodhi était très doué pour sauter, et toutes sortes de détails sur sa première journée formidable à l'école.

Après le repas, j'ai rangé la cuisine pendant que Vivian montait à l'étage avec la petite. Malgré l'heure tardive, j'ai appelé Taglieri pour lui parler de la répétition du lendemain et m'assurer qu'il avait relu le script. Si j'avais appris une chose auprès des clients, c'était que mieux ils connaissaient le scénario, mieux ils parvenaient à intégrer d'autres mises en scène.

Alors que je raccrochais, j'ai entendu des cris au premier. J'ai gravi les marches quatre à quatre, en m'arrêtant à l'entrée de la chambre de London. Vivian tenait une serviette humide ; London, en pyjama, avait les cheveux mouillés et les joues ruisselantes de larmes.

— Combien de fois je t'ai dit de ne pas mettre les serviettes humides dans le panier à linge ? braillait Vivian. Et cette robe n'aurait jamais dû s'y trouver pour commencer !

— J'ai dit que j'étais désolée ! a répliqué London en hurlant aussi fort. J'ai pas fait exprès !

— Maintenant tout va sentir le moisi et certaines taches ne pourront sans doute pas s'en aller.

— Je suis désolée !

— Qu'est-ce qui se passe ? ai-je demandé.

Vivian s'est tournée vers moi, livide.

— Ce qui se passe, c'est que la nouvelle robe de ta fille est probablement fichue. Celle qu'elle portait dimanche.

— Je l'ai pas fait exprès ! a répété London, le visage décomposé.

Vivian a levé la main, les lèvres pincées d'un air lugubre.

— Je sais bien. Là n'est pas la question. Le fait est que tu as mis une robe sale dans le panier avec ta nouvelle robe, et ensuite tu as ajouté des serviettes humides par-dessus. Combien de fois je t'ai dit de faire sécher les serviettes sur le bord de la baignoire avant de les mettre au sale ?

— J'ai oublié ! s'est écriée London. Excuse-moi !

— C'est de ma faute, suis-je intervenu, alors que la règle des serviettes mouillées était nouvelle pour moi. (Je n'avais jamais vu Vivian et London se hurler dessus comme ça auparavant. Cette vision m'a ramené au soir où London et moi nous étions disputés.) Je lui ai juste dit de mettre les vêtements sales dans le panier à linge.

— La vérité, c'est qu'elle sait ce qu'elle doit faire ! a riposté Vivian avant de s'adresser à nouveau à la petite. Pas vrai ?

— Je suis désolée, maman.

— Je les apporterai demain au pressing, ai-je proposé. Je suis certain qu'ils pourront faire partir les taches.

— Là n'est pas la question, Russ ! Elle n'a aucun respect pour les affaires que je lui ai achetées, j'ai beau le lui répéter mille fois !

— J'ai dit que j'étais DÉSOLÉE !

Une chose était sûre : Vivian était bien trop en colère et London bien trop fatiguée pour que ça continue ainsi.

— Et si je prenais le relais ? ai-je suggéré. Je peux la mettre au lit.

– Pourquoi ? Pour que tu lui dises que j'exagère ?

– Non, bien sûr que non…

– Oh, s'il te plaît ! Tu me discrédites depuis que j'ai repris un travail. Mais bon, pas de problème. Je vous laisse seuls tous les deux. Je suis très déçue que tu ne m'aimes pas assez pour écouter ce que je te dis, dit-elle à la petite en quittant la chambre..

J'ai vu l'angoisse se peindre sur le visage de London sitôt Vivian partie, et j'ai tout de suite essayé de comprendre pourquoi ma femme s'était montrée aussi cruelle. J'aurais dû réagir, mais elle était déjà au rez-de-chaussée et la petite pleurait, alors je suis entré dans sa chambre pour m'asseoir sur le lit. J'ai ouvert les bras.

– Viens, mon bébé, ai-je murmuré, et London s'est avancée vers moi.

Je l'ai prise dans mes bras en sentant son petit corps qui tremblait toujours.

– Je voulais pas abîmer ma robe, pleurnichait-elle.

– Je sais bien. On ne va pas s'inquiéter pour ça maintenant.

– Mais maman est en colère contre moi.

– Elle ira mieux tout à l'heure. Elle a eu une journée difficile au travail et je sais qu'elle est fière que tu te sois si bien débrouillée à l'école aujourd'hui.

Elle s'est enfin calmée, a reniflé un peu, et j'ai essuyé ses larmes avec mon doigt.

– Moi aussi, je suis fier de toi, mon lapin.

– C'est papy qui m'appelle comme ça. Pas toi.

– Peut-être que je pourrais aussi.

– Non.

Malgré sa tristesse, j'ai souri.

– OK, alors peut-être que je vais t'appeler… Chaton.

– Non.

– Muffin ?

– Non, appelle-moi London.

– Même pas « mon bébé » ? Ou « ma puce » ?

– OK, a-t-elle approuvé en hochant la tête contre ma poitrine. Maman ne m'aime plus.

– Bien sûr que si. Elle t'aimera toujours, voyons.

– Alors pourquoi elle s'en va ?

— Elle ne s'en va pas. Elle doit juste aller travailler parfois à Atlanta. Je sais qu'elle va te manquer.

Tandis que je tenais London dans mes bras, j'avais de la peine pour cette petite fille qui était sans doute aussi perturbée que moi par ce qui arrivait à notre famille.

*
* *

Il m'a fallu lire plus d'histoires que d'habitude pour que London puisse enfin se calmer et s'endormir. Après l'avoir embrassée, je suis descendu au rez-de-chaussée et j'ai trouvé Vivian qui enlevait des affaires du dressing.

— Elle est prête pour un bisou si tu veux monter.

Vivian a attrapé son portable et elle est passée devant moi en posant sur le lit les vêtements qu'elle avait sélectionnés. Il y avait deux valises ouvertes, chacune à moitié remplie, et bien plus de tenues que nécessaires pour un déplacement de trois jours. J'ai aperçu des tailleurs pour le bureau, des vêtements de sport, des tenues décontractées et des robes qui convenaient plutôt à des sorties au restaurant. Je ne savais pas trop pourquoi elle en emportait autant. N'avait-elle pas l'intention de revenir le week-end prochain ? Elle m'en aurait forcément parlé… encore que je me rendais bien compte que je n'avais aucune raison d'y croire. Je saurais le fin mot de tout ça quand elle aurait envie de m'en parler. Tandis que je contemplais les valises à moitié faites, l'expression « appartements de la société » m'est revenue en tête. Alors que j'éprouvais comme un grand vide en moi quelques instants plus tôt avec London, j'étais à présent complètement noué à l'intérieur.

Comme je ne supportais plus de regarder ces vêtements, je suis allé à la cuisine ; là, j'ai hésité à me servir un verre, avant de me raviser. Alors je suis resté planté devant l'évier à contempler le jardin d'un air absent. Le soleil venait de se coucher, le ciel s'accrochait aux dernières lueurs du jour et la lune n'avait pas encore fait son apparition. Ce crépuscule qui s'estompait à vue d'œil me faisait l'effet d'un étrange mauvais présage.

Je commençais peu à peu à comprendre, alors que la crainte m'envahissait. Plus je pensais à ma femme, plus j'acceptais l'idée de ne plus savoir ce qu'elle pensait vraiment. À propos de London, de moi. De nous. Bizarrement, malgré toutes ces années passées ensemble, elle était devenue une étrangère. Même si on avait fait l'amour deux nuits plus tôt, je me demandais si c'était parce qu'elle m'aimait ou par simple habitude, le vestige persistant de nos années communes justement, plus physique qu'émotionnel. Mais cette éventualité, même si elle me brisait le cœur, était toujours mieux que l'autre… à savoir qu'elle avait fait l'amour avec moi pour détourner mon attention, parce qu'elle allait faire ou prévoir pire encore, quelque chose que je n'avais même pas envie d'imaginer.

Je me suis dit que ce n'était pas possible. Et même si elle hésitait sur les sentiments qu'elle me portait, elle souhaiterait toujours agir au mieux pour notre famille.

Non ?

Je n'en savais rien au juste, mais j'ai alors entendu Vivian parler à voix basse en descendant l'escalier. Elle a prononcé le prénom « Walter » et lui a demandé de ne pas raccrocher ; je savais qu'elle ne voulait pas que je sache qu'elle était au téléphone. J'ai entendu la porte d'entrée s'ouvrir puis se fermer. Même si je n'aurais pas dû, je me suis faufilé vers le salon. Les tentures étaient tirées, la pièce déjà plongée dans la pénombre, et je suis resté là derrière les rideaux à épier entre le tissu et la vitre. J'espionnais ma femme, une chose que je n'aurais jamais imaginé faire auparavant, mais ma peur croissante me donnait l'impression de ne plus agir de mon plein gré. Je savais que c'était mal, alors que je me dévissais le cou et soulevais le rideau… et c'était de toute manière trop tard pour m'arrêter.

Je n'ai pas pu percevoir grand-chose jusqu'à ce que Vivian éclate de rire, un son joyeux, que je n'avais pas entendu depuis des années, m'a-t-il semblé. Ce n'était pas seulement le rire qui m'avait fait sursauter, mais sa façon de sourire, la lumière dans son regard, le bonheur qu'elle irradiait, comme prise de vertige. Adieu la Vivian rentrée du travail avec son air revêche ou qui avait grondé London avec férocité ; la Vivian furieuse dans la chambre à coucher s'était volatilisée.

J'avais vu cette expression sur son visage dans des moments de pur ravissement, souvent en rapport avec London. Mais je l'avais aussi entraperçue quand nous étions seuls, à l'époque où, plus jeune, je draguais une fille rencontrée lors d'un cocktail à New York.

Vivian avait l'air d'une femme amoureuse.

*
* *

Quand elle est rentrée dans la maison, je me trouvais dans le bureau. Par crainte de ce que je risquais de lui dire, j'ai évité de lui parler. Je n'avais pas envie de passer du temps avec elle et me suis forcé à revoir le script pour Taglieri, mais ce que je lisais n'avait aucun sens.

Je l'ai sentie se déplacer dans mon dos, mais juste un instant. Je l'ai entendue s'éloigner vers la chambre à coucher, où je savais qu'elle avait prévu de remplir les deux valises jusqu'à ce qu'elles soient pleines à craquer.

Je suis resté dans le bureau une heure, puis encore une autre, et une troisième. Vivian est enfin venue me voir. Le fait que je ne l'aie pas cherchée a dû la prendre de court, je pense. La dernière fois qu'elle m'avait vu, je consolais une London en pleurs et, me connaissant, elle avait supposé que j'essaierais de parler de l'incident.

Mais à présent, comme elle l'avait si souvent fait avec moi, je la laissais s'interroger sur ce qui se passait.

— Tu viens te coucher ?

— Dans un petit moment, ai-je répondu sans me tourner. J'ai encore des trucs à faire.

— Il se fait tard.

— Je sais.

— Je n'aurais pas dû crier sur London comme je l'ai fait. Je me suis excusée quand je suis allée la border.

— Tant mieux. Elle était dans tous ses états.

Vivian attendait. Je ne me retournais toujours pas. Elle a attendu encore, mais je n'ai rien ajouté.

— OK, passons… a-t-elle conclu en soupirant. Bonne nuit.

— Bonne nuit, ai-je murmuré.

Mais en le disant, je commençais à me demander si ça ne voulait pas plutôt dire adieu.

*
* *

Treize jours s'écoulèrent avant que j'apprenne la vérité.

Le lendemain, je me suis rendu à l'agence et j'ai découvert la jeune actrice parfaite pour le spot que j'envisageais ; il serait filmé en septembre, quand on aurait terminé le plus gros du montage des deux premiers. J'ai répété avec Taglieri puis on a tourné le spot devant le tribunal le lendemain, et fini la voix off pour le deuxième spot. On a filmé le deuxième et, la semaine suivante, j'ai fait ma présentation aux deux chirurgiens esthétiques. J'ai quitté l'un de ces rendez-vous en pensant que j'avais des chances de décrocher mon deuxième client, alors j'ai travaillé sur une proposition plus détaillée.

Comme pour la première fois, j'ai exploré le site web du médecin puis étudié les publipostages qu'il avait effectués dans le passé. Son responsable administratif les avait conçus, et ces mailings partaient dans tous les sens par rapport aux thèmes qu'on avait abordés lors de l'entretien : sécurité, professionnalisme, amélioration de l'image de soi et temps de rétablissement limité ; je ne doutais pas un instant de pouvoir concevoir une campagne plus cohérente. Ensuite, j'ai consulté une dizaine de sites web de chirurgie esthétique à travers tout le pays et j'ai rappelé mon technicien, en établissant un budget approximatif.

À partir de là, je me suis lancé et j'ai passé deux jours entiers à mettre mes idées au service d'une présentation que je jugeais utile pour ce genre de métier.

Les heures où je ne travaillais pas étaient consacrées à London ou à l'entretien de la maison. Et à la lessive. Et au jardin. Et aux hamsters. J'amenais et je récupérais la petite à l'école, aux cours de piano et de danse – Vivian prenait le relais pour l'atelier d'arts plastiques le samedi – et on avait fait du vélo en six occasions. London était devenue suffisamment confiante lors de la dernière balade pour lâcher le guidon deux ou trois secondes sur terrain plat et en ligne droite.

On avait fêté ça en buvant de la limonade sous la véranda, tout en guettant la venue éventuelle d'un pygargue à tête blanche.

Quant à Vivian, elle était revenue le vendredi soir et avait passé le plus clair du week-end avec London. Elle était courtoise envers moi mais semblait vouloir à tout prix tenir notre couple à distance, disons. Je suis allé rendre visite tout seul à mes parents et, quand elle est partie le lundi matin, elle a pris deux autres valises bourrées à craquer. À ce moment-là, les seules affaires restant dans son dressing se limitaient à des tenues qu'elle portait rarement. Elle m'avait annoncé qu'elle utiliserait l'un des appartements de la société, je m'y attendais évidemment.

Elle était partie toute la semaine. Elle avait appelé London chaque soir à 18 heures avec FaceTime et tentait de m'inclure dans la conversation. Ça m'était impossible. Elle m'en avait voulu le mardi et le jeudi, et m'avait raccroché au nez car j'avais refusé de rentrer dans son jeu.

Elle est revenue le vendredi après-midi, alors que commençait le week-end de la Fête du Travail[1], me prenant un peu au dépourvu. À vrai dire, une partie de moi était carrément choquée de la voir débarquer, même si je ne voulais pas l'admettre. London était enchantée. Vivian est passée la prendre à l'école et l'a amenée à la danse, et l'a même préparée pour aller au lit. Elle m'a prévenu quand ce fut mon tour de monter et j'ai lu quatre histoires, en restant là-haut plus longtemps que nécessaire, car je redoutais d'affronter Vivian seule.

Mais elle n'a rien dit d'effrayant. Bien que la soirée en amoureux ne soit pas d'actualité – même moi, je n'étais pas d'humeur –, Vivian s'est montrée étrangement agréable, en parlant de tout et de rien, mais je n'étais pas d'humeur pour ça non plus.

Le samedi et le dimanche se sont déroulés tranquillement. Vivian a passé quasiment tout son temps avec London – rien que toutes les deux –, pendant que j'ai fait du jogging, nettoyé la maison, revu les images pour les spots de pub en prenant quelques notes, et que je suis allé voir mes parents. J'évitais Vivian parce qu'à ce moment-là j'avais peur de ce qu'elle s'apprêtait à m'annoncer.

---

1. Premier lundi de septembre aux États-Unis.

Le lundi, Fête du Travail. Marge et Liz organisaient un barbecue. Vivian, London et moi y avons passé la majeure partie de l'après-midi. Je n'avais pas envie de rentrer à la maison, parce que je savais ce qui m'attendait une fois là-bas.

Et j'avais vu juste. Après avoir lu son histoire à London et éteint la lumière, j'ai trouvé Vivian assise à la table de la salle à manger.

« Il faut qu'on parle… » a-t-elle commencé.

Encore maintenant, ses paroles ne sont plus qu'une sorte de charabia dans mon souvenir, mais sur le coup j'ai saisi les grandes lignes. C'est arrivé comme ça, a-t-elle dit, elle ne l'avait pas fait exprès. Elle était tombée amoureuse de Walter. Elle s'installait à Atlanta. Nous pourrions en discuter la semaine suivante, mais elle devait se rendre en Floride et à Washington, sans compter que j'aurais sans doute besoin d'intégrer ce qu'elle m'avait annoncé. Elle ne voyait pas l'intérêt de nous disputer : ça n'avait rien à voir avec moi ; ce genre de choses arrivaient, voilà tout. Elle avait prévenu London qu'elle serait de nouveau en déplacement, mais sans préciser qu'elle me quittait. C'était plus facile ainsi, pour le moment, mais nous discuterions de notre fille quand nous serions moins stressés. Elle a conclu en disant qu'elle s'en allait le soir même.

Le jet privé l'attendait.

14

Le choc

Quand j'étais à la fac, mes amis et moi avions l'habitude de sortir le week-end, lequel commençait généralement le jeudi vers 3 heures de l'après-midi et se terminait par la grasse matinée du dimanche. L'un des gars avec qui je traînais le plus – un certain Danny Jackson – partageait avec moi les mêmes matières principales, alors on avait de nombreux cours en commun. Compte tenu de la population étudiante assez importante de l'université de Caroline du Nord, les dieux du planning des cours avaient dû décider qu'on avait besoin de se voir plus souvent.

Danny était le garçon le plus facile à vivre que j'aie jamais connu. Il était né et avait grandi à Mobile ; Alabama, sa très jolie sœur aînée sortait avec un joueur des Auburn Tigers, et il ne disait jamais du mal de ses parents. Il semblait sous-entendre qu'ils étaient très sympas et cela avait dû déteindre sur lui, car il m'inspirait la même chose. Quoi que je lui propose – aller manger un hamburger à 2 heures du matin, faire un tour dans une fête d'étudiants ou regarder un match au bar des sports du coin –, Danny était toujours partant. Chaque fois qu'on se rencontrait, on reprenait malgré nous notre conversation là où on l'avait laissée la fois précédente, même si ça remontait à plus de deux semaines. Il buvait de la Pabst Blue Ribbon – jurant que c'était la meilleure bière au monde, comme l'attestait le ruban bleu du logo – et s'il en ingurgitait suffisamment pour être un peu pompette, il disposait d'une sorte de touche « ralenti » dans sa tête qui l'empêchait de devenir carrément ivre. Ça tranchait avec les autres étudiants : à leurs yeux, le seul but de la boisson consistait à être bourré.

Un samedi soir, Danny et moi étions en goguette avec d'autres gars dans un des bars étudiants les plus fréquentés. Comme les examens finaux arrivaient, on était tous plus ou moins angoissés, ce qu'on essayait bien sûr de minimiser. On buvait tous un peu plus que d'habitude… tous, sauf Danny, qui venait de presser son bouton « ralenti ».

Il a reçu un coup de téléphone à 23 heures passées ; j'ignore comment il a pu entendre la sonnerie avec le raffut qui régnait dans le bar. Mais il l'a entendue et, après voir jeté un coup d'œil sur l'écran de son téléphone, il s'est levé de table puis est sorti. Sur le moment, on n'a rien remarqué. Pourquoi on se serait inquiétés ? On n'a pas davantage trouvé qu'un truc clochait quand il est revenu et a foncé tout droit vers le bar.

Je l'ai observé se faufiler entre les gens et essayer d'attirer l'attention du barman. Il a fallu quelques minutes avant qu'on le serve, mais quand il s'est retourné j'ai vu qu'il avait commandé un cocktail : un très grand verre contenant un liquide brun doré. Il s'est ensuite éloigné à l'autre bout du bar, comme s'il nous avait oubliés.

De tous les gars présents, j'étais sans doute son ami le plus proche, alors je l'ai suivi. Il se tenait adossé au mur, à proximité des toilettes. Comme je m'approchais, il a bu une énorme lampée de son verre, soit près d'un tiers du contenu.

– Tu bois quoi ? ai-je demandé.

– Bourbon.

– Waouh ! C'est un verre drôlement grand.

– J'ai demandé au barman de me le remplir.

– J'ai raté le concours où la bière Pabst est arrivée en deuxième position ?

Ce n'était pas très drôle et j'ignore pourquoi j'ai dit ça, plutôt que de lui faire remarquer que son comportement me rendait nerveux.

– C'est ce que boit mon père, a-t-il expliqué.

J'ai alors remarqué qu'il semblait en état de choc. Pas sous l'effet de l'alcool. Mais d'autre chose.

– Tu vas bien ?

Il a repris une longue lampée. À présent, le verre était à moitié vide. Cela devait correspondre à quatre, voire cinq doses. D'ici peu Danny allait être saoul, à rouler par terre, même.

– Non, je ne vais pas bien.

– Qu'est-ce qui s'est passé ? Qui t'a appelé ?

– Ma mère. C'est elle qui m'a appelé, a-t-il répondu en se pinçant le nez comme pour retenir ses larmes. Elle vient de m'annoncer que mon père est mort.

– Ton père ?

– Dans un accident de voiture. Elle l'a appris il y a quelques minutes à peine. Quelqu'un de la police autoroutière s'est pointé à la maison.

– Ce… c'est horrible… ai-je balbutié, incapable de trouver les mots. Est-ce… que je peux faire quelque chose ? Je… je peux te ramener chez toi ?

— Elle m'envoie un billet d'avion pour que je rentre demain. Mais je ne sais pas ce que je vais faire pour les exams de fin d'année. Tu crois qu'ils me laisseront les repasser la semaine prochaine ?

— Je n'en sais rien, mais c'est la dernière chose à laquelle tu devrais penser là maintenant. Ta mère tient le coup ?

Il a mis un petit moment pour me répondre. Son regard semblait se noyer dans le vague.

— Non, a-t-il dit enfin, avant de finir son verre d'un trait. Elle ne va pas bien. Il faut que je m'asseye.

— Bien sûr. Viens...

Je l'ai reconduit à la table. Malgré l'alcool qu'il avait ingurgité, il ne semblait pas affecté du tout. Au lieu de quoi, il est resté assis là tranquillement, sans participer vraiment à la conversation. Il n'a parlé du décès de son père à personne d'autre à la table, et une heure plus tard je l'ai raccompagné en voiture à son appartement.

Comme il me l'avait dit, il est rentré dans sa famille le dimanche. Et bien qu'on soit amis, je ne l'ai jamais revu et n'en ai plus jamais entendu parler.

*
* *

— Attends... m'a dit Marge. Elle est simplement... partie ?

Après que j'ai déposé London à l'école le mardi matin, ma sœur est venue directement chez moi. On était assis dans la cuisine.

— Hier soir.

— Est-ce qu'elle t'a au moins dit qu'elle était désolée ?

— Je ne m'en souviens pas, ai-je répondu en secouant la tête. Je ne peux même... enfin, je veux dire...

Impossible d'avoir des pensées cohérentes. Je nageais dans un tourbillon d'émotions... Le choc et la peur, l'incrédulité et la colère... Je passais d'un extrême à l'autre. Bien que je sache que je l'avais fait, je n'arrivais pas à me souvenir d'avoir conduit la petite à l'école quelques minutes plus tôt ; le trajet était relégué au néant.

— Tu trembles, a observé Marge.

— Ouais... mais ça va. Tu ne devrais pas être au travail ? Je peux faire des œufs brouillés...

Marge m'a raconté plus tard que je me suis levé de table pour aller vers le frigo ; quand je l'ai eu ouvert, j'ai dû décider que j'avais plutôt besoin de café. Je me suis approché du placard où il était rangé, puis j'ai réalisé que je devais d'abord sortir des tasses pour Marge et moi. Mais j'ai dû penser que j'avais toujours besoin de café, alors j'ai posé les tasses à côté de la machine à café. Elle m'a regardé repartir vers le frigo et sortir les œufs, avant de les rapporter au même endroit. Elle m'a dit que je suis ensuite allé dans le cellier et que j'en suis ressorti avec un saladier et…

— Et si je préparais le petit déj ? a-t-elle suggéré en se levant.

— Hein ?

— Assieds-toi.

— Tu ne dois pas aller travailler ?

— J'ai décidé de prendre ma journée, dit-elle en sortant son portable. Assieds-toi. Je reviens dans une minute. Je dois juste prévenir mon patron.

Comme je m'asseyais, je pris à nouveau conscience du fait que Vivian m'avait quitté. Elle était amoureuse de son patron. Elle était partie. J'ai regardé Marge ouvrir la porte de derrière qui donnait sur la véranda.

— Où tu vas ?

— Je vais appeler mon chef.

— Pourquoi tu dois appeler ton chef ?

*
* *

Marge est restée avec moi toute la journée. Elle est allée chercher London à l'école et l'a aussi amenée à sa leçon de piano. Liz est venue après son dernier rendez-vous, et toutes les deux ont non seulement préparé à dîner mais aussi occupé la petite et aidé celle-ci à se mettre au lit. Ce n'était pas souvent que ses tantines venaient jouer avec elle et London était aux anges de recevoir autant d'attention.

Mais ça aussi, c'est Marge qui me l'a raconté plus tard. Comme le trajet jusqu'à l'école, impossible de m'en souvenir. La seule chose que je me rappelle, c'est de fixer la pendule et d'attendre que Vivian téléphone, ce qu'elle n'a jamais fait.

*
* *

Le lendemain matin, après avoir dormi moins de trois heures, je me suis traîné hors du lit, avec une quasi gueule de bois et les nerfs à fleur de peau. J'ai dû faire un effort monumental pour me laver et me raser, ce que j'avais négligé la veille. Pas plus que je m'étais nourri, d'ailleurs – j'avais à peine grignoté au petit déjeuner et au dîner –, mais l'idée même de nourriture me répugnait.

Marge m'a tendu une tasse de café dès que je suis entré dans la cuisine, puis elle a rempli une assiette.

– Assieds-toi. Tu ne peux pas rester avec l'estomac vide.

– Qu'est-ce que tu fais là ?

– D'après toi ? Je suis venue ce matin pour m'assurer que tu avales quelque chose.

– Je ne t'ai pas entendue frapper.

– Je ne l'ai pas fait. Après que tu t'es couché, j'ai emprunté la clé de ta maison. J'espère que tu n'y vois pas d'inconvénient.

– Pas de souci, ai-je répondu en levant le mug.

J'ai bu une gorgée, mais le café avait un goût bizarre. Malgré les arômes alléchants, j'avais encore un nœud à l'estomac. Je me suis néanmoins affalé sur une chaise. Ma sœur a posé sous mon nez une assiette remplie d'œufs, de bacon et de pain grillé.

– Je ne pense pas pouvoir manger.

– C'est bien dommage, a-t-elle répliqué. Tu vas manger, même si je dois t'attacher à la chaise et te donner la becquée.

Trop épuisé pour la contredire, je me suis forcé ; bizarrement, chaque bouchée m'a paru plus facile que la précédente, mais j'ai à peine avalé la moitié de mon assiette.

– Elle m'a quittée…

– Je sais, a dit Marge.

– Elle n'a pas voulu essayer d'arranger les choses.

– Je sais.

– Pourquoi ? Qu'est-ce que j'ai fait de travers ?

Marge a pris une bouffée de son inhalateur pour gagner du temps, parfaitement consciente que rejeter la faute sur Vivian ou la submerger de critiques ne ferait que me bouleverser davantage.

– Je ne pense pas que tu aies fait quoi que soit de mal. C'est juste qu'une relation, c'est compliqué, et qu'il faut être deux à vouloir que ça fonctionne.

Aussi juste que soit sa remarque, elle ne m'a apporté aucun soulagement.

*

* *

– Tu es sûr de ne pas vouloir que je reste avec toi aujourd'hui ? a dit Marge.

– Je ne peux pas te demander de prendre un autre jour de congé.

Le fait de manger semblait plus ou moins stabiliser mon état affectif. Toutefois ce n'était pas encore la grande forme. Loin s'en faut. Mes chamboulements émotionnels ressemblaient moins au tsunami de la veille, mais ils appartenaient encore à la catégorie des vagues scélérates, du genre de celles qui avaient coulé l'*Andrea Gail* dans le film *En pleine tempête*. J'avais toujours l'impression de perdre pied, mais j'espérais encore pouvoir gérer le quotidien. Conduire London à l'école et la ramener. Idem pour son cours de danse. Commander une pizza pour le dîner. Je savais que je n'aurais pas l'énergie nécessaire pour autre chose ; même lire le journal ou passer l'aspirateur se révélait au-delà de mes possibilités. Mon but consistait tout bêtement à tenir debout et à m'occuper de ma fille.

Marge ne paraissait pas convaincue.

– J'appellerai pour prendre de tes nouvelles dans la journée. Plusieurs fois.

– OK, ai-je accepté, en sachant qu'une partie de moi craignait de se retrouver seul.

Et si je m'écroulais comme une masse juste après le départ de ma sœur ? Ou si je volais en éclats, comme le reste de mon univers…

Vivian m'avait quitté.

Elle était amoureuse d'un autre homme.

J'étais un mari atroce, un moins que rien, et j'avais échoué.

Je l'avais déçue trop souvent, et à présent je me retrouvais seul.

Bon sang, je suis tout seul… me suis-je dit quand Marge a refermé la porte derrière elle.

Je vais finir en mourant tout seul.

Pendant que London était à l'école, j'ai marché. J'ai fait les cent pas d'un bout à l'autre de la maison ; j'ai arpenté les rues de mon quartier pendant des heures. Les questions au sujet de Vivian se bousculaient dans ma tête. Était-elle à Atlanta ou dans une autre ville ? Prenait-elle une journée de congé pour s'installer dans l'appartement, ou était-elle au bureau ? Je me demandais ce qu'elle faisait : je l'imaginais parlant au téléphone avec une oreillette dans une vaste pièce d'angle avec vue imprenable, ou traversant un couloir avec une pile de papiers dans les mains, son bureau dégringolant d'un coup de contemporain chic à classique étouffant. Je me demandais si Spannerman se trouvait avec elle. Si elle riait à ses côtés ou si elle se tenait à son bureau, la tête dans les mains. Je n'arrêtais pas de consulter mon portable, dans l'espoir d'avoir de ses nouvelles, guettant les SMS ou les appels manqués. J'emportais mon mobile partout. J'avais envie d'entendre sa voix me dire qu'elle avait commis une erreur et souhaitait revenir à la maison. Je voulais l'entendre me dire qu'elle m'aimait toujours. Je voulais qu'elle me supplie de lui pardonner et, dans mon cœur, je savais que je n'hésiterais pas. Je l'aimais encore ; l'idée de vivre sans elle dépassait mon entendement.

Pendant tout ce temps, je continuais de me demander ce que j'avais fait de mal. Était-ce le fait d'avoir démissionné ? D'avoir pris un peu de poids ? D'avoir trop travaillé avant ma démission ? Et à quel moment la situation s'était-elle dégradée ? Quand étais-je devenu « jetable » ? Comment pouvait-elle nous quitter ? Comment pouvait-elle abandonner London ? Vivian avait-elle l'intention de l'emmener à Atlanta ?

Cette dernière interrogation était la pire de toutes, trop pénible à envisager et, après être revenu chez moi, j'étais épuisé. Je savais que je devais faire une sieste, mais dès que je me suis allongé, mon esprit est passé en mode ébullition. Marge a appelé trois fois et je me suis rendu compte que je devais encore prévenir mes parents de ce qui s'était passé, mais je ne voulais toujours pas y croire.

J'avais envie que ce ne soit qu'un mauvais rêve.

Au milieu de l'après-midi, je suis passé prendre London, tandis que la tempête continuait à faire rage en moi. La petite a demandé une glace et, même si la requête me semblait incroyablement compliquée, je me suis débrouillé tant bien que mal pour aller au Dairy Queen. J'ai également réussi à la déposer à l'heure à la danse.

Pendant que London était à son cours, je suis parti me promener. Je ne suis pas quelqu'un de solide. Parvenu au bout de la galerie marchande, les larmes ont commencé à me brouiller la vue. Je me suis retrouvé là tout seul, les épaules secouées de spasmes et le visage dans les mains.

*
* *

— Maman revient quand ? a demandé London.

Il y avait un carton de pizza sur la table et j'ai mis ma part de côté. J'en avais mangé la moitié.

— Je ne sais pas, mon cœur. Je ne lui ai pas parlé, ai-je répondu. Mais dès que j'aurai des nouvelles, je te dirai.

Si elle a trouvé ma réponse bizarre, elle ne l'a pas montré.

— Je t'ai dit que Bodhi et moi, on avait trouvé un bébé tortue à la récré ?

— Une bébé tortue ?

— On jouait au loup et je l'ai découvert près de la clôture, trop mignon. Et puis Bodhi est venu et il l'a trouvé mignon aussi. On a essayé de lui donner de l'herbe à manger, mais il avait pas faim, et puis tous les autres enfants sont venus et la maîtresse aussi. Alors on lui a demandé si on pouvait le mettre dans une boîte et l'apporter dans la classe et la maîtresse a dit oui !

— Super.

— Oh oui ! Elle a pris une boîte à crayons et elle a posé la tortue dedans, et après on a tous marché avec elle quand elle l'a emmenée dans la classe. Je pense que la tortue était effrayée parce qu'elle arrêtait pas d'essayer de sortir, mais elle pouvait pas parce que la boîte glissait trop sur les côtés. Et puis on a voulu lui donner un nom, mais la maîtresse a dit qu'on devrait pas parce qu'elle allait la laisser s'en aller.

— Elle n'a pas voulu la garder ?

— Elle a dit que sa maman devait probablement lui manquer.

J'ai senti une boule dans ma gorge.

– Ouais… C'est logique.

– Mais Bodhi et moi, on lui a quand même donné un nom. On a décidé de l'appeler Ed.

– Ed la tortue ?

– On a aussi pensé à Marco.

– Comment tu sais que c'est une tortue garçon ?

– Ben on le sait, c'est tout.

– Oh…

Malgré mon âme en peine, je me suis surpris à sourire.

Ça n'a pas duré.

*

* *

Pendant que je glissais les restes de pizza dans un sac Ziploc, Vivian a appelé. Quand j'ai vu sa photo s'afficher sur l'écran de mon portable, mon cœur a soudain cogné dans ma poitrine. London regardait la télévision au salon et je suis sorti sous la véranda. J'ai pris mon courage à deux mains avant de décrocher.

– Salut, ai-je dit en essayant de faire comme si tout était normal entre nous, alors que c'était tout le contraire. Comment vas-tu ?

Elle a hésité.

– Ça va. Et toi ?

– C'est un peu bizarre ici. Mais je m'accroche. T'es où en ce moment ?

Elle a semblé réfléchir avant de répondre.

– Je suis à Tampa. London est dans les parages ? Ou déjà dans son bain ?

– Non, pas encore. Elle est au salon.

– Tu peux me la passer ?

J'ai ralenti ma respiration.

– Avant ça, tu ne penses pas qu'on devrait parler ?

– Je ne suis pas sûre que ce soit une bonne idée, Russ…

– Pourquoi ?

– Parce que je ne sais pas ce que tu veux que je te dise.

– Ce que je veux que tu me dises ? Je veux que tu nous donnes une seconde chance, Vivian. (J'ai ignoré le silence de mort à l'autre bout de la ligne.) J'ai encore l'impression de ne pas comprendre ce qui se passe.

Comment faire en sorte que ça marche ? On peut aller voir un thérapeute.

Sa voix était tendue.

– S'il te plaît, Russ. Est-ce que je peux juste parler à London ? Elle me manque.

Et moi, je ne te manque pas ? Ou bien es-tu déjà avec Walter là maintenant ?

L'idée m'est venue spontanément, avec l'image de ma femme appelant depuis la suite d'un hôtel, tandis que Walter regardait la télévision dans une pièce voisine, et j'ai à peine pu revenir dans la maison et appeler ma fille :

– Ta maman est en ligne, London ! Elle veut te faire un coucou.

*

* *

Je n'ai pas pu m'empêcher d'écouter la conversation, même si London s'est éloignée vers le salon. Je l'ai entendue raconter à Vivian sa journée – sans oublier l'épisode de la tortue – et lui dire « je t'aime » ; je l'ai aussi entendue demander à Vivian quand elle rentrerait à la maison. Même si je n'ai pas entendu la réponse, j'ai deviné à l'expression de ma fille que celle-ci ne lui plaisait pas vraiment. « OK, maman, a-t-elle conclu. Tu me manques aussi. On peut se parler demain. »

*

* *

Vivian savait que je mettais en général mon portable sur mode avion quand j'allais me coucher et, les vieilles habitudes ayant la vie dure, j'ai réitéré ce soir-là. Le lendemain matin, après avoir remis le mode normal, j'ai vu que Vivian avait laissé deux messages vocaux.

« Je sais que tu voulais parler, et on le fera, mais seulement quand on sera prêts tous les deux. Je ne sais pas quoi ajouter. Je veux que tu saches que je n'avais pas prévu ce qui arrive, et je sais à quel point je t'ai blessé. J'aurais préféré que ça ne se passe pas comme ça, mais je n'ai pas envie de te mentir non plus.

J'appelle surtout pour London. En ce moment, c'est la vraie folie au travail avec le transfert des bureaux, le PAC de Walter et tous les

263

déplacements. On doit encore faire étape à Washington et on s'envole pour New York ce week-end. Et comme je voyage beaucoup, c'est sans doute mieux si London reste avec toi pendant un moment. J'avais envie de m'installer ici d'abord et de lui préparer sa chambre, mais je n'ai pas eu le temps de commencer l'un ni l'autre. Bref, je pense qu'il est important que tu ne dises pas encore à London de quoi il retourne. Elle est déjà stressée avec l'école et je sais qu'elle va être épuisée. En outre, je crois qu'on devrait le faire ensemble. Ne quitte pas. Laisse-moi te rappeler tout de suite. Je n'ai pas envie que ta messagerie me coupe la parole. »

Le second message reprenait là où elle avait interrompu le premier.

« J'ai discuté aujourd'hui avec une thérapeute sur la meilleure manière de l'annoncer à London et elle m'a dit qu'on devrait insister sur le fait que c'est mieux pour nous de vivre à des endroits différents pendant quelque temps, sans faire allusion à la séparation ou au divorce. On devra bien sûr préciser clairement que ça n'a rien à voir avec elle et qu'on l'aime tous les deux. Quoi qu'il en soit, on peut en discuter plus longtemps de visu, mais je tenais à ce que tu saches que j'essaie de faire ce qui est le mieux pour London. On va devoir aussi discuter de la période la mieux adaptée pour son déménagement à Atlanta. (Elle a fait une pause.) OK, je pense que c'est tout. Je te souhaite une bonne journée. »

*
* *

Je te souhaite une bonne journée ?

Elle plaisantait ou quoi ? Assis au bord du lit, je me suis repassé plusieurs fois les messages. Je crois que je cherchais quelque chose – n'importe quoi – laissant supposer qu'elle tenait encore à moi, ne serait-ce qu'un peu… mais je n'ai rien décelé. J'ai bien entendu tout ce qu'elle souhaitait, dissimulé sous des termes mettant ostensiblement l'accent sur le bien-être de London, et ce subterfuge me rendit fou furieux. Alors que je réfléchissais à tout ça, mon mobile a sonné.

— Salut, a dit la voix de Marge sur un ton bienveillant. J'appelle juste pour prendre de tes nouvelles.

— Il n'est même pas 7 heures du matin.

— Je sais, mais je pensais à toi.

— Je… je suis plutôt en colère, en fait.

— Ah oui ?

— Vivian m'a laissé deux messages vocaux, ai-je expliqué avant de les lui répéter le mieux possible.

— Oh, mince ! Et tu t'es réveillé en écoutant ça ? Pas vraiment une délicieuse tasse de café, hein ? En parlant de ça, je suis dans ta rue et sur le point de me garer dans ton allée. Viens m'ouvrir.

J'ai quitté la chambre et suis descendu à pas feutrés au rez-de-chaussée. Le temps d'ouvrir la porte d'entrée, Marge descendait déjà de sa voiture, avec deux gobelets de café.

En la regardant marcher vers moi, j'ai remarqué qu'elle était déjà vêtue pour aller à son travail.

— Je peux faire du café ici, ai-je dit.

— Je sais, mais je voulais voir ta tête. Tu as pu dormir un peu cette nuit ?

— Peut-être quatre ou cinq heures.

— Je n'ai pas beaucoup dormi non plus.

— Liz t'a fait veiller tard ?

— Non. Je me faisais juste du souci pour toi. Entrons. London est debout ?

— Pas encore.

— Et si j'allais la préparer pendant que tu savoures ton café ?

— Je ne suis pas handicapé.

— Je sais. Tu es même tout le contraire. Tu tiens le coup beaucoup mieux que moi si j'étais à ta place.

— J'en doute.

Elle m'a alors surpris en m'effleurant la joue : à ma connaissance, je ne l'avais jamais vue faire ce geste.

— Je n'ai pas eu besoin de te parler pour te faire descendre d'un château d'eau, si ?

*
* *

Grâce au café et à l'aide matinale de Marge, je me sentais un peu mieux que la veille en conduisant London à l'école. Sur la banquette arrière, elle n'arrêtait pas de parler de son rêve : une histoire de grenouille qui changeait de couleur à chaque fois qu'elle bondissait.

Et sa bonne humeur innocente, c'était exactement ce qu'il me fallait.

De retour à la maison, je me suis forcé à enfiler ma tenue de jogging. Je n'avais pas couru depuis que Vivian avait annoncé qu'elle me quittait – les premiers jours, ça m'avait manqué – et j'espérais que l'effort physique m'aiderait à me sentir de nouveau un peu moi-même. Sur le parcours, ça allait, en dépit des deux ou trois kilomètres que j'ai ajoutés, mais en sortant de ma douche j'ai repensé malgré moi à Vivian. La rage que j'éprouvais auparavant avait diminué, remplacée par une tristesse accablante.

C'était quasi insupportable et, comme je savais que je ne pourrais pas affronter un autre jour comme les deux que je venais de vivre, je devais à tout prix faire quelque chose. N'importe quoi. J'avais envie de travailler comme de me pendre, mais je me suis obligé à aller dans mon bureau. Sitôt que je me suis installé et que j'ai vu une photo de Vivian, j'ai su que rester à la maison n'allait pas marcher. Trop de choses me rappelaient sa présence ; trop de raisons pour que le train des émotions se remette en route.

Il est temps, me suis-je dit, *d'aller faire un tour à mon local.*

Après avoir pris mon ordinateur, je me suis rendu au bureau que j'avais loué. La réceptionniste commune s'est étonnée de me voir mais m'a annoncé comme d'habitude que je n'avais reçu aucun message. Pour la première fois, ça m'était franchement égal.

J'ai ouvert la porte. Rien n'avait changé depuis que j'y étais passé – ça faisait des semaines – et il y avait une fine couche de poussière sur mon poste de travail. J'y ai quand même posé mon ordinateur et j'ai ouvert ma messagerie.

Des dizaines d'e-mails, reçus de factures automatiques pour la plupart ou du spam. J'en ai effacé au maximum et j'ai classé les factures dans leurs dossiers respectifs, jusqu'à ce qu'il me reste les messages avec des liens vers les images des spots de pub. La présentation pour le chirurgien esthétique étant déjà finie, je pouvais m'occuper de Taglieri. J'ai revu mes notes du week-end précédent ; sur les six prises qu'on avait faites devant le tribunal, trois ne collaient absolument pas. J'ai finalement réduit à deux les trois prises exploitables. Je le trouvais meilleur au début de la seconde prise et à la fin de la première. Avec un peu de montage – j'avais les logiciels de base sur mon ordinateur –, je pourrais assembler ces deux parties. Rien de tel que la magie du cinéma.

Mieux encore, je l'aimais bien dans les images qu'on avait tournées et j'étais certain que les autres l'aimeraient aussi. Il se présentait exactement comme je l'espérais : honnête, compétent et sympathique ; mais, surtout, il passait bien à l'image. Peut-être que sa photogénie était due à la lumière naturelle, en tout cas je notais une sérieuse amélioration par rapport à ses anciens spots.

En revanche, les séquences pour la deuxième pub posaient davantage de problèmes. Il y avait beaucoup de scènes filmées sous des angles différents – dont une particulièrement magnifique où l'on voyait des chevaux paître dans une prairie – et avec toutes sortes de gens, ce qui multipliait d'autant la manière dont le spot pouvait se dérouler au final. Sachant que cela me prendrait plus de temps et d'énergie que je ne pourrais en fournir, j'ai décidé de travailler seulement sur la première pub.

Le logiciel que j'utilisais n'était pas de niveau professionnel, mais ça allait ; j'avais déjà pris contact avec les meilleurs monteurs free-lance du coin et, lentement mais sûrement, je me suis attelé à la tâche. Au déjeuner, je me suis forcé à finir le bol de soupe que j'avais acheté chez le traiteur, puis je me suis remis au montage jusqu'à ce qu'il soit l'heure de passer prendre London à l'école.

Ça n'avait pas été une journée facile. Chaque fois que ma concentration faiblissait – ne serait-ce qu'une seconde –, le chamboulement affectif et les questions ressurgissaient. Je me levais alors de mon bureau pour faire les cent pas ; à d'autres moments, je restais debout à la fenêtre, sentais ma poitrine se serrer et mes mains se mettre à trembler, comme si je manquais d'air. J'éprouvais au plus profond de moi ce sentiment de perte qui me portait à croire que je n'avais aucune raison de continuer.

Mais inévitablement, comme la distraction restait mon seul espoir de salut, je regagnais mon bureau et tentais d'oublier tout ça en travaillant pour Taglieri.

*
* *

– Ce que tu ressens est normal, m'a assuré Liz plus tard, ce soir-là, sous la véranda, après que je lui ai raconté ce que je traversais.

Marge et elle étaient de nouveau passées chez moi après le travail.

Marge, qui avait apporté de la pâte à modeler, se tenait assise par terre avec London et toutes les deux sculptaient divers sujets.

— Tu as subi un choc important. N'importe qui serait bouleversé.

— Je suis plus que bouleversé, ai-je admis. C'est tout juste si je suis opérationnel.

Si Liz et moi avions discuté des centaines de fois, c'était la première que j'éprouvais le besoin de lui parler. La journée m'avait vidé. Je n'avais qu'une envie : m'enfuir ou trouver un endroit sombre et paisible où me cacher ; mais avec London, c'était impossible. Pas plus que ça ne m'aurait aidé, d'ailleurs, puisque je trimbalais mes pensées partout où j'allais.

— Mais tu m'as dit que tu avais travaillé. Tu as emmené et récupéré London à l'école et au piano. Et elle a mangé.

— Je suis passé au fast-food sur le chemin du retour.

— Pas de problème. Tu dois apprendre à te ménager. Tu gères tout ça aussi bien que n'importe qui. Surtout en ce qui concerne tes émotions.

— Tu n'as donc rien entendu de ce que je t'ai dit ?

— Bien sûr que si. Et je sais que ça semble insupportable mais, crois-le ou non, le fait que tu t'autorises à éprouver des émotions plutôt que de les refouler, c'est une bonne chose. Il existe un vieux dicton qui affirme : « La seule issue consiste à aller jusqu'au bout ». Tu comprends ce que je veux dire par là ?

— Pas vraiment. Mais bon, mon cerveau fonctionne un peu de travers. La prochaine fois que je regarderai la pub que j'ai montée, je vais sans doute être déprimé par le boulot atroce que j'aurai fait.

— Si c'est si nul, tu pourras rectifier le tir, non ?

J'ai hoché la tête. J'allais devoir corriger tout ça. Vivian avait ouvert son propre compte en banque et je supposais que c'était à moi de payer toutes les factures, y compris les mensualités pour la maison.

— Bien. Et ça constituera un nouveau pas en avant. Quant à ce que je disais plus tôt… trop de gens pensent que refouler leurs émotions ou les éviter est une attitude saine. Et parfois ça peut l'être, surtout quand le temps a rempli son office. Mais tout de suite après un événement traumatisant, il vaut souvent mieux laisser les sentiments remonter à la surface et les vivre pleinement, tout en te rappelant que ça finira par passer. Souviens-toi que tu n'es pas tes émotions.

— Je ne sais même pas ce que ça veut dire.

— Tu es triste en ce moment, mais tu n'es pas quelqu'un de triste et tu ne vas pas l'être à jamais. Tu es en colère, mais tu n'es pas une personne colérique et tu ne vas pas l'être à jamais.

J'ai pensé à ce qu'elle avait dit avant de secouer la tête en répliquant :

— Je veux juste empêcher toutes ces émotions d'être aussi intenses. Comment je peux y arriver ?

— Continue de faire ce que tu fais. Jogging, travail, t'occuper de London. Ça prendra du temps, c'est tout.

— Combien de temps ?

— C'est variable selon les gens. Mais chaque jour tu te sentiras un peu moins vulnérable, un peu plus fort ou déterminé. Si tu songeais à Vivian toutes les cinq minutes aujourd'hui, peut-être que la semaine prochaine ce sera environ toutes les dix minutes.

— J'aimerais pouvoir en être débarrassé d'un claquement de doigts.

— Toi comme tous ceux qui vivent la même chose.

*
* *

Dans la soirée, une fois London couchée après avoir parlé à sa mère sur FaceTime, j'ai continué à discuter avec Marge et Liz. La plupart du temps, ma sœur se contenta d'écouter.

— D'après ton expérience, ai-je demandé, tu penses qu'elle va revenir ?

— Franchement, j'ai vu les deux situations se produire, a répondu Liz. Quelquefois, ce que les gens prennent pour de l'amour n'est qu'un coup de cœur passager et, celui-ci terminé, ils décident qu'ils ont commis une erreur. Dans d'autres cas, c'est de l'amour et ça dure. Et d'autres fois encore, même s'il ne s'agit que d'un coup de cœur, la personne en arrive à la conclusion que l'amour qu'elle éprouvait au début n'existe plus.

— Qu'est-ce que je devrais faire ? Elle ne veut même pas me parler.

— J'ignore s'il y a quelque chose à faire. Même si tu le souhaites peut-être, tu ne peux pas contrôler une personne.

J'avais envie d'un verre, d'oublier et de simplement ne plus m'en faire, ne serait-ce que pendant un moment ; mais, même s'il y avait de la bière au frigo, je me suis retenu car je craignais de ne plus pouvoir m'arrêter tant que je n'aurais pas vidé toutes les cannettes.

– Je ne souhaite pas la contrôler… seulement qu'elle ait envie de revenir.

– Je sais bien, a dit Liz. C'est clair que tu l'aimes toujours.

– Tu penses qu'elle m'aime toujours ?

– Oui. Mais là maintenant, ce n'est pas le même genre d'amour.

Je me suis tourné vers Marge.

– Qu'est-ce qui va se passer si elle veut que London s'installe avec elle à Atlanta ?

– Tu vas te battre. Tu engages un avocat et démontres que la petite devrait rester avec toi.

– Et si London a envie de la suivre ? ai-je insisté, en sentant les larmes me monter aux yeux. Et si elle préfère être auprès de sa mère ?

Marge et Liz restèrent silencieuses.

*
* *

Le vendredi, j'ai emmené et récupéré London à l'école et à la danse, et je me suis plongé dans le travail comme la veille. Je survivais à peine. Je me suis souvenu que quatorze ans plus tôt, lors d'une journée que je n'oublierais jamais, les Tours jumelles s'effondraient.

Puis le week-end est arrivé. Les suggestions de Liz s'étaient muées en mantra : jogging, travail, s'occuper de London et, même si je n'allais pas au bureau, j'avais néanmoins envie de suivre ses conseils.

Je me suis levé tôt et j'ai couru onze kilomètres, mon plus long parcours depuis des années. Je me suis forcé à avaler mon petit déjeuner, puis j'ai fait manger London. Pendant qu'elle se détendait, j'ai finalisé le montage de mon premier spot publicitaire, puis attaqué le deuxième. J'ai emmené London à l'atelier d'arts plastiques, continué à monter le spot pendant qu'elle était là-bas, avant d'apprendre qu'elle avait réalisé un vase. Elle le tenait avec précaution pour éviter de le cogner ici ou là.

– On doit le rapporter la semaine prochaine pour que je puisse le peindre, a dit la petite. Je veux peindre des fleurs jaunes dessus. Et peut-être des « sourises » roses.

– Des « sourises » ?

– Ou un hamster. Mais les hamsters, c'est dur à peindre.

J'ignorais pourquoi, mais qu'est-ce que j'en savais ?

– OK. Des fleurs et des « sourises ».

– Des « sourises » roses.

– Encore mieux, ai-je approuvé. T'es prête pour aller voir mamie ?

Je l'ai aidée à monter dans la voiture, en sachant qu'il était temps pour moi d'annoncer à mes parents que Vivian m'avait quitté. Comme Marge voulait rester avec moi quand je partagerais la nouvelle, Liz a pris l'initiative d'aller faire une balade avec London. J'ai appelé mon père au garage et il s'est assis à côté de ma mère.

J'ai tout déballé d'un trait. Quand ce fut terminé, mon père a pris la parole en premier.

– Elle ne peut pas s'en aller, a-t-il dit en fronçant les sourcils. Elle a une enfant.

– Je devrais l'appeler, a lancé ma mère. Elle doit traverser une mauvaise passe.

– Ce n'est pas une mauvaise passe. Elle m'a dit qu'elle était amoureuse de lui. Elle a son propre appartement maintenant.

– Elle revient quand ? a répliqué ma mère. Si c'est le week-end prochain, ton père et moi nous ne serons pas là. Nous allons rendre visite à ton oncle Joe à Winston-Salem. C'est son anniversaire.

Joe, le frère cadet de mon père, était un mécanicien resté célibataire, qui avait eu au fil des années plusieurs relations à long terme, passant d'une petite amie à l'autre. Quand j'étais ado, il incarnait le tonton sympa et je me rappelle m'être demandé pourquoi il ne s'était jamais marié. À présent, je me disais qu'il avait peut-être mis le doigt sur un truc.

– Je n'ai aucune idée de la date de son retour, ai-je répondu.

– Le travail a dû trop la stresser, a repris ma mère. Elle n'a pas les idées claires.

– Comment elle va faire pour voir London ? a dit mon père.

– Je n'en sais rien, papa.

– Elle ne veut pas voir sa fille ? a-t-il insisté.

– Je devrais vraiment lui téléphoner, a renchéri ma mère, visiblement tracassée.

Marge est intervenue :

– Tu ne vas pas l'appeler, maman. C'est eux que ça regarde. Je suis sûre que Vivian va revenir voir London. Et même si elle n'a pas précisé quand, j'imagine que ce sera la semaine prochaine ou dans ces eaux-là. Mais ce n'est sans doute pas le meilleur moment pour mitrailler Russ de questions ou échafauder des tas d'hypothèses. Comme tu peux l'imaginer, il a connu une semaine difficile.

— Tu as raison, a brusquement admis ma mère. Je suis désolée. C'est un choc, tu comprends ?

— Pas de souci, maman, l'ai-je rassurée, en regardant mon père se lever du canapé pour gagner la cuisine.

— Comment tu accuses le coup ? m'a-t-elle demandé.

Je me suis passé la main dans les cheveux.

— Je fais du mieux que je peux.

— Est-ce que je peux faire quoi que ce soit ? As-tu besoin d'aide pour London ?

— Non. De ce côté-là, ça va. C'est pas si dur, maintenant qu'elle va à l'école.

— Si je t'apportais à dîner dans la semaine, ça te soulagerait ?

Je savais qu'elle avait besoin de se rendre utile.

— Ce serait sympa, ai-je répondu. London préfère de loin ta cuisine à la mienne.

J'ai senti un truc glacé me tapoter l'épaule. Mon père tenait une cannette de bière dans chaque main et il m'en tendait une.

— Pour toi, a-t-il dit. Si t'as envie de parler, je suis au garage.

*

* *

Quand je l'ai rejoint vingt minutes plus tard, mon père m'a fait signe de m'asseoir sur un tabouret, tandis qu'il s'installait sur une caisse à outils. J'avais apporté deux autres bières avec une idée en tête – je n'en avais pas parlé à Marge ou à Liz – et je souhaitais entendre le point de vue de mon père.

— Je ne sais pas si j'en suis capable, ai-je dit.

— De quoi ?

— D'être un père célibataire. M'occuper de London. Peut-être que ce serait mieux si elle allait vivre avec Vivian à Atlanta.

Il décapsula sa deuxième bière.

— J'imagine que tu veux que je te dise que je t'approuve.

272

– Je ne sais pas au juste ce que je veux.

– C'est pas ça, ton problème. Ton vrai problème, c'est que tu as peur.

– Bien sûr que j'ai peur.

– Élever des enfants, c'est ça. Tu fais ton possible tout en ayant la trouille de tout foirer. Les gamins peuvent te donner des cheveux gris avant tout le reste, crois-moi.

– Maman et toi, vous n'aviez pas peur.

– Bien sûr que si. On ne l'a jamais laissé paraître, voilà tout.

Je me demandai si c'était vrai.

– Tu penses que je devrais me battre pour London comme Marge me l'a dit ? Si on en arrive là ?

Mon père s'est mis à gratter son jean, en laissant une trace de graisse.

– Je pense que t'es un sacré bon père, Russ. Mieux que je l'ai jamais été, c'est sûr. Et je pense que London a besoin de toi.

– Elle a aussi besoin de sa mère.

– Peut-être. Mais quand je vois la façon dont tu t'en occupes… Je sais que c'était pas facile, mais tu as tenu bon et tu l'as fait, et c'est une petite fille très heureuse. Et être un père, ça revient à ça. Tu fais ce que tu dois faire et tu aimes ton enfant de la meilleure manière qui soit. C'est ce que tu as fait et je suis franchement fier de toi… En tout cas, c'est ce que je pense.

J'ai tenté de me rappeler s'il m'avait jamais dit quelque chose d'approchant dans le passé, mais je savais que non.

– Merci papa.

– Tu ne vas pas te mettre à pleurer, hein ?

Malgré tout, j'ai éclaté de rire.

– J'en sais rien, papa.

– Pourquoi tu pleures ?

J'ai essuyé une larme que je n'avais pas sentie couler.

– Il m'en faut peu pour craquer ces temps-ci.

15

À chaque jour suffit sa peine

Contrairement à mon ami Danny, je fus le témoin de l'angoisse de ma mère quand, l'un après l'autre, elle perdit les membres de la famille avec lesquels elle avait grandi. J'avais treize ans à la mort de mon grand-père, dix-huit à celle de ma grand-mère, vingt et un quand le premier des frères de ma mère nous a quittés, et vingt-sept quand le dernier s'en est allé vers un monde meilleur.

Chaque fois, ma mère porta le plus lourd des fardeaux. Toutes les quatre furent des morts lentes, avec de fréquents séjours à l'hôpital où l'on administrait du poison dans l'espoir de tuer le cancer avant qu'il ne les tue. Il y eut la perte des cheveux et les nausées, l'affaiblissement et la perte de mémoire. Et la douleur. Toujours trop présente. Vers la fin, il y eut certaines journées et certaines nuits passées en unité de soins intensifs, avec ses parents hurlant parfois de douleur. Ma mère fut présente tout le temps. Chaque soir, après le travail, elle partait les voir chez eux ou à l'hôpital, et elle restait des heures en leur compagnie. Elle leur passait un linge humide sur le visage, les nourrissait à la paille ; elle finit par connaître par leur prénom les médecins et les infirmières de trois établissements différents. Le moment venu, c'était elle qui s'occupait des obsèques, et j'ai toujours su qu'en dépit de notre présence elle se sentait très seule.

Dans les semaines et les mois qui suivirent ce quatrième enterrement, je suppose que je pensais la voir rebondir comme elle l'avait toujours fait auparavant. En apparence, elle n'avait pas changé — elle portait toujours des tabliers et passait le plus clair de son temps à la cuisine, quand Vivian et moi étions en visite ; mais elle était plus calme que par le passé et, de temps à autre, je la surprenais qui regardait par la fenêtre, au-dessus de l'évier, comme isolée du bruit de ceux d'entre nous qui se trouvaient à proximité. Je pensais que c'était lié au deuil le plus récent ;

ce fut Vivian qui suggéra que le chagrin de ma mère s'ajoutait au précédent, qui lui-même s'ajoutait à celui d'avant, et ainsi de suite, et ça m'a paru tout à fait exact.

À quoi ça ressemblait de perdre ses proches ? Je suppose que c'est inévitable dans chaque famille – il y a toujours un dernier survivant, après tout ; mais la remarque de Vivian m'a poussé à plaindre ma mère chaque fois que je la voyais. J'avais l'impression que son sentiment de perte était devenu le mien, et je suis allé la voir plus souvent. Deux ou trois fois par semaine, je faisais un saut après le travail et je passais du temps avec elle et, même si on ne parlait pas de ce qu'elle… et moi… traversions, cette tristesse générale ne nous quittait jamais.

Un soir, alors que depuis deux mois j'avais pris l'habitude de venir réguliè-rement la voir, je suis passé chez mes parents et j'ai vu mon père qui taillait les haies alors que ma mère attendait sous la véranda. Il a fait mine de ne pas remarquer mon arrivée et ne s'est pas retourné.

– Allons faire un tour en voiture, a annoncé ma mère. Et c'est toi qui conduis.

Elle s'est avancée d'un bon pas vers mon véhicule et, après avoir ouvert la portière côté passager, elle s'est assise et l'a refermée derrière elle.

– Qu'est-ce qui se passe, papa ?

Il a arrêté de tailler la haie mais ne s'est toujours pas retourné vers moi.

– Contente-toi de monter dans la voiture. C'est important pour ta mère.

J'ai obtempéré et, quand je lui a demandé où on allait, elle m'a dit de prendre la direction de la caserne de pompiers.

Toujours déconcerté, j'ai obéi et, alors qu'on s'approchait, elle m'a soudain demandé de tourner à droite ; deux rues plus loin, elle m'a ordonné de prendre sur la gauche. À ce moment-là, j'ai su où elle voulait se rendre et on s'est arrêtés près du portail d'un terrain clos et boisé. Devant nous se dressait le château d'eau et, quand ma mère est descendue de la voiture, je l'ai suivie.

Pendant un petit moment, elle ne m'a rien dit.

– Pourquoi on est là, maman ?

Elle a penché la tête et son regard semblait suivre l'échelle qui menait à la passerelle, proche du sommet.

– Je sais ce qui s'est passé, a-t-elle déclaré, quand Tracey et Marge ont rompu. Je sais qu'elle avait le cœur brisé et que tu l'as retrouvée ici. Tu étais encore un enfant mais, tant bien que mal, tu l'as convaincue de descendre et tu l'as ramenée à la résidence universitaire.

J'ai ravalé mon déni – plus facile à dire qu'à faire. Rien de ne ce que je pouvais affirmer n'aurait d'importance : ma mère monopolisait la parole.

— Sais-tu ce que c'est que de penser que ma fille aurait pu mourir ici ? Quand elle m'a raconté tout ça, je me rappelle m'être demandé pourquoi elle ne m'avait pas appelée, moi ou ton père. Mais je connais aussi la réponse à cette question. Vous deux partagez quelque chose de merveilleux et je ne peux te dire à quel point ça me rend fière. On n'a peut-être pas été les meilleurs parents du monde, mais au moins on vous a élevés comme il faut tous les deux.

Elle a continué à fixer le château d'eau, puis :

— Tu en as pris pour ton grade, disons, mais tu ne nous as jamais avoué… où tu avais passé la nuit. Je tenais à te dire que j'étais désolée.

— Il y a prescription…

J'ai vu une profonde tristesse dans son regard quand elle s'est tournée vers moi.

— Tu as un don. Tes sentiments pour les autres sont si profonds et si forts… Et c'est merveilleux. C'est pour ça que tu as su exactement comment agir avec Marge. Tu as pris sa peine pour la faire tienne, et à présent tu essaies de faire de même avec moi…

Même si sa voix faiblissait, j'ai compris qu'elle n'avait pas terminé.

— Je sais que tu penses m'aider mais, quoi que tu fasses, tu ne peux pas m'ôter ma tristesse. Et tu te fais du mal. Ça me brise le cœur et je ne veux pas te voir comme ça. Je m'en sortirai peu à peu… À chaque jour suffit sa peine, mais je n'ai pas la force de me faire en plus du souci pour toi.

— Je ne sais pas si je peux arrêter de m'inquiéter pour toi.

Elle m'a effleuré la joue.

— Je sais bien. Mais je veux que tu essaies. Rappelle-toi que j'ai jusqu'ici survécu aux pires journées de ma vie. Tout comme ton père, et Marge. Et toi aussi, bien sûr. Mais on y parvient un jour après l'autre, voilà tout.

Plus tard, ce soir-là, j'ai repensé à ce que ma mère m'avait dit. Elle avait raison, bien sûr, mais j'ignorais à l'époque que si la vie avait parfois été éprouvante, le plus terrible restait à venir, et ces jours-là seraient les pires de tous.

*
* *

Neuf mille trois cent soixante minutes.

C'était le temps écoulé – approximativement, en tout cas – depuis que mon univers avait basculé, et j'étais parfaitement conscient du passage de chacune de ces minutes. Chaque minute de la semaine dernière s'était écoulée avec une lenteur insoutenable et j'avais l'impression de les avoir perçues dans chaque cellule de mon corps, à chaque tic-tac de l'horloge.

Nous étions le lundi 14 septembre. Une semaine plus tôt, Vivian m'avait quitté. Elle obsédait toujours mes pensées, et la veille au soir j'avais eu du mal à trouver le sommeil. Le fait de courir m'aidait mais, le temps de rentrer à la maison, j'avais perdu l'appétit. En une semaine, je m'étais encore délesté de trois kilos.

Le stress. Le régime ultime.

Au moment même où j'ai passé le coup de fil, je pense que je savais déjà ce que j'allais faire. Je me suis dit que je voulais juste savoir où Vivian voyagerait cette semaine, mais ce n'était pas vrai. Lorsque chez Spannerman la fille de l'accueil m'a répondu, je lui ai demandé de me passer Vivian et j'ai eu une certaine Mélanie en ligne, laquelle s'est présentée comme étant l'assistante de Vivian. J'ignorais même que ma femme disposait d'une assistante, mais apparemment j'ignorais beaucoup de choses à son sujet, ou peut-être que je n'avais jamais rien su.

On m'a donc répondu que Vivian était en réunion et, quand Mélanie m'a demandé mon nom, j'ai menti. Je lui ai dit que j'étais un journaliste local et que je souhaitais savoir si elle serait disponible cette semaine pour une interview. Mélanie m'a répondu que Vivian se trouverait à son bureau aujourd'hui et demain mais qu'ensuite elle serait à l'extérieur.

J'ai alors appelé Marge et lui ai demandé d'aller récupérer London à l'école et, plus tard, de l'emmener à la danse. Je lui ai dit que j'allais voir ma femme et que je rentrerais tard dans la soirée.

Atlanta se trouvait à quatre heures de route.

*
* *

J'ignorais au juste comment se passerait ma visite surprise. Dans la voiture, une hypothèse remplaçait la suivante. En revanche, je savais que je devais voir Vivian ; une partie de moi espérait que son ton inflexible au téléphone disparaîtrait en ma présence et qu'on allait trouver un moyen de sauver notre relation, notre famille, la vie que je souhaitais toujours mener.

J'avais l'estomac noué en roulant, preuve de l'angoisse grandissante qui rendait le trajet plus difficile qu'il n'aurait dû l'être. Heureusement, la circulation restait plutôt fluide et je suis arrivé en périphérie d'Atlanta à midi moins le quart. Quinze minutes plus tard, les nerfs à fleur de peau, je trouvais le nouvel immeuble Spannerman et me garais sur le parking.

J'occupais une place réservée aux visiteurs, mais j'ai hésité avant de descendre du véhicule. Je ne savais pas trop comment agir. Devais-je l'appeler et lui dire que je me trouvais là, au pied de l'immeuble ? Devais-je entrer et me présenter à l'accueil ? Dans les innombrables variantes de la conversation que j'avais imaginée sur le trajet, je me voyais toujours assis en face d'elle dans un restaurant, et non pas sur les marches menant jusqu'à cette étape.

Certes, j'avais l'esprit un peu embrumé depuis quelque temps.

Vivian préférait sans doute que je l'appelle ; comme ça, elle pouvait peut-être carrément me rembarrer. Voilà pourquoi il me semblait préférable d'entrer dans l'immeuble, mais si elle était en réunion ? Est-ce que j'allais laisser mon nom et patienter dans la salle d'attente, comme un élève convoqué chez le proviseur ? J'avais envie d'aller tout droit dans son bureau, mais j'ignorais où il se trouvait, et une telle attitude risquait de provoquer un esclandre, ce qui serait encore pire.

Je me suis forcé à sortir de la voiture en continuant à peser le pour et le contre. Je savais que j'avais besoin de me dégourdir les jambes et d'aller aux toilettes. J'ai repéré un café de l'autre côté de la rue, et j'ai traversé hors des clous entre les véhicules qui avançaient au pas. En quittant le café pour traverser dans l'autre sens, j'ai pris la décision d'appeler Vivian depuis le hall d'entrée. Et là je les ai aperçus, Spannerman et elle ; ils allaient sortir du parking. Ne voulant pas qu'ils me voient, je me suis approché de l'immeuble et j'ai baissé la tête. J'ai entendu le moteur s'emballer, tandis que leur Bentley s'engageait dans la rue.

Même si je n'avais pas vraiment de plan à l'origine, le peu qu'il en restait s'envolait en fumée. Malgré mon manque d'appétit, je me suis dit que je pourrais grignoter quelque chose et essayer de la revoir d'ici une heure ou deux : ça me semblait préférable à attendre dans le coin. Alors j'ai regagné mon véhicule.

En sortant du parking, j'ai remarqué que la circulation était toujours au ralenti et j'apercevais encore la Bentley environ huit voitures plus haut. Au-delà, je discernais vaguement un chantier en cours ; un poids lourd chargé de poutres métalliques reculait sur le site en construction et le trafic était au point mort dans la rue.

Une fois le camion parti, la circulation a repris. J'ai suivi, conscient que la Bentley roulait un peu plus haut dans la file, et je l'ai regardée tourner à droite. J'avais l'impression d'être un espion – ou plutôt un détective privé un peu louche – quand j'ai pris la même direction, tout en me disant que puisque je n'allais pas les affronter en plein repas ou faire un truc débile, ce n'était pas très grave. Je voulais juste savoir où ils allaient déjeuner. Je voulais connaître plus ou moins la nouvelle vie que menait ma femme… et c'était normal, un truc que n'importe qui aurait fait.

Non ?

Malgré tout, je sentais la colère monter en moi. À présent une seule voiture me séparait de la Bentley et je pouvais les voir distinctement devant moi. J'imaginais Walter parler et Vivian lui répondre ; elle devait afficher la même expression radieuse qu'au téléphone, après sa dispute avec London, et ma colère céda la place à la déception et à la tristesse en songeant à tout ce que j'avais perdu.

Pourquoi elle ne m'aimait plus ?

Ils ne sont pas restés longtemps sur cette artère. Ils ont obliqué à gauche, avant de s'engouffrer rapidement dans un garage sous un gratte-ciel clinquant appelé Belmont Tower. Il y avait un portier à l'entrée, comme ceux qu'on voit à New York, et j'ai continué à rouler, pour aller me garer sur le parking d'un restaurant, un peu plus haut dans la rue.

J'ai coupé le moteur en me demandant si la tour renfermait aussi un restaurant, si elle abritait les appartements de la société… si c'était là où Walter Spannerman vivait.

J'ai trouvé l'info sur mon téléphone : Belmont Tower était un projet de Spannerman, et il y avait aussi un lien vidéo. J'ai cliqué et vu le grand patron glorifier toutes les prestations de l'immeuble ; en guise d'ultime argument de vente, il annonçait fièrement à la caméra qu'il avait choisi d'occuper le dernier étage.

J'ai coupé la vidéo, mais tel un homme qui aurait choisi d'aller à sa propre exécution sans qu'on l'assiste, je suis sorti de la voiture pour me rendre à la Belmont Tower. Arrivé sur place, j'ai fait signe au portier et il s'est approché.

– Un superbe immeuble, ai-je observé.

– Oui, monsieur. En effet.

– Je me demandais s'il y avait un restaurant ? Ou un club où les résidents pouvaient déjeuner ?

– Non, monsieur. Toutefois, l'immeuble bénéficie d'un partenariat avec La Cerna, le restaurant voisin. C'est un cinq étoiles.

– Y a-t-il des appartements à louer ?

– Non, monsieur.

J'ai glissé une main dans ma poche.

– OK. Merci de m'avoir renseigné.

Quelques minutes plus tard, abasourdi à l'idée que Vivian soit manifestement entrée avec Spannerman dans son appartement en terrasse, j'avais repris le volant et je rentrais à Charlotte.

*
* *

Je suis arrivé une demi-heure après le retour de London et, quand j'ai ouvert la porte, elle s'est ruée sur moi.

– Papaaaa ! T'étais où ?

– J'avais du travail, ai-je répondu. Désolé de ne pas avoir pu venir te chercher.

– Pas de problème. Tatie Marge était là. Elle m'a raccompagnée. Tu m'as manqué, me dit-elle en nouant ses bras autour de mon cou.

– Toi aussi, mon bébé.

– Je t'adore.

– Idem.

– Ça veut dire quoi, idem ?

– C'est quand tu veux dire la même chose. Tu as dit « je t'adore », alors j'ai dit « idem », ce qui signifie que moi aussi je t'adore.

– Super. Je savais pas qu'on pouvait dire ça.

– C'est fou, hein ? Tu as appris des choses marrantes à l'école ?

– J'ai appris que les araignées n'étaient pas des insectes. On les appelle des arachmides.

– Tu veux dire arachnides ?

– Non, papa. Arachmides. Avec un M.

J'étais sûr qu'elle se trompait, mais elle finirait par s'en rendre compte.

– C'est cool.

– C'est parce que les insectes ont six pattes et les araignées en ont huit.

– Waouh… Tu en sais des choses, toi !

– Mais j'aime toujours pas les araignées. J'aime plus les abeilles non plus. Même si elles font du miel. Mais les papillons, c'est joli.

– Tout comme toi. Tu es jolie aussi. Plus jolie que n'importe quel papillon. Je peux aller dire bonjour à tatie Marge une minute ?

– OK. Il faut que j'aille voir si M. et Mme Sprinkles vont bien. Tu as pensé à leur donner de l'eau ?

Oups…

– Non. Mais ils en avaient plein hier. Je suis sûr qu'ils vont bien.

– Je vais aller vérifier.

Je l'ai embrassée et reposée par terre. Elle a couru vers l'escalier et disparu. J'ai remarqué que Marge nous observait depuis la cuisine

– Tu es un bon père, tu sais ça ? a-t-elle dit comme je la rejoignais.

– J'essaie. Ça s'est bien passé avec elle ?

– Tu veux parler de l'heure où elle a été avec moi ? J'ai dû la ramener ici et lui acheter une glace à l'eau. Ensuite maman s'est pointée avec une tonne de nourriture et j'ai dû gérer ça aussi. J'en ai mis une partie dans le frigo et l'autre dans le congélo, au fait. À charge de revanche, alors. Je suis épuisée. Quelle journée ! Je ne suis pas certaine de pouvoir en supporter davantage.

À l'évidence, ma sœur avait un don pour le mélo sarcastique.

– Je ne pensais pas revenir si vite.

– Moi non plus. Et quand tu es arrivé, tu avais une mine de papier mâché. Qu'est-ce qui s'est passé ? Elle était là-bas au moins ?

– Je l'ai vue, ai-je répondu. Enfin… si on veut.

J'ai raconté à ma sœur l'épisode « filature ». Pendant que je parlais, elle a rempli deux verres d'eau glacée et m'en a tendu un.

– Je peux te poser une question ?

– Je t'écoute.

– Pourquoi tu ne l'as pas tout bonnement attendue ?

– Après qu'ils sont allés chez Spannerman, je me suis rendu compte que je ne voulais plus la voir.

– Pourquoi ?

– Elle était… avec lui. Probablement dans son appartement en terrasse ou peu importe. Et…

– Et quoi ? Elle t'a quitté. Elle t'a dit qu'elle était amoureuse de lui. Tu sais quand même qu'elle couche avec lui, non ?

– Je sais. Je n'aime pas y penser, voilà tout… Je n'ai pas envie d'y penser

Marge m'a adressé un regard compréhensif.

– Ça fait de toi quelqu'un de parfaitement sain.

J'ai hésité, prenant conscience que tout ça m'avait carrément lessivé.

– Qu'est-ce que je vais faire ?

– Tu vas prendre soin de toi. Et continuer à être un bon père pour London.

– À propos de Vivian, je voulais dire.

– Pour l'heure, tâchons déjà de nous soucier de toi et de ta fille, OK ?

*
* *

Je n'aurais jamais dû me rendre à Atlanta.

Le mardi, j'ai tenté de me plonger à fond dans le travail sur le spot de Taglieri, mais j'avais dû mal à rester concentré et je pensais sans cesse à Vivian. Je la revoyais dans la Bentley, Spannerman assis à ses côtés ; chaque fois que j'imaginais l'expression de son visage, c'était celle qu'elle arborait sous la véranda au téléphone.

Ces images me hantaient et charriaient avec elles un sentiment de défaillance. Ou d'infériorité. On ne m'avait pas seulement rejeté ; on m'avait remplacé par quelqu'un de plus riche et de plus puissant, capable de faire rire et sourire Vivian, alors que ça m'était impossible.

Elle m'avait quitté, non pas pour des raisons propres à elle, mais à cause de moi.

Le lendemain, j'ai fait part de ces réflexions à Marge au téléphone et, comme elle ne parvenait pas à m'arracher à mes idées noires, Liz et elle ont débarqué chez moi après le travail. C'était le soir et j'avais fait manger London en réchauffant l'un des plats préparés par ma mère ; sitôt qu'elles ont franchi la porte, Marge et London sont allées voir un film au salon, tandis que Liz et moi allions nous installer sous la véranda.

Je lui ai raconté l'épisode d'Atlanta et ce que j'éprouvais depuis. Quand j'ai terminé, Liz a joint les mains.

– Qu'est-ce qui se serait passé, selon toi, si tu avais parlé à Vivian ?

– J'imagine que j'espérais la voir pour la faire changer d'avis. Ou au moins discuter pour trouver une solution à deux.

– Pourquoi ? T'a-t-elle donné le moindre indice sur un possible retour ? L'as-tu trouvée indécise ?

– Non, ai-je reconnu. Mais c'est ma femme. On s'est à peine parlé depuis son départ.

– Je suis certaine que tous les deux vous prendrez le temps de vous poser pour parler quand elle sera prête. Mais je ne peux pas te promettre que tu aimeras ce qu'elle va te dire.

Ce n'était pas si difficile de lire entre les lignes.

– Tu ne penses pas qu'elle va revenir, si ? ai-je demandé.

– Je ne suis pas sûre que mon opinion soit meilleure que celle de n'importe qui d'autre. Ou même qu'elle soit pertinente.

– Tu as raison. Elle ne l'est pas. Mais tu as vu des situations semblables par le passé et tu connais Vivian. J'aimerais quand même avoir ton avis.

Liz a poussé un soupir.

– Non, a-t-elle fini par dire. Je ne pense pas que Vivian va revenir.

*
* *

J'avais envie de sombrer dans une sorte de torpeur. Je ne voulais pas penser à Vivian ou éprouver quoi que ce soit pour elle ; mais le seul moment où je parvenais à l'oublier, c'était apparemment lorsque London était à l'école et moi absorbé par mon travail. Le mercredi, j'ai continué à me plonger dans la deuxième pub de Taglieri avant de l'envoyer au monteur pour qu'il la peaufine et la finalise. Ensuite, j'ai bossé sur ma présentation du jeudi après-midi pour le chirurgien. Je lui proposais une campagne différente de celle que j'avais recommandée à Taglieri : une présence en ligne bien plus marquée et un site web convivial, en mettant l'accent sur des témoignages de patients en vidéo, le publipostage, les réseaux sociaux et l'affichage ; et même si j'étais loin d'être à cent pour cent de mes capacités lors de l'entretien, celui-ci s'est conclu le lendemain par une poignée de mains et j'ai su que je venais de décrocher mon deuxième client. À l'instar de Taglieri, il s'engageait pour un an de prestations.

Fort de ces deux contrats, j'ai réalisé que j'avais remplacé près de la moitié de mon ancien salaire, sans compter les primes. C'était suffisant pour couvrir mes échéances mensuelles en rognant un peu ici ou là, et ça m'a clairement facilité la tâche quand j'ai décroché mon téléphone pour résilier nos cartes de crédit en commun.

J'en ai informé Vivian par texto.

*
* *

Vivian m'a appelé plus tard ce soir-là. Depuis mon escapade peu judicieuse de lundi à Atlanta, je laissais London répondre dès que je voyais surgir la photo de sa mère sur l'écran du mobile. Cette fois, la petite m'a fait savoir que Vivian me rappellerait plus tard. Comme elle montait l'escalier pour aller se mettre au lit, je me suis demandé si elle avait deviné que la situation avait changé entre sa mère et moi, ou que nous n'allions plus former une famille.

En attendant le coup de fil de Vivian, je ne voulais pas nourrir d'inutiles espoirs, mais c'était plus fort que moi. Je m'imaginais l'entendre s'excuser ou m'annoncer qu'elle allait rentrer à la maison ; et pourtant, comme le tumulte de mes émotions, ces pensées étaient remplacées par le souvenir de ce que Liz m'avait dit, ou bien je me disais que si Vivian m'appelait, c'était uniquement parce que j'avais résilié les cartes de crédit et que ça la mettait en colère.

Bref, ces pensées contradictoires m'ont laissé KO. Et quand le téléphone a enfin sonné, il me restait peu d'énergie, quoi qu'elle puisse m'annoncer.

J'ai laissé la sonnerie retentir quatre fois avant de décrocher.

— Salut. London m'a prévenu que tu appellerais.

— Salut, Russ, a-t-elle dit d'une voix calme, comme si rien n'avait changé entre nous. Comment ça va ?

Elle s'inquiétait sincèrement ou se montrait simplement polie ?

Pourquoi avais-je besoin d'essayer de la cerner, plutôt que de laisser la conversation se dérouler ?

— Je vais bien, me suis-je forcé à répondre. Et toi ?

— Ça va. London a l'air de couver un rhume.

— Elle ne m'en a rien dit.

— À moi non plus. Mais je l'ai senti à sa voix. Assure-toi qu'elle prenne bien ses vitamines et donne-lui éventuellement un jus d'orange le matin. Elle aura aussi sans doute besoin de médicaments infantiles contre le rhume.

— Comment peut-elle s'enrhumer ? Il fait près de 32e C dehors.

— Elle va à l'école. D'autres gamins, d'autres microbes. Ça arrive dans toutes les classes en début d'année scolaire.

— Entendu. Je vais devoir acheter du jus d'orange et des médocs, mais elle prend ses vitamines.

— N'oublie pas. Quoi qu'il en soit, j'appelais pour deux raisons. La première, je viens à Charlotte ce week-end. London me manque beaucoup et, si tu en es d'accord, j'aimerais passer du temps sans interruption avec elle.

Mais sans moi.

— Bien sûr, ai-je dit en gardant une voix posée. Elle va adorer. Tu lui manques aussi.

— Bien. Merci. (J'ai senti son soulagement et je me suis demandé pourquoi elle aurait anticipé une autre réaction de ma part.) Mais le problème, c'est que je ne crois pas que ce soit une bonne idée pour moi de descendre à l'hôtel. Je pense qu'elle trouverait ça très bizarre.

J'ai froncé les sourcils.

— Pourquoi l'hôtel ? Tu peux venir à la maison. On a une chambre d'amis.

— Je pense qu'elle le remarquerait si je dormais dans cette pièce. Et même si elle ne fait pas attention, je ne crois pas qu'on devrait la mettre dans la situation où elle nous demande de faire des choses ensemble tous les trois. J'aimerais vraiment qu'on soit juste toutes les deux, pour son bien. Pour que ça ne la chamboule pas.

— Qu'est-ce tu veux dire au juste ?

— Ça te dérangerait de dormir chez tes parents ? Ou peut-être chez Marge et Liz ? Le vendredi et le samedi soir ?

Je sentais ma tension grimper.

— Tu plaisantes, non ?

— Non, Russ. Je ne plaisante pas. S'il te plaît. Je sais que je te demande beaucoup, mais je ne veux pas rendre les choses plus difficiles pour London qu'elles ne le sont déjà.

Ou peut-être que tu préférerais qu'elles ne soient pas plus compliquées pour toi.

J'ai laissé le silence grésiller sur la ligne.

— D'accord, ai-je fini par dire. J'imagine que je peux demander à Marge. Mes parents sont absents ce week-end.

— J'apprécierais.

— N'oublie pas que London a son cours de danse vendredi soir et l'atelier d'arts plastiques le samedi matin, alors tu n'auras sans doute pas le temps de faire ton yoga.

— J'ai toujours fait passer ma fille en premier, Russ. Tu le sais.

— Tu as été une mère géniale, lui ai-je concédé. Oh… Pour les arts plastiques, tu devras apporter le vase qu'elle a confectionné la semaine dernière. Ce week-end, elle va le peindre.

— Il est où ?

— Je l'ai mis dans le cellier. Étagère du haut, sur la droite.

— Pigé. Oh… une dernière chose.

— Oui ?

— Je me demandais si tu aurais le temps pour un déjeuner tardif demain. Vers 13 h 30 ? Il faut qu'on discute avant que je passe prendre London à l'école.

Malgré tout, j'ai éprouvé un pincement au cœur à l'idée d'être attablé avec elle. De la revoir.

— Bien sûr, ai-je répondu. À quel endroit ?

Elle a cité un établissement qu'on connaissait tous les deux, où on avait déjà mangé plusieurs fois auparavant. Y compris un soir pour notre anniversaire de mariage…

J'ai raccroché en me demandant si c'était un mauvais présage.

*
* *

— Bien sûr que tu peux venir chez nous, m'a dit Marge au téléphone. Mais tu dois promettre de ne pas de balader dans tes sous-vêtements distendus ou de boire le café torse nu à table. En fait, ne mets aucun sous-vêtement distendu dans ta valise, OK ?

— Est-ce que tu me connais, franchement ?

— Bien sûr. Pourquoi j'insisterais sur ces détails, d'après toi ?

— OK, c'est promis.

— On ne sera pas là samedi. Tu seras tout seul. On est invitées à une pendaison de crémaillère.

Pas de femme, pas de London, pas de parents, et maintenant pas de sœur à voir ce week-end. À quand remontait la dernière fois où je m'étais retrouvé livré à moi-même ? Ça ne m'était pas arrivé depuis des années, me suis-je dit.

— Ne t'inquiète pas. J'ai du boulot.

— Je t'appellerai quand même pour m'assurer que tu vas bien. Mais revenons à Vivian. T'es sûr que votre déjeuner est une bonne idée ?

— Pourquoi ça ne le serait pas ?

— Quand quelqu'un dit « Il faut qu'on parle », ça n'annonce jamais rien de bon.

— Crois-moi si je te dis que je n'en attends pas grand-chose.

— J'en suis ravie. Tu te souviens de ce que Liz t'a dit, hein ? Vivian ne va pas t'annoncer qu'elle souhaite revenir.

— Liz t'a confié de quoi on avait parlé ?

— Bien sûr que non. Mais je te connais et ce n'est pas trop difficile de deviner ce que tu as pu lui demander. Et comme je la connais, je sais aussi ce qu'elle t'a dit. C'est pas comme si nous deux n'avions pas discuté mille et une fois de la situation actuelle. C'est le sujet brûlant du moment.

— Vous avez mieux à faire que de discuter de mon mariage.

— Et tu aurais raison dans quatre-vingt-dix-neuf pour cent des cas. Mais dernièrement ? On campe dans ce fichu un pour cent.

— Sinon, de quoi vous vous parlez ?

— On se dit que tu souffres et qu'on ne sait pas quoi te dire ou faire pour que ça aille mieux. T'es un type tellement bien et un bon père, c'est pas juste.

Malgré moi, j'avais la gorge nouée par l'émotion.

— Tu n'as pas à t'inquiéter pour moi.

— Bien sûr que si. Je suis la grande sœur, tu te souviens ?

J'ai hésité, puis :

287

— Tu penses que Vivian se sent mal ?

— J'en suis persuadée. On ne peut pas agir comme elle l'a fait sans se sentir un tout petit peu coupable. Mais je ne suis pas certaine qu'elle s'attarde comme toi sur ses sentiments. J'ai l'impression que vous fonctionnez différemment tous les deux.

Logique. Mais…

— Je tiens toujours à elle. Elle a été une épouse merveilleuse.

— Tu en es sûr… ? a soufflé Marge dans le combiné.

*
* *

Vivian avait raison au sujet de London ; à son réveil le vendredi matin, sa voix était un peu rauque et, comme on franchissait la porte, elle s'est essuyé le nez du revers de la main. Je me suis demandé dans combien de temps les médicaments feraient effet.

Après l'avoir déposée, j'ai jeté quelques vêtements dans un grand sac et je suis parti au bureau. Toujours pas d'appels pour l'agence Phénix mais, sur un plan positif, la réceptionniste commençait à s'habituer à ma présence et à me gratifier d'un « Bonjour, monsieur Green ».

J'ai passé le plus clair de la matinée à travailler avec mon technicien. Ensemble, on a discuté et pris des décisions concernant le plan d'ensemble, puis on a abordé la gestion des priorités sur Internet, les bandeaux de pubs ciblées et la campagne sur les réseaux sociaux. On a passé plus de trois heures ensemble, et à la fin j'ai eu l'impression qu'il avait de quoi s'occuper pendant deux ou trois semaines, tout comme moi.

Quand on a terminé, j'ai envoyé des e-mails de confirmation pour le troisième spot que j'allais tourner pour Taglieri le vendredi suivant ; ensuite, j'ai laissé un message au chirurgien, en lui demandant les noms de patients susceptibles de témoigner en vidéo.

Pendant que je travaillais, j'ai senti la tension dans mes épaules et mon dos qui augmentait, et j'ai compris que l'idée de voir Vivian me rendait nerveux. En dépit de sa trahison, du fait qu'elle me demandait de me faire discret tout le week-end, je ne savais pas trop si j'allais rencontrer une Vivian prête à essayer d'arranger la situation. Même si Marge et Liz tentaient de me garder bien ancré dans la réalité de ce à quoi je devais m'attendre… « Le cœur a ses raisons que la raison ignore ». L'espoir risquait de me laisser anéanti, mais bizarrement perdre tout espoir me paraissait encore pire.

J'ai enfin quitté le bureau à midi et demi et je suis arrivé au restaurant avec un quart d'heure d'avance. J'avais réservé et le serveur m'a conduit à une table près de la vitre. Les autres étaient pour la plupart déjà occupées. J'ai pris un cocktail, en espérant que ça m'aiderait à rester calme. Je souhaitais aborder le repas de la même façon que j'avais abordé le coup de téléphone ; mais dès que Vivian est entrée dans l'établissement, j'ai retenu mon souffle jusqu'à ce qu'elle s'approche de la table.

Vêtue d'un jean et d'un corsage rouge qui soulignait sa silhouette, elle avait comme toujours une classe folle sans faire le moindre effort. Elle releva ses lunettes de soleil sur la tête, tout en m'adressant un bref sourire dans la foulée. Quand elle se retrouva près de moi, je me suis demandé si j'allais lui faire la bise ou non, mais elle ne m'en a pas laissé l'occasion.

— Désolée d'être en retard, a-t-elle dit en s'asseyant. J'ai eu du mal à me garer.

— Le vendredi, c'est toujours bondé ici pour le déjeuner. Je pense que beaucoup de gens partent plus tôt en week-end.

— C'est sûr, a-t-elle dit, avant de désigner mon cocktail que j'avais presque fini. Je vois que tu ne perds pas tes habitudes.

— Pourquoi pas ? Je suis un homme libre ce week-end.

— Peut-être, mais tu dois quand même conduire.

— Je sais.

Elle déplia sa serviette, en prenant délibérément son temps et en évitant mon regard.

— Le boulot, comment ça se passe ?

— Mieux. J'ai décroché un nouveau client. Un chirurgien esthétique.

— Je suis ravie que ça se décante pour toi. Oh… au fait, tu as pensé à donner à London des médicaments.

— Oui. Et du jus d'orange.

— Et elle sait que je passe la prendre aujourd'hui, oui ?

— Oui. Et la chambre d'amis est prête aussi.

— Ça t'ennuie si je dors dans la chambre parentale ? Je changerai d'abord les draps, bien sûr.

– Non, ça m'est égal. On est toujours mariés.

J'ai cru voir une lueur d'exaspération dans ses yeux, mais elle a disparu aussi vite qu'elle avait surgi.

– Merci, a dit Vivian. Je veux juste que London passe un week-end agréable.

– Je suis sûr que ce sera le cas.

Elle s'est tournée vers la baie vitrée et a scruté la rue puis a semblé se souvenir de quelque chose. Elle a pris son sac et en a sorti son portable, a tapé un code. Elle a ensuite pressé une touche, a fait défiler l'écran, puis encore pianoté. Nouveau défilement. Dans le silence ambiant, j'ai fini mon verre. Finalement elle a mis son téléphone de côté et m'a gratifié d'un sourire pincé.

– Désolée. Je vérifiais un truc au boulot. J'étais en ligne quasiment pendant tout le trajet jusqu'à Charlotte.

– Ça roulait bien ?

– Avec le week-end qui arrive, la circulation était plutôt dense. Et on est rentrés assez tard hier soir . On venait de Houston, et la veille au soir on était à Savannah. Tu n'imagines pas à quel point je me réjouis de la venue du week-end.

J'ai essayé d'ignorer le on. C'était toujours mieux que Walter, mais toujours aussi douloureux. Je ne disais rien et Vivian a pris la carte. Je ne me rappelais pas avoir jamais eu une conversation aussi guindée avec elle.

– Tu as déjà décidé de ce que tu allais commander ? m'a-t-elle demandé.

– Je vais sans doute prendre une soupe. Je n'ai pas très faim.

Elle a relevé la tête et, pour la première fois, j'ai eu l'impression qu'elle me voyait vraiment.

– Tu as maigri, a-t-elle observé. Tu fais toujours du jogging ?

– Chaque matin. Et j'ai perdu près de sept kilos.

Je n'ai pas précisé que la perte de poids était à la fois récente et en grande partie due à elle, puisque je n'avais quasiment aucun appétit.

– Ça se voit sur ton visage, a-t-elle dit. Tu commençais à avoir des bajoues, mais elles ont pratiquement disparu.

Bizarre, me suis-je dit, *cette manière de faire un compliment tout en lançant une pique.* Je me demandais si elle faisait toujours du sport avec Spannerman et si elle lui avait jamais dit qu'il avait des bajoues. Probablement pas.

— Tu as décidé de ce que tu allais faire ce week-end avec London ?

— Pas vraiment. C'est un peu à elle de choisir, évidemment. J'ai envie de passer du temps à faire ce qui lui fait envie.

Elle a parcouru la carte. Ça n'a pas duré longtemps ; même moi je savais qu'elle commanderait une salade, la seule question étant de deviner celle qu'elle choisirait. Peu après qu'elle eut mis la carte de côté, le serveur est apparu. Elle a commandé un thé glacé sans sucre et une salade asiatique ; pour ma part, j'ai pris un bol de bœuf aux légumes. Le serveur parti, Vivian a bu une gorgée d'eau puis a promené son doigt sur la condensation du verre. Comme moi, elle paraissait à court de mots.

— Bon alors, ai-je enfin repris, tu disais vouloir me parler ?

— C'est principalement au sujet de London. Je me suis inquiétée pour elle. Elle n'a pas l'habitude que je sois aussi longtemps absente. Je sais que ça n'a pas été facile pour elle.

— Elle ne s'en sort pas trop mal.

— Elle ne te dit pas tout. J'aimerais seulement trouver un moyen de pouvoir être davantage avec elle.

J'aurais pu lui faire remarquer qu'elle pouvait rentrer à la maison, mais elle le savait sans doute.

— J'imagine… ai-je dit à la place.

— J'ai discuté avec Walter et, compte tenu des déplacements qui m'attendent dans les mois qui viennent, c'est tout bonnement impossible que je puisse l'amener à Atlanta pour le moment. Je dois encore m'absenter trois ou quatre nuits par semaine et je n'ai même pas eu le temps de préparer sa chambre ou même de commencer à chercher une nounou.

J'ai senti le soulagement m'envahir, mais je tenais à m'assurer de l'avoir bien comprise.

— Tu es donc en train de me dire qu'il vaut mieux que London reste avec moi ?

— Pendant un certain temps seulement. Je ne vais pas abandonner ma fille. Et toi et moi savons que les filles ont besoin de leur mère.

— Et aussi de leur père.

— Tu pourras toujours la voir. Je ne suis pas le genre de mère qui empêcherait son enfant de voir son père. Et toi et moi savons que c'est moi qui l'ai élevée. Elle s'est habituée à moi.

« Son » enfant. Non pas « notre » enfant, ai-je noté.

— C'est différent maintenant. Elle va à l'école et tu travailles.

— Quoi qu'il en soit, je voulais discuter avec toi de la situation actuelle, OK ? Et même si je voyage beaucoup, je souhaite toujours pouvoir la voir autant que ça m'est possible. Je voulais m'assurer que ça ne te pose pas de problème.

— Bien sûr que non. Pourquoi crois-tu que ça m'en poserait ?

— Parce que tu es en colère et blessé, et tu pourrais peut-être avoir envie de me blesser en retour. Je veux dire… Tu ne m'as même pas prévenue que tu résiliais les cartes de crédit. Tu l'as fait et basta. Tu sais quand même que tu aurais dû m'appeler d'abord ? Pour qu'on en discute ?

Je battais des paupières, pensant au compte en banque qu'elle avait ouvert en douce.

— Tu es sérieuse là ?

— Je dis simplement que tu aurais pu agir autrement.

Son toupet avait du plomb dans l'aile, et je ne pouvais m'empêcher de la fixer. Tandis que le serveur posait son thé glacé sur la table, son téléphone a sonné. Elle a vérifié qui appelait sur l'écran puis s'est levée.

— Il faut que je prenne cet appel.

Je l'ai observée s'éloigner puis sortir du restaurant ; de mon siège, je pouvais la voir, bien que je me force à détourner les yeux. J'ai mâchouillé des glaçons jusqu'à que le serveur apporte une corbeille de pain et beurre. J'ai grignoté une tartine, en écoutant distraitement le brouhaha des conversations alentour. Entre-temps, Vivian est revenue s'asseoir.

— Désolée. C'était le bureau.

Peu importe, ai-je songé. Je n'ai pas pris la peine de réagir.

Le serveur nous a apporté nos plats et elle a assaisonné sa salade avant de la couper en portions de la taille d'une bouchée. La soupe dégageait un arôme appétissant, mais mon estomac était en berne. La petite quantité de pain avalée l'avait déjà rempli. Je me suis néanmoins forcé à prendre une cuillerée.

— Il y a un autre sujet dont on doit parler, a-t-elle enfin déclaré.

— Lequel ?

– Ce qu'on va dire à London. Je pensais qu'on devrait sans doute discuter avec elle dimanche, avant mon départ.

– Pourquoi ?

– Parce qu'elle a besoin de savoir ce qui se passe, mais d'une manière qu'elle puisse comprendre. Il faut qu'on explique ça le plus simplement possible.

– Je ne sais même pas ce que ça veut dire.

Elle a soupiré.

– On lui annonce qu'à cause de mon travail je vais devoir vivre à Atlanta et qu'elle va rester avec toi pendant quelque temps. On lui explique que, quoi qu'il arrive, on l'aime tous les deux. Il n'est pas vraiment nécessaire de se lancer dans de longues explications, et de toute manière je ne crois pas que ce soit une bonne idée.

Comme expliquer que tu es amoureuse d'un autre homme, tu veux dire ?

– Je peux parler à Liz. Elle peut peut-être m'indiquer les choses à dire et celles à éviter.

– Pas de problème, mais sois prudent.

– Pourquoi ?

– Elle n'est pas ta thérapeute. C'est la compagne de ta sœur. Je suppose qu'elle a pris ton parti, qu'elle souhaite que tu me considères comme la méchante dans cette histoire.

Mais tu es la méchante !

– Elle ne ferait pas ça.

– Tâche de t'en assurer, m'a-t-elle prévenu. Je ne pense pas non plus que ce soit une bonne idée de raconter à la petite ce qui se passe entre toi et moi. Il vaudrait mieux qu'elle s'habitue à ce qu'on ne vive plus ensemble pour commencer. Ensuite, elle sera moins déstabilisée quand on lui annoncera.

– Quand on lui annoncera quoi ?

– Qu'on va divorcer.

J'ai posé ma cuiller sur le côté. Même si je devinais qu'elle finirait par prononcer le mot, ça m'a quand même fait un choc.

– Avant qu'on commence à parler de divorce, tu ne penses pas que ce serait bien d'aller tous les deux consulter un thérapeute ? Pour voir s'il n'y a pas un moyen de sauver ce qui nous réunit ?

– Parle moins fort. Ce n'est ni le lieu ni le moment d'aborder ce sujet.

– Je ne parle pas fort.

– Mais si. Tu ne t'entends pas quand tu te mets en colère. Tu hausses toujours le ton.

Je me suis pincé l'arête du nez et j'ai pris une profonde inspiration.

– D'accord, ai-je dit en m'efforçant de parler encore plus calmement. Tu ne veux pas au moins essayer de faire en sorte que ça marche ?

C'est tout juste si je m'entendais dans le brouhaha ambiant.

– Tu n'as pas à chuchoter, a-t-elle rétorqué. Je te demandais juste de ne pas hausser le ton. Des gens pourraient t'entendre.

– J'ai pigé. Cesse de changer de sujet.

– Russ…

– Je t'aime encore. Je t'aimerai toujours.

– Et moi je te dis que ce n'est ni le moment ni l'endroit pour ça ! Là maintenant, on doit parler de London, de la raison pour laquelle elle devrait sans doute rester avec toi pour l'instant et de ce qu'on va lui dire dimanche soir. On n'est pas là pour parler de nous.

– Tu ne veux pas parler de nous ?

– Je vois bien qu'essayer d'avoir une conversation normale avec toi n'était pas une bonne idée. Pourquoi on ne peut pas discuter comme des adultes ?

– Je suis en train d'essayer de te parler.

Elle a pris une bouchée de sa salade – jusqu'ici, elle y avait à peine touché – puis a posé sa serviette sur la table.

– Mais tu n'écoutes jamais ! Combien de fois dois-je te répéter que ce n'est pas le lieu ou le moment de parler de nous ? Je te l'ai dit gentiment, je pensais être claire, mais j'imagine que tu avais d'autres idées en tête. Alors pour l'instant, je pense qu'il vaut sans doute mieux que je m'en aille, avant que tu te mettes à brailler sur moi, OK ? Je veux juste passer un week-end sympa avec ma fille.

– S'il te plaît. Reste. Je suis désolé. Je ne cherchais pas à te mettre mal à l'aise.

– Ce n'est pas moi qui suis perturbée. C'est toi.

Sur ces paroles, Vivian s'est levée de table et s'est dirigée d'un bon pas vers la sortie. Quand elle eut disparu, je suis resté là sous le choc pendant quelques instants avant de faire signe au serveur pour régler la note. En me repassant mentalement la conversation, je me suis demandé si j'avais vraiment parlé trop fort, si Vivian n'avait pas pris ce prétexte pour écourter le déjeuner.

Après tout, elle n'avait aucune raison de rester.

Non seulement elle était amoureuse d'un autre homme mais, en ce qui concernait le week-end, elle avait obtenu de moi tout ce qu'elle voulait.

16

Le soleil se lève aussi

J'ai aimé Liz dès que j'ai fait sa connaissance, mais je dois admettre que ça m'a épaté de voir mes parents ressentir la même chose. S'ils acceptaient le fait que Marge soit homo, j'avais souvent l'impression qu'ils n'étaient pas tout à fait à l'aise avec les femmes que ma sœur fréquentait. Il y avait certes un problème de génération — tous deux avaient grandi à une époque où les modes de vie différents demeuraient essentiellement cachés —, mais c'était également dû au genre de femmes que Marge semblait préférer au début. Elles me paraissaient plutôt brusques et portées sur la vulgarité dans les conversations courantes, ce qui avait tendance à faire autant rougir mon père que ma mère.

Marge m'a dit qu'elle avait rencontré Liz au travail. Comme la plupart en conviendront, les bureaux d'expertise comptable ne sont pas franchement des lieux de drague, mais Liz venait de rejoindre un nouveau cabinet et avait besoin d'un comptable. Marge disposait d'un créneau dans son planning de l'après-midi et, quand Liz a quitté le bureau, elles avaient décidé de se revoir autour d'un verre de vin avant de se rendre à un vernissage à Asheville.

Je me souviens d'avoir demandé à Marge :

— Tu vas dans une galerie d'art ?

On s'était retrouvés dans un bar après le travail, le genre d'endroit avec des pubs de bière au néon et la légère odeur rance de nombreuses boissons renversées. À l'époque, c'était l'un des abreuvoirs préférés de ma sœur.

— Pourquoi je n'irais pas dans une galerie d'art ?

— Peut-être parce que tu n'aimes pas l'art ?

— Qui a dit que je n'aimais pas l'art ?

— Toi-même. Quand j'ai essayé de te montrer certaines photos des œuvres d'Emily, tu as dit — je cite : « Je n'aime pas l'art. »

– Peut-être que j'ai mûri ces dernières années.

– Ou peut-être que Liz t'en a mis plein la vue.

– Elle est intéressante, a admis Marge. Très intelligente aussi.

– Et jolie ?

– Qu'est-ce que ça peut faire ?

– Je suis curieux, c'est tout.

– Oui. Elle est très jolie.

– Laisse-moi deviner. Le vernissage, c'était son idée ?

– En fait, oui.

– Est-ce qu'elle conduit une moto ? Porte des blousons en cuir ?

– Comment je pourrais le savoir ?

– Elle fait quoi dans la vie ?

– Elle est thérapeute conjugale et familiale.

– Tu n'aimes pas non plus les thérapeutes.

– Je n'ai pas aimé les miens. Bon, le dernier, ça allait, mais je n'ai pas trop aimé les autres. Bien sûr, pendant quelques années j'avais toute cette colère en moi et je ne suis pas sûre que j'aurais apprécié le moindre thérapeute.

– As-tu parlé à Liz de tes difficultés à te maîtriser ?

– Tout ça, c'est du passé. Je ne suis plus comme ça.

– C'est bon à savoir. Quand est-ce que je peux la rencontrer ?

– C'est un peu tôt, tu ne trouves pas ? On n'est même pas encore sorties ensemble ?

– OK. Alors, après que vous serez sorties ensemble, quand est-ce que je pourrai la rencontrer ?

En fait, il s'écoula moins de deux semaines avant cette rencontre. Je les ai invitées toutes les deux chez moi et j'ai fait grillé des steaks sur ma terrasse grande comme un mouchoir de poche. Liz a apporté le dessert et on a partagé une bouteille de vin à trois. Il m'a fallu trente secondes pour me sentir à l'aise avec Liz, et il était évident qu'elle tenait déjà beaucoup à ma sœur. Je le voyais dans l'attention qu'elle portait à Marge quand elle prenait la parole, dans son rire facile, et dans sa façon d'être à l'écoute de la sensibilité cachée de Marge. Lorsque est venu pour elles le moment de s'en aller, Marge m'a pris à part.

– Qu'est-ce que tu en penses ?

– Je la trouve fantastique.

– Trop fantastique pour moi ?

– Mais qu'est-ce que tu racontes ?

– Je ne vois pas ce qu'elle peut bien me trouver.

– Tu rigoles ou quoi ? Tu es géniale. Tu l'as fait rire toute la soirée.

Ma sœur ne semblait pas convaincue, mais elle a hoché la tête.

— Merci de nous avoir invitées. Même si tu as brûlé les steaks.

— Ils étaient carbonisés exprès, ai-je expliqué. C'est censé ajouter un certain fumet.

— Oh, très réussi ! Pour les chefs de classe internationale, le cramé, c'est le top.

— Bonsoir, Marge. Et encore merci.

— Je t'aime.

— C'est uniquement parce que j'arrive à te supporter.

Marge attendit encore un mois avant de présenter Liz à mes parents. Ça se passait un samedi après-midi et Liz était arrivée depuis quelques minutes à peine qu'elle disparaissait déjà dans la cuisine pour aider ma mère, toutes les deux bavardant comme de vieilles amies. Mon père a regardé un match à la télé avec Marge. J'étais assis avec eux, même si ni l'un ni l'autre ne paraissaient remarquer ma présence.

— Qu'est-ce que tu en penses, papa ? a demandé Marge pendant l'une des coupures publicitaires.

— De quoi ?

— De Liz.

— Elle a l'air de drôlement bien s'entendre avec ta mère.

— Et toi, tu l'aimes bien ?

Mon père a bu une gorgée de bière.

— Peu importe ce que je pense.

— Tu ne l'aimes pas ?

— J'ai pas dit ça. Ce que j'ai dit, c'est que ça n'a pas d'importance, ce qu'elle m'inspire. La seule chose qui compte vraiment, c'est ce que tu éprouves, toi. Si tu sais pourquoi elle te plaît et si elle te convient, alors elle conviendra à ta mère et moi.

Puis le match a repris et mon père n'a plus pipé mot. Je me suis alors dit que mon père était, et sera toujours, l'un des hommes les plus intelligents que j'aie jamais connus.

*

* *

Après mon déjeuner avec Vivian, je me suis remis au travail, mais mes idées s'embrouillaient et je ne me sentais pas dans mon assiette. Le sentiment s'est intensifié après 15 heures et la compagnie de London a commencé à me manquer. Même s'il était important pour elle de passer du temps avec Vivian, je n'étais pas convaincu de l'importance de me rendre invisible tout le week-end pour qu'elles puissent être ensemble. Je me demandais pourquoi je n'avais pas protesté davantage quand Vivian l'avait suggéré ; mais en mon for intérieur, je savais que le problème, c'était moi. Je savais que je voulais encore lui faire plaisir et, même si ça laissait supposer un défaut dans mon caractère, celui-ci n'en devenait que plus flagrant face à cette évidence : si je n'avais pas su la satisfaire auparavant, comment pouvais-je m'imaginer en être capable à présent ?

Je crois bien que je prenais conscience pour la première fois de l'importance de ce problème. Même moi j'avais du mal à comprendre. Logiquement, je savais que c'était aussi ridicule qu'invraisemblable… Alors, pourquoi fallait-il que j'essaie encore et toujours de lui plaire ?

J'aurais aimé être quelqu'un d'autre. Ou mieux encore, me réincarner en une version plus forte de moi-même, et je me demandais si je n'avais pas besoin de l'aide d'un professionnel. Mais un thérapeute pourrait-il vraiment changer quelque chose ? Me connaissant, je finirais sans doute par essayer de lui faire plaisir.

On a coutume de dire que les parents bousillent toujours leurs enfants et comme, d'aussi loin que je me souvienne, j'ai toujours voulu faire plaisir aux gens, la faute en reviendrait donc à mes géniteurs. Dans ce cas, pourquoi j'éprouvais le besoin de leur rendre visite aussi régulièrement ? Pourquoi j'essayais de communiquer avec mon père pendant les matchs de base-ball à la télé ou de complimenter ma mère sur sa cuisine ?

Parce que, me suis-je dit, *je tenais aussi à leur faire plaisir.*

*
* *

J'ai finalement quitté le bureau peu après 17 heures et je suis allé chez Marge. J'ai décidé de limiter mes conversations avec Vivian au strict minimum – même moi, elle me lassait ; mais la résolution ne dura qu'une dizaine de secondes. Je n'ai pas cessé de me plaindre tout au long du dîner, et Marge et Liz m'ont soutenu comme toujours. Si j'étais devenu un disque rayé, elles aussi, et bien qu'elles ne cessent de m'assurer que tout allait bien se passer, je n'étais toujours pas certain de les croire.

Elles m'ont traîné au cinéma, où les dernières superproductions hollywoodiennes de fin d'été tenaient encore l'affiche. On a choisi un truc marrant : une histoire avec des héros imparfaits qui combattaient de vrais méchants diaboliques souhaitant détruire la planète, et beaucoup d'action ; mais j'ai quand même eu du mal à me détendre et à en profiter. Malgré moi, je songeais à la manière dont Vivian et London avaient passé l'après-midi et à ce qu'elles avaient mangé pour le dîner ; je me demandais si ma femme feuilletait un magazine au salon, une fois London mise au lit. Je me demandais si elle avait appelé Spannerman et, le cas échéant, combien de temps ils avaient parlé.

Après le film, j'ai essayé de lire un peu. Ma sœur avait quelques livres dans la chambre d'amis, mais impossible de me perdre dans un roman. J'ai abandonné, éteint la lumière, puis passé des heures à me tourner et à me retourner avant de m'endormir enfin.

Je me suis réveillé deux heures avant l'aube.

*
* *

Samedi matin, à 10 h 45, mon mobile a sonné. J'avais déjà fait mon jogging, pris ma douche, un café avec Marge et Liz, et je rassemblais les questions pour les témoignages de patients du chirurgien esthétique. Il est facile d'abattre du travail quand on se réveille quasiment au milieu de la nuit.

En sortant le téléphone de ma poche, j'ai vu que c'était Vivian et pressé la touche magique.

– Allô ?

– Salut Russ, tu es occupé ?

– Pas vraiment. Mais je suis chez ma sœur. Qu'est-ce qui se passe ? London va bien ?

– Elle va bien, mais j'ai oublié de prendre le vase pour le cours d'arts plastiques. Je me demandais si tu pouvais faire un saut à la maison et l'apporter ici. Je suis presque arrivée à l'atelier et si je fais demi-tour pour revenir ensuite, elle va être vraiment en retard.

– Pas de problème. J'y serai le plus vite possible.

J'ai raccroché et pris mes clés posées dans une corbeille sur la console de l'entrée.

Derrière moi, j'ai entendu Marge me crier :

— Tu vas où ?

— Vivian vient d'appeler. Faut que j'apporte à London le vase en céramique qu'elle a fait la semaine dernière.

— Alors t'as intérêt à vite aller le chercher, toutou !

— Toutou ?

— Tu lui obéis au doigt et à l'œil. Avec un peu de chance, elle te lancera un os !

— C'est pour London, pas pour Vivian, ai-je riposté.

— À force de te le répéter, tu vas finir par y croire.

Bien qu'agacé par sa remarque, je l'ai oubliée en me ruant chez moi puis à l'atelier. Marge vivait à dix minutes de mon domicile ; si j'avais un maximum de feux verts, j'arriverais juste après le début du cours.

Je me suis demandé distraitement si London avait parlé à Vivian des fleurs jaunes et des « sourises » roses. J'ai esquissé un sourire. Des sourises. C'était si mignon dans sa bouche que je n'avais pas osé la corriger. J'avais envie de voir ma fille, ne serait-ce que quelques secondes. Même si ça ne faisait qu'une journée, elle me manquait.

Je suis donc allé chez moi, j'ai récupéré le vase puis eu la chance d'enchaîner les feux verts, à croire que le Bonhomme dans le Ciel mesurait pleinement l'urgence de ma mission.

Je suis entré sur le parking et j'ai repéré Vivian devant l'atelier. En me garant, j'ai vu qu'elle s'approchait déjà et me faisait signe de baisser ma vitre.

J'ai obtempéré et lui ai passé le vase.

— Merci, a-t-elle dit. Il faut que j'y retourne.

J'ai eu l'impression de me dégonfler comme une vieille baudruche.

— Avant que tu t'en ailles… Vous vous êtes bien amusées toutes les deux ?

Elle tournait déjà les talons.

— On s'est régalées. Je t'appellerai demain pour te dire à quelle heure venir à la maison.

— Tu peux faire sortir London pour que je puisse lui dire bonjour.

— Impossible. Ils sont déjà en train de peindre.

Elle a tourné les talons et disparu dans l'atelier sans rien ajouter, et je me suis dit que les toutous avaient bien de la chance.

Au moins, on leur lançait un os.

*
* *

Je n'avais pas envie de rentrer tout de suite chez Marge. L'attitude de Vivian m'avait mis d'une humeur exécrable, d'autant plus que je n'avais pas beaucoup dormi. De la caféine ! J'avais besoin de caféine, alors je suis sorti du parking pour aller me garer un peu plus loin devant la cafétéria. Nul doute que Vivian aurait préféré que j'aille ailleurs, au cas où, par le plus grand des hasards, London m'aurait vu… Mais bizarrement je me suis dit que je me moquais que ça puisse l'énerver ou pas. À vrai dire, j'avais envie qu'elle soit en colère contre moi.

Peut-être était-ce le premier pas pour corriger mon besoin d'approbation de sa part. Après tout, Marge avait vu juste sur les raisons qui m'avaient poussé à filer tout à l'heure ; même après le déjeuner d'hier, je cherchais encore la bénédiction de Vivian, et non pas celle de London. Le côté positif de la situation ? Je réalisais que Vivian me facilitait la tâche pour ne pas solliciter son assentiment. Alors, pourquoi essayer quand c'était tout simplement impossible ? Et si elle m'accordait par hasard son aval, je doutais que ça puisse y changer quoi que ce soit.

J'ai franchi la porte, en me demandant si je commençais à corriger ce défaut bien particulier de mon caractère, quand j'ai entendu quelqu'un m'interpeller.

– Russ ?

J'ai reconnu la voix et repéré Emily qui me faisait signe depuis une table, un journal déplié sous les yeux, un verre de thé glacé à côté. Avec son opulente chevelure qui bouclait dans la chaleur humide ambiante, son tee-shirt décontracté et décolleté, glissé dans son short en jean délavé, et ses sandales, elle respirait la beauté toute simple et authentique. En la voyant, mon agacement a fondu comme neige au soleil et j'ai compris que c'était tout à fait la personne que j'avais envie de voir, même si je n'en avais absolument pas conscience auparavant.

– Oh… salut, Emily ! ai-je répondu en souriant malgré moi.

Plutôt que de faire la queue, je me suis surpris à filer tout droit vers sa table, comme en pilotage automatique.

– Ça fait un bail, dis donc. Comment vas-tu ?

– Je vais bien, a-t-elle répondu dans un sourire sincère. Mon agenda a été un peu bousculé ces dernières semaines.

Le mien aussi…

— Quoi de neuf, alors ?

— J'ai dû achever certaines toiles pour la galerie, mais David était là aussi. Et ça veut dire que je n'ai pas cessé de courir à droite et à gauche.

— Tu m'avais dit qu'il devait venir. Il reste combien de temps ?

— C'est son dernier week-end. Il reprend l'avion pour Sydney mardi.

Tandis qu'elle parlait, j'ai vu la lumière se réfléchir dans ses yeux noisette, ce qui réveilla de vieux souvenirs, me ramenant des années en arrière. J'ai désigné le comptoir et les mots se sont échappés de ma bouche avant que je puisse les retenir.

— Tu restes ici un moment ? Je pensais prendre un thé glacé.

— Je ne bouge pas, a-t-elle répondu. Le thé aux framboises est fabuleux.

Je suis allé commander au comptoir ; j'ai suivi son conseil et, dès qu'il fut prêt, j'ai regagné sa table avec mon verre. Elle venait de finir son journal qu'elle pliait pour faire de la place, tandis que je m'asseyais.

— Des infos intéressantes ?

— Pas mal de trucs moches. Ça devient lassant. J'aimerais qu'il y ait plus d'articles réjouissants.

— C'est pour ça qu'il y a la rubrique Sports.

— Je suppose. Mais uniquement si ton équipe gagne, pas vrai ?

— Si elle perd, je passe la page des Sports.

Ce n'était pas désopilant, mais elle a ri quand même. Ça m'a fait plaisir.

— Qu'est-ce que tu fabriquais ? a-t-elle repris. Ça fait des lustres que je ne t'ai pas vu.

— Je ne sais même pas par où commencer.

— As-tu tourné ces spots de pub comme tu le souhaitais ? Pour l'avocat ?

— Tout à fait. Il sont en cours de finalisation, en salle de montage, et, si tout se passe bien, le premier devrait être diffusé dans une quinzaine de jours. J'en tourne un troisième pour lui la semaine prochaine. Et j'ai aussi signé un contrat avec un chirurgien esthétique.

— Il est doué ? Au cas où j'aurais besoin de ses services ?

— Je l'espère. Mais tu n'as pas besoin de passer sous son scalpel.

— Bonne réponse, même si ce n'est pas vrai. Et félicitations pour le deuxième contrat. Je sais que tu te faisais du souci et je suis ravie que ça marche.

— J'aurai encore besoin d'autres clients avant de pouvoir souffler, mais je pense être enfin sur la bonne voie.

— Et je constate que tu as perdu du poids.

— Sept kilos environ.

— Tu souhaitais maigrir ? Parce que je ne pensais pas que tu en avais besoin au départ.

Je n'ai pu m'empêcher de comparer sa réaction à celle de Vivian, lorsqu'elle avait fait allusion à mes bajoues.

— Je suis encore à quelques kilos du poids que je me suis fixé. J'ai recommencé à courir, à faire des pompes, tous ces trucs-là.

— Bravo. Je vois que ça te réussit. Tu as l'air en forme.

— Toi aussi. Et sinon… tu prépares quoi ? Tu disais que tu devais finir des toiles pour la galerie ?

— J'ai travaillé non-stop. Aussi bizarre que ça puisse paraître, quasiment tous mes tableaux exposés à la galerie se sont vendus en quelques jours le mois dernier. Des acheteurs différents, venus d'États différents. J'ignore pourquoi. Peut-être que c'est en rapport avec le cycle lunaire ou je ne sais quoi, mais le galeriste m'a appelée et m'a demandé d'autres peintures à exposer. Pour faire court, j'avais plusieurs tableaux partiellement achevés et j'ai décidé d'essayer de les finir. J'en ai terminé huit, mais les autres… ils vont me demander plus de temps. J'en ai passé pas mal à les scruter ou à les reprendre, ou à ajouter d'autres médiums. C'est comme s'ils essayaient de me dire qu'ils devraient être achevés… mais pour je ne sais quelle raison, je suis incapable de tous les entendre.

— On fait des merveilles avec les prothèses auditives aujourd'hui.

— Vraiment ? a-t-elle répliqué d'un air faussement émerveillé. Je l'ignorais. Peut-être que c'est la solution.

— C'est à peu près toute l'aide que je peux t'offrir. Je ne suis pas un artiste.

Elle a éclaté de rire.

— Comment allait London ce matin ? Bodhi avait hâte de la voir. Je dirais qu'elle le fait craquer, mais il est trop jeune pour ça.

Il aurait été facile pour moi de mentir en répondant par une phrase neutre, mais face à Emily je n'en avais pas envie.

— Je ne sais pas vraiment comment elle allait. La petite était avec Vivian ce matin.

– Alors qu'est-ce que tu fais là ?

– Vivian a oublié de prendre le vase que London était censée peindre. J'ai dû le lui apporter.

– Oui, j'ai entendu parler de ce projet dès que je suis arrivée. La semaine dernière on n'était pas là, alors j'imagine que Bodhi fera son vase aujourd'hui. Il est à l'atelier avec David en ce moment, et ils doivent être un peu livrés à eux-mêmes.

– Je suppose que je devrais te demander pourquoi tu es venue alors ?

– J'ai amené Bodhi. David nous a retrouvés ici. Il est descendu dans un de ces hôtels pour longs séjours. Ça lui convient très bien, mais Bodhi y dort mal, alors il rentre à la maison tous les soirs. Ça a occasionné beaucoup d'allées et venues depuis que David est arrivé. Le côté positif, c'est que j'ai eu beaucoup de temps pour travailler, puisque David en passe en grande partie avec Bodhi. Il essaie de se fabriquer un maximum de souvenirs, je pense. Comme aujourd'hui… Ils vont faire du karting après l'atelier.

– C'est sympa, non ?

– Bien sûr, a-t-elle approuvé avec moins d'enthousiasme que je l'aurais cru. Ce que David ne comprend pas, c'est que ce sera d'autant plus dur pour Bodhi quand il repartira. Bodhi commençait enfin à s'habituer au fait de ne pas avoir son père dans les parages, et je vais devoir l'aider à reprendre le cours normal de notre vie.

– Tu l'as dit à David ?

– Comment ? Même si ça n'a pas collé entre nous, c'est en réalité un père tout à fait aimant. Et quelqu'un de bien. C'est grâce à lui si on a pu rester dans la maison et si Bodhi a pu aller dans une école convenable. Il s'est montré plus que généreux dans le règlement du divorce.

Comme elle prononçait le mot divorce, j'ai pensé à la conversation avec Vivian et j'ai dû tressaillir.

– Je suis désolée, s'est empressée de dire Emily. Je fais vraiment de mon mieux pour éviter de parler de David. Je ne sais pourquoi son nom revient dans chaque discussion.

– Ça n'a rien à voir… ai-je dit en agrippant mon verre de thé glacé des deux mains. Vivian m'a quitté.

Emily est restée bouche bée.

— Oh bon sang… a-t-elle enfin prononcé dans un souffle. C'est atroce. Je ne sais pas trop quoi dire d'autre.

— Il n'y a pas grand-chose à dire.

— Tu es sûr que vous n'allez pas vous accorder une pause ? Pendant quelque temps seulement ?

— Je ne pense pas. Au déjeuner hier, elle a dit qu'on allait divorcer. Et elle souhaite qu'on prenne le temps de parler à London demain soir.

— Qu'est-ce qui s'est passé ? Je veux dire… je suis indiscrète, peut-être ? Tu n'es pas forcé de répondre, évidemment.

— Elle est amoureuse de son patron, Walter Spannerman. Et elle vit à présent à Atlanta.

— Oh mince…

C'était le moins qu'on puisse dire.

— Eh oui…

— Comment tu le vis ?

— Bien parfois, pas vraiment bien à d'autres moments.

Elle a hoché la tête avec douceur.

— Je comprends tout à fait ce que tu veux dire. C'est arrivé quand, au juste ? Et là encore, tu n'es pas obligé de répondre…

J'y ai réfléchi avant de reprendre une gorgée de thé. Même si j'avais parlé des heures avec Marge et Liz, j'éprouvais encore le besoin de digérer tout ça en le verbalisant. Je ne sais pas pourquoi, hormis le fait que chacun gérait ça à sa façon, mais moi il fallait que je parle. Que je recommence. Que je me questionne. Que je réfléchisse. Que je pleurniche. Et je remettais ça. Encore. Et encore. Ma sœur s'était montrée plus que patiente avec moi depuis que Vivian m'avait quitté, mais je m'en voulais de lui avoir rebattu les oreilles à ce point. Idem avec Liz. Et pourtant je me sentais obligé de recommencer le processus ; j'éprouvais le désir irrésistible de tout ressasser une fois de plus.

— J'aimerais pouvoir t'en parler, mais je ne suis même pas certain de savoir par où commencer, ai-je dit.

J'ai regardé par la fenêtre. Emily s'est penché vers moi.

— Tu fais quoi cet après-midi ? m'a-t-elle demandé.

— Rien de prévu.

— Tu veux qu'on aille se promener ? Ou au moins qu'on sorte d'ici ?

— Une balade, ça me va.

* *

J'ai suivi Emily, même si je ne savais pas trop où elle allait, sauf qu'on se dirigeait grosso modo vers sa maison. Au bout d'un moment, elle a tourné dans une allée privée menant à un country club dont les tarifs d'adhésion se révélaient un peu au-dessus de mes moyens. Elle s'est arrêtée à l'ombre, non loin d'un green d'entraînement.

– Ça te va ?

– Un parcours de golf ?

– La balade est magnifique. Je viens ici trois ou quatre fois par semaine. En général le matin.

– Je présume que tu es membre.

– David adorait le golf.

On s'est engagés sur le chemin des voiturettes et on a marché dans l'un des luxuriants fairways. En observant les alentours, j'ai pu me rendre compte de visu qu'Emily disait vrai. Les fairways et les greens étaient magnifiques et regorgeaient de cornouillers, de magnolias et de chênes verts. Sans oublier les buissons d'azalées soigneusement taillés, les bassins qui miroitaient sous le ciel bleu, et la brise constante qui rendait la chaleur tolérable.

– Qu'est-ce qui s'est passé ? a-t-elle demandé.

Et sur le parcours de neuf ou dix trous qu'on a traversé, je lui ai tout raconté.

Peut-être que je n'aurais pas dû, peut-être que j'aurais dû me montrer plus réticent ; mais dès que j'ai commencé, c'est comme si je ne pouvais plus arrêter le flot de mes paroles. J'ai parlé et parlé, en répondant aux questions d'Emily quand elle m'en posait une. Je lui ai raconté notre mariage et les premières années avec London ; je lui ai dit combien il avait été important pour moi de rendre Vivian heureuse, que j'avais toujours souhaité lui faire plaisir. Je lui ai parlé de l'année précédente sans lui épargner les détails en décrivant le pauvre type désespéré que j'étais devenu depuis que Vivian m'avait quitté. Tout en parlant, j'alternais entre confusion et tristesse, rage et contra-riété, mais je me sentais surtout paumé. Dans la peau de celui qui croyait connaître les règles du jeu auquel il jouait... jusqu'au jour où il découvrait que ce n'étaient pas les bonnes.

— Merci de m'avoir écouté, ai-je dit en arrivant à la fin de mon déplorable récit.

— Ça ne m'a pas pesé du tout. Je suis passée par là, moi aussi. Et je comprends. Crois-moi. L'année où David est parti a été la pire de ma vie. Et c'est vrai que les deux ou trois premiers mois m'ont paru insoutenables. Toute la journée, tous les jours, je me demandais si j'avais eu raison de lui demander de s'en aller. Et ensuite, je ne dis pas qu'il m'a suffi de claquer des doigts comme Mary Poppins : il m'a sans doute fallu encore quatre ou cinq moins avant de me sentir à nouveau bien dans ma peau de temps en temps. Mais à ce stade, j'ai aussi plus ou moins compris que Bodhi et moi allions nous en sortir.

— Comment tu te sens maintenant ?

— Mieux, a-t-elle avoué avec un petit sourire en coin. Enfin, la plupart du temps. C'est étrange, mais plus le temps passe, moins je me souviens des mauvais moments, alors que les bons souvenirs persistent. Avant Bodhi, on avait l'habitude de faire la grasse matinée le dimanche, de rester au lit en prenant notre café et en lisant le journal. On ne parlait même pas tant que ça, mais je rappelle encore combien c'était agréable. Et comme je te l'ai dit, David a toujours été un bon père. Ce serait tellement plus facile si j'oubliais les bons moments à la place.

— À t'entendre, ç'a été vraiment pénible.

— Ça peut être affreux. Les discussions autour de l'argent sont souvent les pires. Quand il y a du fric en jeu, ça peut devenir rude.

— C'était le cas pour toi ?

— Non, Dieu merci. David est plus qu'équitable pour la pension alimentaire, et on ne s'en sortirait pas sinon. Ce qui facilite les choses aussi, c'est que sa famille est riche comme Crésus et il gagne très bien sa vie, mais je pense aussi qu'il se sent coupable. Ce n'est pas qu'il soit un sale type, mais pas vraiment un bon mari, sauf si on ferme les yeux sur son côté « coureur de jupons ».

— Je comprends tout à fait que ça puisse poser problème.

Je l'ai sentie m'observer à la dérobée.

— Elle pourrait revenir, tu sais. Ça arrive parfois.

J'ai repensé au déjeuner de vendredi et à la manière dont Vivian s'était comportée quand je lui avais donné le vase. Je me suis rappelé ce qu'elle m'avait dit.

— Je ne crois pas, non.

— Même si elle se rend compte qu'elle a commis une erreur ?

— Je ne sais même pas si elle aimerait revenir. J'ai comme l'impression qu'elle est malheureuse depuis longtemps avec moi. J'ai essayé d'être le meilleur père et le meilleur mari possible, et il semble que ça n'ait jamais suffi.

— À t'écouter, on dirait que tu doutes même que je puisse te croire.

— Tu me crois ?

— Bien sûr. Pourquoi j'aurais des doutes ?

— Parce qu'elle m'a quitté.

— C'est sa décision. Et ça en dit moins sur toi que sur elle.

— Malgré tout, j'ai l'impression d'avoir tout raté.

— Je peux comprendre ça. J'ai ressenti la même chose. Comme la plupart des gens dans cette situation, je pense.

— Je n'en suis pas certain pour Vivian. Elle a l'air de s'en moquer complètement.

— Ça la touche, a dit Emily. Et elle en souffre aussi. Mettre fin à un mariage n'est facile pour personne. Mais elle est aussi amoureuse de quelqu'un d'autre et ça détourne forcément son attention. Elle ne pense plus autant à vous deux que toi. Donc, elle ne souffre pas aussi souvent que toi.

— Je pense que j'ai besoin de me changer les idées.

— Ah oui, c'est exactement ce qu'il te faut. Peut-être une fille de la vingtaine, du genre pom-pom girl, non ? Ou une prof d'aérobic ? Ou peut-être une danseuse ? C'était ce que préférait David. Bien sûr, dans le pire des cas, il couchait avec la première venue.

— Je suis désolé.

— Moi non. Ce n'est plus mon problème. Il fréquente quelqu'un à Sydney. Il m'a confié qu'il envisageait même de se remarier.

— Déjà ?

— C'est la vie. S'il me demandait mon avis, je lui conseillerais sans doute d'attendre un peu… Mais il ne m'a rien demandé, alors je n'ai rien dit. Et puis on est divorcés. Il peut faire ce qu'il veut.

J'ai glissé ma main dans ma poche en continuant à marcher à son côté.

— Comment tu y arrives ? À ne pas être dérangée par ça, je veux dire. Quand je pense à Vivian et Walter, ça me rend tellement furieux que j'en souffre. J'ai un mal fou à me détacher.

— C'est encore trop récent, a-t-elle répondu. Mais même si ça paraît dur et même si je pensais ce que j'ai dit sur David, ça m'a quand même fait mal quand il m'a annoncé ça. Pendant longtemps, même si je disais aux gens que je souhaitais voir David heureux après notre séparation, en fait je voulais qu'il reste cloîtré chez lui comme un ermite, qu'il ait honte de lui-même et regrette tout ce qu'il avait perdu.

J'ai imaginé Vivian dans cette situation.

— Ça m'a l'air sympa. Comment les convaincre de devenir comme ça ?

Elle a éclaté de rire.

— Si seulement c'était aussi simple, pas vrai ? Les ex, c'est toujours compliqué. Le week-end dernier, il m'a carrément draguée.

— Sans blague ? Et sa petite amie ?

— Elle n'est pas venue. Et je dois admettre que pendant une minute ou deux j'ai envisagé de me laisser faire. Il est séduisant et on prenait du bon temps ensemble dans le passé.

— Comment c'est arrivé ?

— L'alcool…

À mon tour d'éclater de rire.

— Bref, il était sorti toute la journée avec Bodhi et quand il l'a ramené à la maison, le petit est allé se coucher direct. Je buvais un verre de vin et je lui en ai proposé. Un verre entraînant l'autre, il était plus charmant que jamais, et avant que je m'en aperçoive, sa main s'était posée sur mon genou. Je savais ce qu'il voulait et…

J'ai attendu. Elle s'est tournée vers moi.

— Je savais que c'était une très mauvaise idée, mais ce que j'éprouvais grâce à lui me plaisait toujours. C'est complètement dingue, mais bon c'est comme ça. En fait, ça faisait longtemps que je ne m'étais pas sentie désirée et attirante. En partie à cause de moi, bien sûr. Ce n'est pas comme si je m'étais vraiment mise entre parenthèses depuis un an et demi. J'ai eu quelques rancarts et les gars étaient sympas, mais j'ai vite compris que je n'étais pas prête pour une nouvelle relation. Alors, quand ils me rappelaient, je les décourageais toujours. Quelquefois j'aimerais être le genre de fille capable de coucher à droite à gauche, sans se sentir coupable ou avoir l'impression d'être une traînée, mais je ne suis pas comme ça. Je n'ai jamais eu de liaison sans lendemain.

— Attends… Je croyais qu'il y avait eu ce type à la fac…

– Ça ne compte pas, a-t-elle répliqué en agitant vaguement la main. J'ai effacé cette soirée de ma mémoire, alors elle n'a jamais existé.

– Ah…

– Bref, David a commencé à m'embrasser dans le cou, et une partie de moi se disait : *Et puis pourquoi pas, après tout ?* Heureusement j'ai retrouvé mes esprits. Pour le côté positif, disons qu'il a accepté mon refus avec élégance. Pas d'accès de colère, pas de dispute. Uniquement un haussement d'épaules et un soupir, comme si j'étais celle qui allait vraiment y perdre au change. (Elle a secoué la tête.) Je n'en reviens pas de t'avoir raconté tout ça.

– Ce n'est pas grave. Si ça t'aide à te sentir mieux, je ne m'en rappellerai sans doute pas. La tornade d'émotions que je vis en ce moment fait des ravages sur ma mémoire.

– Je peux te poser une question ?

– Vas-y.

– Et London dans toute cette histoire ?

– C'est plus compliqué, ai-je admis. Pour l'instant, Vivian pense qu'il vaut mieux que la petite reste avec moi puisqu'elle voyage trop et n'a pas eu le temps de lui installer une chambre. Mais elle m'a annoncé clairement qu'elle voulait qu'ensuite London déménage à Atlanta.

– Et ça te fait quoi ?

– Je n'ai pas envie de la laisser partir… mais je sais aussi qu'elle a besoin de sa mère.

– C'est-à-dire ?

– Je n'en sais rien. J'imagine que c'est un truc dont on va discuter. Pour être honnête, je ne sais absolument rien sur la marche à suivre.

– Tu as déjà parlé à un avocat ?

– Non. Ce n'est qu'hier qu'elle a parlé de divorce. Et avant ça, je n'étais pas en état de faire quoi que ce soit.

À ce moment-là, je distinguai au loin le club-house. J'ignorais la distance qu'on avait parcourue, mais ça faisait plus d'une heure qu'on marchait. Mon estomac a grondé.

Emily a dû l'entendre.

– Tu as faim ? Pourquoi on n'irait pas grignoter quelque chose ?

– Je ne pense pas qu'on soit habillés pour le country club.

– On s'installera au bar. C'est décontracté. C'est là où atterrissent les golfeurs après leur partie.

Autant la balade avec Emily m'avait paru nécessaire, autant le fait de déjeuner – rien que nous deux au club – me donnait l'impression de franchir une sorte de limite. J'étais toujours marié. Vivian et moi n'étions pas officiellement séparés. D'où le fait que cette proposition me paraisse déplacée.

Et pourtant…

L'autre aspect du problème était évident, même pour moi. Que dirait Vivian si elle l'apprenait ? Que je franchissais une certaine ligne ? Que les rumeurs allaient commencer ?

Je me suis éclairci la voix, avant de répondre :

– Un déjeuner, pourquoi pas ?

*
* *

À l'extérieur, le club-house en imposait et semblait collet monté ; mais l'intérieur avait été rénové récemment et se révélait plus clair et plus spacieux que je ne l'aurais cru. Des baies vitrées ouvraient deux des murs et offraient une vue spectaculaire sur le dix-huitième trou. J'ai repéré quatre personnes qui s'avançaient vers le green, tandis qu'Emily désignait une table dans le coin, l'une des rares à ne pas être occupées.

– Si on s'installait là-bas ? a-t-elle suggéré.

– Parfait.

Je l'ai suivie jusqu'à la table, mes yeux s'attardant sur ses jambes qui m'étaient autrefois familières, ravi qu'elle porte un short. Sveltes et bronzées, le genre de jambes qui avaient toujours attiré mon regard.

Une fois tous deux assis, elle s'est penchée vers moi.

– Je t'ai dit qu'on ne détonnerait pas côté fringues. Ce groupe là-bas arrive des courts de tennis.

– Je n'ai pas remarqué. Mais c'est bon à savoir.

– Tu as déjà dîné ici ?

– Une fois, dans la salle à manger. Jesse Peters a sa carte de membre et on devait retrouver un client.

– Je l'aperçois de temps en temps. Ou je l'apercevais, du moins. Je le surprenais toujours qui me fixait.

– Ça lui ressemble bien.

– Oh, si ça t'intéresse, leur hamburger est à tomber. En fait, le chef a remporté un concours dans l'une de ces émissions de la chaîne gastronomique. Le burger est accompagné de frites de patates douces absolument fabuleuses.

– Ça fait des lustres que je n'en ai pas mangé. C'est ce que tu vas prendre ?

– Bien sûr.

Je n'ai pu m'empêcher de noter que Vivian n'aurait jamais pris de burger, pas plus qu'elle n'aurait approuvé que j'en commande un.

La serveuse est arrivée avec les cartes, mais Emily a secoué la tête.

– Nous prenons tous les deux le burger, a-t-elle annoncé. Et j'aimerais bien un verre de chardonnay.

– Mettez-en deux, ai-je renchéri, m'étonnant moi-même.

Bien sûr, jusque-là l'après-midi avait été surprenant, mais dans le bon sens. J'ai remarqué qu'Emily contemplait les greens par la baie vitrée, avant de se tourner vers moi.

– J'imagine que nos enfants ont terminé l'atelier d'arts à présent. Que fait London, d'après toi ?

– Vivian a dû l'emmener déjeuner. Quant à la suite, aucune idée.

– Elle ne t'a rien dit ?

– Non. Notre déjeuner de vendredi était un peu tendu, alors on n'a pas abordé leurs projets.

– Les repas étaient tendus avec David aussi, pendant un bon moment. C'est juste difficile et atroce à vivre, même si on est bien obligés d'en passer par là. Et seuls les gens qui ont connu ça peuvent comprendre à quel point c'est terrible.

– Ce n'est pas très encourageant…

– C'est pourtant la vérité. Je n'aurais jamais pu m'en sortir sans le soutien de véritables amies. J'ai dû parler à Marguerite et à Grace au téléphone deux à trois heures par semaine, voire plus, au début. Et le plus étrange, c'est qu'avant mon divorce je n'étais pas particulièrement proche de l'une ou de l'autre. Mais je me suis reposée sur elles, et elles ont toujours été là pour me soutenir quand j'en avais besoin.

– J'ai l'impression qu'elles t'ont sauvé la vie, en quelque sorte.

– En effet. À ce jour, je ne suis pas sûre de savoir pourquoi elles m'ont autant soutenue. Et j'imagine que tu auras probablement besoin de la même chose, deux ou trois personnes auxquelles tu peux vraiment te confier. C'était bizarre… J'aurais cru que ma sœur Jess ou Diane, sans doute ma meilleure amie à l'époque, auraient été mes piliers. Mais le destin en a décidé autrement.

— Comment ça ?

— C'est difficile à expliquer, mais Marguerite et Grace ont toujours su trouver les mots justes au bon moment et de la meilleure façon possible. Jess et Diane, non. Parfois elles me prodiguaient des conseils que je n'avais pas envie d'entendre, ou bien elles se demandaient si j'agissais comme il le fallait alors que j'avais vraiment besoin d'être rassurée.

J'ai alors réfléchi aux personnes sur lesquelles je pouvais m'appuyer. Marge et Liz, évidemment, mais elles ne faisaient qu'une en quelque sorte. Je savais déjà que ma mère serait trop émotive, et mon père ne saurait pas quoi dire. Quant à mes amis, je me suis rendu compte que je n'en avais pas vraiment. Entre mon travail et ma famille, j'avais laissé la plupart de mes amitiés s'étioler dans les années qui avaient suivi la naissance de London.

— Marge et Liz ont été super, ai-je dit.

— Je m'en serais doutée. J'ai toujours apprécié Marge.

Le sentiment est réciproque.

Le serveur nous a apporté deux verres de vin. Emily a pris le sien en disant :

— On devrait porter un toast. À Marge, Liz, Marguerite, Grace, Bodhi et London.

— Les enfants aussi ?

— C'est grâce à Bodhi si je ne me suis pas écroulée. Je ne pouvais pas. Ce sera pareil avec London.

J'ai tout de suite su qu'elle avait raison.

— Entendu. Mais alors j'ai l'impression que je dois aussi t'inclure dans le lot. Jusqu'ici tu m'as drôlement soutenu.

— Et tu peux toujours m'appeler à n'importe quel moment.

On a ensuite discuté de tout et de rien. Je lui ai parlé de London, et elle de Bodhi ; elle m'a raconté les voyages qu'elle avait faits pendant toutes ces années, depuis la dernière fois qu'on s'était vus. Comme on avait déjà beaucoup fait allusion à Vivian et à David, c'est peut-être pour cette raison que leurs noms ne sont pas revenus dans la conversation et, pour la première fois depuis que Vivian avait quitté le domicile conjugal, l'angoisse que j'éprouvais a semblé disparaître.

Le serveur a fini par nous apporter les hamburgers et on a chacun commandé un deuxième verre de vin. Comme prévu, le burger comptait parmi les meilleurs que j'aie jamais mangés. Il était recouvert de fromage et d'un œuf au plat, mais comme mon manque d'appétit de ces derniers temps m'avait un peu rétréci l'estomac, je n'ai pu en manger que la moitié.

Après que le serveur eut débarrassés, on s'attarda à table en sirotant notre vin. Emily m'a raconté une anecdote où Bodhi avait décidé de se couper les cheveux et elle éclata de rire en me montrant la photo du petit sur son portable. Il avait taillé près de trois centimètres de frange quasiment jusqu'à la racine. Son front était bien dégagé, comme un trou entre deux dents, mais son sourire épanoui rendait la photo irrésistible.

— Génial ! ai-je dit en m'esclaffant. Comment as-tu réagi ?

— Au début, j'étais dans tous mes états, pas seulement à cause de sa coupe mais surtout parce qu'il avait piqué les ciseaux. Mais quand j'ai vu à quel point il était fier, j'ai été prise d'un fou rire. Et on a rigolé ensemble. Puis j'ai attrapé mon portable. Maintenant la photo est encadrée et posée sur ma table de nuit.

— Je ne sais pas trop comment j'aurais réagi si London avait fait ça. Une chose est sûre, en revanche : Vivian n'aurait pas rigolé.

— Non ?

— Elle n'a jamais eu le rire facile.

En fait, impossible de me rappeler la dernière fois où je l'avais entendue rire.

— Même avec Marge ? Ta sœur me faisait tout le temps me tordre de rire.

— Surtout avec Marge. Elles ne s'entendent pas si bien que ça.

— Comment c'est possible ? Elle te taquine toujours ?

— Elle est sans merci.

Emily a ri de plus belle et ça m'a rappelé combien j'avais aimé son rire, à la fois mélodieux et sincère.

— Tu sais quoi ? m'a-t-elle avoué. Cette journée se révèle beaucoup plus agréable que je ne l'aurais cru. Si tu n'étais pas venu avec moi, j'ignore ce que j'aurais fait. Sans doute que j'aurais contemplé mes toiles d'un air frustré. Ou fait le ménage.

– Moi j'aurais travaillé.

– C'est nettement mieux.

– OK. Tu aimerais un autre verre ?

– Bien sûr. Mais je ne vais pas en prendre. Je conduis. Mais vas-y, si ça te fait plaisir.

– Non, ça va. Que fais-tu ce soir ?

– Comme toi. Je vais chez ma sœur. Tu te souviens de Jess ? Brian et elle m'ont invitée à dîner.

– Ça m'a l'air sympa.

– Mmm… pas si sûr. Je me demande parfois si Brian ne s'imagine pas que je colle des idées dans la tête de Jess. Du genre divorce, par exemple.

– Ils ont des problèmes ?

– Tous les couples mariés en ont de temps à autre. Ça fait plus ou moins partie de cette institution.

– Pourquoi le mariage est-il si difficile ?

– Qui sait ? Je pense que c'est probablement parce que les gens se marient sans se connaître vraiment pour commencer. Ou parce qu'ils ne savent pas à quel point ils sont cinglés.

– Tu es cinglée, toi ?

– Bien sûr. Je ne veux pas dire « folle à lier ». Mais un peu, comme tout le monde, en fait. Telle personne est peut-être trop sensible et se vexe pour un rien, une autre risque de se mettre en colère quand elle n'obtient pas gain de cause. Une autre encore se ferme comme une huître et tient rancune pendant des semaines. Voilà ce dont je parle. On fait tous des trucs malsains dans une relation, mais je ne suis pas certaine que les gens l'admettent sauf s'ils se connaissent vraiment bien. Et si tu considères que chaque partenaire débarque avec ses propres problèmes, c'est un miracle que le moindre mariage puisse tenir dans la durée.

– C'est un peu pessimiste, tu ne trouves pas ? Tes parents sont mariés depuis toujours. Les miens aussi.

– Mais sont-ils heureux ensemble ? Ou sont-ils ensemble par habitude ? Ou parce qu'ils ont peur de se retrouver seuls ? À la cafétéria, tout à l'heure, j'observais un vieux couple à quelques tables de la mienne. Ils devaient être ensemble depuis cinquante ans, mais je ne crois pas qu'ils ont échangé une seule parole.

J'ai songé à mes parents, en me rappelant que Marge et moi nous nous étions posé la même question.

— Tu penses te remarier un jour ?

— J'en sais rien, a-t-elle répondu. Parfois je crois en avoir envie, mais à d'autres moments je me sens plutôt heureuse d'être seule. Et avec Bodhi, ce n'est pas comme si j'avais beaucoup d'énergie à consacrer à la recherche d'un nouveau compagnon. En revanche, je peux dire que je vois bien mieux le type de personne dont j'ai envie si jamais la question vient à se poser. J'ai décidé d'être très difficile.

Je restais calme, tout en repensant soudain à Vivian, dont le souvenir me pesait comme un fardeau.

— J'ignore ce qui va se passer avec Vivian. Et je ne sais toujours pas pourquoi elle était si malheureuse avec moi.

— Peut-être qu'elle était simplement malheureuse. Et peut-être qu'elle pense être plus heureuse avec quelqu'un de nouveau, mais personne ne peut t'apporter un bonheur permanent. Ça vient de l'intérieur. C'est pourquoi on a inventé les antidépresseurs ; avec un peu de chance, c'est ce que les gens apprennent en thérapie.

— C'est très zen, tout ça.

— Il m'a fallu un petit bout de temps avant d'accepter enfin que le donjuanisme de David n'avait rien à voir avec moi, ou avec le fait que je sois suffisamment jolie ou affectueuse. C'était lié au besoin qu'il avait de se prouver qu'il était désirable et puissant, et il y parvenait en couchant avec d'autres femmes. Maintenant, je sais que j'ai fait de mon mieux pour que notre mariage fonctionne, et aussi que c'est tout ce que je peux exiger de moi. (Elle a posé une main sur mon bras.) C'est tout aussi valable pour toi, Russ.

Lorsqu'elle a retiré sa main, la chaleur et le réconfort de son contact ont subsisté, comme pour appuyer physiquement ses propos.

— Merci, ai-je réussi à lui dire.

— À ton service. Et je le pense vraiment. Tu es un mec bien.

— Tu ne me connais plus tant que ça.

— En fait, je crois te connaître. Tu es quasiment le même gars que tu as toujours été.

— Et j'ai tout foiré avec toi.

— Tu as commis une erreur. Je sais que tu n'as pas voulu me faire du mal. Et puis je t'ai pardonné. C'est toi qui as encore besoin de te pardonner.

— J'y travaille. Mais tu ne me facilites pas la tâche, en un sens, en étant si sympa avec moi.

— Tu préférerais que je sois cruelle et rancunière ?

— Si tu l'étais, je m'effondrerais sans doute.

— Détrompe-toi. Tu es plus fort que tu ne le penses.

On avait fini notre vin et on s'est tacitement levés de table. Un coup d'œil à ma montre m'a indiqué qu'on avait passé près de trois heures ensemble – ça me paraissait incroyable.

Après avoir payé, on a pris la direction de la sortie et de nos voitures.

— Souviens-toi de ce que je t'ai dit sur le fait de trouver deux ou trois bons amis susceptibles de te soutenir. Tu vas probablement en avoir besoin.

— Tu te portes volontaire ?

— Je te l'ai déjà proposé, tu te rappelles ? Et je déteste dire ça, mais si je dois me fier à mon expérience, attends-toi à ce que la situation empire avant de s'améliorer.

— Je ne vois pas comment elle pourrait être pire.

— J'espère pour toi que ce ne sera pas le cas.

J'ai tendu la main pour lui ouvrir sa portière.

— Moi aussi.

*
* *

— Rembobine le tout et redémarre au début, a dit Marge. Vous avez fait une longue balade et après tu as déjeuné avec Emily ? Et vous avez bu du vin ?

Liz et elle venaient de rentrer quelques minutes plus tôt. En chemin, elles m'avaient appelé pour me demander ce que je voulais pour dîner. Elles prévoyaient de prendre des plats mexicains sur le trajet et quand j'ai dit à ma sœur que je n'avais pas faim, Marge m'a rétorqué qu'elle m'apporterait quand même quelque chose. Dans la barquette trônait à présent un burrito de la taille d'une balle de softball avec du riz et des haricots frits. Marge et Liz avaient pris toutes les deux des salades de tacos, et on s'est mis à table.

— Ben ouais, ai-je répondu. Et alors ?

Marge a pris une bouffée de son inhalateur avant de me décocher un petit sourire en coin.

— Disons juste que c'est un rebondissement dans l'acte deux, que je n'ai pas vu venir.

— Vraiment ? a répliqué Liz entre deux bouchées. Ils ont déjà eu un rancart au Chick-fil-A, tu te rappelles ?

— Vous allez arrêter de parler de rancart ? On s'est promenés. On a discuté. On a déjeuné. Basta.

— Ça s'appelle un rancart. Mais bon, très bien. Ma question est la suivante : penses-tu la rappeler ?

— Son fils Bodhi est le meilleur ami de London. Si on doit s'arranger pour que les gamins jouent ensemble comme l'autre fois, il se pourrait que je la rappelle, oui.

— Ce n'est pas ce que je voulais dire.

— Je sais ce que tu voulais dire. Je n'ai aucune envie de sortir avec qui que ce soit. Je n'imagine même pas m'y remettre un jour.

Mais je n'ai pas précisé que, même si je n'avais pas envie d'avoir un rancart, l'idée de me retrouver seul ne m'enchantait pas non plus. En fait, j'avais envie que Vivian et moi retrouvions ce qu'on avait dans le passé. J'avais envie que tout redevienne comme avant.

Marge a paru lire dans les pensées.

— Tu as eu des nouvelles de Vivian ? Concernant l'heure à laquelle tu peux rentrer chez toi demain ?

— Pas encore. Je vais appeler London plus tard. J'imagine qu'elle me le dira à ce moment-là.

Marge a désigné le burrito.

— Tu ne manges pas ?

— Je ne pourrais pas le finir même si j'étais coincé sur une île déserte pendant un mois.

— Pourquoi ne pas goûter au moins une bouchée ?

J'ai fait ce qu'elle me demandait ; même si c'était succulent, j'avais encore le hamburger sur l'estomac, et je me suis tourné vers Liz.

— As-tu appris des recettes mexicaines dans ton cours de cuisine ?

Liz a hoché la tête, tout en piquant dans sa salade.

— Quelques-unes. J'aurais pu vous faire un truc, mais je me sentais un peu paresseuse. Et il aurait fallu que je file au supermarché.

— As-tu des recettes faciles et saines ? Des plats que London pourrait apprécier ?

— J'en ai plein. Tu veux que je te fasse une sélection de mes préférées ?

— Vraiment ? J'ai envie de continuer à vivre normalement, mais je ne suis pas très expérimenté en cuisine. Je tiens à ce que London garde de bonnes habitudes. Et ça inclut le dîner.

— J'aurai des recettes pour toi d'ici demain.

— J'apprécie. Sinon, comment c'était, la pendaison de crémaillère ?

— Très sympa, a répondu Liz. La maison est très classe. Même si nos amies viennent à peine d'emménager, elles avaient déjà accroché tous leurs tableaux. C'était assez impressionnant, en fait.

Automatiquement, je me suis demandé s'il y avait des toiles d'Emily dans le lot. Je me demandais aussi comment se passait la soirée d'Emily chez sa sœur. Sous le regard vigilant de Marge, j'ai pris une autre bouchée de burrito.

— Aujourd'hui, c'est la première fois que je n'ai pas pensé sans arrêt à Vivian.

— Et c'était comment alors ? a demandé ma sœur d'un air pensif.

— Étrange. Mais positif, je pense. Je me sens moins angoissé maintenant.

— Tu as déjà commencé à guérir, m'a dit Marge. Tu es plus fort que tu ne le penses.

J'ai souri, en me rappelant qu'Emily m'avait dit exactement la même chose.

*
* *

Après le dîner, j'ai appelé Vivian avec l'appli FaceTime et elle a répondu à la deuxième sonnerie.

— Salut, a-t-elle dit. London et moi sommes pelotonnées sur le canapé devant un film. Elle peut te rappeler un peu plus tard ?

— Salut papa ! ai-je entendu la petite crier. Nemo et Dory sont avec les requins !

— Oui, bien sûr, ai-je répondu à Vivian. Vous vous êtes bien amusées aujourd'hui ?

– C'était super. Elle te rappelle, OK ?

– Je t'aime, papa ! a hurlé ma fille. Tu me manques !

J'ai eu un pincement au cœur en entendant sa voix.

– Pas de problème, ai-je dit à Vivian. Je serai là.

J'ai pris mon portable avec moi tout en allant aider Marge et Liz à la cuisine ; je l'ai ensuite posé sur la table à côté de moi, quand Marge a sorti le Scrabble. J'ai découvert que Liz prenait le jeu au sérieux et qu'elle était très douée. Elle nous a battus, ma sœur et moi, mais la partie était bien plus animée que le souvenir que j'en garde.

En fait, elle fut presque assez divertissante pour me faire oublier le fait que London n'avait pas rappelé.

Presque…

*

* *

Le lendemain matin, j'ai reçu un SMS de Vivian. « Tu peux venir à 18 h 30 ? Dis-moi si ça te convient. »

L'horaire me paraissait plutôt tardif, surtout qu'elle devait repartir en voiture, mais je n'allais pas le lui faire remarquer. Elle essayait de passer le plus de temps possible avec la petite, mais comme j'étais encore agacé de n'avoir pas eu l'occasion de parler à London, j'ai mis mon portable de côté sans répondre à ma femme. Je ne lui ai envoyé un texto vers 14 heures.

Ce matin-là, j'avais couru près de treize kilomètres et, à mon retour, j'ai fait une centaine de pompes. C'est seulement sous la douche que mon agacement a commencé à se dissiper.

*

* *

Liz a rassemblé pour moi une sorte de carnet d'une quinzaine de recettes, dont la plupart ne nécessitait pas plus de six ingrédients différents. Ensuite, elle m'a montré comment organiser les repas et on est allés au supermarché pour faire le plein de tout ce dont j'aurais besoin.

Même si Marge et Liz me désapprouvaient sur ce point, j'avais néanmoins l'impression de tenir la chandelle et, après le déjeuner, j'ai sauté dans ma voiture et roulé jusqu'à la librairie. Je n'ai jamais été un grand lecteur, mais je me suis surpris à errer dans la section « Vie de couple » du magasin. Il y avait quelques rayonnages avec des livres sur le divorce et je les ai tous feuilletés avant d'en choisir deux ou trois. En passant à la caisse, j'étais sûr que l'employée allait lire les titres avant de me regarder en me plaignant, mais l'adolescente aux cheveux roses s'est contentée de scanner les ouvrages avant de les fourrer dans un sac et de me demander si je payais par carte ou en liquide.

Ensuite j'ai décidé de faire un saut au parc, au cas où London s'y trouverait. Si oui, je n'étais pas sûr d'oser m'imposer, mais j'avais envie de la voir. L'idée m'a traversé que j'avais le comportement d'un toxico en état de manque, mais ça m'était égal.

Dans le parc, aucun signe de Vivian et de London. Je m'y suis quand même garé. Comme il faisait moins chaud ce week-end, il y avait plus de gamins que d'habitude. Je me suis assis sur un banc et j'ai ouvert un des livres. J'ai commencé à lire, au début parce que je pensais qu'il le fallait puis, après une demi-heure, parce que je le souhaitais.

J'ai donc appris au fil des pages que Marge, Liz et Emily avaient raison. Même si j'en avais une tout autre impression, ce que je traversais n'avait rien d'original. Les troubles émotionnels, l'autoculpabilisation, les questions en boucle et le sentiment d'échec constituaient le lot commun de la plupart des divorces. Mais le fait de le lire, plutôt que de l'entendre, rendait cela plus réel en un sens ; et quand j'ai enfin refermé l'ouvrage, je me suis senti un peu mieux. J'ai songé à retourner chez Marge, mais j'ai alors aperçu un gamin qui ressemblait à Bodhi et j'ai sorti mon mobile.

Quand Emily a décroché, je me suis levé du banc, étrangement nerveux. J'ai marché vers la clôture qui bordait le parc.

– Allô ?

– Salut ! C'est moi, Russ.

– Quoi de neuf ? tu vas bien ?

– Super. Sauf que London me manque et que j'ai dû sortir. Et toi ?

– À peu près pareil. David et Bodhi sont au ciné en ce moment. Je pense qu'ils iront manger une pizza après. Alors je me retrouve de nouveau face à mes toiles.

— Tu as réussi à déchiffrer ce qu'elles murmurent ?

— J'y travaille. Qu'est-ce que t'as fait de beau aujourd'hui ?

— J'ai couru plus de douze kilomètres. Ça m'a fait un bien fou aussi. J'ai traîné avec Marge et Liz, je suis allé à la librairie. Là, je m'occupe en attendant de retrouver la petite, et j'ai pensé à t'appeler et à te remercier pour hier.

— Mais de rien. J'ai passé un super moment.

J'ai éprouvé un étrange soulagement en entendant ces paroles.

— Comment s'est passé le dîner chez ta sœur hier soir ?

— Son mari et elle s'étaient disputés avant que j'arrive. Même s'ils parvenaient plus ou moins à se contenir, j'ai remarqué pas mal de regards noirs et entendu plus d'une dizaine de profonds soupirs. Ça m'a fait un peu l'effet d'un pèlerinage… avec David et tout ça.

J'ai éclaté de rire.

— Ça devait être atroce.

— Ce n'était pas génial. Mais Jess m'a appelée ce matin pour s'excuser. Et juste après elle s'est lancée dans une nouvelle tirade sur la manière dont Brian passait son temps à la contredire.

On a continué à bavarder tandis que je me promenais dans le parc et, plus d'une fois, je n'ai pu m'empêcher de sourire. J'avais oublié combien il était facile de parler avec Emily, avec quelle intensité elle écoutait, et avec quelle liberté elle se livrait. Elle ne donnait jamais l'impression de prendre les choses trop au sérieux, un trait de caractère qu'elle avait toujours possédé mais qui s'affirmait avec l'âge. Ça m'a incité à vouloir davantage lui ressembler.

Après quarante minutes de conversation, on a raccroché. Comme la veille, le temps semblait passer vite en sa compagnie. En regagnant ma voiture, je me demandais pourquoi Vivian et moi n'avions pas pu discuter aussi facilement et, en laissant son nom se glisser dans ma tête, j'ai eu un nouvel accès de contrariété de n'avoir pas pu parler à London. Empêcher ma fille de parler à sa mère, voilà bien quelque chose que je n'avais jamais fait, pas depuis que Vivian avait quitté la maison. Emily, me suis-je dit, ne ferait jamais un truc pareil, et en me glissant derrière le volant, je n'ai pu m'empêcher de songer à sa beauté naturelle : aucun maquillage pour masquer une peau au teint légèrement olivâtre, aucun reflet artificiel dans les cheveux, ni aucun comblement de rides au collagène.

Elle était plus belle à présent, ai-je pensé, que quand on sortait ensemble.

*
* *

J'ai aussi réalisé qu'Emily semblait contente d'avoir de mes nouvelles et je ne pouvais nier que ça me remontait le moral. Faire plaisir aux gens, c'est encore meilleur quand ça se passe facilement, après tout. Et alors que j'avais en permanence l'impression de me battre pour satisfaire Vivian, il semblait qu'avec Emily j'avais juste besoin d'être moi-même…

Et pourtant, même si Emily m'avait distrait de mes problèmes, je n'avais pas menti à Marge ou à Liz. En tant que vieille amie – et drôlement attirante avec ça –, n'importe qui pouvait comprendre que j'avais apprécié le temps passé en sa compagnie, et il était sans doute logique que je l'aie appelée. Je me sentais à l'aise avec elle, comme ç'avait toujours été le cas. Ça ne signifiait pas, en revanche, que j'étais prêt – ou même intéressé – par une relation. Après tout, une relation saine nécessitait deux personnes équilibrées et, pour l'heure, je ne l'étais pas assez pour elle.

J'ai fait part de mes réflexions à Marge avant de repartir chez moi, mais elle a simplement secoué la tête.

– C'est la voix de Vivian que tu entends, m'a-t-elle dit. Si tu te voyais comme tous les autres te voient, tu saurais que tu es un type formidable.

*
* *

Je suis arrivé chez moi à 18 h 30 et j'ai hésité sur le perron en me demandant si je devais frapper. C'était ridicule, bien sûr, et je m'en suis voulu, plus à moi qu'à Vivian. Pourquoi j'attachais encore autant d'importance à ce qu'elle pouvait penser ?

Par habitude… me suis-je entendu répondre en pensée, et je savais que les habitudes avaient la vie dure.

J'ai donc ouvert la porte et je suis entré, mais pas de London ou de Vivian en vue. J'ai entendu du bruit à l'étage et j'allais prendre l'escalier, quand Vivian a surgi au coin du couloir avec un verre de vin. Elle m'a fait signe et je l'ai suivie dans la cuisine. En regardant ici et là, j'ai remarqué que la vaisselle s'empilait dans l'évier, et ni la cuisinière ni les plans de travail n'avaient été nettoyés. Un demi-verre de lait et un set de table traînaient encore, et j'ai aussitôt compris qu'elle n'avait aucune intention de ranger la cuisine.

J'avais l'impression de ne plus la connaître… si toutefois je l'avais jamais connue.

— London est là-haut dans son bain, m'a-t-elle annoncé sans préambule. Je lui ai dit que je monterais d'ici quelques minutes parce qu'il fallait qu'on lui parle. Mais j'ai pensé qu'on devrait d'abord accorder nos violons.

— Est-ce qu'on n'a pas déjà vu ça vendredi ?

— Oui, mais je voulais m'assurer que tu t'en souvenais.

Sa remarque m'a fait l'effet d'une insulte.

— Je m'en souviens.

— Bien. Je pense aussi que ce sera plus facile pour London si je m'exprime en premier.

Parce que tu n'as pas envie qu'elle soit au courant pour Walter, pas vrai ?

— C'est toi la vedette, ai-je rétorqué.

— Qu'est-ce que c'est censé vouloir dire ?

— Uniquement ce que je viens de dire. Tu prends toutes les décisions. Tu ne m'as toujours pas demandé ce que moi je pourrais souhaiter.

— Pourquoi tu es aussi grincheux ?

Elle était sérieuse, là ?

— Pourquoi tu n'as pas demandé à London de me rappeler hier soir ?

— Parce qu'elle s'est endormie. Moins de dix minutes après ton appel, elle dormait à poings fermés sur le canapé. Qu'est-ce que j'aurais dû faire ? La réveiller ? Tu la vois tous les jours. Moi non.

— C'est toi qui as choisi. C'est toi qui es partie.

Elle a plissé les yeux et j'ai cru voir dans son regard non seulement de la colère mais aussi de la haine. Elle a gardé un ton posé.

— J'espérais qu'on serait capables de se comporter en adultes ce soir, mais il semble évident que tu as d'autres intentions.

— Tu essaies de me rendre responsable de tout ça ?

— Je veux juste que tu te contrôles pendant qu'on parle à notre fille. Sinon ce sera d'autant plus pénible pour elle. Qu'est-ce que tu préfères ?

— Je préfèrerais ne pas faire tout ça. Je préfèrerais que toi et moi ayons une discussion honnête en vue de sauver notre mariage.

Elle s'est détournée.

— Il n'y a pas matière à en discuter. C'est fini. Tu devrais recevoir la convention de divorce cette semaine.

— La convention de divorce ?

— Mon avocat s'en est occupé. C'est un accord standard.

Par « standard », j'étais sûr que le document stipulait que London allait vivre avec elle à Atlanta, et j'ai senti mes entrailles se tordre. Tout à coup, je n'avais pas envie de faire ça, d'être là. De perdre ma femme et ma fille, de perdre tout. Mais je n'étais rien d'autre qu'un spectateur, et je restais là à regarder ma vie s'effilocher sans pouvoir la contrôler. J'étais épuisé et, quand la nausée est enfin passée, j'ai eu la sensation de me liquéfier sur place.

— Finissons-en…

*
**

London a réagi beaucoup mieux que je ne l'aurais cru, mais de toute évidence la petite était si fatiguée que son attention vacillait. Sans compter qu'elle était toujours un peu enrhumée et j'avais l'impression qu'elle n'aspirait qu'à aller au lit.

Comme je m'y attendais, Vivian a occulté une grande partie de la vérité et tellement écourté la conversation que je me suis demandé malgré moi pourquoi elle l'avait d'entrée de jeu jugée si cruciale. Vers la fin, je soupçonnais London de ne pas se douter du moindre changement entre Vivian et moi ; elle était aussi habituée que moi à voir Vivian voyager. Le seul moment où elle a craqué, ce fut quand Vivian dut s'en aller. Vivian et elles étaient en larmes et se serraient fort en se disant au revoir dans l'allée, et les sanglots de London ont redoublé quand Vivian a démarré.

J'ai porté la petite dans la maison, ma chemise humide de ses larmes. Sa chambre sentait le fauve : outre la cuisine, j'allais devoir nettoyer la cage des hamsters. J'ai donné à ma fille des médicaments pour le rhume, puis je l'ai mise au lit. Elle s'est blottie contre moi et j'ai passé un bras autour d'elle.

— J'aimerais que maman ne soit pas obligée de partir, a-t-elle dit.

— Je sais que c'est dur. Vous vous êtes bien amusées ce week-end ?

Comme elle hochait la tête, j'ai enchaîné :

— Qu'est-ce que vous avez fait ?

— On a fait du shopping et on a vu des films. Puis on est allées aussi à la mini-ferme. Là-bas il y a des chèvres trop mignonnes qui tombent quand elles ont peur, mais je leur ai pas fait peur.

— Tu es allée au parc ? Ou tu as fait du vélo ?

— Non. Mais j'ai fait du manège à la galerie marchande. Sur une licorne.

— Ça devait être super.

Elle a de nouveau acquiescé.

— Maman a dit que tu dois pas oublier de nettoyer la cage des hamsters.

— Je sais. D'ailleurs cette cage sent mauvais ce soir.

— Ouais. Même que maman a pas voulu tenir M. ou Mme Sprinkles parce qu'il sentaient mauvais aussi. Je pense qu'ils ont besoin de prendre un bain.

— Je ne sais pas si les hamsters peuvent prendre des bains. Je vais me renseigner.

— Sur l'ordinateur ?

— Oui.

— L'ordinateur connaît plein de trucs.

— C'est sûr.

— Dis, papa ?

— Oui ?

— On pourra aller faire du vélo ?

— Et si on attendait deux ou trois jours, jusqu'à ce que tu te sentes mieux. Tu as aussi cours de danse, tu te rappelles ?

— Je me rappelle, a-t-elle dit sans enthousiasme.

Tout en essayant d'empêcher que son moral légèrement amélioré ne dégringole, je lui ai demandé, tout guilleret :

— Tu as pu voir Bodhi ce week-end ?

— Il était à l'atelier d'arts. J'ai peint mon vase.

— Avec des fleurs jaunes et des sourises roses ? Je peux le voir ?

– Maman l'a pris avec elle. Même qu'elle l'a trouvé trop joli.

– Je suis sûr qu'il l'était, ai-je dit en tentant de cacher ma déception. J'aurais aimé le voir.

– Tu veux que je t'en fasse un ? Je peux. Et je pense que je peux peindre mes sourises encore mieux.

– J'adorerais, mon cœur.

*
* *

J'ai nettoyé la cage des hamsters et la cuisine ; alors que je ne l'avais pas remarqué un peu plus tôt, j'ai aussi dû mettre de l'ordre dans le salon. Les Barbie et leurs accessoires traînaient ici et là, sans parler des plaids à replier et à ranger dans la commode idoine, et un demi-saladier rempli de pop-corn à vider dans la poubelle, avant de le laver et de l'essuyer. En me rappelant que j'avais des plats préparés par ma mère, j'ai déplacé quelques boîtes Tupperware du congélateur au réfrigérateur. J'ai aussi rangé les courses que j'avais faites avec Liz et Marge.

Plus tard, je me suis glissé dans le lit et j'ai senti le parfum que Vivian avait dû porter. C'était léger et fleuri, mais inconnu, et je savais que je ne pourrais pas dormir. J'ai donc changé les draps. Je me demandais si elle avait voulu faire passer un message en laissant des draps sales et une maison en désordre. C'était peut-être de la colère, mais j'en doutais. Mon instinct me disait qu'elle ne se souciait plus du tout de ce que je pouvais penser, parce qu'elle ne se préoccupait plus de moi tout court.

17

Avancer, reculer

Quand je sortais avec Emily – avant que je fasse ma bêtise –, on avait passé la première semaine de juillet à Atlantic Beach, Caroline du Nord. Avec deux autres couples, on avait loué une maison assez proche de la mer pour entendre les vagues se briser sans relâche sur le rivage. Même si on avait divisé le prix de la location par trois, ça nous revenait assez cher et on avait apporté des glacières remplies de victuailles achetées au supermarché avant de partir. On prévoyait donc de cuisiner plutôt que d'aller au restaurant et, quand le soleil amorçait sa descente, on avait allumé le grill et commencé notre festin. Le soir, on avait bu de la bière sous la véranda et on avait écouté la radio, et je me souviens m'être dit à l'époque que c'étaient les premières d'une longue série de vacances qu'on prendrait ensemble, Emily et moi.

Le 4 juillet fut une journée vraiment particulière. Emily et moi nous étions levés avant les autres pour faire une promenade sur la grève, alors que le soleil se levait. Le temps que tout le monde soit debout, on avait installé notre coin sur la plage, avec un cuiseur vapeur que j'avais loué pour préparer les coquilles Saint-Jacques et les crevettes déchargées sur les quais quelques heures plus tôt à peine. On avait complété les fruits de mer par du maïs en épi et une salade de pommes de terre, avant d'installer un filet de volley-ball bon marché. Quand nos amis nous avaient enfin rejoints, on avait passé le reste de la journée au soleil, à nous détendre, à faire les fous dans les vagues et à nous tartiner d'écran solaire.

Il y avait une fête foraine en ville cette semaine-là, installée sur le principal rond-point qui avoisinait la plage, soit à quatre cents mètres de la maison qu'on louait. C'était l'une de ces foires itinérantes, avec des manèges branlants, des tickets hors de prix et des jeux quasi impossibles à gagner. Toutefois elle était aussi dotée d'une grande roue et, une demi-heure avant le début du feu d'artifice, Emily et moi avions abandonné le groupe pour grimper sur le manège. Je pensais qu'on aurait largement le temps de rejoindre nos amis par la suite, mais le destin avait voulu que le manège tombe en panne juste au moment où Emily et moi nous trouvions tout en haut.

Tandis qu'on était bloqués au sommet de la roue, je voyais les ouvriers bricoler le moteur ou le groupe électrogène ; plus tard, j'en ai aperçu un qui partait en courant, avant de revenir avec une grosse boîte à outils manifestement très lourde. Le patron du manège nous avait crié que la grande roue se remettrait bientôt en marche, tout en nous demandant de ne pas nous balancer dans les nacelles.

Même si la journée avait été étouffante, le vent soufflait et j'avais entouré Emily de mon bras quand elle s'était blottie contre moi. Elle n'avait pas peur, et moi non plus ; même si le moteur du manège était grillé, j'étais sûr que celui-ci était pourvu d'un dispositif que le gérant pourrait actionner pour faire descendre tout le monde. Depuis notre poste d'observation dans le ciel, on regardait les gens aller et venir d'un stand à l'autre, ainsi que le patchwork de maisons et de réverbères qui semblait s'étirer sur des kilomètres alentour. Le moment venu, juste avant que le ciel se mette à scintiller d'or, de vert et de rouge, j'avais reconnu le bruit caractéristique du feu d'artifice, tiré depuis une barge en mer. « Waouh... » avait soufflé Emily à de nombreuses reprises durant l'heure et demie où nous étions restés coincés sur la grande roue. Le vent charriait l'odeur de poudre jusque sur la plage et, tout en serrant Emily plus fort contre moi, je me rappelle avoir pensé que je lui ferais ma demande avant la fin de l'année.

Juste à ce moment-là, nos amis nous avaient enfin repérés. Ils étaient tout en bas sur la plage, tels des Lilliputiens, et lorsqu'ils avaient compris qu'on était bloqués, ils nous avaient montrés du doigt en poussant des cris de joie. L'une des filles nous avait hurlé que si on avait prévu de passer la nuit là-haut, on ferait peut-être bien de commander une pizza.

Emily avait éclaté de rire, puis elle s'était tue.

— Je vais faire comme si tu avais payé les ouvriers pour qu'ils immobilisent exprès la grande roue, a-t-elle dit.

— Pourquoi ?

— Parce que tant ce que je vivrai, je pense qu'aucun autre 4 juillet n'égalera celui-ci.

*

* *

Le lundi matin, London, reniflant, s'est réveillée avec le nez rouge. Bien qu'elle ne tousse pas, j'hésitais à l'envoyer à l'école, mais quand je le lui ai dit, elle a protesté.

– La maîtresse apporte son poisson rouge aujourd'hui et faut que je lui donne à manger. En plus, c'est la journée coloriage !

Je ne savais pas trop ce qu'englobait la journée coloriage, mais c'était manifestement important à ses yeux. Je lui ai donné des médicaments anti-rhume au petit déjeuner, et elle a filé à l'école. En la déposant, j'ai remarqué que l'institutrice était enrhumée elle aussi, ce qui m'a conforté dans ma décision.

En regagnant ma voiture, je me suis surpris à penser à Vivian, me demandant ce qu'elle faisait, puis je l'ai aussitôt chassée de mon esprit. *Quelle importance ?* Je me suis alors rappelé que j'avais d'autres priorités, par exemple un spot de pub à tourner plus tard dans la semaine et un autre client à impressionner.

Au bureau, j'ai été débordé. J'ai confirmé tout ce qui devait l'être pour tourner la troisième pub de Taglieri le vendredi. J'ai pris contact avec le technicien pour le chirurgien esthétique, et j'ai même réussi à rencontrer un dresseur d'animaux qui prétendait avoir tout à fait le chien qu'il me fallait pour le quatrième spot de Taglieri. On a fixé la date de tournage au jeudi de la semaine suivante.

Bref, tout cela pour dire que, heureusement, je n'ai pas du tout eu le temps de penser à Vivian.

*
* *

Le protocole d'accord de divorce est arrivé par FedEx le mardi après-midi. Ainsi que par e-mail, mais je ne parvenais pas à me résoudre à le lire sous une forme ou une autre. Au lieu de quoi, j'ai appelé Joey Taglieri en lui demandant s'il pouvait y jeter un œil. On a décidé de se retrouver le lendemain dans un restaurant italien non loin de son cabinet.

Je l'ai vu installé à un box dans un coin ; la table était recouverte d'une nappe à carreaux rouges et blancs et une chemise en kraft était posée sur un bloc-notes. Il buvait de l'eau minérale et quand je me suis assis, il a fait glisser vers moi une feuille de papier et un stylo.

– Avant qu'on entre dans les détails, vous devez d'abord signer un mandat de représentation. Je vous ai dit que je ne m'occupais plus de droit familial, mais je peux faire une exception pour vous. Je peux aussi vous recommander certains avocats, y compris celui qui a géré mon deuxième divorce, mais je ne suis pas certain qu'ils pourront vous aider pour des raisons que je vais aborder dans un instant. Le fait est que, quel que soit votre choix, tout ce que vous me direz sera couvert par le secret professionnel, même si au final vous décidez de faire appel à un confrère.

J'ai donc signé le document et je le lui ai rendu. Satisfait, il s'est adossé à son siège.

– Vous voulez bien me dire ce qui s'est passé ?

Je lui ai raconté la même histoire qu'à Marge, Liz, mes parents et Emily. À ce stade, j'avais l'impression de l'avoir rabâchée une centaine de fois. Taglieri a pris des notes pendant que je parlais. Quand j'ai terminé, il s'est de nouveau calé dans son siège en disant :

– Entendu, je pense que j'ai pigé. J'ai aussi passé en revue le document que vous m'avez transmis et j'imagine que la première chose que vous devez savoir, c'est que tout porte à croire qu'elle a l'intention d'entamer une procédure de divorce en Géorgie, et non pas en Caroline du Nord.

– Pourquoi ferait-elle ça ?

– La Géorgie et la Caroline du Nord n'ont pas la même législation. Ici, un couple doit être légalement séparé depuis un an pour que le divorce puisse être accordé. Ça ne signifie pas que vous devez vivre dans des lieux différents, mais vous devez tous les deux comprendre que vous êtes séparés. Une fois l'année écoulée, l'un de vous deux entame la procédure. L'autre partie a trente jours pour répondre, mais la procédure peut s'accélérer, auquel cas votre affaire se retrouve inscrite sur le calendrier judiciaire. Quand votre tour arrive, le divorce est accordé. En Géorgie, la séparation officielle d'un an n'est pas nécessaire. Il existe en revanche une obligation de résidence. Vivian ne peut entamer une procédure avant d'avoir résidé six mois dans l'État, mais ensuite le divorce peut être accordé dans les trente jours, en supposant que tout a été réglé entre vous deux. En substance, comme elle vit à Atlanta depuis le 8 septembre – ou peut-être même avant –, elle pourra obtenir le divorce en mars ou avril prochains, plutôt que d'ici un an environ. En d'autres termes, elle réduit de six mois la durée de la procédure. Il existe deux ou trois autres différences concernant la responsabilité ou la non-responsabilité dont je doute qu'elle vous incombera. Je suppose que Vivian va demander un divorce par consentement mutuel.

— Elle est donc pressée de me larguer, hein ?

— Pas de commentaire, a-t-il répliqué dans une grimace. Quoi qu'il en soit, c'est l'une des raisons pour lesquelles j'ai décidé de vous offrir mes services si vous le souhaitez. J'ai mon diplôme d'avocat en Géorgie et en Caroline du Nord – Allez les Bulldogs ! Les avocats de mon divorce, eux, ne l'avaient pas. Autrement dit, vous pouvez faire appel à moi ou trouver un avocat en Géorgie. J'ai aussi passé quelques coups de fil ce matin… Apparemment, l'avocate de Vivian est un sacré numéro. Je n'ai jamais eu affaire à elle, mais elle a la réputation d'avoir la partie adverse à l'usure jusqu'à ce que celle-ci jette l'éponge. Elle est aussi très sélective dans le choix de ses clients, alors j'imagine que Spannerman a dû faire jouer ses relations pour qu'elle accepte de représenter votre femme.

— Qu'est-ce que je dois faire ? Je ne sais pas par où commencer.

— Uniquement ce que vous faites en ce moment : à savoir que vous avez engagé un avocat. Croyez-moi, personne ne sait comment agir au début, à moins d'être déjà passé par là. Pour faire court, en Géorgie certains documents devront être remplis, des déclarations de situation financière aux conventions relatives au partage des biens, en passant par une déclaration sous serment concernant la garde de l'enfant. Son avocate va probablement faire le forcing pour que tout soit prêt dans le délai des six mois, si bien qu'il y aura pas mal d'allers-retours entre les deux avocats.

— Et le protocole d'accord qu'elle a envoyé ?

— Il s'agit pour l'essentiel d'un contrat entre vous deux. Il couvre la pension alimentaire, le partage des biens, ce genre de choses.

— Et London ?

— C'est là que ça peut devenir délicat. Les tribunaux se réservent le droit de prendre des décisions concernant la garde, le droit de visite et la pension alimentaire. Certes, vous pouvez tous les deux parvenir à un accord et le tribunal le prendra en considération, mais il n'y est pas tenu. S'il s'agit d'un accord raisonnable, en général la cour suit ce que les deux conjoints ont décidé. Comme London est petite, elle n'aura pas voix au chapitre du tout. Et c'est sans doute mieux comme ça.

J'ai senti qu'il allait devoir tout recommencer.

– Que veut Vivian au juste ?

Taglieri a sorti l'accord de la chemise puis l'a feuilleté.

– Pour ce qui est du partage du patrimoine, elle veut en gros la moitié. Soit la moitié de la valeur résiduelle de la maison, la moitié de vos comptes en banque et d'investissement, la moitié de votre retraite. Elle veut aussi le 4 x 4 et la moitié de la valeur du contenu de la maison, en liquide. Et encore un peu de blé qui, j'imagine, doit correspondre à la moitié de ce que vous avez investi dans votre agence.

J'ai brusquement eu l'impression d'avoir donné mon sang pendant toute une semaine.

– C'est tout ?

– Eh bien, il y a aussi la pension alimentaire.

– Quoi ? Elle gagne plus que moi actuellement et sort avec un milliardaire.

– Je ne vous dis pas qu'elle va obtenir tout ça. Je la soupçonne de vouloir l'utiliser, comme le reste du partage des biens, comme moyen de pression pour avoir ce qu'elle souhaite vraiment.

– London.

– Oui. London.

*
* *

Après mon entrevue avec Taglieri, je n'avais plus le temps de retourner au bureau. Aussi ai-je pris la direction de l'école et j'y suis arrivé en avance, en tête de la file des voitures. Je parcourais l'accord de séparation – ça occultait toutes mes autres pensées – quand j'ai entendu qu'on tapotait sur ma vitre.

Emily.

Elle portait un jean délavé serré et déchiré aux genoux ainsi qu'un petit haut moulant, et son apparition m'a aussitôt remonté le moral. J'ai ouvert la portière et je suis sorti au soleil

– Salut, comment ça va ?

– J'ai l'impression que c'est moi qui suis censée te poser cette question, a-t-elle répondu. J'ai pensé à toi ces derniers jours et je me demandais comment s'était passé ton dimanche soir.

— Aussi bien que possible, j'imagine. Vivian a tenu le crachoir la plupart du temps.

— Comment va London ?

— Elle a l'air d'aller bien. Hormis le fait qu'elle peine à se débarrasser de son rhume.

— Pareil pour Bodhi. Il le couvait hier. Je pense que plus de la moitié de la classe est enrhumée à présent. C'est un vrai nid de microbes là-dedans. À part ça, tu tiens le coup ?

— Couci-couça, ai-je admis. J'ai dû rencontrer un avocat aujourd'hui.

— Beurk ! J'ai détesté faire ça.

— Ce n'était pas une partie de plaisir. J'ai encore l'impression de vivre un rêve, comme si ce n'était pas réel. Même si je sais pertinemment de quoi il retourne.

Tandis qu'elle me regardait droit dans les yeux, j'ai été frappé par la longueur de ses cils. Avaient-ils toujours été aussi longs ? Malgré moi, j'avais du mal à m'en souvenir.

— Est-ce que l'avocat a répondu à tes questions ?

— Je ne savais pas vraiment lesquelles poser. C'est ce que je regardais dans la voiture. Vivian m'a envoyé une proposition d'accord de séparation.

— Je ne suis pas juriste, mais si tu as des questions, tu peux m'appeler. Je risque de ne pas pouvoir répondre à toutes, bien sûr.

— J'apprécie ton aide, ai-je dit en voyant d'autres voitures arriver régulièrement.

Pour autant que je puisse en juger, j'étais le seul homme dans la file d'attente des parents venus récupérer leurs enfants. Face à Emily, j'ai soudain entendu la voix de Vivian dans ma tête – *les rumeurs !* – et je me suis demandé si l'une ou l'autre des mères de familles qui attendaient nous observaient. D'instinct, j'ai reculé d'un pas et glissé ma main dans ma poche.

— David est-il reparti pour l'Australie ?

— Hier soir, répondit-elle en hochant de la tête.

— Ça a chamboulé Bodhi ?

— Beaucoup. Et ensuite, bien sûr, il s'est réveillé malade comme un chien.

— David n'a pas dit quand il reviendrait ?

— Il pense revenir quelques jours aux alentours de Noël.

— C'est bien.

— Oui. S'il se pointe vraiment. Il a dit la même chose l'an dernier. Il n'a aucun mal à faire ces promesses. Le problème, c'est qu'il n'est pas aussi doué pour les tenir.

Je me suis demandé où London serait à Noël. Où je serais moi-même.

— Oh oh… a-t-elle dit en penchant la tête. J'ai dit un truc qu'il ne fallait pas dire, non ? J'ai l'impression que tu as décroché…

— Désolé. Je repensais juste à certaines choses que l'avocat m'avait dites aujourd'hui. Apparemment je vais devoir vendre la maison.

— Oh non… Vraiment ?

— Je ne suis pas certain qu'il y ait une autre solution. Ce n'est pas comme si je disposais de suffisamment de liquidités pour simplement dédommager Vivian.

C'est le moins qu'on puisse dire : si je cédais à toutes ses exigences, j'allais me retrouver fauché comme les blés. Et en ajoutant la pension alimentaire, je n'étais même pas sûr de pouvoir me permettre de louer un deux-pièces.

— Tout va s'arranger, a dit Emily. Je sais que c'est parfois difficile à croire, mais ça va aller.

— J'espère. Pour l'heure, j'ai juste envie de… fuir, tu sais ?

— Tu as besoin de te changer les idées, a-t-elle suggéré en mettant les mains sur les hanches. Pourquoi vous ne viendriez pas, London et toi, avec Bodhi et moi au zoo d'Ashboro samedi ?

— Et l'atelier d'arts plastiques ?

— Oh, je t'en prie, a-t-elle dit en ramenant une longue mèche de cheveux par-dessus son épaule. Les gamins peuvent bien sauter une séance. Et je sais que Bodhi sera aux anges. London y est déjà allée ?

— Non.

Le caractère direct de son offre me désarmait et je bataillais pour trouver une réponse. Est-ce qu'elle me proposait un rancart ? Ou était-ce plus pour réunir Bodhi et London ?

— Merci, ai-je répondu. Je te tiendrai au courant.

Mais je voyais les enseignants commencer à se regrouper à la porte, tandis que les élèves se rassemblaient par classe. Emily l'avait remarqué aussi.

— Je devrais regagner ma voiture, a-t-elle dit. Je n'ai pas envie de bloquer tout le monde. Déjà que ça prend du temps… Ça m'a fait plaisir de te voir, Russ.

Sur ces mots, elle est partie en me faisant un signe de la main.

– Moi aussi, Emily.

Je l'ai regardée s'en aller, en essayant de déchiffrer la signification de son invitation mais, à mesure qu'elle s'éloignait, j'ai éprouvé le besoin évident de la revoir. Peut-être que je n'étais pas prêt et peut-être que c'était trop tôt, mais j'en avais soudain vraiment envie.

– Hé, Emily ? ai-je lancé.

Elle s'est retournée.

– À quelle heure tu comptes partir samedi ?

*
* *

En rentrant à la maison, London se sentait un peu mieux. Alors on est allés faire un tour en vélo. Je l'ai laissée rouler en tête, tandis qu'on sillonnait les rues du quartier. Son aptitude à rouler s'améliorait à chaque nouvelle sortie. Je devais encore lui rappeler de se rabattre sur le bas-côté quand une voiture s'approchait, mais les gamins à vélo étaient nombreux dans le coin et la plupart des automobilistes passaient au large.

On a roulé pendant une heure. Après, elle a pris un goûter puis est montée se préparer pour la danse. Comme elle mettait un temps fou, je suis allée la voir. Je l'ai trouvée sur le lit, toujours dans la même tenue.

Je me suis assis à ses côtés.

– Qu'est-ce qui ne va pas, mon cœur ?

– J'ai pas envie d'aller à la danse ce soir. Je suis malade.

Comme son rhume n'avait eu aucun effet défavorable sur la balade en vélo, je savais qu'elle ne me disait pas tout. À savoir qu'elle n'aimait pas le cours de danse ou Mme Hamshaw. Et qui pouvait lui en vouloir ?

– Si tu es trop fatiguée ou si tu te sens mal, tu n'as pas à y aller.

– Vraiment ?

– Bien sûr.

– Maman risque de se mettre en colère.

Ta maman nous a abandonnés, ai-je pensé. Mais sans le dire tout haut.

– Je lui parlerai. Si tu es malade, tu es malade. Il y a autre chose, sinon ?

– Non.

– Parce que si c'est le cas, tu peux me le dire.

Comme elle n'ajoutait rien, j'ai passé un bras autour d'elle.

– Tu aimes aller à la danse ?

– C'est important, a-t-elle répondu comme si elle récitait une règle sacrée. Maman dansait quand elle était petite.

– Ce n'est pas ce que je t'ai demandé. Je t'ai demandé si ça te plaisait.

– J'ai pas envie d'être un arbre.

J'ai froncé les sourcils.

– Ma puce ? Tu peux m'expliquer ce qui se passe exactement ?

– Il y a deux groupes dans ma classe. Un groupe va danser pour le concours. C'est les bonnes danseuses. Moi je suis dans l'autre groupe. On doit danser aussi, mais seulement pour nos parents. Et moi je dois être un arbre dans la danse qu'on va faire.

– Oh… Et ce n'est pas bien ?

– Non, c'est pas bien. Je dois juste bouger les bras quand les feuilles poussent et quand elles tombent.

– Tu peux me montrer ?

Elle s'est alors levée du lit en soupirant. Elle a décrit un cercle avec les bras au-dessus de sa tête et les bouts de ses doigts se touchaient. Puis elle a écarté les bras et remué les doigts en baissant les mains. Ensuite elle est revenue s'asseoir à côté de moi sur le lit. Je ne savais vraiment pas quoi dire.

– Si ça peut t'aider à te sentir mieux, je veux que tu saches que tu faisais drôlement bien l'arbre, ai-je fini par lui dire.

– C'est pour les mauvaises danseuses, papa. Parce que je suis pas assez bonne pour faire la grenouille ou le papillon, ou le cygne ou le poisson.

J'ai tenté d'imaginer ce que feraient ces animaux et suivant quelle chorégraphie, mais à quoi bon ? Je le saurais bien assez tôt.

– Combien d'autres filles font les arbres ?

– Juste moi et Alexandra. Je voulais faire le papillon et j'ai vraiment répété et je connais tous les mouvements, mais Mme Hamshaw a dit que Molly ferait le papillon.

Dans l'univers d'une petite fille de cinq ans, j'ai supposé que ce devait être d'une importance capitale.

– Quand est-ce que le spectacle a lieu ?

– Je sais pas. Elle nous l'a dit, mais j'ai oublié.

J'ai noté mentalement de vérifier la date auprès de Mme Hamshaw. Avant ou après le cours, évidemment, afin ne pas la froisser ou la déranger.

– Tu veux aller au zoo ce week-end ? Avec moi et aussi Bodhi et Mlle Emily ?

– Quoi ?

– Le zoo. Emily et Bodhi y vont. Elle nous a invités, mais je n'ai pas envie d'y aller si ça ne te dit rien.

– Un vrai zoo ?

– Avec des lions, des tigres et des ours. Oh mon Dieu…

Ses petits sourcils se sont mis à tricoter.

– Pourquoi t'as dit « Oh mon Dieu ? » a-t-elle fini par me demander ?

– C'est tiré d'un film qui s'appelle *Le Magicien d'Oz*.

– Je l'ai vu ?

– Non.

– Ça raconte quoi ?

– C'est l'histoire d'une fille appelée Dorothy. Une tornade emporte sa maison et elle atterrit dans un pays appelé Oz. Elle rencontre un lion, un bonhomme en fer-blanc et un épouvantail, et ils essaient de trouver le magicien pour qu'elle puisse rentrer chez elle.

– Il y a aussi un ours et un tigre dans le film ?

– Non, je ne me rappelle pas en avoir vu.

– Alors pourquoi elle dit ça, la fille ?

Bonne question…

– Je ne sais pas. Peut-être qu'elle avait peur d'en croiser sur son chemin.

– Les ours me font pas peur. Mais les tigres, oui. Ils peuvent être vraiment méchants.

– Ah bon ?

– J'ai appris ça quand j'ai vu *Le Livre de la jungle*.

– Ah…

– Maman, elle va venir aussi au zoo ?

– Non. Elle travaille.

Elle sembla méditer sur le sujet, puis :

– OK. Comme Bodhi y va, on peut y aller aussi.

Quand Vivian a appelé par FaceTime ce soir-là, j'ai remarqué qu'elle était vêtue comme si elle sortait dîner, sans doute avec Spannerman. Je n'ai fait aucune réflexion mais, pendant qu'elle bavardait avec London, l'idée mijotait dans un coin de ma tête.

Finalement London est revenue vers moi en me tendant le portable.

— Maman a besoin de te parler.

— OK, ma puce, ai-je dit en prenant le téléphone.

J'ai attendu qu'elle s'éloigne avant de lever l'écran vers moi.

— Qu'est-ce qui se passe ?

— Je voulais te prévenir que je ne serai pas à Atlanta ce week-end et que je risque d'être difficilement joignable.

Tout en moi réclamait davantage de détails, mais je me suis forcé à ne pas en demander.

— OK.

Elle s'attendait apparemment à ce que j'insiste pour avoir plus d'informations, mais ma réponse monosyllabique a paru la déstabiliser.

— D'accord, a-t-elle poursuivi après un silence gêné. Bref, je serai de toute manière à Charlotte le week-end prochain et j'aimerais à nouveau dormir à la maison.

— Sans moi, ai-je dit en essayant de toutes mes forces de ne pas paraître blessé.

— Je pense à London en l'occurrence, alors oui, sans toi. Et, bien sûr, son anniversaire a lieu deux week-ends plus tard, et j'aimerais faire la même chose. Dormir à la maison, je veux dire. Son anniversaire tombe un vendredi, mais je veux organiser un goûter avec ses amis le samedi. Tu devrais évidemment y participer, mais ensuite ce serait sans doute mieux si tu nous laissais seules le reste du week-end.

— C'est son week-end d'anniversaire, ai-je protesté. J'aimerais aussi passer du temps avec elle.

— Tu es tout le temps avec elle, Russ, a-t-elle riposté en redressant le menton.

— Elle est à l'école. Et à ses différentes activités. Tu crois peut-être que je passe pas mal de temps libre avec elle, mais ce n'est pas le cas.

Elle a poussé un soupir agacé.

— Tu la vois tous les soirs. Tu lui fais la lecture. Tu la vois chaque matin. Moi non.

— Parce que tu es partie, ai-je rétorqué en articulant lentement. Parce que tu t'es installée à Atlanta.

— Alors, pour ça, tu m'empêcherais de voir ma fille ? Quel genre de père es-tu ? Et, puisqu'on en parle, tu n'aurais pas dû la laisser manquer son cours de danse aujourd'hui.

— Elle est enrhumée. Elle était fatiguée.

— Comment est-celle censée s'améliorer si tu la laisses tout le temps manquer son cours ?

Je me suis crispé en entendant son ton accusateur.

— C'est la première fois qu'elle le manque. Ce n'est pas la fin du monde. D'ailleurs, je pense qu'elle n'aime pas le cours de danse.

— Tu es à côté de la plaque, a lâché Vivian en plissant les yeux. Si elle veut un rôle plus important la prochaine fois qu'ils donneront un spectacle, elle ne peut pas manquer les cours. Tu la prépares à une nouvelle déception.

— Ce que je voulais dire, c'est que je pense que ça ne lui fera rien, parce qu'elle n'aime pas la danse en soi.

J'ai vu sa poitrine se soulever et s'abaisser au rythme de sa respiration heurtée, tandis qu'une rougeur l'envahissait au-delà du décolleté de sa robe noire de cocktail.

— Pourquoi tu fais ça ?

— Qu'est-ce que je fais maintenant ?

— Ce que tu fais tout le temps ! Tu trouves à redire, tu cherches la dispute.

— Pourquoi chaque fois que je te dis ce que je pense, quand je donne une opinion différente de la tienne, tu m'accuses de vouloir chercher la dispute ?

— Oh, pour l'amour du ciel ! J'en ai tellement marre de tes conneries, tu ne peux même pas t'imaginer !

À ces mots, elle a mis fin à l'appel. Ça m'a dérangé plus que ça n'aurait dû, mais j'ai noté avec une sorte de satisfaction lugubre que ça m'affectait moins que si on était encore ensemble. En fait, ça me dérangeait moins que ça m'aurait dérangé la veille. Peut-être que je progressais.

Au travail les deux jours suivants, je suis passé d'un projet à l'autre, comme en début de semaine. J'ai pris contact avec les patients que le chirurgien m'avait recommandés et fixé rendez-vous pour les filmer le 6 octobre – ce serait une longue journée.

Le vendredi, j'ai tourné le troisième spot, en m'assurant de placer la caméra au-dessous du niveau du bureau afin qu'on puisse filmer la jeune actrice en contreplongée : cela accentuerait son âge pour créer un effet comique.

Les prises ont été si bonnes que même les membres de l'équipe vidéo se sont marrés. Parfait.

*
* *

Ce soir-là, j'ai amené London à la danse, comme d'habitude.

Malgré son manque d'enthousiasme évident, elle est descendue en tenue au rez-de-chaussée et m'a rappelé qu'on ne devait pas arriver en retard.

Je ne lui ai pas redemandé si ça lui plaisait ; je suis sûr que Vivian avait rabroué la petite comme elle l'avait fait avec moi, et je n'avais aucune envie de mettre London en situation délicate. J'étais bien placé pour savoir à quel point Vivian savait jouer de la culpabilité.

En voyant ma fille assise sur le canapé, la tête dans les épaules, je me suis assis à ses côtés.

– Qu'est-ce que tu aimerais faire après la danse ? ai-je demandé.

– Je sais pas, a-t-elle marmonné.

– Je me disais que peut-être… juste peut-être que toi et moi on pourrait…

Je me suis interrompu. Deux ou trois secondes se sont écoulées avant qu'elle lève les yeux sur moi.

– On pourrait faire quoi ?

– Oh, rien… Laisse tomber.

– C'est quoi ?

– Eh bien, le problème, c'est que tu n'auras peut-être pas envie… ai-je hésité en faisant mine de me désintéresser.

– Dis-moi ! a-t-elle insisté.

J'ai poussé un long soupir.

– Je me disais que puisque maman n'était pas là, peut-être que toi et moi on pourrait faire un dîner en tête à tête.

London était au courant de ces soirées, même si elle ignorait tout ce qui se passait maintenant entre Vivian et moi.

Elle m'a regardé d'un air émerveillé.

– Une soirée comme les grands ? Juste toi et moi ?

– C'est ce que je pensais. Après la danse, on peut mettre de beaux habits et se faire un bon dîner, et ensuite on pourrait faire du coloriage, peindre avec les doigts ou même regarder un film. Mais seulement si tu en as envie.

– J'en ai envie.

– Vraiment ? Qu'est-ce que tu veux manger ?

Elle a posé un doigt sur son menton.

– Je pense que je veux du poulet.

Alors j'ai hoché la tête.

– On va se régaler. C'est juste ce que je voulais aussi.

– Mais je veux pas peindre avec les doigts. Ça risque de salir ma belle robe.

– Et si on faisait du coloriage ? Je ne suis pas très bon, mais je peux essayer.

Elle rayonnait.

– C'est pas grave si t'es pas très bon, papa. Tu peux t'entraîner.

– Ça m'a l'air d'une super idée.

*
* *

Pour la première fois depuis que j'avais commencé à emmener London à ses activités, elle était de bonne humeur en allant à la danse, même si le cours n'avait rien à voir avec ça. Au lieu de quoi, je l'ai écoutée jacasser sur les éventuelles tenues qu'elle pourrait porter ce soir-là. Elle hésitait sur la robe et la barrette ou le nœud à paillettes qu'elle mettrait dans ses cheveux, sans parler des chaussures qui iraient le mieux avec l'ensemble.

Une fois arrivée au cours, Mme Hamshaw lui fit signe d'avancer vers la salle, mais la petite a soudain tourné les talons pour revenir me faire un gros câlin, avant de filer vers la porte. Mme Hamshaw n'eut aucune réaction – ce qu'elle pouvait offrir de mieux en matière de gentillesse, ai-je supposé.

Pendant le cours, j'ai foncé au supermarché et acheté de quoi préparer à dîner. Sachant qu'on devrait se lever tôt le lendemain – on retrouvait Emily à 8 heures –, j'ai opté pour du poulet rôti au rayon traiteur, du maïs en boîte, des poires au sirop, de la compote de pommes, et du jus de raisin. Si on attaquait le repas à 18 h 30, elle pourrait toujours être au lit à son heure habituelle.

Mais je n'avais pas prévu que les gamines de cinq ans pouvaient mettre un temps fou à se pomponner pour une soirée en tête à tête avec leur papa. De retour à la maison, London s'est ruée dans l'escalier et m'a interdit de l'aider. Je suis allé dans mon dressing et me suis habillé aussi, enfilant même un blazer. J'ai préparé le repas, ce qui m'a pris cinq minutes à tout casser, puis j'ai dressé la table en sortant notre belle vaisselle. Des chandelles ont complété le tableau, puis j'ai versé le jus de raisin dans des verres à pied. Enfin, je me suis appuyé contre le plan de travail et j'ai attendu.

J'ai fini par aller m'asseoir à table.

Ensuite, je suis passé au salon et j'ai mis la télé sur ESPN.

De temps à autre, je m'approchais de l'escalier et je l'appelais ; elle insistait pour que je reste en bas, en disant qu'elle n'avait pas fini.

Lorsqu'elle est enfin descendue, j'ai senti les larmes me monter aux yeux. Elle avait choisi une jupe bleue et un petit haut à carreaux bleus et blancs, des collants blancs, des chaussures blanches, et un serre-tête bleu pour les cheveux. Un collier de fausses perles apportait la dernière touche d'élégance. Malgré toutes mes réserves sur les fréquentes expéditions shopping de Vivian avec notre fille, même London savait qu'elle faisait son petit effet.

– Tu es magnifique, ai-je dit en me levant du canapé, tandis que j'éteignais la télévision.

– Merci papa, a-t-elle dit en s'approchant prudemment de la table de la salle à manger. Cette table est vraiment jolie.

Son envie manifeste de paraître le plus adulte possible me faisait craquer.

– J'apprécie, ma chérie. Aimerais-tu dîner ?

– Oui, s'il te plaît.

J'ai fait le tour de la table et je lui ai reculé sa chaise. Une fois assise, elle a pris son verre de jus de raisin et a bu une petite gorgée.

– Il a très bon goût, a-t-elle observé.

J'ai préparé les assiettes, avant de les apporter à table. London a déplié avec soin sa serviette sur ses genoux et je l'ai imitée.

– Comment s'est passé l'école aujourd'hui ?

– C'était super. Bodhi m'a dit qu'il voulait voir les lions demain au zoo.

– Moi aussi. J'aime bien les lions. Mais j'espère qu'il n'y en aura pas des cruels comme Scar.

Je faisais bien sûr allusion au méchant dans *Le Roi lion*.

– Il n'y aura pas des lions comme Scar, papa. C'est juste un personnage de dessin animé.

– Oh… C'est vrai.

– T'es bête.

J'ai souri comme elle prenait délicatement sa fourchette.

– On me l'a déjà dit.

*

* *

Après le dîner, on a colorié. London avait un album de coloriages avec des animaux de zoo, alors on a passé une heure à la table de la cuisine à créer des bêtes qui n'auraient pu exister que dans un monde aux couleurs de l'arc-en-ciel.

Même si elle n'était à l'école que depuis peu, j'ai remarqué que sa manière de colorier s'améliorait. Elle parvenait à ne pas dépasser les contours et ombrait même différentes parties des dessins. Adieu les pâtés et les gribouillis, qui dataient d'un an à peine.

Ma petite fille grandissait lentement mais sûrement, ce qui a touché des régions sensibles de mon cœur dont j'ignorais jusqu'à l'existence.

18

Ce n'est pas un rancart

Un mois après l'obtention de mon diplôme à la fac, j'ai assisté au mariage d'un ancien copain de confrérie étudiante appelé Tom Gregory, à Chapel Hill. Il était le fils de deux médecins et le père de sa fiancée, Claire DeVane, une petite brune menue, possédait cinquante-six restaurants de la franchise Bojangles, des fast-food spécialisés dans le poulet frit et les scones. L'affaire n'avait peut-être pas le prestige d'une banque d'investissement, mais elle générait des bénéfices et, en guise de cadeau de mariage, le père avait offert au couple une petit manoir et une Mercedes décapotable.

La réception serait bien entendu très chic. Je venais de commencer au Peters Group et n'avais pas encore touché mon premier salaire ; inutile de préciser que j'étais souvent fauché. Si j'avais certes assez d'argent pour louer un smoking, je devais être hébergé chez un autre gars de la même confrérie étudiante, Liam Robertson, qui allait commencer son droit à l'Université de Caroline du Nord. S'il était aussi originaire de Charlotte, on n'avait jamais été vraiment proches – c'était le genre à prendre plaisir aux bizutages dégradants et à verser de l'Everclear dans les shots à la Jell-O [1] des étudiantes de première année ; mais les membres de la confrérie Alpha Gamma Rho se serraient les coudes.

Jusque-là je n'avais porté un smoking qu'une fois dans ma vie : un bleu marine loué pour le bal de fin d'études au lycée, et la photo me représentant avec ma cavalière de l'époque a décoré la cheminée de mes parents jusqu'à mon mariage. Ce smoking-là était fourni avec un nœud papillon qui se clipsait au col de chemise, alors que celui loué pour le mariage de Claire et de Tom avait un vrai nœud papillon.

Malheureusement, Liam Robertson n'était pas plus doué que moi pour nouer ce truc et, alors qu'on était sur le point de partir à la cérémonie, j'avais déjà échoué une

---

1. Alcool rectifié de maïs à 95 %, versé dans les mini-cocktails de gelée alcoolisée ou non.

demi-douzaine de fois. À ce moment-là, la porte de la maison de Liam s'est ouverte, et Emily est entrée.

Je l'avais déjà vue, mais on ne nous avait pas présentés. Liam et elle avaient grandi dans le même quartier et n'étaient soi-disant que des amis. Elle se rendait néanmoins au mariage en tant que cavalière de Liam… « histoire qu'elle intervienne en ma faveur au cas où je rencontrerais quelqu'un ». Dès qu'elle est apparue, je l'ai regardée à deux fois.

Ce n'était pas l'Emily que j'avais vue en compagnie de Liam auparavant, la bohémienne en jupe longue avec des Birkenstocks aux pieds, en général sans maquillage. Cette fois, la femme qui se tenait devant moi portait une robe fourreau au décolleté plongeant et des escarpins noirs à hauts talons, son allure élégante accentuée avec goût par un piercing en diamant à chaque oreille. Son mascara attirait le regard sur la couleur stupéfiante de ses yeux, de même que son rouge à lèvres soulignait sa bouche pulpeuse. Quant à ses cheveux, ils tombaient en cascade bien au-dessous de ses épaules.

— Salut Emily ! s'est écrié Liam. Russ a besoin d'aide pour s'habiller !

— Ravie de te voir aussi, Liam, a-t-elle répliqué avec ironie. Et oui, merci, j'apprécie le compliment.

— Euh… super ton look, au fait, a ajouté Liam.

— Trop tard, a-t-elle marmonné en ondulant vers moi. Il a toujours été nul, a-t-elle observé. Je présume que tu es Russ ?

J'ai hoché la tête en m'efforçant de ne pas écarquiller les yeux.

— Moi, c'est Emily. En principe, je suis la cavalière de Liam, mais pas vraiment. C'est plus un jeune frangin égocentrique pour moi.

— Hé, je t'ai entendue ! a braillé Liam.

— Bien sûr. Mais uniquement parce que je parlais de toi.

Leur complicité me donnait l'impression d'être un simple spectateur, en dépit du fait que quelques centimètres à peine séparaient nos deux visages.

— Bon, qu'est-ce qu'on a là ? a-t-elle dit en dénouant le nœud papillon avant de le passer à nouveau autour de mon cou.

J'ai remarqué qu'elle était à peine plus petite que moi et exhalait un parfum fleuri entêtant.

— J'apprécie ton aide. Comment tu sais faire ça ?

— J'ai dû aider mon père quand j'étais plus jeune. Il n'a jamais vraiment chopé le coup. Ça finissait toujours de travers.

Elle a tiré et ajusté le nœud papillon, tandis que ses longs doigts exécutaient des mouvements mystérieux que je ne pouvais voir. Nos deux visages étaient si proches que j'avais l'impression d'être sur le point de l'embrasser, et je me suis de nouveau extasié en pensée sur sa beauté. Mes yeux étaient attirés par ses lèvres, puis par son décolleté… si plongeant qu'il laissait entrevoir un tout petit nœud en dentelle sur le devant de son soutien-gorge.

— Ça te plaît ? m'a-t-elle demandé, me taquinant.

Je me suis senti rougir tandis que je redressais la tête pour regarder droit devant, tel un militaire au garde-à-vous. Elle a souri.

— Ah, les hommes… Tous les mêmes.

Je suis resté planté là comme un piquet et sans piper mot jusqu'à ce qu'elle termine. Puis, avec un clin d'œil, elle m'a tapoté la poitrine des deux mains en disant :

— Mais comme tu es plutôt mignon, je te pardonne.

*
* *

En arrivant le lendemain matin dans l'allée d'Emily, je l'ai aussitôt vue qui chargeait une petite glacière dans son 4 x 4.

London est descendue de voiture pour filer vers elle et lui faire un câlin.

— Où est Bodhi ? a demandé ma fille.

— Dans sa chambre, a répondu Emily. Il choisit deux ou trois films pour regarder sur le trajet. Tu veux monter là-haut pour l'aider ?

— Oui, madame !

Et London s'est ruée vers la porte d'entrée avant de disparaître dans la maison.

Emily la regarda s'en aller avant de se tourner vers moi. Elle portait un short, un petit haut sans manches, et avait dompté sa chevelure en une queue-de-cheval. Malgré la tenue somme toute classique façon maman-au-parc, elle semblait rayonner de santé et de vitalité. Je ne pouvais m'empêcher d'admirer son opulente crinière et sa peau parfaite.

— Madame ? a-t-elle dit en faisant allusion à London, quand je me suis approché.

— Elle est très polie, ai-je répondu en espérant ne pas la regarder de manière trop flagrante.

— Ça me plaît. J'ai essayé avec Bodhi, mais ça n'a pas marché, apparemment.

Comme les enfants étaient dans la maison, Emily me paraissait aussi juvénile que la fille que j'avais connue autrefois, ce qui déclencha en moi une sorte de faille temporelle pour le moins déroutante.

— Ça devrait être sympa aujourd'hui, ai-je repris. London ne tenait plus en place.

— Idem pour Bodhi. Il veut que ta fille monte avec nous en voiture.

— Pas de problème. Je peux vous suivre.

— Tu vas rouler avec nous, idiot. Il n'y aucune raison qu'on soit obligés de conduire tous les deux, et pas question pour moi d'être coincée avec ces deux-là sans assistance. D'ailleurs, on a deux heures de trajet et ce petit bijou, a-t-elle ajouté en désignant le 4 x 4 d'un hochement de tête, peut lire des DVD… idéal pour les gamins.

Son petit air moqueur me ramenait tout droit à la première fois où je lui avais parlé et à ma nervosité d'alors.

— Tu veux que je prenne le volant ? ai-je proposé.

— À moins que tu préfères te charger des casse-croûte. Bien sûr, ça implique de se baisser, de se contorsionner et de déballer de la nourriture toutes les cinq minutes.

Je me suis souvenu des remarques de mon père sur les voyages en famille.

— Non, ça va. Il vaut sans doute mieux que je conduise.

*
* *

On avait à peine quitté le quartier que Bodhi demandait s'ils pouvaient regarder *Madagascar 3*.

— Attendons d'être sur l'autoroute, a répondu Emily par-dessus son épaule.

— Je peux manger ? a répliqué le petit.

— Tu viens de prendre ton petit déjeuner.

— Mais j'ai faim…

— Qu'est-ce que tu veux ?

— Des Goldfish !

Vivian n'avait jamais autorisé ce genre de friandises à la maison, mais c'était un aliment de base de ma propre enfance.

— C'est quoi, un Goldfish ? a demandé London.

— C'est un cracker au fromage en forme de poisson, a expliqué Emily. C'est vraiment bon.

— Je peux en avoir un, papa ?

J'ai jeté un regard dans le rétroviseur en me demandant ce que London pensait en me voyant conduire avec Emily à mes côtés et non sa mère, ou bien si ça n'avait aucune importance pour elle.

— Bien sûr, ma puce.

*
* *

Le trajet vers le zoo fut rapide. Sur la banquette arrière, les enfants étaient joyeusement plongés dans le film, mais comme ils pouvaient malgré tout nous entendre, on n'a pas fait allusion à Vivian ni à David. Pas plus qu'à notre passé commun. Au lieu de quoi, j'ai raconté à Emily ce que j'avais fait au travail et elle m'a parlé de ses tableaux et de son exposition à la mi-novembre, ce qui signifiait qu'elle serait plus occupée qu'à l'ordinaire jusqu'à cette date ; on a aussi pris des nouvelles de nos familles respectives, les rires émaillant notre conversation qui se déroulait facilement, comme si on n'avait jamais perdu le contact.

Pourtant, malgré notre complicité retrouvée, cette sortie avait un parfum à la fois étrange et nouveau. Ce n'était pas un rancart, mais quelque chose que je n'aurais jamais envisagé, ne serait-ce qu'un mois plus tôt. J'étais en virée avec Emily et les gamins et, alors que je m'attendais à éprouver un vague sentiment de culpabilité, il n'en était rien. Au lieu de quoi, je me surprenais à l'observer de temps à autre à la dérobée quand on ne parlait pas, tout en me demandant comment David avait pu être aussi idiot.

Et, bien sûr, pourquoi je l'avais été moi-même, longtemps auparavant.

*
* *

— Ils vont être épuisés, a prédit Emily peu après notre arrivée au zoo.

Depuis qu'on s'était garés, les gamins avaient fait la course du parking au guichet et, à l'intérieur, jusqu'à la fontaine à eau, aller et retour, puis vers la boutique de souvenirs. J'ai observé non sans une certaine fierté que London avait l'endurance d'une athlète, car Bodhi et elle couraient coude à coude. Ils examinaient les présentoirs quand on est arrivés tranquillement au magasin.

— Rien qu'à les regarder s'agiter, ils me fatiguent déjà.

— Tu as fait ton jogging ce matin ?

— Sur une petite distance. Un peu plus de six kilomètres.

— C'est toujours mieux que moi. Arpenter le zoo de long en large constituera mes exercices pour la journée.

— Comment fais-tu pour rester aussi svelte ?

— La pole dance.

Devant mon air estomaqué, elle a éclaté de rire.

— Ça te plairait sûrement, non ? a-t-elle rétorqué en me donnant un coup de coude. Je rigole, banane ! Si tu avais vu ta tête ! Impayable ! Non, sérieux… J'essaie d'aller à la salle de gym de temps en temps, mais j'ai surtout la chance d'avoir de bons gènes et je fais attention à mon alimentation. C'est plus facile que de faire beaucoup de sport.

— Pour toi peut-être. Moi j'aime bien manger.

London est venue vers moi en sautillant, tandis qu'on entrait dans la boutique.

— Papa, regarde ! Des ailes de papillon ! criait-elle en brandissant une paire d'ailes semi-transparentes en dentelle, assez grandes pour qu'elle puisse les porter.

— Très jolies.

— On peut les prendre ? Au cas où j'aurais le rôle du papillon à la danse ?

Pour Mme Hamshaw, avec les gamines qui ne faisaient pas l'affaire pour le concours. Le spectacle dans lequel London était censée être un arbre.

— Je ne sais pas trop, mon cœur…

— S'il te plaît ? Elles sont trop jolies. Et même si je suis pas le papillon, je peux les mettre aujourd'hui et ça fera plaisir aux animaux. Et je peux aussi les montrer à M. et Mme Sprinkles quand je serai rentrée à la maison.

J'hésitais encore, mais j'ai vérifié le prix, soulagé qu'il ne soit pas exorbitant.

— Tu veux vraiment les porter aujourd'hui ?

– Ouiiii ! m'a-t-elle supplié en bondissant sur place. Et Bodhi veut les ailes de libellule !

J'ai senti le regard d'Emily sur moi et je me suis tourné vers elle.

– On pourra peut-être plus facilement les repérer avec ça, s'ils nous échappent, a-t-elle observé.

– Entendu, mais juste les ailes, OK ?

– Et uniquement si vous mettez de la crème solaire, a ajouté Emily.

Contrairement à moi, elle avait pensé à en apporter. Oups…

Après avoir payé, j'ai aidé London à mettre les ailes. Emily a fait de même avec Bodhi. Puis on les a si généreusement tartinés de crème qu'ils auraient pu se glisser dans de minuscules tuyaux, et on les a regardés partir à toutes jambes en écartant les bras.

Le zoo était divisé en deux grands secteurs : Amérique du Nord et Afrique. On a commencé par l'Amérique du Nord, en se promenant parmi les différentes expositions et en s'émerveillant devant les animaux : faucons pèlerins, alligators, rats musqués, castors, un puma, et même un ours noir. Chaque fois, les enfants arrivaient au stand avant nous et, lorsque Emily et moi arrivions, ils avaient déjà hâte de passer au suivant. Heureusement, la foule était plutôt clairsemée, en dépit du temps magnifique. Il ne faisait pas une chaleur excessive et, pour la première fois depuis des mois, l'humidité n'était pas trop pesante. Cela n'empêchait pas les gamins de réclamer des glaces à l'eau et des sodas.

– Qu'est devenu Liam ? ai-je demandé à Emily. Ça fait dix ans que je n'ai pas eu de nouvelles de lui. La dernière fois que j'en ai entendu parler, il était avocat à Asheville et déjà à son deuxième mariage.

– Il est toujours avocat, mais son deuxième mariage n'a pas tenu non plus.

– Elle était aussi barmaid, non ? Quand ils se sont rencontrés ?

– Il a un type de femme, c'est sûr, a dit Emily en souriant.

– C'était quand, la dernière fois que tu as eu des nouvelles ?

– Il y a peut-être sept ou huit mois… Il a su que je divorçais et il m'a proposé de sortir avec lui.

– C'était pas l'un des gars sympas que tu n'as jamais rappelé ?

– Liam ? Oh, certainement pas. On se connaît depuis l'enfance, mais tu sais… il a toujours été un peu trop obnubilé par sa petite personne à mon goût. À la fac on traînait ensemble plus par habitude que par amitié. Et par habitude, je veux dire qu'il me draguait au moins une fois par semestre, en général quand il avait bu.

— Je me suis toujours demandé pourquoi tu le supportais, ai-je dit d'un air songeur.

— Nos parents étaient amis et on vivait en face l'un de l'autre dans la même rue. Mon père pensait qu'il deviendrait sérieux, mais ma mère l'avait percé à jour dès le début, Dieu merci. Le fait est qu'on se voyait surtout parce qu'il était toujours là. Sur le campus, à la maison. À l'époque, je n'avais pas encore cette faculté de couper les ponts avec les gens. Même s'ils étaient nuls.

— Mais sans lui, on ne se serait jamais rencontrés.

Elle eut un sourire mélancolique.

— Tu te souviens quand tu m'as invitée à danser ? Au mariage ?

— Oh oui…

Il m'avait fallu plus d'une heure pour rassembler tout mon courage, alors que Liam avait déjà ciblé une femme qui deviendrait plus tard son épouse numéro un.

— Tu avais peur de moi, a-t-elle dit, avec un grand sourire complice.

J'étais parfaitement conscient du fait qu'elle se tenait tour près de moi ; un peu plus loin, London et Bodhi marchaient également côte à côte, et le livre que je lisais le soir à la petite m'est apparu. On avançait tous les quatre deux par deux, parce que personne ne devrait marcher tout seul.

— Je n'avais pas peur, ai-je rectifié. J'étais gêné parce que tu m'avais surpris à reluquer ton décolleté pendant que tu m'aidais à faire mon nœud papillon.

— Oh arrête… J'étais flattée et tu le sais bien. On en a déjà parlé dans le passé… J'avais interrogé Liam à ton sujet, tu te souviens ? Il m'avait répondu que tu étais trop ringard pour moi. Et pas assez séduisant. Ni assez riche. Et il avait recommencé à me draguer.

J'ai éclaté de rire.

— Ça me revient maintenant.

— Tu as gardé le contact avec des amis de fac ? a-t-elle demandé en plissant les yeux comme si elle tentait de se remémorer des visages. On voyait régulièrement tes potes quand on était ensemble.

— Pas vraiment. Quand je me suis marié et que London est née, j'ai plus ou moins perdu la trace de la plupart d'entre eux. Et toi ?

— J'ai quelques copains de fac et une poignée d'amis d'enfance. On se parle et on se réunit encore, mais sans doute pas autant qu'on le devrait. Comme ça s'est passé avec toi, la vie nous a beaucoup occupés.

J'ai remarqué les quelques taches de rousseur qui constellaient ses joues et son nez, si légères qu'elles en devenaient presque invisibles si ce n'était le soleil d'automne qui les soulignait à merveille. Je ne me souvenais pas qu'elle en avait quinze ans plus tôt ; encore une surprenante caractéristique de cette Emily qui m'était autrefois si familière. Pendant un bref instant, je me suis demandé ce que Vivian penserait en nous voyant ensemble, Emily et moi, en ce moment même.

Brusquement toute cette situation m'a paru irréelle : Emily et moi au zoo avec les enfants. Vivian dans les bras de Spannerman, quelque part ailleurs. Comment en était-on arrivés là ? Et à quel moment ma vie avait-elle fait ce demi-tour inattendu ?

Emily effleura mon bras et me fit sursauter en m'arrachant à ma rêverie.

— Tout va bien ? Tu étais perdu dans tes pensées pendant quelques secondes.

— Ouais, désolé, ai-je dit en esquissant un vague sourire. Parfois ça me tombe dessus comme ça, sans prévenir… Je pense à cette situation bizarre et inexplicable que je vis, je veux dire.

Elle resta muette un instant, tout en retirant sa main.

— Ça va être comme ça pendant quelque temps, a-t-elle repris avec douceur. Mais si tu peux, essaie de vivre au jour le jour, en laissant venir ce qui vient, rester ce qui reste. Et ce qui s'en va, eh bien laisse-le s'en aller.

— Pour le moment, c'est au-dessus de mes forces.

— Les mots clés sont « pour le moment ». Tu vas y arriver à la longue.

La douleur sourde de l'absence de Vivian m'a soudain saisi. Ça me faisait l'effet du coup du lapin, sans la force d'un uppercut, et j'ai compris que c'était grâce à Emily. Je réalisai qu'il était plus agréable de passer la journée avec une amie sympa et bienveillante plutôt qu'avec une épouse qui semblait me mépriser.

— Ça faisait longtemps que je n'avais pas fait ça, a avoué Emily d'un air pensif.

Puis elle a précisé devant mon air interrogatif :

– Me balader avec un ami, je veux dire… C'était avant David, en tout cas. Peut-être même avant qu'on soit ensemble, toi et moi. Pourquoi au juste ?

– Parce qu'on était mariés.

– Mais je connais d'autres gens mariés qui ont des amis du sexe opposé.

– Je ne dis pas que c'est impossible, ai-je concédé. C'est juste que ça peut devenir délicat et je pense que la plupart des gens le savent. La nature humaine étant ce qu'elle est, et vu les difficultés du mariage, la dernière chose dont un conjoint a besoin, c'est d'un autre choix plus attirant. Ça risque de ridiculiser l'autre personne.

Elle eut une sorte de grimace ironique.

– C'est ce que je fais, là ? Non… ne réponds pas. C'était déplacé de ma part, a-t-elle ajouté en lissant quelques mèches rebelles de sa queue-de-cheval. Mon but n'est pas d'envenimer la situation entre Vivian et toi.

– Je sais bien, ai-je dit. Mais de toute manière, je ne suis pas sûr que tu pourrais l'aggraver. Si ça se trouve, Vivian est partie à Paris avec le gars en ce moment même.

– Tu ne sais pas où elle est ?

– La seule fois où on s'est parlé cette semaine, c'est quand elle m'a dit qu'elle souhaitait voir London deux des trois prochains week-ends, dont celui de l'anniversaire de la petite. Elle a ajouté qu'elle serait « difficile à joindre »… Va savoir ce que ça signifie. Et que je devrais dormir chez Marge ou chez mes parents quand elle serait à Charlotte, parce qu'elle ne veut pas de moi à la maison. Oh… j'allais oublier… Elle en a « marre de mes conneries ».

Emily a tressailli.

– Ce n'était pas mon coup de fil préféré, ai-je admis.

– Mais tu sais qu'elle ne devrait pas pouvoir voir London tous les week-ends. Pas plus que tu ne devrais être forcé de quitter la maison.

– Elle affirme vouloir faciliter les choses pour la petite.

– Elle me donne surtout l'impression de savoir ce qu'elle veut.

– Oui, mais en même temps je comprends son point de vue. Ce serait perturbant pour London de voir sa mère aller à l'hôtel quand elle est ici.

— Sa vie a déjà été perturbée, a fait remarquer Emily. Pourquoi Vivian ne peut-elle pas tout simplement dormir dans la chambre d'amis ?

— Elle pense que ça pourrait troubler London.

— Alors suggère-lui d'aller se coucher quand la petite sera endormie et de mettre le réveil pour se lever avant elle. Quand vous êtes ensemble, soyez aimables l'un envers l'autre. Je sais que c'est difficile quand les émotions sont exacerbées, mais ce n'est pas impossible. Et c'est toujours mieux que de te faire virer de ta propre maison chaque fois qu'elle vient en visite. C'est tout bonnement injuste et tu ne mérites pas d'être traité comme ça.

— Tu as raison.

Mais j'appréhendais déjà la dispute qui s'en suivrait inévitablement. Plus que n'importe qui, Vivian savait où faire mal quand elle n'obtenait pas gain de cause.

— Quand on s'est revus pour la première fois dans cette cafétéria, je t'ai dit que je t'avais vu déposer London, tu te souviens ?

— Oui.

— Ce que je ne t'ai pas avoué, en revanche, c'est que je t'observais depuis un moment. J'ai vu ta façon d'être avec elle, la manière dont elle te serrait contre elle et te disait qu'elle t'aimait. Il est évident que tu es la prunelle de ses yeux, à cette môme.

Sans me l'expliquer, je me suis senti rougir de plaisir.

— Eh bien, je suis quasiment le seul parent qu'elle a en ce moment…

Emily m'a interrompu :

— C'est plus que ça, Russ. Pour une petite fille, son premier amour doit être son papa, mais ce n'est pas toujours le cas. Quand je vous ai vus tous les deux vous dire au revoir ce jour-là, j'ai été frappée par l'affection et la complicité qui vous unissaient. Ensuite je t'ai reconnu et je me suis dit que je devais aller te dire bonjour. Alors je t'ai suivi.

— Arrête…

— Parole de scout ! a-t-elle répliqué en faisant le geste. Tu me connais. J'écoute mon instinct. Je suis une artiste, tu te rappelles ?

J'ai éclaté de dire.

— Oui, ai-je dit en croisant son regard déterminé et en me sentant flatté, même si je ne savais trop pour quelle raison. Je suis ravi que tu m'aies suivi. J'ignore dans quel état je serais actuellement si tu ne l'avais pas fait. Tu m'as été d'un grand secours.

– C'est tout moi, ça, a-t-elle dit dans un grand sourire faussement candide.

– Tu sais ce qui est étrange ?

– Quoi donc ?

– Je n'ai aucun souvenir de toi en colère. Je ne me souviens même pas qu'on ait eu de grosses disputes. Alors, dis-moi : ça t'arrive de te mettre en colère ?

– Bien sûr ! Et ce n'est pas joli à voir, a-t-elle prévenu.

– Je ne te crois pas.

– Alors ne t'avise jamais de me tester. Je suis un mélange de grizzly, de chacal et de requin blanc, a-t-elle précisé en désignant les alentours. J'ai pensé qu'une métaphore animalière serait de mise… puisqu'on est au zoo, je veux dire.

*
* *

Après avoir vu les animaux d'Amérique du Nord et la volière, nous avons déjeuné. Bien qu'il n'ait pas cessé de grignoter pendant les quatre heures précédentes, Bodhi s'est débrouillé pour finir une assiette de nuggets de poulet et de frites, ainsi qu'un milk-shake au chocolat. London a mangé trois fois moins, ce qui pour elle était beaucoup. Comme ni Emily ni moi n'avions faim, nous avons opté pour une bouteille d'eau.

– On peut aller voir les lions maintenant ? a demandé Bodhi.

– Pas avant qu'on vous remette un peu de crème solaire, a répondu Emily.

Et les gamins ont bondi de leur chaise pour se faire de nouveau tartiner la peau.

– Tu n'oublies jamais, décidément. Moi, à chaque fois.

– Tu n'as jamais vu la famille de David au complet. Ils vivaient dans l'Outback – autant dire, au fin fond de la brousse, quoi – et tu aurais pu mesurer la profondeur de leurs rides avec une règle. Beaucoup de gens ici prennent trop le soleil, mais la vision de sa famille m'a vraiment marquée à notre mariage. Depuis, je sors rarement de chez moi sans crème solaire.

– Résultat, tu as la peau d'une fille de vingt ans.

– Ha ! Bien tenté ! Mais c'était gentil de ta part.

J'avais envie de lui expliquer que je ne plaisantais pas, mais j'ai préféré rassembler nos plateaux repas.

– Qui est prêt pour partir en Afrique ? ai-je lancé à la cantonade.

Je dois admettre que la partie africaine du zoo s'est révélée davantage à mon goût. Dans ma jeunesse, j'avais vu des alligators dans le fleuve Cape Fear, des rats musqués, des castors, toutes sortes d'oiseaux – dont le majestueux pygargue à tête blanche – et même un ours. Quand j'étais enfant, à Charlotte, on en avait repéré un dans la rue de mon école primaire : il avait traversé la route et fini dans les branches d'un chêne. C'était un jeune ours, en réalité, et même si une telle apparition se révélait peu courante, chacun savait que ces plantigrades n'étaient pas si rares en Caroline du Nord. En fait, le plus grand ours noir répertorié fut abattu dans le comté de Craven. Bref, les animaux d'Amérique du Nord qu'on avait vus avant le déjeuner ne m'avaient pas paru très exotiques.

En revanche, je n'avais jamais vu de zèbre, de girafe ni de chimpanzé dans mon environnement habituel, pas plus que je ne m'étais trouvé face à des babouins ou des éléphants. Peut-être en avais-je vu au cirque – mes parents nous y emmenaient chaque année quand il venait en ville ; mais le fait de voir les animaux dans un cadre naturel qui évoquait plus ou moins l'Afrique a même incité les enfants à s'arrêter pour les admirer. J'ai prêté mon mobile à London, qui a pris plus d'une centaine de photos, ce qui a encore qu'ajouté à son enthousiasme.

Comme on prenait notre temps, on n'a terminé notre visite qu'en fin d'après-midi. En regagnant la voiture, les gamins traînaient la jambe derrière nous.

– C'est comme dans *Le Lièvre et la tortue*, ai-je dit à Emily.

– Sauf que les deux lapereaux derrière nous ont couru trois fois plus qu'on a marché.

– En tout cas, ils vont bien dormir.

– J'espère juste que Bodhi ne va pas piquer du nez dans la voiture. S'il dort deux heures, il va rester réveillé jusqu'à minuit.

– Je n'ai pas pensé à ça, ai-je admis, soudain inquiet pour London. C'est un peu comme se souvenir d'apporter de l'écran solaire. Ou de quoi grignoter pendant le trajet. C'est clair, j'ai encore des progrès à faire pour ce qui est d'élever tout seul un enfant.

– On apprend tous les jours. C'est la définition même du métier de parent.

– Tu as pourtant l'air de savoir ce que tu fais.

– Quelquefois oui, mais pas tout le temps. Cette semaine, quand Bodhi était patraque, je n'arrivais pas à savoir si je devais le traiter comme un bébé ou soigner son rhume comme une affection courante.

– Je sais comment mes parents auraient réagi. Sauf si j'avais saigné à grosses gouttes ou eu des os brisés qui me transpercent la peau, ou encore une température à en avoir le cerveau grillé, ils auraient haussé les épaules en me disant de tenir bon.

– Et pourtant tu t'en es bien tiré. Alors j'ai peut-être un peu trop chouchouté Bodhi. Peut-être qu'il va apprendre à aimer être malade parce qu'il bénéficie d'un traitement de faveur.

– Pourquoi c'est si dur d'être un parent formidable ?

– Tu n'as pas à devenir un parent formidable. Le principal, c'est d'être suffisamment à la hauteur.

Tandis que je méditais ses paroles, j'ai compris pourquoi mes parents et Marge avaient tant apprécié Emily. Comme eux, elle était pleine de sagesse.

19

Je trouve ma voie

Ce fut le mariage à Chapel Hill qui renforça ma détermination de revoir Emily. Avant que le gâteau soit découpé et le bouquet lancé, elle et moi avions dansé sur tant de morceaux que j'en avais oublié les titres. Lorsque l'orchestre a fait une pause, on est sortis sur le balcon prendre une bouffée d'air frais. Au-dessus de nous, une grosse lune rousse brillait dans le ciel et je voyais Emily la contempler avec le même émerveillement que moi.

— Je me demande pourquoi elle est orange, me suis-je interrogé à haute voix.

À ma grande surprise, j'ai entendu Emily répondre.

— Quand la lune est basse dans le ciel, la lumière se disperse parce qu'elle doit traverser davantage de couches de l'atmosphère que lorsqu'elle est plus haute. Le temps que la lumière parvienne jusqu'à nous, les bleus, verts et violets du spectre se sont éparpillés en ne laissant que les jaunes, orange et rouges visibles à l'œil nu.

— Comment sais-tu ça ? ai-je dit en me tournant vers elle.

— Mon père me l'expliquait à chaque lune rousse, m'a-t-elle répondu en désignant l'astre lumineux au-dessus de l'horizon. J'imagine qu'avec le temps ça m'est resté en mémoire.

— Je suis quand même impressionné.

— Ne le sois pas. Si tu me demandais n'importe quoi sur le ciel nocturne, hormis l'emplacement de la Grande Ourse, je serais bien en peine de t'aider. Par exemple, je sais qu'une ou deux de ces étoiles là-haut sont sans doute des planètes, mais impossible de te dire lesquelles.

J'ai scruté le ciel puis montré du doigt :

— Celle-là là-bas, juste au-dessus de l'arbre… C'est Vénus.

— Comment le sais-tu ?

– Parce qu'elle brille davantage que les étoiles.

Elle a plissé les yeux :

– Tu en es sûr ?

– Non, ai-je admis – et elle a éclaté de rire. Mais mon père me l'a dit. Il me réveillait en pleine nuit pour qu'on puisse tous les deux admirer les pluies d'étoiles filantes.

Elle a esquissé un sourire nostalgique.

– Mon père le faisait aussi avec moi. Et chaque fois qu'on partait camper, il restait avec Jess et moi pendant des heures et on regardait les étoiles filantes.

– Jess ?

– Ma sœur aînée. Tu as des frères et sœurs ?

– Une sœur aînée aussi, Marge, ai-je répondu en tentant d'imaginer Emily adolescente avec sa famille. J'ai beaucoup de mal à t'imaginer camper.

– Pourquoi ? s'est-elle étonnée en haussant les sourcils.

– Je ne sais pas. Peut-être parce que tu me fais davantage l'effet d'une citadine.

– Comment ça ?

– Tu sais bien… cafés, lectures poétiques, galeries d'art, manifs, vote socialiste.

Elle s'est esclaffée.

– Une chose est certaine, tu ne me connais pas du tout !

– Eh bien, ai-je repris en m'armant de tout mon courage, j'aimerais te connaître mieux. Qu'est-ce que tu fais quand tu sors ?

– Tu me proposes un rancart, là ?

Son regard m'a légèrement troublé.

– Si pour toi t'amuser consiste à sauter en parachute ou à tirer avec un arc et des flèches sur une pomme en équilibre sur ma tête, alors je te pose juste la question pour faire la conversation.

– Mais si c'est un dîner et un film…

Elle a haussé un sourcil.

– C'est plus mon style.

Elle a porté la main à son menton puis a secoué lentement la tête.

– Non… le resto et le ciné, c'est trop… cliché, a-t-elle dit enfin. Et si on faisait une randonnée ?

J'ai lorgné ses talons aiguille, ayant du mal à l'imaginer en plein air, communiant avec la nature.

– Ouais. Si on allait au parc de Crowders Mountain ? On peut suivre la Rocktop Trail.

– Je n'y suis jamais allée.

En fait, je n'en avais jamais entendu parler.

— Alors, le rendez-vous est pris. Et si on y allait samedi prochain ?

Je l'ai dévisagée, en me demandant tout à coup si je venais de l'inviter à sortir avec moi ou si c'était l'inverse, ou même si ça avait franchement de l'importance. Parce que je sentais déjà qu'Emily était extraordinaire et je savais sans l'ombre d'un doute que j'avais envie de mieux la connaître.

*
* *

Le dimanche, quand j'ai eu un peu de temps libre, j'ai travaillé sur le troisième spot de pub puis je l'ai envoyé au monteur, ce qui a pris moins de temps que je ne l'aurais cru. Tant mieux, car j'ai passé le reste de ma journée avec London.

Ce n'est peut-être pas « politiquement correct » de le dire, mais le fait que London aille à l'école me facilitait aussi la vie. J'avais beau adorer ma fille, le dimanche m'avait épuisé et j'avais hâte de reprendre le travail, ne serait-ce que parce que ça semblait en quelque sorte plus facile que d'occuper une gamine de cinq ans seize heures d'affilée.

Ma bonne humeur est toutefois retombée avant d'arriver à l'agence le lundi matin. Je venais de déposer London quand j'ai reçu un appel de Taglieri me demandant de passer à son cabinet.

Une demi-heure plus tard, j'étais assis en face de lui. Il avait ôté sa veste et retroussé les manches de sa chemise ; son bureau était jonché de piles de dossiers dont je supposais qu'il s'agissait d'affaires en cours.

— Merci d'avoir pris le temps de venir, a-t-il dit. J'ai pris contact avec l'avocate de Vivian vendredi. Je voulais savoir à qui j'avais affaire et s'il y avait moyen de faire en sorte que tout ça se passe en douceur si possible.

— Et donc ?

— Malheureusement elle correspond tout à fait à sa réputation. Après avoir raccroché, je suis allé faire un tour sur son site web parce que j'avais envie de voir à quoi elle ressemblait. Pendant notre conversation téléphonique, je n'arrêtais pas de m'imaginer une statue de glace plutôt qu'une véritable personne. Elle était d'une froideur incroyable, je veux dire.

Sa description m'a évoqué un certain nombre de scénarios à venir, dont aucun ne m'était particulièrement favorable.

– Et ça signifie ?

– Que ça va sans doute être plus dur pour vous que ça ne le devrait, selon la force avec laquelle vous avez l'intention de vous battre.

– J'attache beaucoup moins d'importance à l'argent qu'à London. Je veux la garde alternée.

– J'entends bien, a-t-il dit en levant la main. Et je sais que c'est votre vœu le plus cher. Mais je ne suis même pas sûr de savoir ce que ça veut dire. Vivian vit à Atlanta et, comme elle souhaite établir sa résidence en Géorgie, elle ne va pas revenir ici. La question que je vous pose, c'est si vous êtes prêt à vous installer à Atlanta.

– Pourquoi devrais-je déménager ? J'habite ici. Ma famille est ici. Mon travail est ici.

– C'est là où je veux en venir. Même si on vous accorde la garde alternée, comment ça pourrait fonctionner ? Vous risqueriez de ne pas voir London souvent. Alors je suppose que Vivian demande aussi bien la garde exclusive que la garde physique. Elle est prête à vous accorder un droit de visite…

Je lui ai coupé la parole :

– Non. Pas question que ça se passe comme ça. Je suis son père. J'ai des droits.

– Certes. Mais on sait tout les deux que les tribunaux ont tendance à favoriser les femmes. Et l'avocate de Vivian m'a dit que jusqu'il y a quelques mois à peine, c'est Vivian qui s'occupait principalement de la petite.

– Je travaillais pour qu'elle puisse rester à la maison !

Joey a levé les mains, alors que sa voix adoptait un ton conciliant.

– Je sais bien et je ne pense pas que ce soit juste. Mais dans la bataille pour obtenir la garde de l'enfant, les pères sont franchement désavantagés. Surtout dans des situations comme celle-ci.

– C'est elle qui a déménagé. Elle nous a quittés !

– Selon son avocate, c'est parce que vous ne lui avez pas laissé d'autre choix. Vous n'étiez plus en mesure de subvenir aux besoins de la famille et vous aviez prélevé pas mal de fric sur le compte épargne. Elle a été obligée de prendre un travail.

– Ce n'est pas vrai ! Vivian l'a pris parce qu'elle le voulait. Je ne l'ai pas forcée à faire quoi que ce soit…

Taglieri m'a regardé avec bienveillance.

– Je vous crois. Je suis de votre côté, Russ. Je ne fais que vous répéter certaines choses que l'avocate de Vivian m'a déclarées. Soit dit en passant, cette femme est peut-être un bloc de glace et une brute, je n'ai pas peur de l'affronter. Elle n'a jamais fait face au Bulldog, et je suis bon dans mon boulot. Je tenais juste à vous tenir au courant de visu et à vous préparer pour la suite. C'est déjà moche et ça va sans doute le devenir davantage dans les mois qui viennent.

– Qu'attendez-vous de moi ?

– Pour le moment, rien. Il est encore trop tôt. Quant à la proposition d'accord qu'elle a envoyée, faites comme si elle n'existait pas. Je vais rédiger une ébauche de réponse que je vous soumettrai et j'ai déjà quelques idées en tête. Cela dit, mon agenda est plein pour les deux semaines à venir, alors vous n'allez rien recevoir dans l'immédiat. Je ne veux pas que vous vous inquiétiez si vous n'avez pas de mes nouvelles. Dans ce genre de situation, on a toujours tendance à vouloir que tout soit fait au plus vite, mais en général ça ne marche pas comme ça. En revanche, je souhaite reprendre contact avec elle et avoir une plus longue conversation, mais même dans ce cas, il n'y a aucune raison de précipiter les choses. Pour l'heure, London vit toujours avec vous. C'est un atout et plus ça continue comme ça, mieux c'est pour vous. Gardez aussi à l'esprit que Vivian ne peut demander le divorce avant mars prochain au plus tôt, si bien que ça nous laisse le temps d'établir un accord susceptible de satisfaire les deux parties. D'ici là, vous pourrez peut-être essayer de voir s'il vous est possible de trouver tous deux un arrangement acceptable. Je ne suis pas en train de dire qu'elle va marcher – en fait, j'en doute –, mais ça vaut la peine d'essayer.

– Et si elle refuse un arrangement à l'amiable ?

– Alors continuez d'agir comme vous le faites avec London. Soyez un bon père, passez du temps avec votre fille, assurez-vous qu'elle aille à l'école, qu'elle mange bien et qu'elle dorme bien. Je ne saurais trop insister là-dessus pour vous dire à quel point c'est important. N'oubliez pas qu'on peut toujours faire intervenir un psychologue pour parler à London et présenter un rapport au tribunal…

— Non, l'ai-je coupé. Je ne vais pas mettre ma fille au milieu de tout ça. Pas question qu'elle ait à choisir entre sa mère et son père.

Il a baissé les yeux.

— Vous ne trouvez peut-être pas que c'est une bonne idée, mais Vivian peut insister là-dessus dans l'espoir que ça jouera en sa faveur.

— Elle ne ferait pas une chose pareille. Elle adore London.

— C'est précisément parce qu'elle l'adore que vous ne devez pas vous étonner de tout ce qu'elle est prête à faire pour en obtenir la garde.

*
* *

Après mon rendez-vous avec Taglieri, j'étais à la fois plus en colère et plus effrayé que je ne l'avais été depuis le départ de Vivian. Dans mon bureau, je fulminais. J'ai appelé Marge pour lui répéter ce que Taglieri avait dit ; ma sœur était tout aussi furieuse que moi. Lorsqu'elle a traité Vivian de garce, je n'ai pu qu'approuver.

Mais discuter avec Marge ne m'a guère aidé à aller mieux et j'ai appelé Emily en lui demandant si on pouvait déjeuner ensemble.

Vu ma colère, je préférais éviter le restaurant. Je lui ai donc demandé de me rejoindre au parc, près de la maison, où il y avait quelques tables de pique-nique. Ne sachant pas ce qu'elle voudrait, j'ai pris deux sandwichs chez le traiteur et deux soupes différentes. J'ai ajouté des sachets de chips et deux bouteilles de jus de fruit.

Emily était déjà installée à une table quand je me suis garé sur le parking à côté de sa voiture. J'ai ensuite pris la nourriture et je l'ai rejointe.

Je devais avoir l'air contrarié en m'approchant, parce qu'elle s'est levée et m'a serré brièvement dans ses bras. Elle portait un short, une blouse paysanne et des sandales, le même genre de tenue qu'elle arborait quand on s'était promenés au golf.

— Je te demanderais bien comment tu vas, mais il est clair que ce n'est pas un bon jour pour toi, pas vrai ?

— Sacrée journée, en effet, ai-je reconnu, plus affecté par le contact de son corps contre le mien que je n'avais le courage de l'admettre. Merci de me retrouver ici.

– C'est normal.

Emily s'est rassise pendant que je disposais les aliments sur la table, puis je me suis installé en face d'elle. Derrière nous, des enfants en bas âge s'amusaient sur des structures en bois, des toboggans, ponts et balançoires. Les mères se tenaient debout à côté ou assises sur des bancs, certaines tripotant leur mobile.

– Qu'est-ce qui se passe ?

Je lui ai raconté ma conversation avec Taglieri. Elle m'a écouté attentivement et a plissé les yeux à la fin, l'air incrédule.

– Elle ferait vraiment ça ? Mettre London entre vous deux ?

– Taglieri semblait penser que ce n'était pas seulement possible, mais carrément probable.

– Mince alors ! C'est terrible Pas étonnant que tu sois chamboulé. Je serais furax.

– C'est le moins qu'on puisse dire. À l'heure qu'il est, même penser à elle m'insupporte. Et c'est bizarre parce que depuis qu'elle est partie, je n'ai eu qu'une envie, la voir.

– C'est vraiment dur. Tant qu'on n'est pas passé par là, on ne peut pas savoir ce que c'est.

– David n'était pas comme ça, si ? Tu m'as dit qu'il était généreux pour ce qui est de l'argent et tu as obtenu la garde de Bodhi.

– C'était terrible malgré tout. Quand il est parti, il fréquentait quelqu'un et, dans le mois qui a suivi, je n'ai pas cessé d'entendre des gens que je connaissais me dire qu'ils l'avaient vu ici ou là avec cette femme et donnant l'impression de ne pas s'en faire du tout. Ça m'a démoralisée : la preuve même que mettre fin à notre mariage et me perdre n'avait aucune importance pour lui. Et même s'il s'est finalement montré généreux, ça n'a pas été comme ça au début. Il voulait d'abord prendre Bodhi avec lui en Australie.

– Il ne pouvait pas faire ça, si ?

– Sans doute pas. Bodhi est citoyen américain, mais cette seule menace m'a causé quelques semaines d'insomnies. Impossible de m'imaginer ne pas pouvoir voir mon fils.

Voilà bien un sentiment que je comprenais aisément.

*

* *

Après le déjeuner, je suis rentré chez moi plutôt que de retourner au bureau. Sur le manteau de cheminée étaient posées des dizaines de photos, surtout de London. Mais je n'avais pas remarqué, pendant toutes ces années où j'avais vécu là, le nombre de portraits de London avec Vivian – réalisés par des professionnels pour la plupart –, alors que seuls quelques clichés de London et moi pris sur le vif décoraient notre maison.

En les contemplant, je me suis demandé depuis combien de temps Vivian m'avait considéré comme aussi insignifiant dans l'existence de ma fille. Peut-être que je poussais trop loin l'interprétation : pendant que Vivian se trouvait avec London, j'étais au travail, donc il y avait forcément plus de photos d'elles deux ; mais pourquoi ne l'avait-elle pas remarqué et rectifié la situation ? Pourquoi n'avait-elle pas tenté d'immortaliser davantage de moments à nous trois, afin que London puisse se rendre compte par elle-même que je l'aimais autant que Vivian l'aimait ?

J'ignorais pour quelles raisons. En revanche je savais que je n'avais pas envie qu'on me rappelle sans cesse l'existence de Vivian, donc certaines choses allaient devoir changer. Fort de ma toute nouvelle résolution, j'ai parcouru la maison en ôtant toutes les photos où Vivian apparaissait. Je n'avais nullement l'intention de les jeter ; j'en ai mis un certain nombre dans la chambre de London, tandis que j'en ai empilé d'autres dans un carton que Vivian pourrait emporter à Atlanta avec elle, puis j'ai rangé le carton dans le placard de l'entrée. Ensuite, je me suis changé pour enfiler un tee-shirt et un short. Je suis allé au salon et ai entrepris de déplacer les meubles. Canapé, fauteuils, lampes : j'ai même transporté un tableau du bureau au salon et vice versa. Quand j'eus terminé, je ne pouvais pas affirmer que c'était mieux, car Vivian était douée pour la déco ; en tout cas, c'était différent. J'ai fait de même dans le bureau, en déplaçant le poste de travail, la bibliothèque et deux tableaux. Dans la chambre parentale, j'ai laissé le lit à sa place, mais déplacé tous les meubles que j'ai pu, puis j'ai troqué le couvre-lit contre un autre que j'ai trouvé dans l'armoire à linge et inutilisé depuis des années.

Dans un autre placard, j'ai déniché divers accessoires de déco et j'ai passé quelques minutes à changer les vases et les lampes et deux ou trois saladiers décoratifs. Je suppose qu'un des avantages de la fièvre acheteuse de Vivian, c'était d'avoir au fil des années l'équivalent d'un grand magasin dans les placards.

Sitôt que London est rentrée de l'école, elle a écarquillé les yeux en découvrant son nouvel environnement.

– On dirait une nouvelle maison, papa.

– C'est un peu ça. Tu aimes ?

– Ça me plaît beaucoup ! s'est-elle exclamée.

Même si son approbation m'a mis du baume au cœur, je me suis dit qu'il ne lui viendrait jamais à l'esprit de ne pas aimer. À l'exception de son cours de danse, London semblait tout apprécier.

– Je suis content. Mais je n'ai rien déplacé dans ta chambre.

– Tu aurais pu déplacer la cage aux hamsters si tu voulais.

– Tu as envie que je le fasse ?

– Ils font encore un peu de bruit la nuit. Ils courent dans cette roue dès qu'il fait noir.

– C'est parce qu'ils sont nocturnes.

Elle m'a dévisagé comme si j'étais cinglé.

– Neptune ? C'est des hamsters, papa.

– Nocturnes, ai-je articulé lentement. Ça signifie qu'ils aiment vivre la nuit et dormir le jour.

– Tu veux dire que comme ça je ne leur manque pas quand je suis à l'école ?

J'ai souri.

– Tout à fait.

Elle s'est tue quelques secondes, puis :

– Dis, papa ?

J'adorais la façon dont elle prononçait ces mots quand elle était sur le point de poser une question, et je me suis demandé à quel âge elle ne les prononcerait plus. Ou si, à ce moment-là, je m'en rendrais même compte.

– Oui, mon cœur ?

– On peut aller faire du vélo ?

Entre mes exercices de ce matin et mes efforts pour redécorer la maison, j'étais déjà épuisé, mais son « Dis papa ? » l'a emporté… comme toujours.

*
* *

Pour la première fois, j'ai pensé à enduire ma fille de crème solaire.

Cependant c'était la fin septembre et relativement tard dans l'après-midi. « Après l'heure, c'est plus l'heure », comme on dit.

London a mis son casque et, dès que je l'ai aidée à démarrer – elle ne maîtrisait par encore le départ –, j'ai enfourché mon vélo et donné plusieurs coups de pédale pour la rattraper.

Si les routes avoisinant notre maison étaient merveilleusement plates sur de longues distances, les rues situées à l'autre bout du quartier montaient et descendaient. Ce n'étaient pas vraiment de grandes collines, certes ; dans ma jeunesse, je les aurais sans doute trouvées lassantes. Je préférais dévaler les pentes les plus abruptes, celles qui me poussaient à me cramponner si fort au guidon que j'en perdais la sensibilité dans les doigts, mais London et moi étions différents sur ce plan. L'idée de rouler vite sans pédaler la rendait nerveuse, et jusqu'ici on avait évité les pentes.

C'était ce qu'il y avait de mieux à faire, surtout au début ; mais je sentais qu'elle avait atteint le stade où elle pouvait maîtriser une légère déclivité, alors on a roulé dans cette direction.

Malheureusement les moustiques étaient de sortie et je regardais la petite se donner des tapes sur le bras. Son vélo trembla un peu, le temps qu'elle lâche le guidon d'une main, mais elle ne paraissait pas déséquilibrée. Ma petite fille avait vraiment progressé depuis notre toute première sortie en vélo, et j'ai accéléré pour rouler à ses côtés.

– Tu te débrouilles bien maintenant ! ai-je crié.

– Merci !

– Peut-être qu'on pourrait emmener Bodhi un jour.

– Il ne sait pas en faire. Il utilise encore les petites roues.

Je me suis aussitôt rappelé qu'Emily m'avait dit la même chose.

– Tu penses que tu es prête pour essayer des côtes ?

– Je sais pas, a-t-elle dit en me lançant un regard oblique. Ça me fait un peu peur.

– Ce n'est pas si terrible. Et c'est marrant d'aller encore plus vite en descente.

Sa main lâcha de nouveau le guidon pour se gratter l'autre bras. Et le vélo oscilla.

– Je crois qu'un moustique m'a piquée.

– Possible. Mais ce n'est pas comme une abeille.

– Ça me gratte.

– Je sais. Quand on sera de retour à la maison, je te passerai de la crème, OK ?

On a gagné le coin le plus escarpé du quartier, en gravissant peu à peu une côte. La descente était plus courte et légèrement plus abrupte et, une fois au sommet, London s'est arrêtée et a mis pied à terre.

– Qu'est-ce que t'en penses ? ai-je demandé.

– C'est quand même une grande descente, a-t-elle répondu d'une voix un peu inquiète.

– Je pense que tu en es capable, ai-je dit d'un ton encourageant. Si on tentait le coup ?

Enfant, j'aurais considéré ça à peine comme une butte. Bien sûr, mon souvenir datait d'un quart de siècle et, dans ma tête, j'avais toujours su rouler en vélo. Peut-être avais-je oublié les incertitudes du débutant.

Je le précise en raison de ce qui est arrivé par la suite ; je dirai également que s'il n'y avait pas eu une série d'événements imprévisibles – l'un entraînant l'autre selon un effet domino –, alors tout se serait bien passé. Mais ce ne fut pas le cas.

Sitôt que London s'est remise à rouler, elle a chancelé et s'est déportée sur la gauche. Elle n'avait jamais autant oscillé ni fait un tel écart, et elle aurait sans doute redressé son guidon s'il n'y avait pas eu cette voiture qui reculait de l'allée d'une maison une vingtaine de mètres plus loin. Je ne pensais pas que le chauffeur nous avait vus, à cause des haies entourant son jardin et du fait que London était petite. Qui plus est, le type avait l'air pressé, compte tenu de la vitesse à laquelle il roulait, même en marche arrière. London s'est bloquée à la vue du véhicule et davantage déportée sur la gauche, tout en se claquant le bras à cause d'un moustique. Juste en face d'elle se dressait une boîte aux lettres fixée sur un socle robuste.

Sa roue avant a buté sur l'accotement, à l'endroit où le bitume rejoint la terre battue.

– Attention ! ai-je hurlé comme le vélo vacillait dangereusement.

London a tenté de remettre l'autre main sur le guidon, mais celui-ci lui a échappé. J'ai tout de suite compris ce qui allait se passer et j'ai regardé, horrifié, la roue avant s'ébranler brusquement. London a été projetée par-dessus le guidon, sa tête et son torse heurtant la boîte aux lettres dans un affreux bruit sourd.

J'avais déjà mis pied à terre et je courais vers elle en criant son nom, alors que sa roue avant continuait de tourner dans le vide. J'ai vaguement remarqué le regard stupéfait du chauffeur avant que je m'accroupisse à côté du corps inerte de London.

Elle était à plat ventre, immobile, muette. La panique m'a saisi comme je la retournais en douceur.

Tout ce sang…

Oh mon Dieu, oh mon Dieu, oh mon Dieu…

J'ignore si je prononçais les mots ou s'ils résonnaient dans ma tête, tandis que j'avais les boyaux en vrac. La petite avait les yeux clos ; ses bras étaient retombés mollement sur le sol, quand je l'avais retournée, comme si elle dormait.

Mais elle ne dormait pas.

Et son poignet était gonflé comme si on lui avait glissé un demi-citron sous la peau.

À ce moment-là, j'ai éprouvé la plus grande peur de ma vie. J'ai prié pour voir le moindre signe indiquant qu'elle était encore en vie ; mais pendant ce qui sembla durer une éternité, rien ne se produisit. Finalement ses paupières ont frémi et elle a repris vivement son souffle. Le hurlement qui a suivi était assourdissant.

Entre-temps, le chauffeur avait disparu et je me demandais s'il avait même vu ce qui s'était passé. Je n'avais pas mon mobile, donc impossible d'appeler les secours. J'ai pensé me précipiter vers une maison, n'importe laquelle, pour utiliser un téléphone et appeler une ambulance, mais je ne voulais pas abandonner ma fille. Toutes ces pensées m'ont traversé l'esprit en un clin d'œil, et elle devait être transportée à l'hôpital.

L'hôpital…

Je l'ai prise dans mes bras et suis parti en courant en tenant ma fille blessée.

J'ai traversé le quartier comme un fou, en ne sentant ni mes jambes ni mes bras, avec une seule idée en tête.

Dès que je suis arrivé chez moi, j'ai ouvert la voiture et allongé London sur la banquette arrière. Le sang continuait de couler d'une plaie béante sur sa tête, trempant son tee-shirt comme si on l'avait plongé dans la peinture rouge.

J'ai filé dans la maison pour récupérer mes clés et mon porte-feuille, puis je suis revenu à la voiture en claquant si violemment la porte d'entrée que les fenêtres ont vibré. Une fois au volant, j'ai mis le contact et démarré sur les chapeaux de roues.

Sur la banquette arrière, London ne bougeait plus et avait refermé les yeux.

Les sens affûtés par l'adrénaline, je n'avais jamais été aussi conscient de tout ce qui m'entourait, tandis que j'accélérais encore. Je suis passé en vitesse devant des maisons et j'ai brûlé un stop avant d'emballer de nouveau le moteur.

Sur l'artère principale, j'ai doublé des véhicules à gauche et à droite. Arrivé à un feu rouge, j'ai marqué l'arrêt puis redémarré en ignorant les Klaxons alentour.

London ne disait rien, ne bougeait pas. Terrifiant.

J'ai réalisé le trajet d'un quart d'heure en moins de sept minutes et me suis arrêté pile devant les Urgences. Puis j'ai repris ma fille dans les bras en la portant dans la salle d'attente à moitié remplie.

L'infirmière aux admissions a aussitôt réagi ; elle s'est levée et m'a crié : « Par ici ! » en me dirigeant vers la porte à deux battants.

Je me suis précipité dans une salle d'examen, j'ai allongé ma fille sur la table comme une infirmière arrivait, suivie l'instant d'après par un médecin.

J'ai bataillé pour expliquer ce qui s'était passé, pendant que le praticien soulevait les paupières de la petite et braquait une lumière sur ses pupilles. Ses gestes étaient précis, tandis qu'il aboyait des ordres aux infirmières.

— Je pense qu'elle a perdu connaissance, ai-je dit en me sentant désarmé.

Ce à quoi le docteur a répondu dans un jargon médical que je n'espérais même pas comprendre. On a nettoyé le visage ensanglanté de London et brièvement examiné son poignet.

– Elle va s'en sortir ? ai-je enfin demandé.

– Elle doit passer un scanner, a-t-il répondu, mais je dois d'abord arrêter les saignements.

Le temps semblait ralentir, tandis que je regardais l'infirmière nettoyer minutieusement le visage de London avec une compresse antiseptique, ce qui révéla une entaille d'un bon centimètre juste au-dessus de l'arcade sourcilière de la petite.

– On peut recoudre ça, mais j'aime autant qu'on fasse venir un chirurgien esthétique pour s'en charger, afin de minimiser la cicatrice. Je vais voir qui est disponible, à moins que vous ne préfériez appeler un chirurgien de votre connaissance.

Mon nouveau client.

J'ai cité le nom du praticien et l'urgentiste a hoché la tête.

– Il est très bien, a-t-il dit avant de se tourner vers l'une des infirmières. Tâchez de voir s'il peut venir. Sinon, trouvez-en un de garde.

Tandis deux autres infirmières arrivaient avec un chariot-brancard, London a remué et commencé à gémir. L'instant d'après j'étais auprès d'elle et je lui parlais en murmurant, mais son regard semblait trouble et elle ne paraissait pas savoir où elle était. Tout se passait si vite…

Alors que le médecin commençait à l'interroger avec douceur, je ne pensais qu'à une chose : c'était moi qui l'avais persuadée de descendre la colline en vélo.

Quel genre de père je faisais ?

Quel genre de père entraînerait son enfant dans une situation aussi dangereuse ?

J'étais sûr que le médecin se posait les mêmes questions quand il s'est tourné vers moi. J'ai contemplé les compresses de gaze et les bandages sur la tête de ma fille.

– Nous allons devoir l'emmener à présent, m'a-t-il annoncé.

Et, sans attendre ma réponse, ils emportèrent London sur le lit roulant.

*
* *

J'ai rempli les papiers pour l'assurance médicale et utilisé le téléphone de l'hôpital pour appeler Marge. Elle a accepté de passer chez moi récupérer mon mobile avant de me rejoindre à l'hôpital ; elle a ajouté qu'elle préviendrait Liz et nos parents.

Dans la salle d'attente, je me suis assis, les mains jointes et la tête baissée, en priant pour la première fois depuis des années, en priant pour que ma petite fille reprenne connaissance et s'en sorte, et je m'en suis voulu pour ce que j'avais fait.

Mon père fut le premier à arriver ; il travaillait sur un chantier à quelques rues de là, et il est entré dans la salle d'attente, le visage crispé par l'inquiétude. Quand je l'ai mis au courant, il ne m'a pas pris dans ses bras, pas plus qu'il ne s'attendait à ce que je le fasse, mais s'est assis sur le siège à côté de moi. Disons plutôt qu'il s'est quasiment affalé dessus. Je l'ai vu fermer les yeux et, lorsqu'il a fini par les rouvrir, il ne pouvait pas me regarder en face.

J'ai alors compris qu'il était aussi terrifié que moi.

Liz est arrivée ensuite, puis ma mère et enfin Marge, qui semblait plus pâle que d'habitude. Contrairement à mon père, toutes ont eu besoin que je les prenne dans mes bras après les avoir mises au courant. Ma mère a pleuré. Liz a joint les mains comme pour prier. Marge respirait avec peine, toussait et a pris une bouffée de son inhalateur.

Mon père a finalement pris la parole.

– Tout va bien se passer pour la petite.

Mais je savais qu'il disait ça parce qu'il voulait que j'y croie, et non parce qu'il le pensait vraiment.

*
* *

Mon client, le chirurgien esthétique, est arrivé peu après et je me suis levé.

– Merci d'être venu. Vous ne pouvez pas vous imaginer à quel point ça me touche.

– Je vous en prie. J'ai moi aussi des enfants et je comprends. Laissez-moi y retourner et voir ce que je peux faire.

Il a disparu derrière la porte à deux battants.

*
* *

On a attendu.

Encore et encore. L'incertitude était insoutenable.

Puis les médecins sont enfin apparus.

J'ai tenté sans succès de lire sur leurs visages tandis qu'ils nous faisaient signe de les suivre. Ils nous ont conduits dans une des chambres puis ont refermé la porte derrière nous.

– Je suis certain qu'elle va très bien aller, a déclaré l'urgentiste sans préambule. Le scanner n'a montré aucune trace d'hématome sous-dural ou autre lésion cérébrale. London est tout à fait consciente à présent et a pu répondre à nos questions. Elle sait où elle se trouve et ce qui lui est arrivé, ce qui est bon signe.

J'ai senti un immense soulagement m'envahir.

– Cela dit, elle est restée inconsciente pendant un petit moment, alors nous allons la garder cette nuit en observation. Juste par précaution. Dans de rares cas, des boursouflures peuvent apparaître plus tard, mais je ne m'attends pas à en voir. Nous voulons simplement nous en assurer. Évidemment, elle devra se ménager dans les jours qui viennent. Elle peut sans doute reprendre l'école mercredi, mais pas d'activité physique pendant au moins une semaine.

– Et l'entaille à la tête ?

Mon client a répondu :

– C'était une déchirure nette. Je l'ai suturée à l'intérieur et à l'extérieur. Il va rester une légère cicatrice pendant quelques années, mais elle devrait disparaître avec le temps.

J'ai hoché la tête.

– Et son bras ?

– C'était son poignet, a répondu l'urgentiste. La radio n'a montré aucune fracture, mais il est si enflé qu'on ne peut rien affirmer. Le poignet renferme des tas de petits os, si bien qu'on ne peut pas dire encore s'il y en a de brisés. Pour l'heure, nous pensons juste qu'il s'agit d'une vilaine foulure, mais vous devrez la ramener d'ici une semaine ou deux pour une autre radio, afin d'être sûr.

Inconsciente. Balafrée. Un poignet foulé, voire pire. Toutes ces infos m'avaient vidé.

– Je peux la voir ?

– Bien sûr, a répondu l'urgentiste. On met en place une attelle à son poignet et on va la déplacer dans une chambre privée, mais ça ne devrait pas être long. Dans l'ensemble, compte tenu de ce qui s'est passé, elle a eu de la chance. C'est une bonne chose qu'elle ait porté un casque, ç'aurait pu être bien pire.

Dieu merci Vivian avait insisté pour que je lui fasse porter un casque, me suis-je dit.

Vivian…

J'avais complètement oublié de l'appeler.

*
* *

– Comment tu te sens, ma puce ?

London avait certes meilleure mine qu'au moment où je l'avais amenée aux Urgences, mais rien à voir avec la petite fille qui avait enfourché son vélo dans l'après-midi. Un grand pansement blanc masquait son front, et son poignet paraissait minuscule dans sa volumineuse attelle. Toute pâle et frêle, on avait l'impression que le lit allait l'avaler.

Mes parents, Liz et Marge s'étaient engouffrés dans la chambre et, après moult étreintes, bisous et autres témoignages d'inquiétude, je m'étais assis au bord du lit près de London. J'ai pris sa main valide et senti qu'elle me la serrait fort.

– J'ai mal à la tête, a-t-elle dit. Et à mon poignet.

– Je sais. Je suis désolé, mon cœur.

– J'aime pas la crème solaire, a-t-elle protesté d'une voix faible. À cause de ça, mon guidon était tout glissant.

L'image de ma fille se grattant le bras m'est revenue en mémoire.

– Je n'y ai pas pensé, ai-je avoué. On n'a sans doute moins besoin de crème maintenant que l'été est fini.

– Mon vélo n'est pas cassé ?

Je me suis alors rendu compte que j'avais laissé les deux bicyclettes sur place. Je me demandais si quelqu'un avait éloigné la mienne de la route. Quelqu'un avait dû le faire. Peut-être même le chauffeur. J'étais sûr que les vélos resteraient là-bas jusqu'à ce que j'aille les récupérer ; c'était ce genre de quartier.

– Je suis certain que non, mais sinon on pourra le réparer. Ou t'en acheter un neuf.

– Maman va venir ?

Il faut vraiment, vraiment que je passe ce coup de fil.

– Je vais me renseigner, OK ? Je suis sûr qu'elle voudra te parler.

– OK, papa.

Je l'ai embrassée sur le front.

– Je reviens tout de suite.

Mes parents, Liz et Marge se sont approchés du lit, pendant que je sortais dans le couloir. J'ai pris la direction des ascenseurs, en quête d'intimité. Je n'avais pas envie qu'un membre de la famille – surtout London – écoute une conversation que j'appréhendais. En consultant mon mobile, j'ai remarqué que Vivian avait déjà appelé deux fois, voulant sans doute parler à ma fille. J'ai pressé la touche rappel et senti mon estomac se nouer.

– London ? a dit ma femme en décrochant.

– Non, c'est moi, Russ. Je voulais tout de suite te prévenir que London va bien. Je vais te la passer dans quelques minutes, mais sache d'ores et déjà qu'elle n'a rien de grave.

– Pourquoi ? Qu'est-ce qui s'est passé ? a-t-elle rétorqué, sa voix me faisant l'effet d'une décharge électrique.

– On faisait du vélo et elle est tombée. Elle s'est foulé le poignet et fait une entaille au front, et j'ai dû l'amener à l'hôpital…

– L'hôpital ?

– Ouais. Laisse-moi finir, OK ?

J'ai repris mon souffle avant de me lancer dans le récit de ce qui s'était passé. Étrangement, elle ne m'a pas coupé la parole en haussant le ton. Mais j'entendais sa respiration entrecoupée et, quand j'eus terminé, j'ai compris qu'elle avait fondu en larmes.

– Tu es sûr qu'elle va bien ? Tu ne me dis pas ça pour me rassurer ?

– Promis. Comme je te disais, je vais te la passer dans un instant. Je suis sorti de la chambre pour t'appeler.

– Pourquoi ne pas l'avoir fait plus tôt ?

– J'aurais dû, excuse-moi. J'étais tellement affolé que j'avais pas les idées claires.

– Non, je comprends. Je… hum… Une seconde, ne quitte pas, OK ?

J'ai attendu une bonne minute avant qu'elle reprenne la communication.

– Je pars tout de suite à l'aéroport. Je veux être auprès d'elle ce soir.

J'allais lui dire que c'était inutile qu'elle vienne mais, à sa place, je savais que j'aurais déplacé des montagnes pour rejoindre London.

– Je peux lui parler maintenant ?

– Bien sûr, ai-je répondu.

J'ai regagné la chambre et tendu le portable à la petite qui l'a collé contre son oreille, mais j'arrivais à entendre ce que Vivian disait.

Elle n'a jamais cité mon nom ; elle se concentrait uniquement sur London. Vers la fin, j'ai entendu Vivian demander à me reparler. Cette fois, je n'ai pas éprouvé le besoin de quitter la chambre.

– Alors ?

– Elle a l'air d'aller bien, a dit Vivian – et son soulagement était audible. Merci de me l'avoir passée. Je suis dans la voiture et je serai là dans deux ou trois heures.

Grâce au jet privé de Spannerman, évidemment. Sans doute la raison pour laquelle elle m'avait mis en attente tout à l'heure. Afin de lui demander la permission.

– Je serai là. Dis-moi quand tu seras arrivée.

– Pas de problème.

*
* *

Vivian m'a envoyé un texto quand elle a atterri. L'espace d'un instant, je me suis demandé si ma famille devait rester, puis je m'en suis voulu. London était à l'hôpital et ma famille resterait jusqu'à que s'achèvent les heures de visite. Parce qu'elle était censée le faire. Point barre.

Cependant je soupçonnais ma famille de nourrir une curiosité bien naturelle au sujet de Vivian. Cela faisait plus d'un mois que mes parents ne l'avaient pas vue, depuis la rentrée de London, et plus longtemps encore pour Marge et Liz. Je suis sûr que tous se demandaient si la nouvelle Vivian différait de celle qu'ils connaissaient depuis des années. Et ils étaient curieux de savoir comment on allait tous se comporter les uns vis-à-vis des autres.

Une infirmière est venue contrôler les fonctions vitales de London, suivi du médecin qui interrogea de nouveau la petite. Bien que la voix de ma fille soit un peu faible, elle a répondu correctement. Il nous a dit qu'il continuerait à surveiller son état régulièrement dans les prochaines heures. Quand il est parti, j'ai trouvé une chaîne de TV diffusant *Scooby-Doo*. Même si London regardait, j'ai senti qu'elle ne tarderait pas à s'endormir.

Vivian est arrivée quelques minutes plus tard. En jean délavé, sandales et pull fin noirs, elle était toujours aussi chic mais semblait stressée.

– Salut à tous, a-t-elle lancé, essoufflée et distraite. Je suis venue aussi vite que possible.

– Maman !

Elle s'est ruée sur London en la couvrant de baisers.

– Oh, mon cœur… Tu as eu un accident, c'est ça ?

– Je me suis entaillé le front.

Vivian s'est assise à son chevet, les yeux baignés de larmes.

– Je sais. Ton papa m'a raconté. Je suis contente que tu aies porté un casque.

– Moi aussi.

Vivian lui a encore planté un baiser sur le front.

– Laisse-moi dire bonjour à toute le monde, OK ? Ensuite, je veux rester un moment avec toi.

– OK, maman.

Vivian s'est levée du lit et approchée de mes parents. Elle les a aussitôt serrés dans ses bras, de même que Marge et Liz. J'ai réalisé plus tard que je l'avais rarement vue étreindre ma sœur et sa compagne. À ma plus grande surprise, elle m'a aussi brièvement pris dans ses bras.

– Merci à vous tous d'être venus, a-t-elle dit. Je sais que ça fait du bien à London que vous soyez là.

– Bien sûr, a dit ma mère.

– C'est une petite fille drôlement solide, a déclaré mon père.

– C'est presque la fin des heures de visite, a dit Marge. Alors Liz et moi allons partir. On vous laisse avec London.

– Nous aussi, a renchéri mon père avec un hochement de tête. On va vous laisser tranquilles.

Je les ai regardés rassembler leurs affaires avant de les suivre dans le couloir. À l'instar de Vivian, je les ai serrés dans mes bras et remerciés d'être venus. Je voyais dans leurs yeux les questions qui les démangeaient mais qu'ils ne posaient pas. Même s'ils l'avaient fait, je doute que j'aurais eu la moindre réponse à leur fournir.

En revenant dans la chambre, j'ai vu que Vivian s'était rassise au bord du lit. London lui parlait de la voiture qui avait reculé et de la crème solaire qui avait rendu son guidon glissant.

– Tu as dû avoir peur.

– J'ai eu très peur. Mais je ne me rappelle pas ce qui s'est passé après.

– Tu as été très courageuse.

– Ouais, c'est vrai.

Sa sincérité m'a fait sourire, tandis qu'elle ajoutait :

– Je suis contente que tu sois là, maman.

– Moi aussi. Il fallait que je vienne parce que je t'aime très fort.

– Moi aussi je t'aime.

Vivian s'est allongée sur le lit et a passé un bras autour de London, et toutes les deux ont regardé *Scooby-Doo*. Je me suis installé dans le fauteuil et je les ai observées, soulagé en fait par la venue de Vivian. Pas seulement pour London, mais parce qu'une partie de moi avait toujours envie de croire en la bonté de Vivian, malgré tout ce qu'elle m'avait fait.

En les regardant, je pouvais en effet croire à cette bonté, de même que j'ai décelé de la tristesse dans le regard de Vivian, et reconnu combien ça devait être difficile pour elle d'être séparée de la petite. J'ai perçu son angoisse à l'idée d'avoir été si loin au moment de l'accident, malgré la rapidité avec laquelle elle avait pu venir.

Je voyais les paupières de London se fermer et je me suis levé pour éteindre la lumière. Vivian m'a gratifié d'un léger sourire et une pensée mélancolique m'a traversé l'esprit : la dernière fois qu'on se trouvait tous les trois dans une chambre d'hôpital, London n'avait même pas un jour. Et ce jour-là, j'aurais juré sur ma vie qu'on resterait toujours unis dans l'amour qu'on éprouvait l'un pour l'autre. On formait alors une famille, tous les trois. C'était différent désormais et je me suis assis dans la pénombre en me demandant si Vivian éprouvait aussi fortement que moi ce sentiment de perte.

*
* *

En milieu de matinée, le lendemain, London a pu quitter l'hôpital. J'avais déjà prévenu l'école et le professeur de piano, en expliquant son absence et annulant les cours pour la semaine. J'ai aussi fait savoir à l'institutrice que London ne devrait pas s'agiter pendant les récréations quand elle reprendrait la classe. Heureusement que les infirmières m'avaient donné des lingettes désinfectantes pour nettoyer la banquette arrière de la voiture, parce que je n'avais pas envie que London voie les traces de sang.

En signant les papiers de sortie, j'ai jeté un œil sur Vivian et remarqué qu'elle avait l'air fatigué. On n'avait pas beaucoup dormi ; toute la nuit, les infirmières et le médecin étaient passés voir London, en nous réveillant chaque fois tous les trois. Je supposais que London dormirait la majeure partie de la journée.

— Je me demandais, a commencé Vivian, bizarrement hésitante, si je pouvais revenir à la maison pendant un petit moment. Histoire de passer plus de temps avec London. Ça te dérangerait ?

— Pas du tout, ai-je répondu. Je suis sûr que ça plairait à la petite.

— Je vais sans doute avoir besoin d'une sieste et d'une douche aussi.

— Aucun souci. Quand dois-tu repartir ?

— Je reprends l'avion ce soir. Walter moi devons être demain à Washington. Encore du lobbying.

— Toujours très occupée.

— Un peu trop parfois.

J'ai réfléchi à sa remarque sur le trajet du retour, en m'interrogeant sur la légère lassitude qui transparaissait dans sa voix. Était-elle simplement fatiguée, ou était-ce le mode de vie jet-set qui lui semblait moins excitant qu'au début ?

C'était une erreur d'essayer d'interpréter chaque mot, le ton et les nuances de la voix, ai-je pensé. Que m'avait dit Emily, déjà ? *Laisse venir ce qui vient, rester ce qui reste. Et ce qui s'en va, eh bien laisse-le s'en aller.*

Une fois arrivés, j'ai porté London dans la maison. Elle somnolait et je l'ai tout de suite déposée dans sa chambre. Vivian nous a suivis et, après avoir bordé la petite, j'ai regardé ma femme s'en aller vers la chambre d'amis. Bien que je sois sûr qu'elle avait remarqué le réagencement des meubles, elle ne m'a rien dit à ce sujet.

Ma voiture était trop petite pour charger mon vélo dans le coffre, mais j'ai réussi à caser celui de London à l'arrière. Quelqu'un les avait posés contre la boîte aux lettres. J'ai rapporté le vélo de la petite à la maison, puis j'ai enfilé ma tenue de jogging et je suis retourné à la fameuse boîte aux lettres en courant. En récupérant mon vélo, j'ai vu le sang séché sur le bitume et mon estomac a fait la culbute. Je suis revenu chez moi à bicyclette puis suis allé courir, et au retour j'ai pris une douche pour me rafraîchir. London et Vivian dormaient encore, alors je suis allé dans la chambre faire une sieste. J'ai baissé les stores et dormi comme une masse.

À mon réveil, j'ai trouvé Vivian et London qui regardaient un film au salon. Vivian s'était visiblement douchée, les pointes de ses cheveux étaient encore humides, et London était pelotonnée contre elle sur le canapé. J'ai vu sur la table basse les restes de l'en-cas de la petite – dinde et tranches de poire ; elle avait quasiment tout mangé.

— Comment tu te sens, London ?

— Bien, a-t-elle répondu sans lever la tête.

— Tu as bien dormi ? m'a demandé Vivian.

Son ton désinvolte m'a étonné.

— Oui. J'en avais besoin. Je vois que London vient de grignoter, mais veux-tu que je te prépare quelque chose pour dîner?

— Je pense que ce serait peut-être plus simple de commander, non ? À moins que tu sois vraiment d'humeur à cuisiner.

Je ne l'étais pas.

— Chinois ?

Elle a serré London contre elle.

— Tu veux manger chinois ce soir ?

— OK, a répondu la petite, absorbée par le film.

Le pansement sur sa tête et son attelle au bras m'ont fait grimacer.

Même si j'avais envie de passer du temps avec London – une partie de moi se demandait si elle m'en voulait pour ce qui s'était passé –, je ne voulais rien faire qui puisse mettre en péril la détente qui semblait s'installer entre Vivian et moi. Je suis donc allé à la cuisine manger une banane, puis dans mon bureau où j'ai allumé mon ordinateur pour tenter de me plonger dans le travail, mais je peinais à me concentrer.

Le moment venu, j'ai appelé le restaurant chinois puis je suis allé chercher la commande.

On a mangé sous la véranda, comme au bon vieux temps. Ensuite London a pris un bain et s'est mise en pyjama. Comme l'heure du coucher approchait, Vivian et moi avons repris nos rôles habituels : elle a fait la lecture en premier et j'ai pris la relève. Lorsque je suis enfin redescendu, Vivian avait déjà son sac à l'épaule et attendait près de la porte.

– Il faut que j'y aille, m'a-t-elle dit.

Ai-je décelé un soupçon de résignation dans sa voix ? Je me suis alors rappelé qu'il était inutile d'essayer de tout décrypter.

– C'est ce que j'ai cru comprendre.

Elle a rajusté la sangle de son sac à main, comme pour gagner du temps et trouver les mots qu'elle cherchait.

– J'ai remarqué que tu avais déplacé les meubles et enlevé pas mal de photos. Celles où j'apparais, je veux dire. J'allais dire quelque chose tout à l'heure, mais j'ai pensé que le moment était mal choisi.

Pour je ne sais quelle raison, je ne voulais pas admettre avoir agi sous la colère. Néanmoins je n'avais pas l'impression d'avoir tort non plus ; je savais que je referais la même chose.

– Comme toi, j'essaie simplement d'aller de l'avant, ai-je dit en la citant. Mais j'ai placé beaucoup de photos de famille dans la chambre de la petite. Parce qu'on restera toujours ses parents.

– Merci. C'était attentionné de ta part.

– J'ai mis les autres dans un carton si tu veux les emporter avec toi. Il y en a qui sont absolument géniales de London et toi.

– Ce serait super.

Je suis allé récupérer le carton dans le placard ; comme je le tenais sous le bras, ses yeux se sont braqués sur les photos. J'ai alors senti de manière intense, sans doute plus que jamais, que notre vie de couple était vraiment terminée, et j'ai eu le sentiment qu'elle pensait la même chose.

– Laisse-moi le temps de prendre mes clés et je vais les mettre dans le coffre, ai-je dit.

– Je peux les porter, a-t-elle dit en tendant les mains vers le carton. Tu n'as pas besoin de conduire. Une voiture m'attend.

Je lui ai remis les photos.

— Une voiture ?

— On ne peut pas laisser London toute seule, si ?

Exact, me suis-je dit, en me demandant comment une chose aussi élémentaire m'avait échappé. Le fait de me retrouver en présence de Vivian – celle-là même qui me rappelait la femme que j'avais épousée et avec laquelle je n'avais plus aucun avenir – m'avait apparemment désarçonné.

— Entendu alors, ai-je en glissant une main dans ma poche ; concernant ce week-end et le fait que je dorme chez Marge ou mes parents…

Elle m'a interrompu :

— Tu n'y es pas obligé. Je me suis rendu compte aujourd'hui que tu n'avais aucune raison de le faire. Ce n'est pas juste envers toi. Je prendrai la chambre d'amis si ça te va.

— Parfait.

— Mais tu sais que je souhaite toujours passer le plus de temps possible avec London. Rien que nous deux. Je sais que ça peut te paraître injuste, mais pour l'heure je ne veux vraiment pas la déboussoler.

— Bien sûr. C'est logique.

Elle a glissé le carton sous son bras et je me suis demandé si j'allais l'étreindre ou lui faire la bise. Comme si elle devançait mon geste, elle se tourna vers la porte.

— Je te revois dans quelques jours, a-t-elle dit. Et j'appellerai London demain.

— Pas de problème, ai-je dit en lui ouvrant la porte.

Derrière elle, une limousine, le moteur au ralenti, attendait dans la rue. Vivian se dirigea vers la voiture et j'ai regardé le chauffeur s'empresser de descendre pour l'aider à porter le carton. Il a ouvert la portière et posé celui-ci sur le siège. Vivian a attendu qu'il se déplace pour monter dans le véhicule. Je n'ai pu m'empêcher de penser que tout ça semblait aussi naturel à ses yeux que respirer l'air ambiant: comme si elle avait toujours eu une voiture avec chauffeur, comme si elle avait toujours été la maîtresse d'un milliardaire.

Je ne pouvais pas la voir au travers de la vitre teintée de la limousine et je me demandais si elle m'observait, mais j'ai fini par tourner les talons. En rentrant dans la maison, j'ai refermé la porte derrière moi, étreint par une étrange tristesse.

J'ai hésité un petit moment, puis j'ai pris mon téléphone.

Emily a répondu à la deuxième sonnerie.

On a discuté pendant près de deux heures. Même si c'est moi qui ai parlé le plus, en analysant le sentiment de perte que j'éprouvais, elle a réussi à me faire sourire et même rire à plusieurs reprises. Et, chaque fois que je me suis demandé à voix haute si j'étais quelqu'un de bien, elle m'a assuré que je n'avais rien à me reprocher. J'avais besoin de l'entendre, en un sens, et quand je me suis enfin mis au lit, j'ai fermé les yeux en me disant que j'avais une chance immense d'avoir redécouvert Emily qui se révélait exactement le genre d'amie dont j'avais le plus besoin.

20

L'automne

— *J'adore l'automne, m'a dit Emily. Il « gagne votre attention par son appel muet à la pitié pour sa dégradation ».*

— *Pardon ?*

— *Je parlais de l'automne.*

— *J'ai pigé, mais j'essayais juste de comprendre ce que tu disais.*

— *Ce n'est pas moi. C'est Robert Browning. Enfin, je crois… J'ai peut-être omis un mot par-ci par-là. C'était un poète anglais.*

— *J'ignorais que tu lisais de la poésie.*

C'était en octobre 2002, quelques mois après l'épisode de la grande roue, où Emily et moi nous étions retrouvés coincés. C'était aussi deux ou trois semaines après ma Grosse bêtise, celle que j'avais commise en couchant avec cette fille rencontrée dans un bar. Marge m'avait déjà déconseillé maintes fois d'en parler à Emily, mais ce terrible secret me tiraillait toujours.

On était sortis en couples avec Marge et Liz. On avait fait le voyage jusqu'au domaine Biltmore d'Asheville, qui est longtemps restée la plus vaste demeure privée du monde. J'y étais allé quand j'étais petit, mais jamais en compagnie d'Emily ; c'était elle qui en avait eu l'idée, ainsi que d'inviter Marge et Liz. Lorsqu'elle a cité Browning, on était tous les quatre en train de déguster du vin de la cave Biltmore.

— *Je me suis spécialisée dans les beaux-arts, mais je devais aussi suivre d'autre cours, a fait remarquer Emily.*

— *Moi pareil. Mais je n'ai jamais choisi la poésie.*

— *Parce que tu t'es spécialisé dans le business.*

— *Exact, est intervenue Marge. Ce n'est pas parce que tu as bâclé tes études que tu dois pousser Emily à être sur la défensive.*

— Ce n'est pas du tout ce que je fais. Et puis je n'ai pas bâclé mes études, d'abord… Je faisais juste la conversation.

— Surtout ne prends pas peur, Emily, a dit Marge. Ce qu'il dit n'a pas l'air de voler très haut, mais il a aussi des qualités.

Emily a éclaté de rire.

— J'espère. Ça fait plus de deux ans. Je détesterais l'idée d'avoir perdu autant de temps avec lui.

— Hé, les filles ! Je suis là, ai-je protesté. Je vous entends.

Emily s'est esclaffée à nouveau, imitée par Marge cette fois. Liz affichait une expression bienveillante.

— Ne les laisse pas faire, Russ, m'a-t-elle dit en posant une main sur mon bras. Si elles continuent à t'embêter, toi et moi on peut aller visiter le jardin d'hiver, et on se tiendra par la main pour les rendre jalouses.

— T'as entendu, Marge ? ai-je dit. Liz me drague.

— Bonne chance, a répliqué ma sœur dans un haussement d'épaules. Je connais son type et tu ne corresponds pas. Tu as un peu trop de chromosomes Y à son goût.

— Quel dommage… Je connais une centaine de mecs qui sauteraient sur l'occasion de sortir avec elle.

Marge sourit à Liz :

— Je n'en doute pas un instant.

Liz a rougi et j'ai croisé le regard d'Emily. Elle s'est alors penchée pour me glisser à l'oreille :

— Je trouve qu'elles sont parfaites l'une pour l'autre.

— Je sais, ai-je chuchoté en retour. Je suis de ton avis.

Tout en disant ça, ma culpabilité m'a rongé avec un regain de fureur. Moins d'une semaine plus tard, je racontais ma Grosse bêtise à Emily.

Pourquoi je n'ai pas pu la boucler ?

*

* *

— Pas de contusions ? Pas de coupures ou de coups de fil affolés au 911 ?

Après avoir déposé London à l'école, j'ai trouvé Marge qui m'attendait dans ma cuisine. Je l'avais appelée ce matin-là pour lui raconter comment ça s'était passé avec Vivian, mais elle m'avait demandé d'attendre, car elle préférait un compte-rendu complet de vive voix.

— London a encore un peu mal, mais ça va.

— Je ne parlais pas d'elle. Mais de toi. Ou j'imagine que j'aurais pu aussi parler de Vivian. En fonction de la colère qu'elle a pu susciter en toi.

— Ça s'est bien passé, lui ai-je assuré. C'était étonnamment agréable, en fait.

— Qu'est-ce que ça veut dire, au juste ?

— Elle n'était pas en colère et ne m'a pas rendu responsable de l'accident. Elle était… agréable.

— Tu te rends quand même compte que ce n'était pas de ta faute. C'est pourquoi on appelle ça un « accident ».

— Je sais, ai-je dit en me demandant si j'y croyais vraiment.

Marge s'est détournée pour tousser ; quand elle a pris son inhalateur, j'ai remarqué qu'elle avait les traits tirés.

— Ça va ? ai-je demandé en fronçant les sourcils. Tu toussais beaucoup l'autre soir.

— Ne m'en parle pas. La semaine dernière, j'ai passé deux jours enfermée dans une pièce avec un client malade comme un chien. Puis, comme c'est un type sympa, il m'a appelé pour me dire qu'il avait une bronchite.

— Tu as vu un médecin ?

— Je suis passée à la clinique sans rendez-vous ce week-end. Le médecin pense que c'est probablement viral, alors il ne m'a rien prescrit. J'espère seulement que j'en serai débarrassée quand Liz et moi partirons pour le Costa Rica.

— Vous y allez quand, déjà ?

— Du 20 au 28.

— Je me demande ce que ça me ferait d'avoir le temps de prendre des vacances, ai-je dit d'un air songeur, en m'apitoyant un peu sur mon sort.

— C'est merveilleux, a rétorqué Marge. Pleurnicher, en revanche, ce n'est pas très glamour. Sinon, comment ça se passe entre Emily et toi ? Tu lui as raconté ce qui est arrivé à London ?

— J'ai parlé avec elle hier soir. Après le départ de Vivian.

— Ah…

— Qu'est-ce que tu veux dire par « Ah » ?

– Tu connais le vieux diction : « Le meilleur moyen d'oublier quelqu'un, c'est de coucher avec quelqu'un d'autre. »

– Trop classe.

– Ne m'en veux pas. Ce n'est pas moi qui l'ai inventé. Et on sait tous les deux que c'est valable aussi pour les femmes. Comme dans : « Le meilleur moyen de se remettre de quelqu'un, c'est de se mettre avec quelqu'un d'autre. »

– Emily et moi sommes juste amis.

Elle m'a alors tapoté l'épaule :

– À force de te le dire, tu finiras par le croire, frérot.

*
* *

Après le départ de Marge, je n'ai eu aucun mal à me rendre au bureau, mais me plonger dans le travail s'est révélé plus difficile. Même si l'intensité émotionnelle de ces deux derniers jours n'avait rien à voir avec celle ayant suivi le moment où Vivian m'avait annoncé qu'elle était amoureuse de Spannerman, je n'avais pas beaucoup d'énergie en réserve. Trop d'événements s'étaient produits en trop peu de temps ; ça ne faisait même pas un mois que ma vie avait subi ce grand chamboulement.

Quoi qu'il en soit, j'avais des tas de choses à faire. Je devais d'abord m'assurer que le tournage du quatrième spot de Taglieri était sur les rails. Le temps de tout reconfirmer, j'ai eu la surprise de recevoir un e-mail du monteur m'annonçant qu'il avait terminé le troisième spot, celui avec la toute jeune actrice.

Comme cette troisième pub s'était bien déroulée, mon instinct me dictait de diffuser tout de suite à la fois le premier et le troisième. J'ai donc laissé un message au cabinet de Taglieri pour le lui suggérer, et je n'ai pas tardé à recevoir son feu vert. En bloquant les horaires de diffusion avec le câblo-opérateur, j'ai retrouvé ce petit frisson familier à l'idée que mon travail, et mon agence, allaient bientôt s'adresser à des centaines de milliers de gens.

Dans le genre moins palpitant, en revanche, j'ai aussi laissé deux messages au studio de danse. Mme Hamshaw ne m'avait toujours pas rappelé.

London était tout sourire parmi ses camarades quand je suis passé la prendre et, même si elle a rejoint la voiture plus lentement que d'habitude, je pouvais d'ores et déjà affirmer qu'elle avait passé une bonne journée.

— Tu sais quoi ? m'a-t-elle dit sitôt dans le véhicule. Ma maîtresse m'a laissée être son assistante aujourd'hui. C'est trop bien !

— Qu'est-ce que tu as fait ?

— Je l'ai aidée à distribuer les feuilles et à les ramasser. Et puis je devais nettoyer le tableau blanc avec le tampon pendant la récré. Mais elle m'a laissée colorier dessus et j'ai dû effacer ça aussi. Et même que j'ai porté un badge qui disait « Professeur assistant ».

— Et tu as pu faire tout ça avec ton poignet foulé ?

— J'ai juste utilisé l'autre main, a-t-elle répliqué en me montrant. C'était facile. À la fin de la journée, j'ai eu une sucette.

— Dis donc, c'était drôlement bien aujourd'hui, alors. Tu veux que je t'aide à boucler la ceinture comme ce matin ?

— Non. Je pense que je peux le faire. J'ai dû apprendre à faire plein de choses avec une seule main.

Je l'ai regardée tirer sur la ceinture de sécurité. Même si ça lui a pris un peu plus de temps que d'habitude, elle s'est débrouillée.

J'ai quitté le parking puis accéléré en m'engageant sur la route, quand elle a repris la parole.

— Dis, papa ?

J'ai jeté un regard dans le rétroviseur.

— Oui, mon cœur ?

— Je suis obligée d'aller à la danse ce soir ?

— Non, ai-je répondu. Le docteur a dit que tu devais ne pas faire trop d'effort cette semaine.

— Oh !

— Ta tête, ça allait aujourd'hui ? Et ton poignet ?

— J'ai pas eu mal à la tête du tout. Mon poignet me fait mal de temps en temps, mais j'ai essayé d'être forte comme Bodhi.

J'ai souri.

— Bodhi est fort ?

— Il est très fort, a-t-elle dit en hochant la tête. Il peut soulever n'importe qui dans la classe. Même Jenny !

J'en ai déduit que Jenny devait être grande pour son âge.

– Waouh ! Je ne savais pas tout ça.

– Tu penses que je pourrais aller chez Bodhi ? J'ai envie de revoir Noodle.

L'image d'Emily m'est apparue.

– Je vais devoir demander à la maman de Bodhi, mais si elle est d'accord, alors moi aussi. Mais pas cette semaine… Peut-être la semaine prochaine, OK ? Puisque tu dois te reposer ?

– OK. J'aime bien Mlle Emily. Elle est gentille.

– Je suis content.

– Et pis c'était trop bien d'aller au zoo avec elle et Bodhi. Je peux voir les photos que t'as prises avec ton téléphone ?

Je lui ai tendu mon mobile et elle a fait défiler les clichés sur l'écran. Elle s'est alors souvenue des animaux qu'elle avait vus et de ce qu'on avait fait et, tandis qu'elle bavardait, j'ai remarqué que London n'a pas du tout fait allusion à sa mère, alors qu'elle avait vu Vivian la veille.

J'ai réalisé que London s'était habituée à passer du temps uniquement avec moi, pour le meilleur ou pour le pire.

*
* *

Comme elle avait trop regardé la télévision la veille, je n'avais pas envie de poser de nouveau London devant la baby-sitter cathodique. En même temps, je devais limiter ses activités, et comme on avait fait du coloriage peu de temps avant, j'étais un peu pris au dépourvu. Sur un coup de tête, j'ai décidé de faire un saut chez Wallmart sur le trajet du retour. Sur place, j'ai choisi un jeu de société coopératif appelé *Vole avec nous, petit hibou !* Le but du jeu consistait à ramener les oiseaux à leur nid avant le lever du soleil, en les faisant avancer sur des cases.

Je me suis dit qu'on devrait facilement y arriver tous le deux.

London était tout excitée de parcourir le rayon jouets du magasin et elle zigzaguait dans l'allée, enchantée par tel ou tel article. Plus d'une fois, elle en a sélectionné un et m'a demandé si on pouvait l'acheter ; mais, même si j'étais tenté de lui céder, j'ai résisté. Pratiquement tout ce qu'elle me montrait ne l'aurait intéressée qu'un moment une fois à la maison, sans compter que son coffre à jouets débordait déjà d'animaux en peluche et de babioles laissés à l'abandon.

Le jeu a finalement fait un carton. Comme les règles étaient simples, London a vite pigé le truc et elle était tantôt folle de joie, tantôt abattue selon que les hiboux allaient ou non pouvoir rentrer à temps. Bref, on a fait quatre parties sur la table de la cuisine, avant de s'en lasser.

J'ai ensuite cédé quand elle m'a demandé si elle pouvait regarder la télé un petit moment, et elle s'est allongée sur le canapé en bâillant. Peut-être était-ce la voix de Vivian qui résonnait dans ma tête, mais je me suis dit qu'il fallait encore mettre Mme Hamshaw au courant de l'accident. Comme elle ne m'avait pas rappelé, j'ai pensé devoir la prévenir de vive voix.

On a donc fait un saut au studio de danse, où j'ai repéré Mme Hamshaw dans ce qui devait être son bureau vitré. La petite a préféré rester dans la voiture. Mme Hamshaw avait jeté un regard dans ma direction dès mon arrivée, mais elle a pris son temps avant de s'avancer vers moi.

– London n'est pas venue au cours lundi, a-t-elle observé en arquant un sourcil d'un air réprobateur, avant même que j'aie le temps de parler.

– Elle a eu un vilain accident de vélo, ai-je dit. Je vous ai laissé deux messages sur votre boîte vocale. On a dû la transporter à l'hôpital. Elle va mieux mais ne pourra venir au cours ni aujourd'hui ni vendredi.

L'expression de Mme Hamshaw n'a pas changé d'un iota.

– Je suis ravie d'apprendre qu'elle va bien, mais elle a un spectacle qui arrive. Elle doit quand même venir au cours.

– Elle ne peut pas. Le médecin lui a recommandé de se ménager cette semaine.

– Dans ce cas, elle ne peut malheureusement pas participer à la représentation de vendredi soir, dans huit jours.

– Pardon ? ai-je répliqué dans un battement de paupières.

– London a déjà manqué deux séances. Si elle en manque une troisième, elle n'aura pas le droit de se produire sur scène. Vous pouvez trouver cela injuste, mais c'est l'une des règles fondamentales de ce studio. On l'en a informée lors de son inscription.

– La première fois, elle était malade, ai-je rétorqué, incrédule. Lundi, elle était sans connaissance.

— Je suis navrée de sa malchance, a dit Mme Hamshaw, qui semblait tout sauf navrée. Comme je viens de vous le dire, je suis contente de la savoir rétablie. Mais le règlement, c'est le règlement.

Sur ces mots, elle a croisé ses bras maigres.

— Est-ce parce qu'elle a besoin de répéter ? Elle représente un arbre et m'a montrée ce qu'elle était censée faire. Je suis certain qu'en venant la semaine prochaine, elle aura largement le temps de maîtriser son rôle.

— Vous ne voyez pas où je veux en venir, a insisté la prof en pinçant les lèvres. J'ai établi des règles pour le studio, car les parents et les élèves trouveront toujours une raison pour ne pas venir au cours. La maladie d'un proche, la visite d'un grand-père ou d'une grand-mère, ou trop de devoirs à faire. Au fil des années, j'ai entendu toutes les excuses imaginables, mais je ne puis encourager l'excellence que si tout le monde témoigne de son engagement.

— London ne participe à aucun concours, ai-je soutenu. Elle n'a pas été choisie.

— Alors peut-être devrait-elle travailler plus et non pas moins.

J'ai réprimé mon envie de dire franchement à Mme Hamshaw ce que je pensais de son ridicule petit studio quasi paramilitaire, mais je lui ai déclaré calmement :

— Que me suggérez-vous alors, puisque son médecin nous a dit de limiter ses activités ?

— Elle peut venir au cours, s'asseoir dans un coin et regarder.

— Pour l'instant, elle a mal à la tête et elle est fatiguée. Et vendredi, elle va se lasser si elle reste simplement assise à regarder les autres.

— Dans ce cas, elle attendra avec impatience le prochain spectacle de Noël.

— Où elle sera de nouveau un arbre ? Ou peut-être une guirlande ?

Mme Hamshaw s'est raidie et ses narines ont frémi.

— Il y a d'autres danseuses dans sa classe qui témoignent d'un engagement bien plus marqué.

— C'est ridicule, ai-je lâché.

— C'est en général ce que disent les gens quand ils n'aiment pas se soumettre à des règles.

*
* *

J'ai ramené London et on a mangé les restes des plats chinois. Vivian a téléphoné et quand l'appel FaceTime s'est terminé, London peinait à garder les yeux ouverts.

J'ai alors décidé qu'elle se passerait du bain et enfilerait son pyjama tout de suite. Je lui ai lu une courte histoire, et elle dormait déjà quand j'ai éteint la lumière. En regagnant le rez-de-chaussée, je me suis dit que je devrais profiter du reste de la soirée pour m'avancer dans mon travail, mais je n'étais tout bonnement pas d'humeur.

J'ai préféré appeler Emily.

— Salut ! m'a-t-elle dit sitôt en décrochant. Comment ça va ?

— Pas trop mal, j'imagine.

— Et London ? Bodhi m'a raconté qu'elle avait joué le rôle d'assistante de la maîtresse, alors elle doit bien récupérer.

— Oui, ça lui a beaucoup plu. Et elle va bien, vraiment… juste un peu fatiguée. Sur quoi tu as bossé aujourd'hui ?

— Sur une de mes toiles pour l'expo. Je pense que j'approche du but, mais j'ai toujours des doutes. Je pourrais sans doute la retravailler indéfiniment et ne jamais la juger achevée.

— J'ai envie de la voir.

— Quand tu veux. Heureusement les autres tableaux que j'ai commencés avancent bien. Jusqu'ici en tout cas. Sinon, tu tiens le coup ? J'imagine à peine la trouille que tu as dû avoir. Moi, je ne m'en serais pas encore remise, je pense.

— Ça a été dur, ai-je admis. Et la soirée n'a pas été de tout repos.

— Qu'est-ce qui s'est passé ?

Je lui ai raconté ma conversation avec Mme Hamshaw.

— Elle ne peut donc pas participer au spectacle ? a demandé Emily.

— De toute manière, je ne crois pas que ça l'enchantait vraiment. J'aimerais juste que Vivian ne veuille pas à tout prix qu'elle fasse de la danse. Je pense que cette activité ne plaît pas du tout à London.

— Alors, qu'elle n'y aille plus.

— Je n'ai pas envie d'un autre motif de dispute avec Vivian. Et je ne tiens pas à ce que la petite se retrouve au milieu de tout ça.

– Tu n'as jamais pensé qu'en voulant toujours épargner Vivian, tu ne faisais qu'ajouter de l'huile sur le feu ?

– Comment ça ?

– Si tu cèdes à chaque fois que Vivian se met en colère, alors elle saura qu'il lui suffit de hausser le ton pour obtenir tout ce qu'elle veut. Elle se met en rogne, et puis quoi ? Qu'est-ce qu'elle va faire ensuite ?

Elle n'a pas ajouté la question : « divorcer ? » Mais la justesse de sa remarque m'a frappé. Était-ce pour cette raison que la situation s'était dégradée dès le début ? Parce que je n'avais jamais tenu tête à Vivian ? Parce que je souhaitais éviter le conflit ? Que m'avait dit Marge un jour ?

Ton vrai problème, c'est que tu as toujours été beaucoup trop sympa et ça t'a joué des tours.

Comme je me taisais, Emily a poursuivi :

– J'ignore si ce que j'ai dit a la moindre portée. Je pourrais me tromper. Et je ne dis pas ça parce que je veux que vous vous disputiez tous les deux. Je dis seulement que tu es le père de London et que tu as autant de droits que Vivian quand il s'agit de prendre des décisions au sujet de ce qui convient le mieux à London. Ces temps-ci, tu en as d'autant plus le droit que tu es seul à t'occuper de la petite. C'est toi le parent principal, en ce moment, pas elle, mais on dirait que tu te fies davantage au jugement de Vivian qu'au tien. À mes yeux, London a l'air d'une petite fille très heureuse, alors il est clair que tu agis comme il faut.

– Donc… qu'est-ce que je devrais faire, d'après toi ? ai-je demandé, en essayant d'intégrer ce qu'elle venait de me dire.

– Pourquoi ne pas parler à London et lui demander ce qu'elle souhaite ? Ensuite, fais confiance à ton instinct.

– À t'écouter, ça semble si facile.

– C'est toujours plus facile de résoudre les problèmes des autres. Tu n'as pas encore appris ça ? a-t-elle répliqué dans un éclat de rire qui m'a rassuré et ragaillardi.

– Par moments, je dois avouer que tu me fais beaucoup penser à Marge.

– Je vais prendre ça comme un compliment.

– C'en est un.

*
**

395

Emily et moi avons encore bavardé une heure et, comme toujours après avoir discuté avec elle, je me suis senti mieux. Je retrouvais mes repères. Je me retrouvais moi-même. Et c'était suffisant pour m'inciter à passer une heure sur l'ordinateur en prenant de l'avance sur mon travail.

Le lendemain matin, tandis que London mangeait ses céréales, je lui ai expliqué ce que Mme Hamshaw avait dit.

– Tu veux dire que je ne peux pas être dans le spectacle ?

– Je suis désolé, ma puce… Tu es en colère de ne pas danser ?

Sa réaction a été immédiate.

– Ça m'est égal, a-t-elle répondu dans un haussement d'épaules. J'avais pas envie d'être un arbre, de toute façon.

– Si ça peut te rassurer, j'ai trouvé que tu faisais très bien l'arbre.

Elle m'a regardé comme si des épis de maïs me poussaient dans les oreilles.

– C'est un arbre, papa. Le papillon, il peut bouger. Mais pas les arbres.

– Mmm… ai-je marmonné en hochant la tête. Tu as raison.

– Est-ce que je dois aller à la danse vendredi ?

– Tu en as envie ?

Comme elle haussait les épaules au lieu de répondre, il n'était pas bien difficile de comprendre.

– Si tu n'as pas envie d'y aller, alors je pense que tu ne devrais pas y aller. Tu ne dois faire de la danse que si ça te plaît.

Pendant un instant, London considéra les marshmallows qui flottaient dans son bol de Lucky Charms, et je me suis demandé si elle m'avait entendu. Puis :

– Je crois que j'ai plus envie d'y aller. Mme Hamshaw ne m'aime pas beaucoup.

– Parfait. Tu n'es plus obligée d'aller à la danse.

London a hésité et, quand elle a levé les yeux sur moi, j'ai cru déceler un soupçon d'angoisse dans son regard.

– Qu'est-ce que maman va dire ?

Elle va sans doute se mettre en colère, ai-je songé.

– Elle comprendra, ai-je répondu avec une confiance que je n'éprouvais pas.

Après avoir déposé London à l'école, je me suis rendu au studio, où j'ai rencontré le dresseur d'animaux et Gus, un mastiff.

Le spot allait mettre l'accent sur la ténacité, et il fallait obtenir de Gus qu'il refuse de lâcher un jouet à mâcher pour chien. Les images seraient entrecoupées de quatre captures d'écran affichant les légendes suivantes :

« Quand vous vous êtes blessé au travail,
Vous avez besoin d'un avocat déterminé et inflexible
Appelez le cabinet de Joey Taglieri
Il ne lâchera rien tant que vous n'obtiendrez pas l'argent que vous méritez. »

Gus le mastiff s'est révélé un acteur bourré de talent, et le tournage s'est achevé bien avant midi.

London n'était pas aussi enjouée que la veille quand je l'ai récupérée à l'école. Les activités limitées et la télé nécessitaient un peu de créativité de ma part, si bien que j'ai décidé de l'emmener à l'animalerie. De toute manière, j'avais besoin de copeaux de bois pour les hamsters, mais je pensais qu'elle aimerait regarder les poissons.

Il y avait plus de cinquante aquariums différents, chacun disposant d'un panneau qui dressait la liste des espèces de poissons. London et moi avons slalomé plus d'une heure entre les aquariums, en citant les différentes espèces.

Ce n'était pas SeaWorld, je dois bien l'admettre, mais une façon comme une autre de passer un après-midi tranquille.

En sortant, elle a un peu joué avec de jeunes cockers anglais qui faisaient les fous dans un petit enclos. Ils étaient adorables, alors j'ai poussé un soupir de soulagement quand elle n'en a pas réclamé un.

– C'était trop bien, papa, a-t-elle dit comme on regagnait la voiture.

J'avais le sac de copeaux et la nourriture pour hamsters sous le bras.

– Je pensais que ça te plairait.

– On devrait prendre des poissons. Il y en avait qui étaient vraiment trop beaux.

– Un aquarium est encore plus difficile à nettoyer qu'une cage à hamster.

– Je suis sûre que tu pourrais te débrouiller, papa.

– Peut-être. Mais je ne sais pas où on installerait l'aquarium.

– On pourrait le mettre sur la table de la cuisine !

– C'est une idée. Mais on mangerait où ?

– Sur le canapé.

Je n'ai pu m'empêcher de sourire. J'adorais parler avec ma fille. Vraiment.

*
* *

En chemin, j'ai fait un saut au supermarché. À partir d'une des recettes que Liz m'avait données, j'ai acheté les ingrédients pour des quesadillas au poulet.

J'ai ensuite laissé London préparer à dîner quasiment toute seule. Je l'ai certes guidée à chaque étape, et j'ai tranché le poulet après qu'elle l'a fait sauter à la poêle, mais sinon la petite a tout fait elle-même. Elle a garni les tortillas de poulet et de fromage râpé puis les a pliées en deux, avant de les faire dorer de chaque côté à la poêle.

Quand le repas a été prêt, elle m'a montré la table et j'ai apporté deux assiettes, les couverts et deux verres de lait.

– Ça sent super bon et ça a l'air délicieux, ai-je observé.

– Je veux prendre une photo pour tatie Liz et tatie Marge avant que tu commences.

– OK.

Je lui ai tendu mon mobile et elle a photographié les deux assiettes, puis ajouté un SMS à chacune.

– Où as-tu appris à envoyer un texto ? ai-je demandé, épaté.

– Maman m'a montré. Bodhi aussi, sur le téléphone de Mlle Emily. Je pense être assez grande pour en avoir un.

— Peut-être, mais je préfère te parler en face.

Elle a levé les yeux au ciel, mais j'ai bien vu qu'elle trouvait ça drôle.

— Tu peux manger maintenant, si tu veux, a-t-elle dit.

J'ai coupé un morceau avec ma fourchette et pris une bouchée.

— Waouh ! C'est super bon. Tu as drôlement bien réussi la recette.

— Merci. N'oublie pas de boire ton lait.

— Je n'oublierai pas.

Impossible de me rappeler la dernière fois où j'avais bu un verre de lait. Ça avait meilleur goût que dans mon souvenir.

— C'est incroyable. Je n'en reviens pas que tu grandisses aussi vite.

— J'ai presque six ans.

— Je sais. Tu as pensé à ce que tu voulais pour ton anniversaire ?

Elle a pris le temps de réfléchir.

— Peut-être un aquarium, a-t-elle répondu. Et plein de jolis poissons. Ou un caniche comme Noodle.

L'après-midi à l'animalerie n'était peut-être pas une si bonne idée, me suis-je dit.

*
* *

Une fois London couchée, j'ai appelé Emily.

Elle était allongée dans son lit et, comme toujours, on a discuté à bâtons rompus, les souvenirs de notre passé se mêlant aux détails de notre vie actuelle. L'appel dura près de quarante minutes et, en raccrochant, j'ai réalisé que parler à Emily faisait non seulement partie de mes habitudes mais était aussi l'un des moments les plus agréables de ma journée.

*
* *

Le vendredi après-midi, Vivian m'a prévenu par texto qu'elle arriverait entre 21 et 22 heures, soit bien après l'heure du coucher de London.

Après avoir reçu son SMS au travail, j'ai passé un petit moment à me demander ce qu'elle attendrait éventuellement de moi à son arrivée, puisque London risquait de ne pas être réveillée. Vivian voudrait-elle enfin parler ? Ou regarder la télé au salon avec ou sans moi ? À moins qu'elle ne file direct dans la chambre d'amis ? Et qu'est-ce que j'étais censé faire de tout le week-end ?

J'ai essayé de me répéter le mantra zen d'Emily, mais ça ne m'a pas aidé. Une partie de moi, je le savais, tentait encore de trouver un moyen de faire plaisir à Vivian.

Les vieilles habitudes ont la vie dure.

*
* *

Comme le cours de danse n'était plus au programme, j'ai opté pour une nouvelle soirée en tête à tête avec London, avec l'idée de la tenir éveillée jusqu'à l'arrivée de Vivian. J'ai pensé que l'emmener au restaurant puis au cinéma serait sympa, et j'ai pu trouver un film pour enfants qui se terminait à temps pour qu'on soit rentrés à 21 heures à la maison. Ensuite, London pouvait sauter dans le bain puis enfiler son pyjama et, avec un peu de chance, Vivian arriverait dans ces eaux-là.

J'ai fait part de mes projets à London en allant la chercher à l'école et, sitôt de retour à la maison, elle a foncé dans sa chambre pour se préparer.

— Tu as tout ton temps ! lui ai-je crié. On n'a pas besoin de partir avant 17 h 30 !

— Je veux m'y mettre tout de suite !

À 16 heures elle était habillée de pied en cap et m'a retrouvé dans le bureau, où je travaillais sur l'ordinateur en finalisant les plans fixes qui s'intercalaient dans la pub avec le chien.

Elle était tout en blanc : corsage, jupe, chaussettes et chaussures, sans compter le bandeau dans ses cheveux.

— Tu es très jolie, ai-je dit en éliminant mentalement tous les restaurants italiens de la liste des destinations dînatoires possibles – un faux mouvement et sa tenue serait saccagée par la sauce tomate.

— Merci, a-t-elle dit. Mais j'aime pas le sparadrap sur mon front ni l'attelle.

— Je n'y ai même pas fait attention. Je suis sûr que tu seras la plus jolie petite fille de tout le restaurant.

Elle était radieuse.

— Quand est-ce qu'on part ?

— D'ici une heure et demie.

— OK. Je peux aller m'asseoir au salon jusqu'à ce qu'on soit prêts.

— Tu peux jouer avec tes Barbie, ai-je suggéré.

— J'ai pas envie de froisser ma jupe.

Bien sûr.

— Qu'est-ce que tu aimerais faire ?

— Je sais pas. Mais je veux pas me salir.

J'ai réfléchi, puis :

— Ça te plairait de rejouer à *Vole avec nous, petit hibou* ?

— Ouiii ! a-t-elle répondu en battant des mains.

On y a joué une heure avant que j'aille me changer. Comme la dernière fois, j'ai enfilé un pantalon un peu habillé et un blazer, ainsi qu'une nouvelle paire de mocassins assez chics. London m'attendait dans l'entrée et, essayant d'ajouter un soupçon de solennité à l'événement, je me suis incliné avant de lui ouvrir la porte.

On a dîné dans un grill haut de gamme et, après deux ou trois minutes de conversation façon adulte, London a retrouvé le mode petite fille. On a parlé de Bodhi, de son institutrice, de l'école et du genre de poissons qu'elle voulait pour l'aquarium.

Ensuite on est allés voir le film, à l'issue duquel London était bourrée d'énergie – peut-être grâce au sachet de raisins secs au chocolat – et pressée de voir sa mère. Sitôt qu'on est rentrés, elle est allée prendre son bain et a enfilé son pyjama.

Vivian est arrivée peu après que j'ai commencé à faire la lecture. London a bondi hors du lit et dévalé l'escalier. Je l'ai suivie et regardée se jeter dans les bras de sa mère, tandis que Vivian fermait les yeux d'un air ravi.

— Je suis tellement contente de te voir avant que tu t'endormes, a-t-elle dit.

— Moi aussi. Papa et moi on a dîné en tête à tête au restaurant comme des grands. Et on est allés au cinéma et on a parlé de mon aquarium !

— Ton aquarium ?

— Pour son anniversaire, ai-je précisé. Comment vas-tu ?

401

– Bien. C'est un long trajet. Surtout en partant à l'heure de pointe.

J'ai hoché la tête, en me sentant bizarrement déplacé. J'ai indiqué l'étage.

– Je lui ai déjà fait la lecture, si tu veux monter.

Elle s'est tournée vers London.

– Tu veux que maman te lise une histoire ?

– Ouiii ! s'est écriée London.

Je les ai regardées gravir les marches. Et même si j'étais chez moi avec ma femme et ma fille, je me suis brusquement senti très seul.

*
* *

Je me suis retranché dans la suite parentale. Je n'avais pas envie de parler à Vivian, et ça devait être réciproque, à mon avis. Alors, j'ai lu au lit et essayé de ne pas penser au fait que nous passerions la nuit sous le même toit.

J'ai vaguement fantasmé en l'imaginant se faufiler dans ma chambre et je me suis demandé comment je réagirais. Allais-je accepter, sous prétexte qu'on était encore mariés ? Qu'il s'agissait d'une sorte de baroud d'honneur ? À moins que je ne fasse preuve de la même détermination qu'Emily quand David lui avait fait des avances ?

Je préférais croire que j'agirais plutôt comme Emily, mais je n'étais pas certain d'avoir sa capacité de résistance. De toute manière, j'avais l'impression qu'aucun de nous deux ne serait heureux par la suite. Je ne faisais plus partie de l'avenir de Vivian, et ça ne ferait que renforcer l'emprise qu'elle exerçait toujours sur moi, en dépit de tout ce qu'elle avait fait. De plus, je me sentirais forcément coupable. Parce que tout en m'imaginant faire de nouveau l'amour à Vivian, j'ai soudain compris que j'avais encore plus envie de le faire avec Emily.

*
* *

Le lendemain matin, je me suis levé tôt et j'ai couru sur une longue distance. Puis j'ai pris ma douche, préparé mon petit déjeuner et j'en étais à mon deuxième café quand Vivian m'a retrouvé dans la cuisine. Elle portait un pyjama que je lui avais offert pour son anniversaire deux ou trois ans plus tôt. Elle a sorti un sachet de thé du placard, puis a rempli la bouilloire sur la cuisinière.

— Bien dormi ? ai-je demandé.

— Oui. Merci. Le matelas de la chambre d'amis est meilleur que dans mon souvenir. Mais je suis peut-être juste un peu fatiguée.

— Tu as décidé de ce que tu as envie de faire avec London aujourd'hui ? Après l'atelier d'arts, je veux dire ?

— Je n'ai pas envie d'un truc qui exige trop d'effort. Elle doit encore se ménager. On pourrait aller au musée Discovery Place, mais je veux d'abord savoir ce qui lui ferait plaisir.

— Je vais au bureau. Je souhaite m'avancer au maximum pour le projet du chirurgien esthétique, surtout qu'il a tout laissé tomber pour venir en aide à London.

— Remercie-le de ma part. Il a fait de l'excellent travail. J'y ai jeté un œil hier soir.

La bouilloire a sifflé et Vivian a ajouté de l'eau chaude dans sa tasse. Elle a paru hésiter avant de finalement me rejoindre à table.

— Il faut que je te dise un truc, ai-je repris. À propos de la danse.

— Quoi donc ? a demandé Vivian en buvant une petite gorgée de sa tasse fumante.

Je lui ai tout raconté, en essayant d'être le plus concis possible, sans oublier de préciser que London n'aurait pas le droit de participer au spectacle.

— Hum… Et tu lui as dit que London avait dû aller à l'hôpital ?

— Bien sûr. Mais ça n'a rien changé. Et puis London m'a carrément avoué qu'elle ne voulait plus y aller. Elle pense que Mme Hamshaw ne l'aime pas vraiment.

— Si elle n'a pas envie d'y aller, alors ne l'y oblige pas. C'est juste de la danse.

Vivian a ostensiblement haussé les épaules. Elle parlait comme si elle n'avait jamais insisté au départ pour que la petite fréquente ce cours. Je n'avais aucune raison de le lui faire remarquer, mais je me suis malgré tout demandé si j'arriverais un jour à comprendre comment Vivian fonctionnait. Et même si je l'avais jamais vraiment comprise.

London est descendue alors qu'on était encore dans la cuisine. Elle s'est approchée de la table, les yeux encore bouffis de sommeil.

— 'jour maman et papa ! a-t-elle lancé en nous faisant à chacun un bisou.

— Qu'est-ce que tu veux manger ? a demandé Vivian.

— Des Lucky Charms.

— OK, ma puce. Je vais te les préparer.

J'ai replié mon journal et je me suis levé, en tenant de masquer ma stupéfaction de voir Vivian accepter aussi facilement de lui servir des céréales sucrées.

— Bonne journée, mesdames…

*
* *

J'ai quasiment passé ma journée sur l'ordinateur, en finalisant tout ce que je pouvais pour l'aspect technique de la campagne de pub du chirurgien esthétique, excepté la mise en ligne des vidéos de patients sur le site web. J'ai transmis les infos à mon technicien et envoyé des e-mails aux patients pour leur rappeler qu'on tournait mardi.

Il était presque 18 heures quand j'ai enfin levé le nez. J'ai envoyé un texto à Vivian lui demandant à quelle heure London irait se coucher, parce que j'avais envie de lui faire la lecture. Vivian m'a répondu aussitôt en m'indiquant l'horaire. Comme j'avais travaillé pendant le déjeuner, j'ai pris un sandwich chez le traiteur d'en face et décidé de passer un coup de fil à Emily.

— Tu es occupée ? ai-je demandé en rangeant vaguement mon bureau.

— Pas du tout. Bodhi joue dans sa chambre et j'étais juste en train de nettoyer la cuisine. Comment se passe le week-end ?

— Jusqu'ici tout va bien. J'ai bossé toute la journée. J'ai abattu plein de boulot. Je vais rentrer chez moi faire un peu de lecture à London.

— Je l'ai vue aujourd'hui quand j'ai déposé Bodhi à l'atelier d'arts. Vivian aussi.

— Comment ça s'est passé ?

— Je ne suis pas restée bavarder.

— Bien vu. Je trouverai sans doute un moyen d'échapper à Vivian après avoir lu des histoires à London. Inutile de tenter le diable. Tu as prévu quoi ce soir ?

— Rien. Finir de nettoyer la cuisine, regarder la télé. Peut-être boire un verre de vin quand Bodhi sera couché.

L'idée de faire l'amour à Emily m'est revenue spontanément, comme la veille au soir. J'ai vivement chassé cette pensée.

— Tu veux un peu de compagnie ? ai-je demandé. Après avoir fait la lecture, je pourrais passer te voir une heure ou deux. Peut-être que tu pourras me montrer la toile sur laquelle tu travailles.

Elle a hésité et j'étais certain qu'elle allait refuser.

— Ça me ferait plaisir, a-t-elle répondu.

*
* *

Je suis arrivé à la maison juste au moment où London se préparait à aller au lit, et Vivian et moi avons endossé nos rôles habituels. Elle a fait la lecture en premier, puis je suis monté la remplacer. La petite a parlé de sa journée : outre l'atelier d'arts et Discovery Place, elles étaient allées au centre commercial ; et quand j'ai éteint la lumière, Vivian était déjà dans la chambre d'amis avec la porte fermée.

J'ai frappé et entendu sa voix de l'autre côté.

— Oui ?

— Je vais sortir un petit moment. Je voulais juste te tenir au courant, au cas où London se réveille. Je devrais être rentré avant 23 heures.

Je l'entendais presque me demander « Où vas-tu ? » dans le silence qui a suivi.

— OK, a-t-elle dit après quelques instants. Merci de m'avoir prévenue.

*
* *

405

Emily m'avait laissé un mot punaisé sur la porte, m'invitant à la rejoindre sous la véranda de derrière.

J'ai traversé discrètement la maison, en m'efforçant de ne pas réveiller Bodhi. J'avais l'impression d'être un ado agissant en cachette de ses parents et je me suis demandé si l'enfant en nous nous quittait véritablement un jour.

Emily était pieds nus ce soir-là, en jean et en corsage rouge, ses longues jambes posées sur un petit banc qui bordait la terrasse couverte ; un fauteuil était placé près du sien. Sur la table, une bouteille de vin ouverte et un verre vide ; elle en tenait un à moitié plein dans la main.

— Tu arrives à point nommé, a-t-elle dit. Je viens de monter voir Bodhi et il dort du sommeil du juste.

— London aussi.

— J'ai pris de l'avance, a-t-elle ajouté en levant son verre. Sers-toi.

J'ai rempli mon verre et me suis assis à côté d'elle.

— Merci de me recevoir.

— Quand un ami me dit qu'il a besoin de se cacher, ma porte est ouverte. Comment ça va, sinon ?

J'ai pris le temps de répondre.

— On ne s'est pas disputés, mais on s'est pas beaucoup vus non plus. C'est étrange. L'atmosphère est assez pesante à la maison.

— Les émotions prennent de la place. Et il est encore tôt pour vous deux. Comment était London quand tu lui as fait la lecture ?

— Elle allait bien. Elles ont passé une bonne journée.

— Tu penses qu'elle sait déjà ce qui se passe ?

— D'après moi, elle sait qu'un truc a changé, mais ça s'arrête là.

— C'est sans doute une bonne chose pour le moment. Cette étape est déjà assez difficile à vivre, sans devoir en plus te soucier de ton enfant.

J'ai hoché la tête, sachant qu'elle avait raison.

— Tu viens souvent t'asseoir ici ?

— Moins que je le devrais… Parfois j'oublie à quel point c'est joli. J'adore regarder les étoiles entre les arbres et écouter les criquets. Je ne sais pas trop… J'imagine que je me laisse enfermer dans mes habitudes. C'est pourquoi je n'ai toujours pas réussi à mettre la maison en vente. Je deviens paresseuse.

— Je ne pense pas que tu le sois. On aime simplement garder nos habitudes.

J'ai bu une gorgée de vin en laissant un silence agréable s'installer. Finalement, je lui ai avoué :

— Je dois te remercier, je crois.

— De quoi ?

Je l'ai sentie se tourner vers moi, son regard m'interrogeant dans la pénombre.

— De m'avoir laissé venir. De me parler au téléphone. De me donner des conseils. De supporter ma confusion et mes pleurnicheries. De tout.

— C'est à ça que servent les amis.

— Emily, on est de vieux amis. Mais ça remonte à loin et ce n'est pas comme si on avait été proches ces quinze dernières années. Mais bizarrement, en très peu de temps, tu es devenue une de mes meilleures amies… redevenue, devrais-je dire.

Je voyais les étoiles briller dans ses yeux.

— J'ai lu un truc sur l'amitié un jour et ça m'est resté depuis. L'amitié n'a rien à voir avec le fait de connaître quelqu'un depuis longtemps ou pas. L'amitié, c'est quelqu'un qui entre dans ta vie en disant: « Je suis là pour toi » et qui ensuite le prouve.

J'ai souri.

— Ça me plaît, ai-je dit.

— Russ, à t'écouter, on pourrait croire que tu es un fardeau pour moi. Mais pas du tout. Crois-le ou non, mais j'aime discuter avec toi. Et je suis ravie qu'on ait pu raviver notre amitié. Hormis Grace et Marguerite, je n'ai que Bodhi. Et puis… je ne sais pas… il y a quelque chose de réconfortant dans cette façon qu'on a de se comprendre à demi-mot. Sans avoir besoin d'expliquer qui on est et d'où on vient. On sait déjà tout ça.

— J'imagine que je suis un peu comme une vieille pantoufle, hein ?

Elle a éclaté de rire.

— Une pantoufle préférée… peut-être. Qui nous allait bien dès le début et qu'on n'a jamais pu remplacer.

J'ai alors senti une chaleur authentique émaner d'elle, et c'était une sensation tellement rassurante… qui m'avait manqué pendant toutes ces années d'incertitude avec Vivian.

— J'éprouve la même chose, Em, ai-je dit en la dévisageant. Sincèrement.

Elle est restée muette quelques instants, faisant tourner le verre entre ses mains.

— Tu te rappelles le soir où on est restés coincés sur la grande roue ? Le soir du feu d'artifice ?

— Oui.

— J'ai cru que tu allais me faire ta demande ce soir-là. Et comme tu ne l'as pas faite, j'étais vraiment… déçue.

— Désolé… ai-je dit en le pensant sincèrement.

— Ne le sois pas… c'est idiot, a-t-elle répliqué en chassant mes excuses d'un geste. Là où je veux en venir, c'est que j'aurais dit oui et qu'on se serait peut-être mariés. Mais ça signifie aussi que je n'aurais pas eu Bodhi ni toi London, et on serait devenus qui ? Peut-être qu'on aurait fini par divorcer. Ou se détester.

— Je pense que ça aurait pu marcher.

Son sourire a paru se teinter de mélancolie.

— Peut-être. On n'a aucun moyen de le savoir. On a suffisamment vécu pour comprendre à quel point la vie peut se révéler imprévisible.

— Tu te rends compte que tu n'arrêtes pas de dire des choses qui me surprennent et me font réfléchir.

— Parce que j'ai étudié les lettres et les beaux-arts, et non pas les affaires.

À mon tour de m'esclaffer, tandis que je remerciais le ciel qu'elle soit revenue dans ma vie, juste au moment où j'en avais le plus besoin.

Il était minuit passé quand je suis enfin rentré chez moi.

*
* *

— Tu es sorti tard hier soir, a remarqué Vivian le lendemain matin. J'ai cru que tu m'avais dit que tu rentrerais vers 23 heures.

Ça ne m'avait pas empêché de me lever tôt et j'allais commencer ma journée quand Vivian est arrivée à la cuisine.

— Je n'ai pas vu le temps passer, ai-je répondu.

Je voyais bien qu'elle mourait d'envie de savoir où j'étais allé et ce que j'avais fait, mais ça ne la regardait pas. Plus du tout, même. J'ai changé de sujet en lui demandant :

– Tu penses partir vers quelle heure, comme tu dois conduire ?

– Vers 18 heures, 18 h 30 ? Je ne sais pas encore.

– Tu veux un dîner en famille avant ton départ ?

– Je pensais emmener London dîner tôt en ville.

– Entendu. Je serai là à 18 heures alors.

Elle semblait attendre que je lui annonce mes projets pour la journée. Au lieu de quoi, j'ai siroté mon café en feuilletant le journal. Lorsqu'elle a compris que je n'allais pas poursuivre la conversation, elle est remontée à l'étage, sans doute pour se doucher et se préparer pour sa journée avec London.

21

À plein régime

Emily et moi nous sommes vus encore six fois avant de passer la nuit ensemble. Le premier rancart après le mariage était la randonnée qu'elle avait proposée ; on est aussi allés à un concert et on a déjeuné et dîné ensemble à plusieurs reprises. À ce stade j'étais déjà tombé fou amoureux, mais je n'étais pas tout à fait sûr de ses sentiments.

Ce matin-là, je suis passé la chercher de bonne heure et on s'est rendus à Wrightsville Beach. On a déjeuné dans un petit restaurant en bord de mer avant d'aller se promener sur la plage. On a ramassé des coquillages dans ma casquette de base-ball, tout en rejoignant la jetée, et je revois encore la brise marine soulever ses cheveux brillants comme elle se baissait pour recueillir une coquille particulièrement jolie.

On savait tous les deux ce qui allait arriver. J'avais réservé une chambre d'hôtel pour la nuit, mais plutôt que devenir de plus en plus nerveuse à mesure que la journée avançait, elle semblait s'installer dans une sorte d'agréable indolence. Plus tard dans l'après-midi, après s'être enregistrés, elle a pris une longue douche tandis que j'étais allongé sur le lit et zappais d'une chaîne à l'autre sur la télévision. Elle est ensuite sortie, uniquement enveloppée d'une serviette de bain, pour récupérer des vêtements de rechange.

– Qu'est-ce que tu regardes ?

« Toi », aurais-je pu dire, mais j'ai répondu :

– Rien, en fait. J'attendais juste que tu aies terminé pour pouvoir aller me doucher.

– Ça ne sera pas long, m'a-t-elle promis.

L'idée m'a alors traversé qu'Emily, plus que n'importe quelle autre femme à ce moment de ma vie, me mettait à l'aise parce qu'elle-même semblait toujours l'être en ma présence. Je lui ai laissé quelques minutes avant de me lever. Entre-temps elle s'était habillée et se maquillait.

— Qu'est-ce que tu fais ? a-t-elle demandé.

— Je te regarde, c'est tout, ai-je répondu comme mon regard croisait le sien dans le miroir.

— Pourquoi ?

— Je te trouve sexy quand tu te maquilles.

Elle s'est alors tournée en faisant la bouche en cœur. On s'est embrassés et elle s'est retournée vers la glace.

— C'était quoi, ça ?

— Dès que j'aurai mis du rouge, tu ne pourras plus m'embrasser avant un petit moment. À moins que tu ne veuilles avoir aussi du rouge sur les lèvres.

J'ai continué à la regarder une minute, avant de regagner le lit. Je m'y suis affalé, agréablement stimulé par son baiser et la promesse de la soirée à venir.

On a dîné dans un bistrot surplombant l'Intracoastal Waterway[1], en nous attardant bien après le coucher du soleil. En quittant l'établissement, on a entendu de la musique et on s'est laissé guider par elle jusqu'à un bar en bas de la rue, où on a découvert un groupe en train de jouer. On a dansé jusqu'à la fermeture puis regagné tranquillement l'hôtel, épuisés mais heureux, après minuit.

L'atmosphère était chargée d'électricité quand j'ai ouvert la porte et qu'on est entrés dans notre chambre. Les femmes de ménage avaient ouvert le lit et les lumières étaient tamisées. J'ai pris Emily dans mes bras et je l'ai attirée vers moi en sentant toute la chaleur de son corps contre le mien.

Je l'ai embrassée, nos langues s'entremêlant tandis que mes mains exploraient lentement les courbes de sa silhouette. Elle a retenu son souffle et notre ardeur s'est intensifiée comme je sentais sa poitrine sous le tissu léger de sa robe. Ses doigts se sont alors posés sur les boutons de ma chemise.

Elle les a défaits un à un pendant qu'on continuait à s'embrasser. J'ai retroussé sa robe et elle a levé les bras pour m'aider. Je l'ai fait glisser par-dessus sa tête, tandis que ma chemise tombait par terre, sa peau en feu contre la mienne. Son soutien-gorge a suivi, et bientôt nos corps nus ondoyaient sur le lit au rythme de nos caresses, submergés par nos émotions et le plaisir de découvrir chacun le mystère de l'autre.

---

1. Voie navigable intérieure qui longe la côte Est des États-Unis et une grande partie du golfe du Mexique.

C'est finalement survenu le mercredi et je dois admettre que j'étais aussi étonné que la réceptionniste, mais j'y reviendrai plus tard. Commençons par le début.

Le dimanche, Marge et Liz n'étaient pas chez mes parents quand je suis arrivé et, lorsque j'ai appelé chez elle, Marge n'avait pas une bonne voix. Toux, courbatures, fièvre… Quand ma mère l'a su, elle a décidé sur-le-champ de lui préparer de la soupe de poulet, qu'elle m'a ensuite demandé d'apporter à ma sœur. Elle paraissait encore plus mal en point qu'au téléphone, et elle a plaisanté en disant que même Liz gardait ses distances puisqu'elle avait manifestement attrapé un virus.

Quitte à courir le risque, je l'ai quand même serrée dans mes bras, avant de rentrer chez moi.

Vivian est partie vers 18 h 30, après avoir ramené London du restaurant. Son départ s'est révélé aussi cordial que le reste du week-end. Elle n'a posé aucune question sur ma journée, et moi aucune sur la sienne ; on s'est juste souhaité une bonne semaine l'un et l'autre tandis qu'elle franchissait la porte. Après avoir mis London au lit, j'ai appelé Emily pour lui demander si ça ne la dérangerait pas de récupérer London à l'école mardi, puisque je serais en tournage toute la journée. Emily m'a assuré que ça ne lui poserait aucun problème.

Le lundi, le nouveau site web de Taglieri était en ligne, et la diffusion des deux premiers spots débutait à la télé. J'ai posté les pubs sur son site et sur YouTube. Je travaillais chez moi afin de pouvoir voir les spots à la télé, et j'étais aux anges en les regardant. Entre-temps j'ai bossé sur des modèles de publipostage et d'affiches pour le chirurgien, en tâchant de bien faire passer le message.

Le mardi, j'ai filmé ses patients – une très longue journée, comme je l'avais prévu ; puis je suis passé prendre London chez Emily, où on est finalement restés dîner, pour le plus grand bonheur de la petite.

Le mercredi, alors que je roulais en direction du bureau, j'ai reçu un texto de Taglieri me demandant de le rappeler, et j'ai senti mon cœur se serrer. Peut-être parce que le week-end précédent n'avait pas été le théâtre de la moindre dispute avec Vivian, j'étais convaincu que

Taglieri ne pouvait que m'annoncer des mauvaises nouvelles au sujet du divorce.

Je l'ai aussitôt rappelé après m'être garé devant le bureau. Je sentais que je devais être debout pour lui parler.

– Salut Joe, ai-je commencé en essayant de garder une voix posée. J'ai eu votre SMS. Qu'est-ce qui se passe ?

– Mes affaires, a-t-il répondu. Mon futur compte bancaire.

– Pardon ?

– Vous savez, ce nouveau numéro gratuit ? Celui que vous avez placardé sur ces deux spots ? Le téléphone sonne sans arrêt. C'est de la folie. Les gens adorent la pub avec la gamine. Ils la trouvent désopilante. Et maintenant on peut les orienter vers le site web pour les infos de base. C'est incroyable. Je n'en reviens pas. Mon personnel a dû mal à suivre tellement on croule sous les appels.

– Vous êtes heureux, ai-je dit, abasourdi.

– Et comment ! Vous me direz quand sera diffusée la pub avec le chien, hein ? Et puis vous devez trouver encore plus d'idées. Alors faites travailler vos méninges !

– Pas de problème.

– Russ ?

– Ouais ?

– Merci.

J'ai raccroché et je suis entré dans le bureau en marchant sur un petit nuage. Quand j'ai fait signe à la réceptionniste, elle a levé la main.

– Monsieur Green ? Vous voulez vos messages ?

– J'ai des messages ?

– Deux, en fait. En provenance de cabinets d'avocat.

J'ai repensé à Vivian en me demandant si elle avait dit à son avocate de me contacter directement. Dans ce cas, je ne voyais pas trop pourquoi Vivian ne lui avait pas donné mon numéro de mobile ; pour ce que j'en savais, Vivian ne connaissait pas celui de mon agence.

Mais les messages ne provenaient pas de l'avocate de Vivian. Il y avait un cabinet de Greenville, en Caroline du Sud, spécialisé dans les recours collectifs, et un autre, installé à Hickory, spécialisé dans les préjudices corporels. Dans les deux cas, on m'a aussitôt mis en relation avec les associés principaux, chacun ayant l'air d'être pressé de me parler.

« J'aime bien ces pubs que vous avez réalisées pour Joey Taglieri, et nous nous demandions si vous pourriez envisager de venir nous présenter vos prestations. »

Après avoir raccroché, j'ai poussé un cri de joie. Il fallait à tout prix que je le dise à quelqu'un.

J'ai pris mon mobile, prêt à appeler Marge, et à la dernière seconde j'ai décidé de contacter Emily.

*
* *

Je flottais.

Cette sensation, je l'ai éprouvée toute la semaine. Comme si je surnageais enfin, libéré de tous les soucis qui m'avaient poussé tout au fond depuis des mois.

J'ai décidé de profiter de chaque instant, même si je ne décrochais finalement pas ces deux clients. Mais vendredi est arrivé et j'avais reçu entre-temps trois autres coups de fil d'avocats : ça faisait en tout cinq contrats potentiels, chaque cabinet m'ayant contacté en direct. J'avais fixé une date de présentation pour chacun et, selon le nombre de nouveaux clients, je me suis dit que je devrais peut-être bientôt songer à engager une autre personne, ne serait-ce que pour tenir le rythme.

Bref, l'agence Phénix était officiellement lancée !

*
* *

— Qu'est-ce que tu vas faire de tout cet argent que tu vas gagner en plus ? m'a demandé Marge au déjeuner. (Nous étions vendredi après-midi et j'avais décidé de m'accorder une demi-journée de congé en guise de récompense.) Parce qu'il se trouve que tu as une sœur qui est d'humeur à s'acheter une nouvelle voiture.

— Ben voyons… Ce serait sympa, hein ?

— J'ai toujours su que ça marcherait.

— Ce n'est pas encore signé, l'ai-je prévenue. Je dois d'abord faire les présentations.

– Tu es doué pour ça. Tu as eu plus de mal à faire sonner le téléphone, c'est tout.

J'ai souri, toujours sur mon petit nuage.

– Je suis si excité. Et soulagé.

– J'imagine.

– Comment tu te sens, sinon ?

Elle a fait la grimace.

– Un peu mieux. Je ne tousse pas trop dans la journée à présent, mais les nuits sont pénibles. J'ai enfin convaincu mon imbécile de médecin de me prescrire des antibiotiques, mais je n'ai commencé à les prendre qu'hier. Il a dit que je risquais de ne pas sentir d'amélioration avant lundi.

– La poisse.

– Ce n'est pas facile pour Liz non plus. Comme je la réveille tout le temps, je suis allée dormir dans la chambre d'amis.

– La soupe au poulet de maman n'a pas marché, alors ?

– Non. Mais elle avait bon goût, a répliqué Marge en mettant son sandwich de côté. Tu as prévu quoi ce week-end ? Vivian ne vient pas, si ?

– Elle sera là le week-end prochain. Pour l'anniversaire de London. Et je n'imagine pas la petite ne pas inviter Bodhi, ça veut dire qu'Emily fera sans doute une apparition à la fête.

– Et moi, a dit Marge en souriant à belles dents, j'ai hâte de voir ça !

– Il ne va rien se passer. En ce moment, Vivian se conduit correctement.

– Hum… voyons combien de temps ça va durer, a répliqué ma sœur d'un air sceptique. Au fait, tu passes voir les parents demain ? Liz et moi avons prévu d'y faire un saut, surtout qu'on n'y était pas le week-end dernier. Comme j'avais chopé ce virus, je veux dire.

– Dieu merci, tu ne l'as pas refilé à Liz.

– Oui, d'autant plus qu'elle est débordée au boulot. L'une des autres thérapeutes de son cabinet est en congé maternité depuis fin juillet.

– En parlant de maternité, quand est-ce que Liz et toi allez voir ce spécialiste de la fertilité ? Tu n'avais pas parlé de novembre ?

Elle a acquiescé.

– Le 20. Le vendredi d'avant Thanksgiving.

– Qu'est-ce qui va se passer si vous pouvez toutes les deux avoir des enfants ? Vous allez être enceintes en même temps ?

– C'est moi qui porterai l'enfant. J'ai toujours pensé que c'était sympa d'être enceinte.

– Tu me diras si tu le penses toujours vers le huitième mois. Quand London est née, Vivian en avait franchement marre de son gros ventre.

– C'est Vivian et elle était plus jeune. Je sais que ce sera la seule fois pour moi et je veillerai à en profiter pleinement.

– Avoir un enfant va changer ta vie. Ça a changé la mienne, c'est certain.

Un léger voile de tristesse a assombri son regard.

– J'ai hâte.

*
* *

Quand j'ai récupéré London à l'école, elle m'a demandé sitôt montée dans la voiture si on allait avoir une nouvelle soirée en tête à tête, comme les grands.

– Comme c'est vendredi et que maman est pas là ?

Pourquoi pas ?

– Ça m'a l'air d'être une super idée.

– Qu'est-ce qu'on pourrait faire ? a enchaîné London, déjà pleine d'enthousiasme.

– Hum… On pourrait dîner à la maison ou au restaurant. Ou aller au grand aquarium.

– L'aquarium ! On peut vraiment y aller ?

– Bien sûr. Je suis certain que c'est ouvert jusqu'à 8 heures du soir.

– On peut demander à Bodhi s'il veut venir ?

– Tu veux amener Bodhi à notre soirée à deux ?

– Oui. Et je pourrai porter mes ailes de papillon. Celles qu'on a achetées au zoo. Et lui pourra porter les siennes aussi.

– À l'aquarium ?

– Pour les poissons.

Je n'étais pas sûr de comprendre la corrélation, mais si ça la rendait heureuse, alors ça m'allait parfaitement.

– Je peux appeler, mais Bodhi est peut-être occupé ce soir. On s'y prend un peu tard.

– On devrait essayer. Et Mlle Emily peut venir aussi.

J'ai attendu qu'on soit rentrés avant d'appeler Emily. Quand je lui ai posé la question, elle m'a dit de ne pas quitter et a appelé son fils.

– Tu veux aller à l'aquarium ce soir ? London y va !

– Oui ! a crié Bodhi, avant qu'Emily reprenne la conversation avec moi.

– Je suppose que tu l'as entendu.

– En effet.

– Vers quelle heure, d'après toi ?

– Et si je passais vous chercher dans une heure ?

Elle a hésité, puis :

– Si je venais vous prendre plutôt ? Les DVD pour les mômes, tu te souviens ? Je sais que ce n'est pas si loin, mais on va se retrouver dans les bouchons.

– Bien sûr.

– Envoie-moi ton adresse par texto. Et laisse-nous le temps de nous préparer. À tout à l'heure.

– Oh… London veut que Bodhi porte les ailes qu'il a achetées au zoo.

– Pourquoi ?

– Je n'en sais trop rien.

Elle a éclaté de rire.

– Ça ne me dérange pas. Et c'est bien mieux que de le voir s'agiter avec son sabre laser.

*
* *

Ça devenait une habitude, mais London a pris son temps pour se préparer. Finalement elle a opté pour une jupe blanche avec de la dentelle, un haut rose à manches longues, des tennis roses et, bien sûr, les ailes de papillon.

Pour ma part, tenue décontractée : pantalon et chemise sombres, et chaussures confortables.

– Ta tenue attire l'œil, ai-je commenté. Tu es vraiment prête pour voir les poissons.

– Je veux trouver des idées pour mon aquarium à moi.

Pour son anniversaire, ai-je pensé. Au moins, elle me facilitait la tâche, même si j'allais finir par devoir nettoyer le réservoir.

– Tu veux choisir un film ? On va encore rouler dans la voiture de Mlle Emily.

– Je pense qu'on devrait regarder *Le Monde de Nemo*.

– Ça m'a l'air d'un bon choix.

Elle a trouvé le DVD et me l'a apporté. Au moment où elle me tendait le boîtier, je recevais un nouveau SMS de Taglieri. *Les gens continuent d'appeler comme des fous. Vous êtes un as !*

Décidément, cette semaine se révélait formidable. J'ignorais pourtant qu'elle allait être encore plus fantastique.

*

* *

L'aquarium Sea Life se trouvait à Concord, à environ vingt-cinq kilomètres de Charlotte ; mais à cause de la circulation dense, on a mis près de quarante minutes pour y arriver.

Encore que ça n'a gêné aucun d'entre nous. J'ai mis Emily au courant de mes récentes réussites professionnelles, fait allusion au projet d'enfant de Marge et Liz, et parlé de mes parents. Emily m'a également parlé de sa famille et des toiles qu'elle allait exposer. Une fois encore, une sorte d'entente tacite nous a évité d'aborder les sujets tels que Vivian, David ou notre passé commun.

À l'aquarium, les gamins ont couru d'un stand à l'autre, comme ils l'avaient fait au zoo. Emily et moi étions un peu à la traîne, tout en gardant un œil sur eux. Tandis qu'on suivait les enfants, je n'ai pu m'empêcher de noter qu'Emily attirait les regards d'autres hommes. La plupart d'entre eux étaient en compagnie de leur propre famille et se montraient prudents – je ne suis même pas sûr qu'Emily les ait remarqués ; mais c'était la première fois que j'étais sensible, malgré moi, à l'effet qu'elle avait sur la gent masculine.

On a terminé notre visite, les enfants ayant surtout adoré les requins, les tortues, les hippocampes et la pieuvre. Au moment où on sortait sur la promenade, j'ai entendu une musique s'échapper par une porte marquée « Entrée de service ».

La chanson se terminait et un animateur radio annonçait le titre suivant : *Two by Two* par JD Eicher. J'ai marqué un temps d'arrêt.

— T'as entendu ça, London ? Il y a une chanson qui s'appelle *Deux par deux*, comme ton livre préféré.

— C'est sur des animaux ?

— Je ne sais pas, ai-je répondu. London était censée participer au spectacle de danse ce soir. Elle voulait être le papillon.

— Eh bien, maintenant je suis un papillon ! a annoncé London en laissant ses ailes voleter dans la brise du soir.

— Comme c'est notre soirée de grands… voulez-vous danser avec moi, mademoiselle ?

— Ouiiii !

L'instant d'après, la chanson a commencé et j'ai pris les mains de London. À ce moment-là, le soleil descendait vers la ligne d'horizon et le crépuscule colorait le monde en sépia. Hormis Emily et Bodhi, on avait la promenade pour nous.

Tandis que je dansais avec ma fille, j'ai trouvé les paroles de la chanson étrangement émouvantes. Elle se balançait, sautillait et me tenait les mains et, durant quelques secondes, j'entrevis déjà la jeune femme qu'elle deviendrait dans la petite fille innocente qu'elle était.

Je me suis rendu compte que c'était la première danse que je partageais avec London, et j'ignorais si cela se reproduirait un jour et en quelle occasion. Je ne pouvais m'imaginer dansant avec elle dans quelques années : d'ici là, l'idée gênerait l'adolescente qu'elle serait devenue ; alors j'en ai profité pleinement, ravi de cet instant magique qui venait clore une semaine d'ores et déjà inoubliable.

*

* *

— Je n'ai jamais assisté à une scène aussi touchante, m'a confié Emily alors qu'on regagnait la voiture. J'ai pris quelques photos avec mon portable. Je te les enverrai plus tard.

— C'était un moment particulier, ai-je dit, encore bercé par la mélodie de la chanson. Je suis content que Bodhi n'ait pas tenté de s'immiscer.

– Ça ne risquait pas ! Je lui ai proposé de danser, mais il a refusé. Ensuite, il m'a dit qu'il avait trouvé un escargot et qu'il voulait que je le ramasse.

– Les petits garçons et les petites filles sont différents, pas vrai ?

– Tu as « l'épice et le sucre d'érable, et tout ce qui est agréable », a-t-elle répliqué en faisant allusion à la comptine anglaise. Et moi j'ai… l'escargot.

– Mais pas « la queue de chiot ».

– Seulement parce qu'il n'en a pas trouvé.

J'ai éclaté de rire.

– Je parie que les gamins meurent de faim.

– Moi aussi, je l'avoue.

– La vraie question, c'est : on les laisse choisir ou on a le choix ?

– Je te préviens juste que si on ne trouve pas quelque chose assez vite, Bodhi risque de devenir grincheux. Et quand il s'y met, tu n'as pas envie de rester dans les parages.

– Donc… Chick-fil-A ?

– Bingo !

Inutile de préciser que les enfants étaient enchantés.

*
* *

London était encore tout excitée quand on est enfin rentrés, mais son énergie a chuté lorsqu'elle a enfilé son pyjama. J'ai appelé Vivian et laissé la petite lui parler sur FaceTime pendant quelques minutes ; ensuite, j'ai décidé de lui lire *Deux par deux*. Tandis que je finissais, je me suis rappelé qu'Emily avait promis de m'envoyer les photos de London et moi en train de danser. J'ai alors vérifié sur mon mobile et constaté que je les avais reçues, puis on les a rapidement regardées avec London.

– On est beaux, non ?

La petite m'a pris le téléphone des mains et a regardé les clichés.

– Tu peux pas voir ma tête à cause de mes cheveux qui cachent tout.

– C'est parce que tu regardais mes pieds, ai-je dit. Mais c'est pas grave. Je regardais mes pieds aussi.

Elle a continué à détailler les images. Je me suis alors souvenu des photos que j'avais retirées de la maison, et me suis promis de ne pas oublier d'en imprimer une et de la faire encadrer.

London m'a rendu le téléphone.

— Qu'est-ce qu'on va faire demain ?

— Il y a l'atelier d'arts, bien sûr. Et après, on va voir papy et mamie. Tu aurais envie d'autre chose, sinon ?

— Je sais pas.

— Tu pourrais m'aider à nettoyer la cage des hamsters.

— Non, merci. C'est un peu poisseux.

Exact. Et ça sent mauvais aussi.

— On verra ce qui te fera plaisir demain matin, ai-je conclu en la bordant.

Je l'ai embrassée puis suis descendu au rez-de-chaussée. J'ai allumé la télé, mais j'avais l'impression que les photos prises par Emily m'appelaient. J'ai ressorti mon mobile et je me suis attardé sur les images en souriant, plus ravi que jamais d'être le père d'une petite fille aussi fabuleuse.

*
* *

Le lendemain matin, Emily m'a fait signe dès que je suis entré dans l'atelier avec London. La petite s'est jetée dans ses bras, avant de courir vers Bodhi.

— C'était sympa hier soir, m'a dit Emily. Je pense qu'on forme une bonne équipe dans la gestion des enfants.

— Tout à fait d'accord, ai-je approuvé en songeant que j'avais passé une bonne soirée aussi. Et merci pour les photos… je vais sans doute en faire encadrer une ou deux. Même avec un simple iPhone, tu as l'œil d'une artiste, c'est clair.

— Peut-être… ou peut-être que je t'ai envoyé les meilleures de la centaine que j'ai dû prendre, a-t-elle précisé dans un sourire espiègle.

Emily a ensuite montré du pouce le petit centre commercial :

— Tu veux aller boire un café pendant que les gamins s'occupent à l'atelier ?

— Rien ne me ferait plus plaisir, ai-je répondu en lui tenant la porte. Et je le pensais.

— C'est le cancer, insistait ma mère. Je sais qu'il a le cancer.

Debout dans la cuisine, ma mère ressassait ses vieilles angoisses sur un ton particulièrement pressant.

On venait à peine de franchir la porte en arrivant de l'atelier d'arts qu'elle m'a pris à l'écart pour me parler à mi-voix.

— Il a encore des problèmes pour respirer ?

— Non. Mais j'ai de nouveau rêvé de l'hôpital la nuit dernière. Sauf que cette fois, il n'y avait plus de cochon violet. Le médecin était une femme et elle parlait du cancer.

— Tu n'as jamais pensé que ça puisse être tout simplement un rêve ?

— Tu fais souvent deux fois le même ?

— Aucune idée. Je ne me souviens pas de la plupart de mes rêves. Mais j'éviterais d'y trouver je ne sais quelle interprétation, à moins que tu aies remarqué qu'un truc clochait chez papa.

Elle m'a regardé d'un air lugubre.

— Parfois on ne détecte aucun symptôme du cancer avant qu'il soit trop tard.

— Donc, tu me dis que parce qu'il se sent bien, il se pourrait qu'il soit malade ?

Elle a croisé les bras.

— Explique-moi pourquoi j'en ai rêvé deux fois.

J'ai soupiré.

— Tu veux que je parle de nouveau à papa ?

— Non. Mais j'ai envie que tu gardes un œil sur lui. Et si tu t'aperçois de quelque chose, j'aurai besoin de ton aide pour lui faire consulter le docteur.

— Je ne suis pas certain de savoir quoi chercher, ai-je protesté.

— Tu le sauras quand tu le verras.

*
* *

— Maman t'a tenu la jambe avec le cancer ? a demandé Marge en se servant un verre de thé glacé.

Je venais de les rejoindre, Liz et elle, sous la véranda, après avoir envoyé London aider ma mère à la cuisine.

Comme toujours, mon père était au garage, sans doute occupé à retirer un moteur à mains nues.

– Eh ouais, ai-je répondu en tendant un verre à ma sœur pour qu'elle le remplisse. Ça fait quelques mois qu'elle n'en parlait plus, alors j'imagine que j'aurais dû m'y attendre. J'espère ne jamais devenir comme ça.

– Comme quoi ?

– Vivre tout le temps dans la peur.

– Elle a de bonnes raisons. Le cancer a emporté tout son côté de la famille. Ça ne t'a jamais inquiété ?

– Je crois que je n'ai jamais eu le temps d'y penser.

– J'y pense, moi, a avoué Marge. Je ne m'inquiète pas, mais ça me traverse l'esprit de temps en temps. Et puis j'ai l'impression que si papa chope un cancer, les cellules saines vont rouler des mécaniques et taper sur l'épaule des mauvaises, avant de les tabasser à mort.

Le soleil de l'après-midi se reflétait sur l'expression amusée de ma sœur et faisait ressortir ses pommettes.

– Hé, t'as l'air en forme, soit dit en passant, ai-je observé. T'as perdu du poids.

– Merci de le remarquer enfin, a-t-elle répliqué en se pavanant un peu. Tu ne m'as rien dit hier.

– Je m'en rends compte maintenant. Tu es au régime ?

– Bien sûr. Je pars en vacances… Ça signifie que je vais aller à la plage, et une fille doit être très en beauté. Sans compter qu'avec tout ce jogging, tu commençais à devenir plus beau que moi et je ne pouvais pas laisser passer ça.

J'ai levé les yeux au ciel, puis je me suis tourné vers Liz :

– Et toi, comment ça va ? Marge m'a dit que tu croulais sous le boulot.

– Ouais, je remplace une autre thérapeute en congé. Dernièrement, j'ai passé tout mon temps libre à fantasmer sur notre escapade au Costa Rica. J'ai même testé certaines recettes d'Amérique du Sud, mais Marge n'a pas voulu y toucher à cause des glucides. Je n'ai pas cessé de lui répéter que les gens du Costa Rica ne sont pas aussi obèses qu'ici aux States, mais ça n'a servi à rien.

– Je connais mon corps, a riposté Marge. Et ça m'a aidée d'être malade, puisque je n'avais pas d'appétit. Pour parler de sujets plus intéressants, tu as vu la belle Emily aujourd'hui ? À l'atelier d'arts plastiques ?

Je me suis alors adressé à Liz :

– Tu sais ce que j'apprécie chez toi ?

– Quoi donc ?

– Tu ne sembles pas éprouver le besoin de t'immiscer dans ma vie privée chaque fois qu'on discute ?

– Elle n'en a pas besoin, a souligné Marge. En règle générale, tu dis spontanément ce que tu penses ou ce que tu ressens.

Marge marquait sans doute un point, mais tout de même. J'ai poussé un soupir.

– Non seulement j'ai vu Emily aujourd'hui, mais on est aussi allés à l'aquarium hier soir. Avec les enfants. On est amis, c'est tout.

– Et tu n'as probablement même pas remarqué à quel point elle était jolie.

Liz a éclaté de rire.

– Peu importe, je suis contente pour toi, Russ. Tu as l'air d'aller beaucoup mieux ces jours-ci.

– C'est vrai, ai-je admis à ma plus grande surprise. Beaucoup mieux.

*
* *

Après la conversation sur FaceTime entre Vivian et London, j'ai demandé à ma femme de me rappeler pour discuter de l'anniversaire à venir de la petite. Lorsqu'elle l'a fait, son ton était nettement plus glacial que lors du précédent week-end.

– J'ai déjà tout organisé, a-t-elle annoncé. J'ai loué une de ces maisons gonflables à installer dans le jardin, je me suis occupée du traiteur et j'ai commandé un gâteau d'anniversaire Barbie. Et j'ai aussi envoyé les invitations par e-mail.

– Euh… OK… ai-je dit, pris de court. Tu peux me dire à quelle heure va commencer la fête ?

– Deux heures de l'après-midi.

Pas d'autres précisions. On aurait dit qu'elle voulait me mettre mal à l'aise.

– Entendu. Je suppose que tu as aussi envoyé des invitations à mes parents et à Marge et Liz, mais je leur demanderai de me le confirmer, au cas où.

Comme elle ne réagissait pas, j'ai enchaîné :

– Et tu as toujours l'intention de dormir dans la chambre d'amis, c'est ça ?

– Oui, Russ. Je dormirai dans la chambre d'amis. On en a déjà parlé.

– C'était juste pour m'en assurer, ai-je dit avant qu'elle mette brusquement fin à la communication.

J'ai poussé un lent et long soupir. Malgré la trêve du précédent week-end, il m'était de nouveau impossible de deviner ce qu'elle manigançait.

22

L'œil du cyclone

Enfant, j'adorais les orages.

Marge me prenait pour un cinglé, mais quand les orages approchaient, j'étais comme une pile électrique et tout aussi excité que mon père avant le début du championnat de base-ball. J'insistais pour éteindre toutes les lumières et je rapprochais les fauteuils de la grande baie vitrée du salon. Parfois, je passais un sac de pop-corn au micro-ondes, et Marge et moi grignotions en regardant le « spectacle ».

Dans le noir, on était fascinés par les éclairs qui déchiraient le ciel ou clignotaient dans les nuages comme des lumières stroboscopiques. Lors des meilleurs orages, les éclairs se révélaient assez proches pour qu'on sente l'électricité statique et je voyais Marge se cramponner aux accoudoirs de son fauteuil. Mais on comptait toujours les secondes écoulées entre un éclair et le tonnerre, afin de savoir si la tempête s'approchait de nous.

Dans le Sud, les orages ne durent en général pas très longtemps. Ils passaient au bout de trente à quarante minutes et lorsque le dernier grondement de tonnerre s'évanouissait au loin, on se levait à contrecœur et on rallumait la lumière pour reprendre ce qu'on faisait auparavant.

Les ouragans, c'était une tout autre histoire, en revanche. Toujours aussi prévoyant, mon père barricadait la grande baie vitrée avec des planches, si bien qu'on ne pouvait pas voir le spectacle dans toute sa splendeur. Cependant je restais envoûté par les vents apocalyptiques et les pluies torrentielles... et surtout par l'approche de l'œil du cyclone : ce moment irréel où le vent tombe et où on peut même parfois voir le ciel bleu au-dessus de nos têtes. Mais ce calme ne dure pas, car la seconde moitié de l'ouragan se tient à l'affût et provoque quelquefois davantage de destructions.

Ça ressemble un peu à la vie, non ? Ou plutôt à ma vie pendant cette année atroce… Est-ce que je vivais une succession d'orages violents, qui éclataient à tour de rôle sans relâche ? Ou bien était-ce un seul et unique cyclone, dont l'œil trompeur, la fausse accalmie, m'incitait à croire que j'avais survécu, alors qu'en réalité le pire restait à venir.

Aucune idée.

En tout cas, je savais, que j'espérais vraiment ne plus jamais revivre une année pareille jusqu'à la fin de mes jours.

*
* *

London a adoré son goûter d'anniversaire. Le château gonflable a fait un tabac et elle a applaudi, folle de joie, en découvrant le gâteau, sans compter qu'elle s'est beaucoup amusée avec ses amis, notamment Bodhi. Emily l'a déposé mais n'est pas restée, car elle devait rencontrer le galeriste pour régler certains détails avant le vernissage. Un autre parent avait déjà proposé de ramener Bodhi. Emily s'était excusée, mais je pense qu'on souhaitait tous les deux éviter la moindre gêne avec Vivian.

Plus tôt dans la matinée, tandis que Vivian transportait London ici et là – elle était venue d'Atlanta en 4 x 4 –, je suis passé à l'animalerie et j'ai installé l'aquarium dans la chambre de la petite ; j'ai choisi plusieurs poissons très colorés puis collé un gros nœud sur le réservoir. Quand Vivian et London sont rentrées de l'atelier d'arts, j'ai demandé à ma fille de fermer les yeux puis je l'ai guidée jusqu'au seuil de sa chambre. Elle a poussé un cri de joie en les rouvrant et s'est ruée sur l'aquarium.

– Je peux leur donner à manger ?

– Bien sûr. Ils doivent avoir faim. Je vais te montrer quelle dose tu dois leur donner, OK ?

J'ai tapoté sur le tube pour verser un peu de nourriture dans le couvercle et je le lui ai tendu. Elle l'a versé dans le réservoir, émerveillée de voir les poissons se précipiter à la surface pour dévorer les granulés. J'ai regardé Vivian par-dessus mon épaule : elle avait les bras croisés et les lèvres pincées.

Au goûter, en revanche, elle a été tout sourire avec tout le monde, y compris ma famille et moi. Elle a demandé un coup de main à ma mère pour couper le gâteau et, quand London a ouvert la boîte remplie d'accessoires de Barbie offerts par Marge et Liz, elle a pressé la petite d'aller embrasser ses tantines, ce que London a fait.

Plus tard, Marge m'a glissé à l'oreille : « Vivian fait comme si rien n'avait changé entre vous deux », ce qui, après réflexion, m'a rendu encore plus nerveux que l'attitude glaciale de Vivian dans la matinée.

Après le goûter, Vivian a emmené London au centre commercial ; comme Halloween arrivait, elle avait décidé d'aider la petite à choisir un costume. J'en ai profité pour nettoyer la maison, jeter les assiettes et les gobelets en carton dans des sacs-poubelle, et envelopper les restes pour les mettre au frigo. Ensuite j'ai décidé qu'il valait mieux me faire discret et je suis allé à mon agence.

J'ai travaillé jusqu'en début de soirée, en me concentrant sur les présentations destinées aux cabinets d'avocat qui m'avaient contacté. Quand l'heure du coucher de London est arrivée, j'ai envoyé un texto à Vivian en lui demandant si c'était le moment de faire la lecture à la petite, uniquement pour apprendre peu après par SMS que London dormait déjà.

Je suis resté tard au bureau mais me suis levé tôt le dimanche pour aller courir, puis me doucher. Je prenais mon petit déjeuner et buvais mon café quand j'ai entendu Vivian se déplacer dans la chambre d'amis à l'étage. Bien que je me sois attardé dans la cuisine, au cas où elle aurait envie de parler de la fête d'anniversaire, elle n'est jamais apparue.

Je suis retourné au bureau pour finir les présentations – elles étaient toutes assez semblables –, en ayant conscience que la trêve entre Vivian et moi était terminée, même si j'en ignorais la raison. Était-elle jalouse du fait que London avait adoré l'aquarium, que j'avais choisi sans sa participation ? De toute manière, ça faisait près d'une semaine qu'elle me battait froid, donc…

Dès que je suis arrivé au bureau, je lui ai envoyé un SMS lui demandant à quelle heure elle prévoyait de partir. Elle n'a pas répondu avant 17 heures pour m'informer qu'elle partirait dans la demi-heure qui suivait, ce qui m'a obligé à me dépêcher pour rentrer à temps à la maison.

À mon arrivée, London s'est jetée dans mes bras.

– J'ai nourri mes poissons, papa ! Et ils avaient trop faim ! Et même que je les ai montrés à M. et Mme Sprinkles en les tenant contre la vitre.

– Tu leur as déjà donné des noms ?

Elle a hoché la tête.

– Ils sont tous trop jolis, alors j'ai su comment les appeler. Laisse-moi te montrer.

Elle m'a traîné jusqu'à sa chambre et a désigné les différents poissons en énonçant chaque fois leur nom :

– Cendrillon, Jasmine, Belle, Mulan et Dory, parce qu'ils me font penser à ces personnages.

Au rez-de-chaussée, Vivian attendait déjà à la porte. Elle a embrassé London puis s'est vaguement tournée vers moi en me gratifiant d'un « Bye » sans croiser mon regard, et elle est sortie.

J'aurais pu la laisser s'en aller. Mais l'instant d'après je l'ai suivie à l'extérieur. Elle ouvrait alors la portière du 4 x 4.

– Vivian ? Attends.

Elle a fait volte-face, le regard de marbre.

– Ça va ?

– Tout va bien, Russ, a-t-elle répondu, alors que sa voix affirmait le contraire.

– Tu as l'air en colère.

– Tu es sérieux ? a-t-elle répliqué en retirant vivement ses lunettes de soleil. Bien sûr que je suis en colère. Et déçue.

– Pourquoi ? Qu'est-ce que j'ai fait ?

– Tu as vraiment envie d'en parler maintenant ? a-t-elle riposté en me lançant un regard noir.

– J'ai juste envie de savoir ce qui se passe…

Elle a fermé les yeux, comme pour s'armer de courage et, quand elle les a rouverts, j'y ai vu toute sa rage.

– Pourquoi tu emmènes London avec toi quand tu sors avec ta petite amie ?

Sa question m'a pris de court et j'ai mis une seconde à comprendre à qui elle faisait allusion.

– Emily, tu veux dire ?

– Bien sûr que je parle d'Emily !

– C'est… c'est pas ma petite amie, ai-je balbutié. London et Bodhi sont copains.

— Alors tous les deux vous les emmenez au zoo ? À l'aquarium ?
C'est comme une sortie à deux couples, en somme ? a-t-elle craché.
Tu sais à quel point c'est déstabilisant pour London ? Qu'est-ce qui te
prend de faire un truc pareil ?

— Je n'essaie pas de…

— Tu sais ce qu'elle a fait hier ? Quand on est arrivées à l'atelier
d'arts ? Elle s'est précipitée dans les bras d'Emily. Devant tout le
monde !

— London embrasse tout le monde…

— ELLE L'A EMBRASSÉE, ELLE ! a hurlé Vivian, les joues en
feu. Je te croyais plus malin que ça ! Je te croyais mieux que ça ! Tu ne
m'as pas vue insister pour que London traîne avec Walter et moi, si ?
Je ne lui ai même pas encore parlé de Walter. Elle ne sait même pas
qu'il existe ! Je ne lui ai même pas dit qu'on allait divorcer !

— Vivian…

— Non ! m'a-t-elle interrompu. Je n'ai pas envie de t'entendre
justifier pourquoi vous vous baladez tous les quatre en ville comme si
vous formiez une famille. C'est sûr que tu n'as pas attendu longtemps,
pas vrai ?

— Emily n'est qu'une amie, ai-je protesté.

— Vas-tu honnêtement essayer de me convaincre que tu vois
Emily uniquement parce que les gamins sont amis ? a-t-elle ricané.
Réponds-moi simplement : tu te balades aussi avec les parents des
autres amis de London ?

— Non, mais…

— Et tu ne penses pas à elle ? Tu ne l'appelles pas ? Tu ne te tournes
pas vers elle pour qu'elle te soutienne ?

Je ne pouvais le nier, et mon expression a dû me trahir.

— J'ai fait de mon mieux pour garder London en dehors de tout ça,
a-t-elle poursuivi. Pendant que toi… On dirait que tu n'as même pas
réfléchi à ce qui pourrait le mieux convenir à la petite. Ou à ce qu'elle
pourrait penser ou éprouver. Tu ne penses qu'à toi et à tes envies…
toujours la même histoire. Tu n'as pas changé du tout, pas vrai, Russ ?

Sur ces mots, Vivian est montée dans le 4 x 4 et a claqué la portière.
Elle a reculé puis démarré en trombe, pendant que je restais planté là,
pétrifié, sous le choc.

Impossible de fermer l'œil ce soir-là.

Vivian disait-elle vrai ? N'avais-je pensé qu'à moi ? Je me suis repassé dans la tête toutes les fois où j'avais vu Emily ; j'ai refait le chemin qui nous a conduit au zoo et à l'aquarium. Et je me suis posé la question : si London avait eu un autre meilleur ami, est-ce que j'aurais visité ces endroits avec les parents de ce dernier ?

Au fond de moi, je savais que la réponse était non. Alors je me suis demandé jusqu'à quel point je m'étais menti à moi-même.

J'ai senti les répercussions de la colère de Vivian quelques jours plus tard, alors que j'étais assis dans le cabinet de Taglieri. Il m'avait appelé parce qu'il avait du nouveau au sujet des négociations du divorce.

— J'ai enfin pu passer du temps au téléphone avec l'avocate de Vivian, m'a-t-il dit. Et on a passé en revue la proposition d'accord point par point. J'ignore ce qui se passe entre Vivian et vous, mais je m'attendais à quelques concessions, comme cela se passe souvent dans ce genre de transaction. En revanche, je n'avais pas prévu une escalade dans ses demandes, a-t-il ajouté en soupirant.

— Elle veut davantage ? ai-je répliqué, stupéfait.

— Oui.

— Concernant quoi ?

— Tout. La pension alimentaire. Plus d'argent pour ce qui est de la division des biens en commun.

— Combien exactement ?

Lorsqu'il m'a annoncé le chiffre, j'ai blêmi.

— Et si je n'ai pas la somme ?

— Eh bien, pour commencer… il faudra mettre la maison en vente.

Même si j'appréhendais la future riposte de Vivian, j'avais l'impression d'avoir reçu un coup bas.

— Elle m'a aussi chargé de vous dire que Vivian sera présente le week-end d'Halloween et qu'elle préfèrerait que vous ne dormiez pas à la maison à ce moment-là.

— Pourquoi Vivian ne me l'a-t-elle pas dit elle-même ?

— Parce qu'elle a décidé que dorénavant toute communication passera par les avocats. Elle ne souhaite plus vous parler en direct.

— Autre chose ? ai-je demandé, éberlué.

— Elle veut aussi emmener London à Atlanta le week-end du 13 novembre.

— Et si je refuse ?

— Elle s'adressera sans doute directement au tribunal. Et Russ, ajouta Taglieri avec gravité, sachez que ça ne vaut pas la peine de se battre là-dessus, car vous ne gagnerez pas. À moins d'être une mère déclarée inapte, elle a le droit de voir sa fille.

— Je ne me serais pas battu contre cette visite. Je suis juste… scié.

— Vous voulez parler de ce qui a déclenché tout ça ?

— Pas vraiment. À quoi bon ? Qu'est-ce qu'elle dit à propos de London ?

— Pour l'heure, elle souhaite la voir chaque week-end. Dans le futur, elle réclame néanmoins la garde exclusive.

— Ça ne risque pas d'arriver.

— Voilà qui vous donne une autre bonne raison de mettre votre maison en vente. Même si j'ai cassé mes honoraires pour vous, la contre-proposition va vous coûter cher.

*
* *

Sur le front du travail au moins, la situation s'améliorait. Dans les semaines qui ont suivi l'anniversaire de London et jusqu'à la fin du mois, j'avais décroché quatre nouveaux clients sur les cinq cabinets d'avocat m'ayant contacté. Même si je me retrouvais carrément submergé de boulot – comme mon technicien et l'équipe de tournage –, celui accompli pour Taglieri m'avait beaucoup appris. Entre-temps la campagne de pub pour le chirurgien esthétique avait démarré, alors que Marge et Liz étaient au Costa Rica. Et Taglieri était enchanté par les résultats obtenus.

Quant à London et moi, nous avions trouvé notre rythme de croisière. Ses points de suture au front se sont résorbés et, quand une radio complémentaire a confirmé qu'il n'y avait pas de fracture, on lui a retiré l'attelle. Elle n'était certes pas encore prête à reprendre le piano, mais, elle se débrouillait bien à l'atelier d'arts. À l'occasion d'une autre soirée en tête à tête, je l'ai emmenée dîner dans un restaurant, le Farenheit, qui offrait une vue panoramique sur Charlotte illuminée et une carte élégamment calligraphiée : le genre d'endroit que Vivian aurait adoré.

*
* *

Alors qu'Halloween approchait, je n'ai pas beaucoup vu Emily.

Pour le meilleur ou pour le pire, les remarques de Vivian m'avaient piqué au vif. Si j'avais tenté de me convaincre que ma relation avec Emily était platonique, je savais néanmoins qu'elle dépassait la simple amitié. Nul doute que j'étais attiré par elle et, le soir, je contemplais malgré moi le téléphone en me demandant si je ne nuisais pas à London en ayant envie de joindre Emily.

Entendons-nous bien : j'appelais quand même Emily quasiment chaque soir, dans la mesure où je n'avais pas envie ou je me sentais incapable d'abandonner ce rituel réconfortant. Cependant la voix de Vivian résonnait toujours dans un coin de ma tête et il m'arrivait de raccrocher en me sentant à la fois confus et coupable. Je savais que je n'étais pas prêt pour une relation, mais est-ce que je ne faisais pas comme si je l'étais en appelant aussi fréquemment ? Et qu'est-ce que j'attendais d'Emily en définitive ? Pourrais-je me contenter de son amitié à la longue ? Me réjouirais-je pour elle si elle fréquentait quelqu'un d'autre ? Ou éprouverais-je un pincement au cœur à l'idée de ce qu'on aurait pu vivre, ou même succomberais-je à la jalousie ?

Tout au fond de moi, je connaissais la réponse. En dehors de Marge, je considérais Emily comme ma meilleure amie… et pourtant je ne lui avais pas répété les propos tenus par Vivian. Pourquoi ne pouvais-je pas me montrer honnête envers elle au sujet de mon conflit intérieur ?

Peut-être qu'une partie de moi sentait que je mentais à Emily sur mes intentions depuis le début de nos retrouvailles. Je souhaitais plus que de l'amitié. Pas tout de suite, mais au fil du temps.

Et, aussi égoïste que cela puisse paraître, je ne voulais pas risquer de la perdre dans l'intervalle, ce qui me tiraillait d'autant plus quant à l'attitude que j'étais censé adopter.

*

* *

La veille d'Halloween, j'ai réservé une chambre à l'hôtel.

Marge et Liz étaient rentrées du Costa Rica tard dans la nuit de mercredi et je ne me voyais pas débarquer chez elles. Pas plus que je n'avais envie d'aller dormir chez mes parents ; même si je savais que ça ne les aurait pas dérangés, je ne voulais pas qu'ils sachent que mes rapports avec Vivian s'étaient encore détériorés. Au goûter d'anniversaire de London, l'attitude en apparence accueillante de Vivian avait incité ma mère à me prendre à part pour tenter de me persuader que ma femme avait encore des sentiments pour moi. Cette conversation, je ne souhaitais pas l'affronter à nouveau.

Taglieri m'a indiqué par texto que Vivian arriverait tôt le vendredi soir, probablement vers 19 heures ; il n'y aurait donc pas de soirée en tête à tête comme les grands avec London. Au lieu de quoi, la petite et moi avons dîné à la maison. Ensuite elle a filé dans sa chambre pour voir si les hamsters et ses poissons allaient bien, pendant que je commençais à ranger la cuisine.

J'ai entendu Vivian franchir la porte d'entrée vingt minutes plus tard.

— Ohé ! a-t-elle lancé d'une voix chantante. Je suis là !

Elle a ensuite passé la tête dans la cuisine, en quête de London.

— La petite est dans sa chambre, ai-je dit. Elle est allée s'occuper de ses bestioles.

— OK, a-t-elle dit dans un hochement de tête. Elle a mangé ?

Je croyais qu'on était censés communiquer par avocat interposé. Mais soit, je vais jouer le jeu.

— Oui, elle a dîné. Elle n'a pas encore pris son bain, en revanche ; j'ignorais si tu allais l'emmener au cinéma ou…

— Je n'ai pas encore décidé. Je vais voir avec elle… Tu vas bien, sinon ?

— Oui, impeccable, ai-je répondu, de nouveau désarçonné par son attitude désinvolte. Tu attends avec impatience Halloween et la tournée des bonbons ?

— Ça va être sympa. J'ai trouvé un super costume pour London. Celui de la Belle de *La Belle et la Bête*, avec plein de paillettes.

— Elle va adorer. Elle a appelé un de ses poissons Belle.

— Tâche d'arriver à temps pour voir ça.

— Tu veux que je participe ?

Elle a levé les yeux au ciel comme si elle n'en revenait pas que je puisse tomber des nues, et pas du tout parce qu'elle me reprochait une quelconque attitude détestable.

— Bien sûr, Russ. C'est ta fille. C'est Halloween. D'ailleurs, tu dois être présent pour donner des friandises aux gamins qui passeront à la maison. Comment croyais-tu que ça se passerait demain soir ?

Comme d'habitude, Vivian s'était débrouillée pour me laisser dans l'incertitude.

*
* *

Je n'avais pas vu Marge et Liz depuis la fête d'anniversaire de London. Alors je suis passé chez mes parents le lendemain après-midi, avant que les enfants commencent à faire la tournée des maisons. J'ai aussitôt remarqué que ma sœur avait encore minci. Elle était superbe, mais ça me démangeait de lui dire de ne pas perdre davantage de poids, sous peine d'avoir un visage trop sévère. Liz aussi semblait s'être délestée de quelques kilos, mais pas autant que Marge.

Toutes les deux m'ont serré dans leurs bras à mon arrivée.

— Alors voilà à quoi tu ressembles après des vacances, hein ? ai-je dit à Marge en la gratifiant d'un sifflement admiratif.

— Je sais, c'est fabuleux, hein ? J'ai le même poids qu'à la fac maintenant.

— Toi aussi, Liz, tu es magnifique. Vous êtes sûres de ne pas avoir séjourné toutes les deux en secret dans un Canyon Ranch[1], pendant tout ce temps ?

— Merci. Mais non, a-t-elle répondu. C'était juste du bon vieux tourisme et de la randonnée. Et, comme Marge, je ne me suis pas goinfrée de riz et de haricots.

— Je suis jaloux. J'ai cessé de maigrir alors que je continue à courir.

— À part ça, comment vas-tu ? a repris Marge. Maman me disait hier soir que tu avais décroché de nouveaux contrats ? Allons dehors discuter un peu.

— D'accord. Laisse-moi dire bonjour aux parents et je te retrouve dans un moment.

J'ai bavardé un quart d'heure avec eux — Dieu merci, ma mère n'a pas remis le cancer sur le tapis — et j'ai retrouvé Liz et ma sœur sur la terrasse, toutes les deux buvant de grands verres de thé glacé.

Dans l'heure qui a suivi, on a parlé de leur voyage — les tyroliennes, le volcan Arenal, les randonnées dans la forêt humide et près de la côte — et je les ai tenues au courant des derniers événements dans mon petit monde. Comme cette partie de la conversation allait s'achever, ma mère a passé la tête sous la véranda et demandé à Liz si elle pouvait lui donner un coup de main en cuisine.

— Donc… on t'a dit que tu devais communiquer par avocat interposé, mais elle s'est pointée à la maison en faisant comme si de rien n'était ?

J'ai acquiescé.

— Ne me demande pas d'explication. Je remercie juste le Ciel pour ces petites faveurs qu'il m'accorde.

— Ce que je ne comprends toujours pas, c'est pourquoi Vivian a eu London à la fois pour son anniversaire et pour Halloween. Tu devrais toi aussi l'avoir pour des trucs sympas.

— C'est juste que ça tombe chaque fois un week-end.

Cette explication paraissait ne pas satisfaire Marge, mais elle avait visiblement décidé de ne pas insister.

— Ça te fait quoi, de vendre la maison ?

— Je suis partagé, je dirais. On n'a pas besoin d'un truc aussi grand… En toute honnêteté, on n'en a jamais vraiment eu besoin. En même

---

1. Centres de remise en forme haut de gamme, situés à Tucson, Arizona, et à Lenox, Massachussetts.

temps, ce lieu renferme pas mal de souvenirs. De toute manière, je n'ai pas vraiment le choix. Même si ma boîte commence à décoller, ce n'est pas comme si j'avais assez en banque pour dédommager Vivian quand on signera les papiers… C'est dur pour moi de me dire que ça fait presque deux mois qu'elle nous a quittés. Parfois, j'ai l'impression que c'était hier. À d'autres moments, j'ai l'impression que ça fait des lustres.

– Je n'ose même pas imaginer, a dit Marge.

Puis elle s'est tournée, a couvert sa bouche et s'est mise à tousser ; ça semblait venir des tréfonds de sa poitrine.

– Tu es toujours malade ?

– Non. C'est juste un reste de bronchite. Apparemment, les poumons peuvent mettre des mois à guérir, même si l'inflammation a disparu. Je me sentais très bien au Costa Rica, mais là maintenant, j'ai besoin de vacances pour me remettre de mes vacances. Liz nous a fait crapahuter sans arrêt, j'en suis encore vannée. Et mes genoux me tuent après toutes ces randonnées.

– C'est un bon exercice, mais les articulations dégustent, ai-je concédé.

– À ce propos, fais-moi signe si Emily et toi vous avez un jour envie d'en faire avec Liz et moi. Comme au bon vieux temps.

– Je te le dirai.

En entendant ma réponse, Marge a penché la tête.

– Oh oh… Mon petit doigt me dit qu'il y a de l'eau dans le gaz. Tu aurais oublié de me confier quelque chose ?

– Pas vraiment, ai-je répondu en prenant la tangente. C'est juste que je ne sais pas où cette relation nous mène.

Marge m'a observé attentivement.

– Pourquoi tu ne peux pas être heureux de ce que tu vis avec elle en ce moment ? Parce je crois bien qu'elle a été comme un roc pour toi ces deux derniers mois.

– En effet.

– Alors apprécie-la pour ça déjà, et advienne que pourra.

J'ai hésité, puis :

– Vivian pense que le fait de sortir avec Emily et les gamins va perturber London. Et elle a raison.

Marge a pris un air sceptique, puis elle a joint les mains sur la table et s'est penchée vers moi.

— Alors n'amenez pas London et Bodhi avec vous, a-t-elle suggéré d'un ton catégorique. Pourquoi n'essaies-tu pas simplement de sortir avec elle ?

— Comme si c'était un rancart ?

— Oui. Comme un rancart.

— Et London ?

— Liz et moi serions plus qu'heureuses de jouer les baby-sitters. Par ailleurs, tu ne viens pas de dire que London serait à Atlanta d'ici deux semaines ? Profite de l'occasion, frérot.

*
* *

Le soir d'Halloween, Vivian s'est montrée incroyablement chaleureuse, allant jusqu'à insister pour prendre une photo de London et moi avec son mobile. J'ai distribué des friandises aux gamins du quartier. Ils ont été si nombreux que je suis resté assis sur le rocking-chair de la terrasse de devant pour m'éviter de me lever sans cesse du canapé.

Le lendemain matin, j'ai reçu un texto de Vivian m'indiquant qu'elle partirait vers 18 heures et me demandant si je pourrais me trouver à la maison dans ces eaux-là.

En s'en allant, ce soir-là, elle m'a serré affectueusement dans ses bras et glissé à l'oreille que je faisais du bon boulot avec London.

*
* *

Les deux premières semaines de novembre se sont enchaînées à raison de journées de dix-huit heures, marquées par des routines devenues une seconde nature. Je faisais mon jogging, travaillais, m'occupais de London – qui avait repris les leçons de piano –, faisais la cuisine, le ménage, et passais un coup de fil en soirée à Emily. Avec mes nouveaux clients, j'avais tellement de boulot que je n'avais même pas eu le temps de faire un saut chez mes parents le week-end suivant, ni une seule fois chez Marge et Liz. Je garde pourtant quelques souvenirs de cette période.

La semaine après Halloween, un agent immobilier est passé à la maison pour que je puisse la mettre en vente. La femme a fait le tour de la propriété et m'a posé beaucoup de questions ; vers la fin, elle m'a suggéré de disposer le mobilier différemment pour mieux mettre les pièces en valeur. J'ai suivi son conseil et, un par un, les meubles ont retrouvé la place que Vivian leur avait attribuée à l'origine. Avant de s'en aller, l'agent a sorti un maillet de sa voiture et planté un panneau rouge vif « À VENDRE » dans le jardin côté rue.

Je l'ai regardée faire, la mort dans l'âme, et d'instinct j'ai appelé Emily. Comme d'habitude, elle m'a remis les pieds sur terre et m'a encouragé en disant que j'allais bientôt tourner une page de ma vie, m'installer dans un nouveau logement. Peut-être était-ce la perspective de laisser Vivian emmener London à Atlanta pour le week-end mais, à mesure que la conversation avançait, j'ai repensé malgré moi à la suggestion de Marge. Mais avant que j'aie pu rassembler mon courage pour inviter Emily, elle m'a fait une proposition :

– Russ, je voulais te demander... Ça te plairait de m'accompagner au vernissage de l'exposition dont je t'ai parlé ? Celle qui présentera certaines de mes toiles ?

Elle semblait un peu nerveuse et je la voyais déjà ramener ses cheveux derrière l'oreille comme elle le faisait en pareilles circonstances.

– Si tu ne peux pas, ce n'est pas grave, mais puisque ça tombe le week-end où London sera à Atlanta, j'ai pensé que...

– J'adorerais ça, l'ai-je interrompue. Je suis ravi que tu me l'aies proposé.

*
* *

Alors que le week-end du 13 novembre approchait, j'ai aidé la petite à préparer son séjour à Atlanta, ce qui a pris plus de temps que je ne l'aurais cru. London était surexcitée à l'idée d'aller voir Vivian dans son nouvel appartement, et elle a fait et refait sa valise quatre ou cinq fois. Pendant des jours, elle s'est tracassée sur ce qu'elle devait emporter, avant de finalement prendre plusieurs tenues différentes, outre les Barbie, les albums de coloriage, les crayons et le livre *Deux par deux*. Vivian m'avait envoyé un SMS m'indiquant qu'elle passerait la chercher à 17 heures ; donc, elle ferait l'aller-retour en voiture. J'avais bien sûr oublié le jet privé de Spannerman, mais je m'en suis souvenu dès que la limousine s'est arrêtée devant la maison.

J'ai porté le sac de voyage de London jusqu'à la voiture et l'ai tendu au chauffeur. Entre-temps la petite était déjà montée dans le véhicule dont elle explorait le luxueux habitacle.

J'ai eu un pincement au cœur en la voyant s'en aller, même si elle était en compagnie de sa mère.

— Je la ramène dimanche vers 19 heures, a dit Vivian. Et tu peux bien sûr l'appeler quand tu veux, je te la passerai.

— Je ne vais pas jouer les casse-pieds.

— Tu es son père, a dit Vivian. Pas un casse-pieds. Et sache qu'elle ne va pas rencontrer Walter ce week-end. C'est encore trop tôt. Je ne lui imposerai pas ça, a-t-elle ajouté.

J'ai hoché la tête, étonné, et indéniablement reconnaissant.

— Tu as prévu des trucs sympas, sinon ? ai-je demandé, comme si je tenais plus ou moins à retarder leur départ.

— Il y a des tas de choses à faire là-bas. Je pense qu'on verra le moment venu. Mais bon, je devrais filer. Je ne tiens pas à arriver trop tard à l'appartement.

Plus d'embrassades, cette fois. En se tournant, cependant, elle a aperçu le panneau « À vendre » de l'agence immobilière et a marqué un temps d'arrêt. Puis, ramenant ses cheveux par-dessus son épaule d'un geste vif, elle est montée dans la voiture et le chauffeur a refermé sa portière.

J'ai regardé la limousine s'éloigner et me suis senti étrangement démuni. Malgré tout ce qui s'était passé jusqu'alors, je découvrais toujours une nouvelle manière de me rappeler que j'avais perdu l'avenir que je m'étais autrefois imaginé.

*
* *

J'ignore pourquoi l'idée d'aller au vernissage à la galerie d'Emily me rendait nerveux. Elle et moi prenions un café ensemble quasiment chaque week-end, on se parlait au téléphone presque chaque soir, et j'avais durant une soirée siroté du vin avec elle sur sa terrasse. On avait passé des journées entières en expédition avec les enfants. Qui plus est, on allait assister à un événement où son travail, non pas le mien, serait mis en valeur… Alors, si quelqu'un devait se sentir nerveux, logiquement ce devait être elle.

Malgré tout, mon cœur battait plus fort que d'habitude et j'avais la bouche un peu sèche, quand Emily est venue m'ouvrir la porte. Découvrir sa silhouette dans l'entrée ne m'a pas beaucoup aidé. J'ignorais comment les artistes étaient censés s'habiller pour leur vernissage, mais la mère décontractée à laquelle j'étais tant habitué avait cédé la place à une femme ravissante en robe de cocktail noire à bretelles, ses cheveux brillants tombant en cascade sur ses épaules. J'ai remarqué qu'elle portait aussi juste ce qu'il fallait de maquillage pour laisser croire qu'elle n'était pas maquillée du tout.

— Tu es pile à l'heure, a-t-elle dit en me serrant brièvement dans ses bras. Et tu as une classe folle.

J'arborais ce que Vivian qualifiait de « look hollywoodien » : blazer noir, pantalon noir et pull noir en V.

— Je ne savais pas trop comment m'habiller, ai-je admis, encore sous l'effet de son étreinte fugace.

— Juste le temps de m'assurer que la baby-sitter a tout ce qui lui faut et on pourra y aller, OK ?

Je l'ai regardée monter à l'étage et je l'ai entendue parler. En haut des marches, elle a embrassé Bodhi avant de redescendre dans le vestibule.

— On y va ?

— Tout à fait, ai-je répondu, certain d'être en compagnie de la plus jolie femme que j'aie jamais vue. Mais à une seule condition.

— Comment ça ?

— Tu dois me donner quelques tuyaux sur la manière de se comporter lors d'un vernissage.

Elle a éclaté de rire et son insouciance a permis de détendre le nœud que j'avais à l'estomac.

— On en parlera en chemin, a-t-elle dit en sortant une étole en cachemire du placard de l'entrée. Mais fichons le camp d'ici avant que Bodhi réalise qu'il a oublié je ne sais quoi de capital et que ça nous prenne encore vingt minutes, avant de pouvoir nous échapper.

J'ai rouvert la porte et l'ai regardée passer devant moi, en observant la manière dont sa robe soulignait à merveille sa silhouette. Mes yeux sont descendus plus bas jusqu'à ce que me revienne en mémoire ce fameux soir où elle m'avait aidé avec mon nœud papillon, ce qui m'a fait rougir et aussitôt redresser la tête.

Une fois au volant, j'ai reculé dans la rue, avant de prendre la direction du centre-ville où se situait la galerie.

— Cette expo compte beaucoup pour toi, alors ? Je sais que tu as bossé comme une dingue pour que toutes tes toiles soient prêtes.

— On n'est pas au MoMA ou quelque chose comme ça, mais le galeriste fait du bon boulot. Il est dans le métier depuis longtemps et, une fois par an, il invite ses clients à une exposition privée. Parmi eux, certains sont d'importants collectionneurs de la région. En général, l'événement rassemble six ou sept artistes, mais je crois qu'il y en a neuf cette année. Deux sculpteurs, un verrier, un céramiste, et cinq peintres.

— Et tu es l'une d'entre eux.

— Chaque année, je suis l'une des artistes peintres.

— Il en représente combien ?

— Une trentaine, je pense ?

— Tu vois ? Et tu es si modeste que je n'aurais jamais pu le deviner.

— Je suis modeste parce que les ventes de mes toiles ne crèvent pas le plafond. Ce n'est pas comme si mes œuvres apparaissaient un jour chez Sotheby's ou Christie's. Bien sûr, la plupart des artistes dont les œuvres se vendent des millions de dollars sont morts.

— Ça paraît injuste.

— Tu prêches une convertie, a-t-elle répliqué d'un air taquin.

— Alors quel rôle joues-tu dans ce vernissage ?

— Eh bien, c'est un lieu de rencontre et je suis l'un des nombreux hôtes. Il y aura du vin et des amuse-gueule, et je traînerai toujours plus ou moins dans les parages de mes toiles, au cas où des invités souhaiteraient me parler.

— Et s'ils veulent acheter un tableau ?

— Dans ce cas, l'invité s'adressera au galeriste. Ce n'est pas vraiment à moi de discuter de la valeur d'une peinture. Autant j'aime plaisanter sur le fric, autant je n'aime pas penser à l'art en termes d'argent. Les gens doivent acheter une œuvre parce qu'ils l'aiment. Parce qu'elle leur parle.

– Ou parce qu'elle fait de l'effet sur le mur de leur salon ?

– Oui, pourquoi pas, a-t-elle admis en souriant.

– J'ai hâte de voir ce que tu as fait. Je suis désolé de ne pas être allé à la galerie avant ce soir…

– Russ, tu es un père très occupé, a-t-elle dit en me pressant le bras pour me rassurer. Je suis si contente que tu aies accepté de venir ce soir… Au moins j'aurai quelqu'un avec qui parler quand personne ne viendra voir mon travail. C'est un peu démoralisant de se tenir près de ses œuvres et de regarder les gens les ignorer, ou éviter ton regard pour essayer de ne pas te parler.

– Ça t'est déjà arrivé ?

– Chaque fois. Tous ceux qui vont venir n'apprécieront pas forcément mes toiles. L'art est subjectif.

– J'aime bien ce que tu fais. Ce que j'en ai vu chez toi, je veux dire.

Elle s'est esclaffée.

– Parce que tu m'aimes bien !

Je l'ai regardée.

– Certes.

*
* *

Quand on est arrivés à la galerie, la moindre trace de nervosité s'était dissipée. Comme toujours, il était agréable d'être en compagnie d'Emily puisqu'elle était à l'évidence très à l'aise avec moi. J'avais oublié combien ce sentiment d'acceptation est libérateur et, quand on a fait une pause à la porte, je me suis surpris à la dévisager en me demandant à quel point ma vie aurait été différente si je l'avais épousée elle au lieu de Vivian.

Emily s'est sentie observée et a incliné la tête :

– À quoi tu penses ?

J'ai hésité.

– Je me disais que j'étais vraiment ravi que London et Bodhi soient amis.

Elle a plissé les yeux d'un air sceptique.

– Je ne suis pas sûre que tu pensais aux gamins, là maintenant.

– Non ?

– Non, a-t-elle répété dans un sourire complice. Je suis certaine que tu pensais à moi.

– Ça doit être merveilleux de lire dans les pensées des autres.

– En effet. Et, pour le tour suivant, regarde bien : je vais entrer dans cette galerie sans toucher la porte.

– Comment vas-tu faire ça ?

Elle a fait mine d'être déçue.

– Tu ne vas même pas m'ouvrir la porte ? Moi qui te prenais pour un gentleman.

J'ai éclaté de rire en lui ouvrant la porte. L'intérieur du bâtiment, très lumineux, évoquait un loft de style industriel : un vaste espace découpé par plusieurs cloisons qui ne s'élevaient pas jusqu'au plafond. Les peintures étaient accrochées sur ces cloisons et j'ai vu une vingtaine de personnes rassemblées autour des œuvres, la plupart avec un verre de vin ou une flûte de champagne à la main. Serveurs et serveuses naviguaient parmi les gens avec des plateaux d'amuse-gueule.

– Je te suis, ai-je dit. C'est toi la star de la soirée.

Emily a balayé la salle du regard et on s'est dirigés vers un homme aux cheveux poivre et sel d'allure aristocratique. Il s'agissait en l'occurrence de Claude Barnes, le propriétaire de la galerie. Près de lui se tenaient deux couples venus d'autres grandes villes pour voir l'exposition.

J'ai attrapé deux verres de vin au passage d'un serveur et en ai tendu un à Emily, tandis qu'on parlait de choses et d'autres. Je l'ai vue désigner plusieurs cloisons au fond de la galerie et, la conversation terminée, on est allés tranquillement dans cette direction.

J'ai mis quelques minutes à détailler ses tableaux, en songeant qu'ils n'étaient pas seulement d'une grande beauté mais aussi mystérieux. Alors que les peintures que j'avais vues chez elle étaient abstraites, je décelais dans celles-ci plusieurs éléments réalistes. Les couleurs explosaient littéralement sur la toile, accompagnées par de vigoureux coups de pinceau. Un tableau en particulier ne cessait d'attirer mon regard.

– C'est spectaculaire, ai-je dit avec sincérité. Je ne peux imaginer tout le travail que ça a dû demander. Quelle est la toile qui te donnait du fil à retordre ?

– Celle-ci, a-t-elle répondu en pointant un index sur le tableau qui avait capté mon attention.

Je l'ai regardé de près, avant de prendre un peu de recul, pour le voir sous différents angles.

– Cette peinture est parfaite, ai-je dit.

– Je pense toujours qu'elle n'est pas achevée, a-t-elle dit en secouant la tête. Mais merci.

– Je le pense vraiment. J'ai envie de l'acheter.

– Euh… d'aaaaccord… a-t-elle hésité, mi-dubitative mi-flattée. Tu en es sûr ? Tu ne connais même pas le prix ?

– Je veux l'acheter, ai-je répété. Je suis sérieux.

Voyant que je ne plaisantais pas, elle a rougi.

– Waouh ! Je suis honorée, Russ. Je vais demander à Claude de te faire la réduction « famille et amis ».

J'ai bu une gorgée de vin.

– Et maintenant ?

– On attend de voir si quelqu'un vient par ici, a-t-elle répondu avec un clin d'œil. Et si c'est le cas, tu me laisses parler, OK ? J'ai pas envie de jouer les Margaret Keane d'aujourd'hui.

– Qui ça ?

– Margaret Keane était un peintre dont le mari s'est attribué la paternité des œuvres pendant des années. Son histoire est racontée dans le film *Big Eyes*. Tu devrais le voir.

– Pourquoi ne pas le voir ensemble un soir ?

– Ça marche !

Alors que la galerie continuait de se remplir, j'ai donc écouté Emily expliquer son travail à des clients intéressés. Mon rôle, si toutefois j'en avais un, consistait à prendre des photos avec les mobiles des visiteurs. Presque tout le monde souhaitait être immortalisé avec Emily, probablement parce qu'elle était l'auteur des tableaux, mais aussi – je m'en suis rendu compte après – parce que aucun autre artiste présent ne semblait être aussi apprécié qu'elle.

Pendant qu'Emily bavardait avec des invités, je me suis promené parmi les autres œuvres exposées. Certaines sculptures ont retenu mon attention, mais elles étaient trop imposantes et trop abstraites, et je ne voyais pas comment elles auraient pu s'intégrer dans un intérieur. J'ai aussi apprécié le travail de certains peintres, encore que celui d'Emily était le meilleur selon moi.

Emily et moi avons grignoté des amuse-gueule tandis que les

visiteurs allaient et venaient. Leur nombre a atteint son apogée vers 20 heures, puis il a commencé à décroître. Alors que le vernissage était censé s'achever à 21 heures, Claude n'a fermé les portes qu'après le départ du dernier invité, trois quarts d'heure plus tard.

— Je pense que ça s'est bien passé, a-t-il commenté en s'approchant de nous. Un certain nombre de gens ont exprimé leur intérêt pour votre travail. Je ne serais pas étonné que vous ayez tout vendu dans les prochains jours.

Emily s'est alors tournée vers moi :

— Tu es sûr de toujours vouloir acheter cette toile ?

— Absolument, ai-je répondu, conscient que c'était un luxe que je ne pouvais m'offrir en ce moment.

Mais, d'une certaine manière, je m'en moquais. Claude a un peu froncé les sourcils : il devait se douter qu'une forte remise lui serait demandée. Le froncement s'est évanoui aussi vite qu'il était apparu.

— Y a-t-il d'autres œuvres qui vous intéressent ? Réalisées par d'autres exposants ?

— Non, ai-je dit. Uniquement celle-ci.

— Pouvons-nous en discuter demain, Claude ? a déclaré Emily. Il se fait un peu tard et je suis trop fatiguée pour parler affaires.

— Bien sûr. Merci pour tout ce que vous avez fait ce soir, Emily. Vous êtes toujours si douée dans ce genre d'événements. Votre personnalité attire toujours la sympathie d'autrui.

Debout au côté d'Emily, je savais que Claude disait vrai.

*
* *

— Qu'aimerais-tu faire maintenant ? ai-je demandé comme on regagnait la voiture. Si tu es crevée, je peux te ramener chez toi.

— Tu rigoles ? J'ai dit à la baby-sitter que je ne rentrerais pas avant minuit. J'ai dit à Claude que j'étais lasse juste pour qu'on puisse s'échapper de la galerie. Quand il commence à parler, on ne peut quasiment plus l'arrêter. J'adore ce gars, mais je n'ai une baby-sitter que tous les trente-six du mois et j'ai bien l'intention d'en profiter.

— Tu as envie d'aller dîner ? On pourrait encore trouver quelque chose d'ouvert.

– Les amuse-gueule m'ont rassasiée. Mais que dirais-tu d'un cocktail ?

– Tu as un bar de prédilection ?

– Russ, je suis la mère d'un môme de cinq ans. Je ne sors pas si souvent. Mais j'ai entendu dire que Fahrenheit possédait une terrasse avec vue imprenable et des braseros. Et comme il fait frisquet ce soir, ça me semble tout indiqué.

– J'ai emmené London là-bas il y a peu de temps pour notre soirée en tête à tête.

– Les grands esprits se rencontrent.

Peu après, on s'est retrouvés sur le bar en terrasse du Fahrenheit, douillettement installés autour d'un brasero, avec les lumières de la ville sous nos yeux. J'ai commandé deux verres de vin à une serveuse qui passait entre les tables.

Enveloppée dans son étole en cachemire, Emily avait les yeux mi-clos et l'air serein. Elle était d'une beauté extraordinaire dans la lueur rosée des flammes et, lorsqu'elle m'a surpris la contemplant, elle m'a adressé un sourire indolent.

– Je me souviens de ce regard, a-t-elle dit. Tu me fixais comme ça… il y a un million d'années.

– Ah oui ?

– Quelquefois ça me donnait la chair de poule.

– Mais plus maintenant, si ?

Son haussement d'épaules faussement effarouché laissait penser tout le contraire.

– Je sais que j'ai dit que j'étais content que tu sois revenue dans ma vie…

Comme je m'interrompais, elle a levé les yeux sur moi :

– Mais ?

J'ai décidé de lui dire la vérité :

– Je ne suis pas sûr d'être prêt pour une relation.

Pendant quelques instants, elle resta muette.

– Entendu… a-t-elle enfin murmuré, un léger regret perceptible dans sa voix.

– Je suis désolé.

– Pourquoi donc ?

– Parce que je t'ai trop sollicitée au téléphone. Ça t'a peut-être conduite à penser que j'étais prêt, alors que je ne le suis pas. Par moments, je suis carrément en vrac côté sentiments. Je pense encore trop souvent à Vivian. Non pas que je veuille la voir revenir, j'ai réalisé que ce n'était plus le cas. Mais elle est encore trop présente dans ma tête, d'une manière pas très saine. Et tu t'es montrée si généreuse : en m'écoutant quand j'étais au plus bas, en m'offrant ton soutien affectif sans relâche. Et plus que tout, en me faisant rire…

Comme ma voix me lâchait, je l'ai sentie me détailler du regard.

— Me suis-je jamais plainte du fait que tu m'appelais trop ? Ou que tes confidences me pesaient comme un fardeau ?

J'ai secoué la tête, en ayant l'impression qu'une révélation tentait d'émerger dans mon esprit chamboulé, un peu comme une bulle d'air perçant la surface de l'eau.

— Non, pas du tout, ai-je répondu.

— Tu déroules un scénario dans lequel tu ne m'as rien offert en retour. Et pourtant si.

Les nuances auburn de ses cheveux sombres miroitaient sous la lumière des flammes, tandis qu'elle écartait des mèches de son visage. En se penchant vers moi, elle a ajouté :

— Ça me plaît d'avoir de tes nouvelles, que tu sois de bonne ou de mauvaise humeur. Ça me plaît de savoir que je peux te parler de tout et de rien, que tu comprendras car on a eu une histoire autrefois. Ça me plaît de savoir que tu me connais vraiment, avec mes défauts et tout ça.

— Tu n'en as pas, ai-je riposté. Pas que je sache, en tout cas.

Elle a ri, l'air incrédule.

— Tu plaisantes ? Personne n'est parfait, Russ. J'aime penser que j'ai retenu certaines leçons dans les dix années qui viennent de s'écouler et que, peut-être, je suis plus patiente que par le passé. Mais je suis loin d'être parfaite.

La serveuse nous apporta notre vin et, dans le silence qui suivit, nos pensées ont paru prendre une tournure plus sérieuse. Emily a bu une gorgée et, quand elle m'a de nouveau regardé, j'ai cru voir de la vulnérabilité dans ses yeux.

— Excuse-moi, ai-je dit. Je sais que je jette sans doute un froid sur la soirée.

— Pas du tout. C'est très important que tu sois honnête vis-à-vis de moi, Russ. Je pense que c'est ce que je préfère chez toi. Tu n'as pas peur de me dire certaines choses : que tu es blessé, que tu as peur de l'échec, que tu n'es pas prêt pour une relation. Tu ne mesures pas combien il est difficile pour les gens d'avouer tout ça. David n'a jamais pu. Je n'ai jamais su ce qu'il éprouvait réellement et, la moitié du temps, je crois bien qu'il l'ignorait lui-même. Mais avec toi, c'est différent. Tu es si ouvert. J'ai toujours admiré ça chez toi, et ça n'a pas changé. Je t'apprécie beaucoup, Russ. Tu me fais du bien, a-t-elle ajouté.

– C'est tout le problème, Emily. Je ne fais pas que t'apprécier… Je pense que je suis amoureux de toi.

Mes paroles ont semblé lui faire l'effet d'une décharge électrique.

– Tu penses ?

– Non, ai-je rectifié avec une certitude croissante, je suis amoureux de toi. Ça paraît bizarre de dire ça, alors que je ne suis pas vraiment prêt à aller plus loin, mais c'est ce que je ressens. Je ne suis pas le genre de type que tu devrais aimer. Tu peux trouver bien mieux. Peut-être qu'avec le temps…

Prononcer ces mots m'a fait plus de mal que je ne l'aurais cru et je me suis interrompu, sentant une boule obstruer ma gorge.

Emily me dévisageait. Puis elle a tendu la main et l'a posée, paume vers le ciel, sur ma jambe, en me faisant signe de la lui prendre. Je l'ai fait, sentant sa chaleur et son encouragement m'envahir, comme elle entrelaçait ses doigts aux miens.

– As-tu pensé que je pourrais aussi être amoureuse de toi ?

– Tu n'as pas à dire ça.

– Je ne me contente pas de le dire, Russ. Je sais ce qu'on éprouve quand on aime. Peut-être que je t'ai toujours aimé. Dieu sait que je t'ai aimé de toutes les fibres de mon corps dans le passé. Je ne pense pas que ce sentiment s'évanouisse comme ça… il laisse des traces, m'a-t-elle avoué d'une voix douce en me regardant droit dans les yeux. Ça me va d'attendre que tu sois prêt. Parce que ce qu'on vit en ce moment me convient. Ça me plaît que tu sois devenu l'un de mes plus proches amis. Et je sais combien tu tiens à moi. Tu te souviens de ce que j'ai dit à propos de l'amitié ? C'est quelqu'un qui entre dans ta vie en disant : « Je suis là pour toi » et qui ensuite le prouve.

J'ai hoché la tête.

— Tu ne vas peut-être pas le croire, mais c'est ce que tu as fait pour moi. Moi aussi j'ignore si je suis prête pour une relation. Mais je sais que je te veux dans ma vie, et que l'idée même de te perdre à nouveau me briserait le cœur.

— Où est-ce que tout ça va nous mener alors ?

— Et si on restait là tous les deux autour du feu à simplement profiter de la soirée. On peut être amis ce soir et demain, et aussi longtemps que tu le voudras. Et tu continueras à m'appeler, et on continuera à discuter et à prendre des cafés ensemble, quand les gosses seront à l'atelier d'arts. Et comme tout le monde, on vivra ça au jour le jour.

Je l'ai dévisagée, émerveillé par sa sagesse et par sa faculté à rendre tout si simple.

— Je t'aime, Emily.

— Je t'aime aussi, Russ, a-t-elle dit en me pressant tendrement la main. Tout va bien se passer, a-t-elle ajouté avec sincérité. Fais-moi confiance.

*
* *

Plus tard, cette nuit-là, je me suis retrouvé dans mon lit, incapable de fermer l'œil. Emily et moi nous étions attardés encore une heure autour du brasero, le temps d'assimiler toutes les paroles échangées. Quand je l'ai déposée chez elle, j'ai éprouvé le besoin de l'embrasser, tout en craignant de bouleverser le nouvel équilibre que nous venions de trouver.

Emily a senti mon hésitation et s'est simplement penchée pour m'étreindre. On est restés un long moment dans les bras l'un de l'autre, sous la lumière de sa véranda, et l'intimité de cet instant m'a paru bien plus réelle et plus significative que tout ce qu'elle aurait pu faire d'autre.

— Appelle-moi demain, OK ? m'a-t-elle chuchoté en se détachant de moi, non sans me caresser la joue avec tendresse.

— OK.

Puis, elle a tourné les talons pour entrer dans sa maison.

Les deux dernières semaines de novembre ont compté parmi les plus heureuses de mes souvenirs récents. Mon anniversaire de mariage est passé sans incident ; ni Vivian ni moi n'y avons fait allusion quand elle m'a contacté sur FaceTime avec London, et c'est seulement après la communication que je m'en suis souvenu. Au travail, je me révélais incroyablement productif pour mes nouveaux clients. London est rentrée d'Atlanta le dimanche soir et, même si elle avait pris du bon temps là-bas, elle s'est glissée dans ses habitudes sans faire d'histoires. Je parlais chaque jour à Emily et j'ai négocié avec Claude pour acheter son tableau, que j'ai ensuite accroché dans le salon. J'ai vu Marge, Liz et mes parents le week-end suivant, le lendemain du rendez-vous de Marge et Liz chez le spécialiste de la fertilité. Pendant qu'on était tous dans le salon, elles ont présenté leur projet à mes parents.

— Il était temps ! s'est exclamé ma mère en se levant d'un bond pour les embrasser.

— Vous serez de bons parents, a ajouté mon père.

Sa voix était tout aussi bourrue que d'habitude avant qu'il étreigne Marge et Liz à tour de rôle. Mais comme les embrassades de mon père étaient aussi rares que les éclipses solaires, je sais qu'elles ont été touchées.

J'ai appris par l'entremise de Taglieri que Vivian souhaitait avoir London avec elle à Atlanta pour le week-end de Thanksgiving. En fait, elle voulait la petite du mercredi soir jusqu'au dimanche. Ça ne m'emballait pas trop mais, une fois de plus, le week-end faisait partie d'un pont. Vivian est venue chercher London le mercredi dans la limousine, pour l'emmener de nouveau dans le jet privé. En les regardant s'éloigner, je me suis dit que la maison serait bien calme sans ma fille les quatre jours suivants.

La maison fut vraiment tranquille ce week-end-là. Parce qu'il n'y eut personne, pas même moi.

Ce fut encore un week-end où mon univers s'écroula autour de moi.

Mais ce fut encore pire, cette fois.

Comment est-ce arrivé ?

Comme toujours, apparemment… sans prévenir.

Mais, bien sûr, avec le recul, je sais que les signes annonciateurs étaient là depuis longtemps.

C'était le samedi matin du 28 novembre, deux jours après Thanksgiving. J'étais sorti la veille avec Emily : on avait dîné en ville, avant d'aller au Charlotte Comedy Zone. Une fois de plus, j'avais été tenté de l'embrasser à la fin de la soirée ; mais j'avais préféré la serrer très fort dans mes bras, comme pour confirmer mon désir de la garder très, très longtemps dans ma vie. Mes sentiments envers elle chassaient déjà Vivian de mes pensées comme je n'aurais pu l'imaginer, et j'espérais que ça continuerait. J'envisageais l'avenir de manière plus légère et plus positive que je ne l'avais fait depuis des mois, si ce n'est des années.

Le téléphone fixe a donc sonné le samedi matin. Il n'était pas encore 6 heures… et la sonnerie elle-même m'a parue de mauvais augure. Mon mobile était en mode avion et personne n'aurait appelé à cette heure-là sauf si quelque chose de terrible était survenu. J'ai deviné avant même de décrocher que c'était ma mère à l'autre bout du fil, et je savais qu'elle m'appelait pour me dire que mon père était à l'hôpital. Il avait eu une crise cardiaque. Ou pire encore. Je savais qu'elle serait dans tous ses états, sans doute en larmes.

Mais ce n'était pas ma mère à l'autre bout de la ligne.

C'était Liz. Elle m'appelait au sujet de ma sœur.

Marge, m'a-t-elle annoncé, venait d'être admise à l'hôpital.

Elle toussait et crachait du sang depuis une heure.

23

Non

Quand Marge avait onze ans, ma mère et elle ont eu un accident de voiture.

À l'époque, maman conduisait encore un de ces énormes breaks avec des panneaux en bois. Comme ils appartenaient à une autre génération, mes parents n'avaient pas l'habitude de porter une ceinture de sécurité, et dans la famille on l'attachait rarement.

Marge aimait encore moins que moi les ceintures de sécurité. Alors que j'oubliais simplement de boucler la mienne quand je montais en voiture – j'étais encore jeune –, ma sœur choisissait délibérément de ne pas la porter, car ça lui laissait davantage de liberté pour me donner des coups de poing ou me pincer si l'envie lui prenait – ce qui, devrais-je ajouter, lui arrivait trop souvent.

Je n'étais pas dans le break, ce jour-là, et même si mes souvenirs sont un peu flous, il semble que ma mère n'avait pas provoqué l'accident. Elle ne roulait pas vite, il n'y avait pas beaucoup de circulation, et elle franchissait un carrefour au feu vert. Au même moment, un jeune gars – qui devait tripoter sa radio ou se goinfrer de frites McDonald – est passé au rouge et a heurté le break sur le côté.

Si ma mère était un peu amochée, Marge inquiéta tout le monde. Sous l'impact, elle fut projetée contre la vitre latérale qui vola en éclats. Elle n'était pas inconsciente en arrivant à l'hôpital, mais elle saignait et avait des contusions, sans parler de sa clavicule fracturée.

En entrant dans sa chambre d'hôpital avec mon père, la vue de ma sœur m'a terrifié. À six ans, je ne savais pas grand-chose sur la mort ou même les hôpitaux. Mon père s'est tenu au-dessus du lit, le visage inexpressif ; mais je voyais bien qu'il était effrayé, et ça n'a fait qu'accroître ma propre frayeur. Il a froncé les sourcils en regardant mon visage apeuré.

– Approche. Viens voir ta sœur, Russ.

Je me rappelle avoir dit :

– Je n'ai pas envie.

– Je me fiche que tu en aies envie ou pas, a-t-il rétorqué. Je t'ai demandé de t'approcher et tu vas faire ce que je te dis.

Le ton de sa voix ne tolérant pas la contradiction, je me suis avancé tout doucement. Marge avait le visage tuméfié, avec des ecchymoses et des points de suture ici et là, comme si on l'avait entièrement recousue. Elle ne ressemblait plus à ma sœur ; elle ne ressemblait plus à personne. On aurait dit un monstre dans un film d'horreur, et sa vue m'a fait éclater en sanglots.

Encore aujourd'hui, je regrette d'avoir fondu en larmes. Mon père avait pensé que je pleurais pour Marge et il avait posé une main réconfortante sur mon épaule, mes larmes avaient alors redoublé.

Mais je ne pleurais pas pour Marge. Je pleurais sur moi, parce que j'avais peur et, au fil du temps, j'en suis venu à m'en vouloir pour ma réaction.

Certaines personnes sont courageuses.

Ce jour-là, j'ai appris que je n'étais pas l'une d'elles.

*

* *

Les médecins ignoraient ce qui clochait chez Marge. Les infirmières lui ont fait des analyses de sang et une radio de la poitrine. Ce fut suivi par un scanner. Trois différents praticiens sont venus. J'ai vu qu'on lui insérait une aiguille dans les poumons pour prélever des tissus en vue d'un autre examen.

Pendant tout le processus, Marge fut la seule à ne pas paraître s'inquiéter. En partie parce que depuis son arrivée à l'hôpital sa toux s'était calmée. Elle plaisantait avec les docteurs et les infirmières, alors que Liz et mes parents affichaient un air lugubre et anxieux. Et j'ai pensé une fois de plus que ma sœur était douée pour dissimuler ses frayeurs, même à ceux qui l'aimaient. Pendant ce temps, dans une autre aile de l'établissement, on procédait à d'autres analyses. J'ai entendu le médecin murmurer des mots tels que pathologie, radiologie, biopsie, oncologie.

Liz était à l'évidence soucieuse, sans pour autant céder à la panique. Assis dans leur coin, comme pétrifiés, mes parents tenaient à peine le coup. Quant à moi, j'étais bouleversé, parce que Marge n'avait pas bonne mine. Elle était d'une pâleur grisâtre, qui accentuait sa perte de poids, et je me suis surpris à me repasser dans la tête tout ce que j'avais vu et ce qu'elle avait dit ces derniers mois. La toux déchirante qui semblait ne jamais la quitter, ses courbatures dans les jambes. Son épuisement après ses vacances.

Mes parents et moi, Liz et les médecins, nous pensions tous à la même chose.

Le cancer.

Mais c'était impossible. Marge ne pouvait pas être malade à ce point. C'était ma sœur et elle n'avait que quarante ans. À peine une semaine plus tôt, elle avait consulté un spécialiste parce qu'elle désirait avoir un bébé. Elle avait hâte d'être enceinte. Elle avait toute la vie devant elle.

Marge ne pouvait pas être malade. Elle ne pouvait pas avoir le cancer.

Non.

Non, non, non, non, non…

*

* *

Heureusement que Vivian avait emmené London à Atlanta, car je ne sais ce que j'aurais fait avec elle toute la journée. J'ai passé des heures à entrer et sortir de la chambre de Marge. Quand je n'en pouvais plus, je faisais les cent pas sur le parking ou j'allais prendre un café à la cafétéria. J'ai appelé Emily pour la tenir au courant de la situation ; je lui ai demandé de ne pas venir, mais elle est venue quand même.

Marge et Emily ont vécu de brèves mais agréables retrouvailles un peu avant midi ; et ensuite, dans le couloir, Emily m'a serré dans ses bras comme je tremblais de peur. Elle m'a dit qu'elle souhaitait me voir plus tard, si j'étais d'attaque, et je lui ai promis de lui passer un coup de fil.

Finalement j'ai appelé Vivian. Quand je lui ai annoncé de quoi il retournait, je l'ai entendue s'étrangler de surprise à l'autre bout du fil et elle a aussitôt proposé de revenir en jet avec London. Je lui ai expliqué que la petite serait sans doute mieux avec elle, du moins pour le week-end. Vivian a compris.

— Oh, Russ… je suis désolée, a-t-elle dit d'une voix qui n'avait plus rien de commun avec son ton brusque habituel.

— Ne le sois pas… Rien n'est certain pour le moment.

Je me voilais la face, et Vivian le savait aussi bien que moi. Elle était parfaitement au courant des antécédents du côté maternel de ma famille. En lui parlant, je sentais ma voix se briser.

— Fais-moi plaisir, ne dis rien à London pour l'instant, OK ?

— Bien sûr. Qu'est-ce que je peux faire, sinon ? De quoi as-tu besoin ?

— Rien pour l'instant. Merci. Je te le ferai savoir.

— Tiens-moi au courant, OK ?

— Pas de problème, ai-je promis, et je savais que je le ferais.

Après tout, on était toujours mariés.

*
* *

Dans l'après-midi, pendant que Liz et mes parents étaient à la cafétéria, je suis resté auprès de Marge. Elle m'a interrogé sur mon travail et, comme elle insistait, je lui ai décrit les campagnes de publicité que je mettais au point pour mes clients. Je crois bien qu'elle se rappelait ce jour-là à l'hôpital, longtemps auparavant, après l'accrochage en voiture, et elle percevait toute ma frayeur. Elle savait que je pouvais parler des heures de mon boulot, comme sur pilotage automatique, aussi n'arrêtait-elle pas de me poser des questions pour me distraire.

Comme c'était devenu une habitude chez elle, ma sœur m'a interrogé aussi au sujet d'Emily, et j'ai enfin admis que j'étais tombé amoureux, mais que je n'étais pas encore prêt à en en parler à nos parents. Ça l'a fait sourire jusqu'aux oreilles.

— Trop tard. Papa et maman sont déjà au courant.

— Comment ça ? Je ne leur ai rien dit.

— Tu n'avais pas besoin. Quand tu as appelé Emily le jour de Thanksgiving, ce que tu éprouvais pour elle était clair comme de l'eau de roche. Maman a haussé les sourcils, et papa s'est tourné vers moi en disant : « Déjà ? Il n'est même pas encore divorcé. »

Malgré tout le reste, je n'ai pu m'empêcher d'éclater de rire. C'était mon père tout craché.

– Je ne me suis pas rendu compte que c'était aussi évident.

– Oui oui… a dit Marge en hochant la tête. Je regrette seulement que tu aies attendu jusqu'à aujourd'hui pour l'amener avec toi. J'ai une mine affreuse. Tu aurais dû faire ça après le Costa Rica, quand j'étais encore bronzée.

J'ai hoché la tête, frappé par le ton désinvolte de ma sœur.

– Au temps pour moi.

– J'aimerais aussi rencontrer Bodhi puisque j'en ai tellement entendu parler.

– Je suis sûr que tu auras l'occasion de le voir.

Elle a tripoté le drap du lit, en l'entortillant avant de le laisser se défaire.

– J'ai pensé à des prénoms pour le bébé, a-t-elle dit. J'ai acheté ce genre de bouquins, tu sais ? Au bureau, chaque fois que je m'ennuie un peu, j'y jette un œil. J'ai même commencé à en surligner certains.

Des prénoms ? Elle parlait vraiment de prénoms pour le bébé ? Je sentais les larmes me monter aux yeux et j'ai lutté pour parler sans que ma voix se brise.

– Tu as des préférences ?

– Si c'est un garçon, j'aime bien Josiah, Elliot, Carter. Si c'est une fille, Meredith et Alexis. Bien sûr, Liz va avoir ses propres idées, mais je ne lui en ai pas encore parlé. C'est encore tôt, alors on a tout notre temps pour nous décider.

Tout notre temps.

Marge a dû se rendre compte de ce qu'elle disait, parce qu'elle a d'abord jeté un regard vers la pendule puis vers la porte de la chambre, qui était ouverte. Les infirmières allaient et venaient dans le couloir, accomplissant leurs tâches comme si ce jour-là n'était pas différent des autres.

– Je me demande quand ils vont enfin me laisser sortir, a repris ma sœur. Pourquoi ils mettent tout ce temps ? Je traîne ici depuis des heures. Ils ne savent pas que j'ai des trucs à faire ?

Comme je n'avais aucune réponse à lui donner, Marge a soupiré.

– Tu sais que ça va aller, hein ? Je veux dire, je sais bien ce qui s'est passé ce matin, mais je ne me sens pas si mal. Beaucoup mieux qu'avant mon départ pour le Costa Rica, en fait. J'ai dû choper un parasite là-bas. Dieu seul sait à quoi ressemblent les normes sanitaires dans leurs cuisines.

— On verra ce que diront les médecins, ai-je murmuré.

— Si tu les croises, dis-leur de se dépêcher.

— Entendu.

Et toujours ce drap qu'elle continuait à tortiller.

— London revient demain, c'est ça ?

— En effet. Je ne sais pas à quelle heure exactement. En tout début de soirée, j'imagine.

— Pourquoi ne pas venir dîner avec elle chez nous, cette semaine ? T'étais si occupé ces derniers temps qu'on n'a pas pris le temps de se retrouver pour nos repas habituels.

Tout en la regardant tortiller le drap, je sentais ma gorge se serrer à nouveau.

— Un dîner, ce serait sympa. Mais pas de cuisine costaricaine. Avec les parasites et tout ça, hein ?

— Ouais, a-t-elle dit en me regardant droit dans les yeux. Tu n'as franchement pas envie d'avoir ce que j'ai, tu peux me croire.

*
* *

La journée s'est écoulée lentement.

Milieu d'après-midi. Fin d'après-midi.

Vivian m'a envoyé un SMS me demandant s'il y avait du nouveau. J'ai répondu qu'on attendait toujours.

Emily m'a aussi demandé comment j'allais par texto.

« Mort de trouille », ai-je répondu.

*
* *

À mesure que le jour déclinait, le ciel se couvrait. La chambre d'hôpital de Marge baignait dans une lumière gris terne et la télé diffusait *Judge Judy*, mais le son était coupé. La machine surveillant ses fonctions vitales bipait régulièrement. Un médecin qu'on n'avait pas encore vu entra dans la pièce. Malgré son attitude posée, il affichait un air lugubre et je savais déjà ce qu'il allait nous annoncer. Il s'est présenté comme étant le Dr Kadam Patel, oncologue. Par-dessus son épaule, j'ai vu une jeune fille en chaise roulante qu'on poussait dans le couloir. Elle tenait dans ses bras un animal en peluche : un cochon violet.

Comme ma mère l'avait rêvé.

Je suis devenu livide, l'esprit dans une confusion totale sitôt qu'il a parlé, mais j'ai capté des bribes de son discours.

Adénocarcinome… plus courant chez les femmes que chez les hommes… susceptible de survenir davantage chez les personnes jeunes… non à petites cellules… développement plus lent que dans d'autres types de cancer du poumon, mais le stade était malheureusement avancé et le scanner montrait qu'il s'était métastasé dans d'autres parties du corps… les deux poumons, des ganglions lymphatiques, le squelette et son cerveau… effusion péricardique maligne… stade IV… incurable.

Incurable…

Maman fut la première à pousser un cri, le gémissement d'une mère qui sait son enfant condamnée. Liz a suivi l'instant d'après et mon père l'a prise dans ses bras. Il n'a rien dit, mais sa lèvre inférieure tremblait et il gardait les yeux fermés en les plissant très fort, comme pour tenter d'occulter la réalité. Marge se tenait assise, immobile, dans le lit. En la regardant j'ai failli m'effondrer, mais je suis resté bien droit, je ne sais trop comment. Ma sœur gardait son regard rivé sur le médecin.

— J'en ai pour combien de temps ? a-t-elle demandé. Et pour la première fois de la journée, j'ai senti la peur dans sa voix.

— C'est impossible à dire, a répondu le Dr Patel. Bien que ce soit incurable, c'est traitable, disons. Le traitement n'a cessé de s'améliorer de façon exponentielle ces dix dernières années. Il peut non seulement prolonger la vie mais aussi atténuer certains symptômes.

— Combien de temps ? a répété Marge. Avec le traitement ?

— Si nous l'avions détecté plus tôt, a biaisé le médecin. Avant qu'il se soit métastasé…

— Mais ce n'est pas le cas, l'a interrompu Marge.

Le Dr Patel s'est redressé en reprenant :

— Je vous le répète, il n'y a aucun moyen de le savoir précisément.

Vous êtes jeune et en bonne condition physique, deux facteurs qui accroissent l'espérance de vie.

— Je comprends qu'il s'agisse d'une question à laquelle vous ne souhaitez pas répondre. Je comprends aussi que chaque patient est différent, donc vous ne pouvez pas avoir de certitude. Ce que je souhaite, en revanche, c'est votre meilleur pronostic. Pensez-vous qu'il me reste un an ?

Le médecin ne répondait pas mais affichait une expression peinée.

— Six mois ? a insisté ma sœur.

Mais il restait muet.

— Trois ?

— Pour l'heure, a dit le Dr Patel, je pense qu'il vaudrait mieux commencer à envisager des possibilités de traitement. Il est capital que nous attaquions tout de suite.

— Je n'ai pas envie de parler traitement, a-t-elle répliqué. Si vous pensez que je n'en ai que pour quelques mois, si vous me dites que c'est incurable, alors à quoi bon ?

Liz s'était suffisamment ressaisie pour s'essuyer les yeux. Elle s'est approchée du lit et a pris la main de Marge. Puis elle l'a portée à ses lèvres et l'a embrassée.

— Ma chérie ? a-t-elle murmuré. J'ai envie d'entendre le médecin au sujet des possibilités de traitement, OK ? Je sais que tu as peur, mais j'ai besoin de savoir. Tu veux bien l'écouter ? Pour moi ?

Marge s'est détournée pour la première fois du docteur. Une première larme laissa sur sa joue une trace qui brillait sous la lumière.

— OK, a murmuré ma sœur, commençant seulement à pleurer.

*
* *

Chimiothérapie systémique.

Dans les quarante minutes qui ont suivi, l'oncologue a patiemment expliqué en quoi consistait le traitement qu'il recommandait. Puisque le cancer était avancé, puisqu'il s'était répandu dans le corps de Marge et atteignait son cerveau, on ne pouvait avoir recours à une intervention chirurgicale. La radiothérapie était possible mais, là non plus, en raison de la propagation du cancer, le jeu n'en valait pas la chandelle.

En général, on laissait davantage de temps aux patients pour peser le pour et le contre de la chimiothérapie – y compris ses effets secondaires, et le médecin les a énoncés en détail ; mais comme le cancer était avancé, il a vivement recommandé que Marge commence le traitement sur-le-champ.

Pour ce faire, elle aurait besoin d'un cathéter. Lorsque cette partie a débuté, mes parents et moi sommes allés à la cafétéria. On y est restés assis en silence, chacun essayant simplement d'intégrer la situation. J'ai commandé un café que je n'ai pas bu, en songeant que la chimio se résumait pour l'essentiel à du poison, tandis qu'on espérait que les cellules cancéreuses soient éliminées avant les saines. Trop de poison, et le patient mourait ; trop peu, et le traitement ne valait rien.

Ma sœur savait déjà tout ça. Mes parents et moi ne le savions que trop bien. On avait grandi avec le cancer. On savait tout sur les stades, les taux de survie, les possibilités de rémission, les cathéters et les effets secondaires.

Le cancer, en définitive, se répandait non seulement dans les corps mais aussi dans les familles comme la mienne.

Plus tard, j'ai regagné la chambre et je me suis assis dans le fauteuil en regardant le poison qui commençait à être administré, et à tuer, à mesure qu'il circulait dans l'organisme de Marge.

*

* *

J'ai quitté l'hôpital à la nuit tombée et raccompagné mes parents jusqu'à leur voiture. J'avais l'impression qu'ils se traînaient plus qu'ils ne marchaient et, pour la première fois, ils m'ont paru vieux. Carrément exténués, comme si on les avait roués de coups. Je le savais parce que j'éprouvais la même chose.

Liz nous avait demandé si elle pouvait rester seule avec Marge. Sitôt qu'elle a posé la question, je me suis senti coupable. Perdu dans mes propres sentiments envers ma sœur, il ne m'était pas venu à l'idée que toutes les deux avaient besoin de se retrouver en tête à tête.

Après avoir regardé mes parents sortir lentement du parking, j'ai lentement rejoint mon véhicule. Je savais que je ne pouvais pas rester à l'hôpital mais n'avais vraiment pas envie de rentrer chez moi. À vrai dire, je n'avais envie d'aller nulle part. Je souhaitais pouvoir remonter le temps, revenir à la veille. Vingt-quatre heures plus tôt, je dînais en compagnie d'Emily et me préparais à une soirée de rires.

Les numéros de stand-up du Comedy Zone étaient bons et, même si l'un d'eux s'était révélé un peu trop obscène à mon goût, le deuxième humoriste était à la fois marié et père de famille, et les anecdotes amusantes qu'il racontait avaient des accents familiers. À un moment donné, j'avais pris la main d'Emily et, en sentant ses doigts s'entrelacer aux miens, j'avais eu l'impression de me retrouver en terrain connu. Je me souviens m'être dit que la vie se résumait à cela, somme toute. L'amour, le rire, l'amitié ; des moments de bonheur partagés avec les êtres qui nous sont chers.

En rentrant à présent chez moi, la soirée d'hier me paraissait bien lointaine, comme si elle appartenait à une autre vie. Mon univers avait basculé et, à l'instar de mes parents, j'avais vieilli dans les dernières heures qui venaient de s'écouler. Je me sentais vidé de ma substance. Et, tout en plissant mes yeux que des larmes troublaient, je me demandais si je pourrais un jour me sentir à nouveau pleinement moi-même.

*
* *

Emily m'a demandé par SMS si je me trouvais encore à l'hôpital et, quand je lui ai répondu que j'étais rentré, elle m'a dit qu'elle venait.

Elle m'a trouvé sur le canapé, dans une maison plongée dans la pénombre, hormis l'unique lampe allumée au salon. Je ne m'étais pas levé quand elle avait frappé à la porte, alors elle était entrée.

— Salut, m'a-t-elle dit de sa voix douce, avant de traverser la pièce pour s'asseoir auprès de moi.

— Salut... Désolé de ne pas être venu t'accueillir.

— Pas de souci. Comment va Marge ? Comment tu vas, toi ?

Je ne savais quoi lui répondre et je me suis pincé l'arête du nez Je ne voulais plus pleurer.

Elle a passé un bras autour de moi et je me suis blotti contre elle. Comme elle l'avait fait plus tôt à l'hôpital, elle m'a serré fort et on n'a plus eu besoin de parler.

*
**

Marge a quitté l'hôpital le dimanche. Bien qu'elle fût faible et nauséeuse, elle n'avait aucune raison de rester dans l'établissement et souhaitait rentrer chez elle.

Après tout, on lui avait administré la première dose de poison.

J'ai poussé la chaise roulante, mes parents fermant la marche derrière moi. Liz avançait au côté de Marge et dégageait le passage dans les couloirs encombrés. Personne ne regarda deux fois dans notre direction.

Il faisait froid à l'extérieur. Sur le chemin de l'hôpital, Liz m'avait demandé de faire un saut chez elles afin d'y prendre une veste pour Marge. Elle m'avait indiqué la cachette de la clé, sous une pierre, à droite de la porte d'entrée.

J'avais donc farfouillé dans le placard du vestibule, cherchant un vêtement doux et chaud. J'avais finalement opté pour une longue veste matelassée.

Avant de sortir de l'hôpital, Liz avait aidé ma sœur à se lever pour enfiler la veste. Marge avait grimacé, vacillé, mais recouvré l'équilibre. Liz et mes parents étaient partis ensemble en direction du parking, puis chacun de son côté pour récupérer leurs voitures respectives.

– Je déteste les hôpitaux, m'a dit Marge. La seule fois où j'y suis allée de bonne humeur, c'était pour la naissance de London.

– Tout à fait d'accord, ai-je approuvé.

Elle a tiré sur sa veste en la serrant contre son cou.

– Alors pousse-moi à l'extérieur, tu veux bien ? Fais-moi sortir de cet endroit.

J'ai obtempéré, en sentant un petit vent frisquet sur mes joues dès que j'ai eu quitté le bâtiment. Les rares arbres du parking étaient nus, et le ciel gris acier.

Quand Marge a repris la parole, sa voix était si basse que j'ai failli ne pas l'entendre.

– J'ai peur, Russ… a-t-elle murmuré.

– Je sais. Moi aussi.

– C'est injuste. Je n'ai jamais fumé, c'est à peine si je bois, je mange correctement, je fais de l'exercice.

L'espace d'un instant, elle était redevenue une enfant.

Je me suis accroupi pour la regarder en face.

— Tu as raison. C'est injuste.

Elle a croisé mon regard, en partant d'un éclat de rire résigné.

— Tout ça, c'est de la faute de maman, tu sais. Elle et les gènes de sa famille. Même si je ne lui dirai jamais. Et je ne lui en veux pas vraiment. Pas du tout, même.

La même pensée m'avait traversé l'esprit, mais sans que je l'exprime à voix haute. Je savais que cette idée tourmentait ma mère, et c'était l'une des raisons pour lesquelles elle avait à peine parlé à l'hôpital. J'ai pris la main de Marge.

— Je me sens comme une loque, a-t-elle dit. J'ai déjà décrété que je détestais la chimio. J'ai déjà vomi quatre fois ce matin, et maintenant j'ai l'impression de ne même pas avoir la force d'aller toute seule aux toilettes.

— Je vais t'aider. Promis.

— Non. Pas question.

— Mais qu'est-ce que tu dis ? Bien sûr que si.

Je n'avais jamais vu Marge aussi triste… Marge, qui faisait toujours si peu de cas de ses chagrins, même les plus gros, avec une insouciance toute pragmatique.

— Je sais que tu penses que c'est ton devoir. Et je sais que tu voudras l'accomplir, dit-elle en me serrant la main très fort. Mais j'ai Liz. Et tu as London, et ton agence, et Emily.

— Le boulot est le cadet de mes soucis là maintenant. Emily comprendra. Et London est à l'école la plupart du temps.

Marge n'a pas répondu tout de suite. Lorsqu'elle a repris la parole, ce fut comme si elle reprenait une conversation interrompue sans que je m'en rende compte.

— Tu sais ce que j'admire chez toi ? Entre autres choses ? m'a-t-elle demandé.

— Aucune idée.

— J'admire ta force. Et ton courage.

— Je ne suis pas fort, ai-je protesté. Et je ne suis pas courageux.

— Pourtant, si. Quand je repense à l'année qui vient de s'écouler et à tout ce que tu as traversé, je me demande comment tu as pu te débrouiller. Je t'ai regardé devenir le père que tu pouvais devenir,

464

comme je l'avais toujours su. Je t'ai vu au plus bas après que Vivian t'a quitté. Et je t'ai regardé te relever. Tout en lançant une affaire, avec toutes les batailles à mener que ça impliquait. Peu de gens auraient pu gérer ces six derniers mois comme tu l'as fait. Pour ma part, je sais que je n'en aurais pas été capable.

— Pourquoi tu me dis ça ? ai-je demandé, un peu paumé.

— Parce que je ne vais pas te laisser arrêter de faire ce que tu dois faire uniquement à cause de moi. Ça me briserait le cœur.

— Je vais être là pour toi. Tu ne peux pas m'en empêcher.

— Je ne te demande pas de m'abandonner, mais de continuer à vivre ta vie. Je te demande d'être à nouveau fort et courageux. Parce que London n'est pas la seule qui va avoir besoin de toi. Liz aussi. Papa et maman aussi. L'un de vous devra être un roc. Et même si tu n'y crois pas, je sais tout au fond de moi que tu as toujours été le plus solide de nous tous.

24

Décembre

Quand je repense à Marge adolescente, deux choses me viennent à l'esprit : le patin à roulettes et les films d'horreur. À la fin des années quatre-vingt et au début des années quatre-vingt-dix, le patin à roulettes cédait la place au roller, mais Marge restait fidèle aux patins à l'ancienne qu'elle avait possédés enfant : je pense qu'elle avait un faible pour les pistes de roller disco de sa prime jeunesse. Pendant son adolescence, elle passait la majeure partie de ses week-ends sur des patins, en général avec son Walkman et des écouteurs sur les oreilles... même, étonnamment, après avoir obtenu son permis de conduire. Rares étaient les choses qu'elle préférait au patin à roulettes... à l'exception d'un bon film d'horreur.

Même si Marge adorait les comédies romantiques comme moi, son genre cinématographique préféré, c'étaient les films d'horreur et elle n'en ratait jamais dans sa première semaine d'exploitation. Peu importe que le film ait été éreinté par la critique et le public, elle le regardait volontiers toute seule si elle ne pouvait trouver quelqu'un d'aussi enthousiaste qu'elle, tant elle était aussi passionnée pour ce genre de même qu'une groupie pour son groupe favori. Des Griffes de la nuit *à* Candyman, *en passant par* Amityville 4, *ma sœur était une vraie fan de l'horreur, qu'il s'agisse d'un film d'auteur ou d'un navet.*

Quand je lui demandais pourquoi elle aimait tant ce genre, elle se bornait à hausser les épaules en disant qu'elle aimait parfois avoir peur.

Ça me dépassait, tout comme le fait de se déplacer en patins à roulettes. Pourquoi vouloir avoir peur ? N'existait-il pas suffisamment de choses effroyables dans la vraie vie pour nous tenir éveillés la nuit ?

Maintenant, en revanche, je crois comprendre.

Marge aimait ces films précisément parce que ce n'était pas la réalité. Toutes les frayeurs qu'elle éprouvait en les regardant se révélaient quantifiables ; il y avait un début et une fin, et elle quittait ensuite la salle de cinéma en ayant eu sa dose d'émotions fortes, mais soulagée du fait que tout allait pour le mieux dans le meilleur des mondes.

Au même moment, elle avait pu faire face – même momentanément – à l'un des troubles de la vie les plus ancrés en nous, la racine même de notre instinct universel nous poussant à la lutte ou à la fuite. En s'obligeant à ne pas bouger malgré sa frayeur, je pense que Marge avait l'impression d'en ressortir plus forte et mieux armée contre les véritables terreurs que l'existence lui réservait.

Avec le recul, je pense que ma sœur avait peut-être touché du doigt quelque chose d'essentiel.

*
**

Vivian est rentrée avec London le dimanche soir. Avant de s'en aller, elle m'a serré dans ses bras plus longtemps que je ne l'aurais cru. Dans son étreinte, j'ai senti toute son inquiétude, mais étrangement son corps ne m'était plus familier.

London avait apprécié son séjour, mais cette fois ses poissons et ses hamsters lui avaient manqué. Dès son arrivée, on est montés dans sa chambre, où elle m'a raconté que son dîner de Thanksgiving avait eu lieu dans une grande maison. J'en ai déduit que Vivian avait présenté notre fille à Spannerman. N'avait-elle pas vu London embrasser Emily à l'atelier d'arts ? Nul doute que dans l'esprit de Vivian, j'avais violé le tabou le premier, ce qui lui donnait le droit d'agir de la même manière.

J'aurais dû davantage m'en soucier, j'imagine, mais à ce moment-là ça m'était égal. J'étais épuisé et savais pertinemment que la petite allait tôt ou tard rencontrer Spannerman. Quelle importance que ce soit ce week-end ou lors de son prochain séjour à Atlanta ?

Qu'est-ce qui avait la moindre importance, en fait ?

Tandis que London s'occupait des poissons, j'ai décidé de nettoyer la cage des hamsters que j'avais négligés en son absence. Désormais j'en avais pris l'habitude et ça ne m'a pas pris beaucoup de temps. J'ai vidé les saletés dans la poubelle, nettoyé la cage, puis je suis remonté à l'étage, où London tenait les hamsters.

– Tu as faim, ma puce ? ai-je demandé.

— Non. Maman et moi, on a mangé dans l'avion.

— Je voulais juste être sûr.

Je me suis assis sur le lit en la regardant, alors que je pensais surtout à Marge. Ma sœur souhaitait me voir continuer à mener ma vie, agir comme si rien n'avait changé. Mais tout avait changé et je me sentais dépouillé de tout, aussi vide qu'un vieux bidon d'essence à l'abandon. Je n'étais pas certain de pouvoir agir comme Marge me le demandait, pas plus que je n'étais sûr de le souhaiter.

— Tu sais quoi ? a dit London en levant la tête.

— Quoi donc, mon cœur ?

— Pour Noël, je vais faire un vase pour tatie Marge et tatie Liz, comme j'en ai fait un pour maman. Mais cette fois-ci, je veux peindre des poissons dessus.

— Je suis sûr qu'elles vont adorer.

Pendant un instant, London a paru m'observer d'un air grave que je n'aurais su expliquer.

— Ça va, papa ?

— Oui, je vais bien.

— T'as l'air triste.

Je le suis… Je suis à deux doigts de me briser en mille morceaux.

— C'est juste que tu m'as manqué.

Elle a souri et s'est approchée de moi, un de ses hamsters toujours dans les mains.

— T'aimerais bien tenir M. Sprinkles ?

— Bien sûr, ai-je dit comme elle le posait doucement dans ma main.

Le hamster était doux et léger comme une plume, mais je sentais ses minuscules griffes qui grattaient comme s'il cherchait à s'agripper, tout en remuant sur place. Ses moustaches frémissaient et il m'a reniflé les doigts.

— Tu sais quoi ? a repris London. (Je l'ai interrogée du regard.) Je sais lire maintenant.

— Ah bon ?

— J'ai lu *Deux par deux* toute seule. Même que je l'ai lu à maman.

Je me demandais si elle n'avait pas plutôt récité le livre de mémoire : après tout, on l'avait lu une centaine de fois ensemble. Mais bon, quelle importance, ça aussi ?

— Peut-être que tu pourrais me montrer tout à l'heure ?

— OK, a-t-elle dit en m'entourant de ses bras. Je t'aime, papa.

J'ai senti l'odeur de shampoing pour bébé qu'elle utilisait toujours et j'ai de nouveau eu un pincement au cœur.

— Moi aussi je t'aime.

Elle m'a serré encore plus fort, avant de se détacher.

— Je peux récupérer M. Sprinkles ?

*
* *

Marge a démissionné le lundi. Je l'ai appris en recevant son SMS me disant : « J'ai décidé de prendre ma retraite ».

Je suis passé chez elle après avoir déposé London à l'école. Mon travail pouvait attendre. Peu importe ce qu'elle voulait, moi j'avais envie de voir ma sœur. Liz m'a ouvert la porte et j'ai compris qu'elle venait de pleurer, même si ses yeux étaient à peine rougis.

J'ai trouvé Marge installée sur le canapé, les jambes relevées par des coussins, enveloppée dans une couverture. Il y avait *Pretty Woman* à la télé, ce qui a réveillé une multitude de souvenirs et j'ai de nouveau vu Marge sous les traits d'une adolescente. À l'époque où elle avait toute une vie devant elle, une vie qui se mesurait en décennies et non en mois.

— Salut, a-t-elle dit en appuyant sur la touche Pause de la télécommande. Qu'est-ce que tu fais là ? Tu ne devrais pas être au boulot ?

— Je connais le patron, ai-je répondu. Il dit que ça ne pose pas de problème si j'arrive un peu en retard aujourd'hui.

— Quel humour !

— J'ai été à bonne école avec toi, frangine.

Marge m'a fait de la place et je me suis affalé sur le canapé à ses côtés.

— Admets-le : tu as reçu mon texto et tu es venu parce que tu es jaloux de me voir abandonner enfin le stress de la routine, m'a-t-elle dit en me décochant un grand sourire de défi. J'ai décidé qu'il était temps de vivre un peu.

J'ai bataillé en vain pour trouver une répartie cinglante et, dans le silence qui a suivi, Marge m'a donné des petits coups de pied dans les côtes en disant :

— Haut les cœurs ! Pas de morosité et de pessimisme dans cette maison !

Elle a jeté un regard par-dessus son épaule avant de me murmurer enfin :

— Liz, ça allait ?

— J'imagine. On n'a pas vraiment parlé.

— Tu devrais. C'est vraiment une fille très sympa.

— T'as fini avec tes vannes ? ai-je répliqué avec un sourire peu enthousiaste. À part ça, comment tu te sens ?

— Beaucoup mieux qu'hier. D'ailleurs, à ce propos… je peux emmener London faire du patin à roulettes ce week-end ?

— Tu veux emmener London faire du patin à roulettes ?

Mon incrédulité devait s'afficher, car Marge s'est hérissée.

— Crois-le ou non, mais je refuse que vous me gardiez tous confinée dans la maison et je pense que ça plaira à la petite. Moi, je vais me régaler, c'est sûr.

On se gardait bien de préciser que l'événement resterait gravé dans la mémoire de London, puisque ce serait pour elle une grande première.

— C'est quand la dernière fois que tu es allée patiner ?

— En quoi ça te regarde ? Crois-tu que j'ai oublié comment faire du patin ? Si tu te souviens, j'étais drôlement douée à l'époque.

Ça n'a rien à voir. Je me demande si tu en auras la force.

J'ai détourné les yeux vers l'écran, persuadé que ma sœur était dans le déni. Sur l'image figée de la télévision, Julia Roberts se trouvait dans un bar et affrontait sa colocataire au sujet de l'argent. Même si je n'avais pas vu le film depuis des années, je pouvais quasiment me rappeler chaque scène.

— OK, ai-je repris, mais uniquement si tu presses la touche *Play* pour qu'on puisse voir le film.

— Tu as l'intention de gâcher ta matinée en regardant *Pretty Woman* ? Plutôt que de gagner de l'argent ?

— C'est ma vie.

— Eh bien, n'en fais pas une habitude, OK ? Tu es le bienvenu après le travail, mais pas avant. J'aurai sans doute commencé à avoir besoin de ma sieste réparatrice.

— Contente-toi d'appuyer sur *Play*.

Elle a arqué un sourcil et pointé la télécommande vers l'écran.

— Je viens à peine de lancer le film.

— Je sais.

— On avait l'habitude de le regarder ensemble.

— Je sais. Tout comme je sais que Julia Roberts te faisait déjà craquer.

Elle a éclaté de rire et le film a redémarré, et ma sœur et moi avons passé les deux heures suivantes à le visionner, en rejouant les dialogues et en faisant des commentaires, comme quand on était plus jeunes.

*
* *

Après le film, Marge est allée dans la chambre faire une sieste, tandis que Liz et moi buvions un café à la cuisine.

— Je ne sais pas ce que je vais faire, a avoué Liz avec l'expression d'une personne anéantie par des événements qu'elle parvenait à peine à comprendre. Au Costa Rica, elle semblait pourtant aller bien. Elle toussait à peine et j'avais même du mal à la suivre. Je ne pige pas comment elle pouvait paraître aussi en forme il y a un mois et maintenant… dit-elle en secouant la tête, toute confuse. J'ignore comment je suis censée agir. J'ai annulé mes rendez-vous d'aujourd'hui et de demain, mais Marge m'a interdit de poser un congé. Elle souhaite me voir continuer à travailler au moins quelques jours par semaine, en insistant sur le fait que votre mère peut me remplacer si nécessaire, qu'on devrait établir une sorte de planning ou je ne sais quoi, poursuivit-elle en relevant la tête, ses yeux pleins de tristesse. C'est comme si elle ne me voulait pas dans les pattes.

— Ça n'a rien à voir, ai-je dit en posant ma main sur la sienne. Elle t'adore. Tu le sais.

— Alors pourquoi elle passe quasiment son temps à me dire de rester à l'écart ? Pourquoi elle ne peut pas comprendre que je veux juste rester auprès d'elle le plus possible, et le plus longtemps possible ?

Elle m'a pressé affectueusement la main, tandis qu'elle regardait par la fenêtre d'un air absent.

— Elle veut toujours aller à New York la semaine prochaine, a-t-elle enfin ajouté.

— Tu ne penses pas sérieusement à y aller, si ? Faire du patin à roulettes, soit… mais visiter l'une des villes les plus animées du monde ?

— Je ne sais pas quoi faire. Elle en a parlé au médecin hier soir et il a dit que si elle se sentait d'attaque, rien ne s'opposait à ce qu'elle y aille, puisque ça tombait entre deux séances de chimio. Mais comment puis-je l'accompagner sans me dire : *Ce sera la dernière fois que Marge verra ceci ou cela ?* ou bien *Ce sera sa dernière occasion de faire telle ou telle chose ?*

Liz me dévisageait comme en quête d'une réponse, mais je me savais incapable de lui en fournir une.

La plupart de ses interrogations recoupaient les miennes, après tout, et je n'avais pas plus de réponses qu'elle.

*
* *

Le mardi matin, premier jour de décembre, j'ai reçu un texto de Marge qui nous invitait, London et moi, à dîner le soir même. Une manière subtile de me dire de ne pas passer chez elle avant.

L'idée m'a déprimé et, après avoir déposé la petite à l'école, je me suis débrouillé pour retrouver Emily autour d'un café. En jean et gros col roulé, elle semblait aussi fraîche et juvénile qu'une étudiante.

— Tu as l'air fatigué, a-t-elle observé. Tu tiens le coup ?

— Je survis, ai-je répondu en me passant une main lasse dans les cheveux. Désolé de ne pas t'avoir appelée ces derniers jours.

Elle a aussitôt protesté.

— Je t'en prie. Je n'imagine même pas ce que tu dois traverser. Je me suis fait du souci pour toi.

Bizarrement, ses paroles m'ont réconforté.

— Merci, Em. Ça signifie beaucoup pour moi.

— Tu veux me raconter ce qui se passe au juste ? a-t-elle demandé en m'effleurant le bras.

Dans l'heure qui a suivi, j'ai vidé mon sac, ma tasse de café refroidissant peu à peu. En m'écoutant, j'ai réalisé que depuis le retour d'Emily dans ma vie, j'étais passé d'une catastrophe affective à une autre. Même lorsqu'elle m'a tenu dans ses bras un peu plus tard, je m'étonnais qu'elle veuille bien me supporter encore.

Au dîner, ce soir-là, Liz s'est décarcassée pour préparer des plats qui, à coup sûr, plairaient à London : des cuisses de poulet panées, des pommes de terre rôties et une salade de fruits.

Ma mère s'en allait au moment où on est arrivés, et je l'ai raccompagnée jusqu'à sa voiture. Avant de reprendre le volant, elle m'a confié :

– Marge refuse que j'abandonne l'un ou l'autre de mes clubs. En fait, elle a même insisté pour que je m'en tienne à mon planning habituel, mais, Russ… a ajouté ma mère en fronçant les sourcils, elle ne sait pas ce qui l'attend. Elle va avoir besoin d'aide. C'est comme si elle se voilait la face.

J'ai hoché la tête, en lui disant que je partageais son avis.

– Tu sais ce qu'elle me disait à l'instant ? Elle veut que papa vienne remplacer certains barreaux de la rambarde de la véranda, parce qu'ils sont pourris. Et certaines fenêtres coincent. Et le lavabo fuit dans la salle de bains. Elle a lourdement insisté sur ces réparations. Comme si c'était important en ce moment. Pourquoi faire autant d'histoires pour deux ou trois barreaux de la balustrade ? Ou pour des fenêtres qui se bloquent ? m'a demandé ma mère, l'air perplexe.

Bien que je n'aie pas répondu, j'ai enfin compris l'attitude de Marge. J'ai brusquement su pourquoi elle voulait que je ne vienne la voir que le soir, pourquoi elle souhaitait que Liz et ma mère se partagent le temps passé avec elle. Et j'ai su pourquoi elle voulait que mon père vienne faire ces petites réparations, et pourquoi elle insistait pour emmener London faire du patin à roulettes.

Plus que quiconque, Marge savait que chacun de nous désirait non seulement passer du temps en tête à tête avec elle, mais aussi qu'il en aurait besoin… avant la fin.

Comme les effets secondaires de la première chimiothérapie se sont atténués au fil de la semaine, Marge a peu à peu repris des forces.

Et on avait tous envie de croire que le traitement fonctionnait, parce qu'on souhaitait plus que tout passer encore quelques mois avec elle.

Je sais à présent que Marge était la seule à comprendre intuitivement ce qui se passait vraiment dans son corps. Elle s'est pliée au traitement dès le début simplement parce que c'était notre souhait à tous. Avec le recul, je me rends compte qu'elle savait que, même en l'acceptant, cela ne ralentirait pas la progression de la maladie.

À ce jour, je me demande encore comment elle pouvait en avoir la certitude.

*
**

Liz et ma mère ont mis en place un roulement, de sorte qu'une des deux serait toujours à la maison dans la journée, quand Marge et Liz reviendraient de New York.

Le vendredi qui a suivi mon dîner chez les filles, mon père a pris une matinée de congé et s'est pointé chez Marge avec sa boîte à outils et une pile de barreaux prédécoupés dans son coffre. Il a ensuite attaqué les réparations puis a fait une pause pour déjeuner ; Marge et mon père ont pris des sandwichs et du thé glacé sous la véranda, en admirant l'avancée des travaux sur la balustrade et en discutant des perspectives de l'équipe des Braves pour la prochaine saison.

Le samedi, Marge est venue chez moi après l'atelier d'arts – au cours duquel London lui avait confectionné en cachette son cadeau de Noël – pour emmener la petite faire du patin à roulettes. Liz et moi les avons accompagnées, avant de regarder depuis la galerie Marge aider London à rouler sur la piste. Comme la plupart des enfants, elle essayait de marcher plutôt que de glisser, et il lui a fallu une bonne demi-heure pour commencer à maîtriser le mouvement. Si Marge ne lui avait pas tenu les deux mains, en patinant à reculons, ma petite fille se serait écroulée une vingtaine de fois.

Cependant, vers la fin de la séance, elles ont pu patiner côte à côte sans aller trop vite, et London était visiblement fière de ses progrès en dénouant ses lacets avec l'aide de Liz, avant de rendre les patins. Je me suis assis auprès de Marge pendant qu'elle se penchait pour ôter les siens.

— Tu risques d'avoir mal aux bras et au dos demain, ai-je prédit.

À mes yeux, elle avait l'air fatiguée, mais je n'aurais su dire si c'était à cause de la maladie ou parce qu'elle n'avait pas cessé de rattraper la petite pour lui éviter de tomber.

— Ça va aller, m'a-t-elle dit. London n'est pas très lourde. Mais elle jacasse sans arrêt. Un vrai moulin à paroles. Elle m'a même demandé quelle était ma couleur de poisson préféré. Je ne savais pas du tout quoi lui répondre.

J'ai souri.

— New York va sans doute te paraître bien reposant en comparaison. Vous partez demain ?

— Oui… j'ai hâte ! a-t-elle répliqué, tout émoustillée. J'ai déjà prévenu Liz que notre première halte se fera sous l'arbre de Noël du Rockefeller Center. Je veux me plonger dans l'esprit des fêtes de fin d'année.

— Envoie-moi des photos sur le mobile.

— Promis. Au fait, je sais ce que je veux pour Noël. De ta part.

— Je t'écoute.

— Je te le dirai à mon retour. Mais je vais te donner un indice : je veux aller quelque part avec toi.

— En voyage, tu veux dire ?

— Non, pas vraiment.

— Où ça alors ?

— Si je te le disais, ce ne serait pas une surprise.

— Si tu ne me dis rien, comment veux-tu que je fasse ?

— Et si tu me laissais faire, OK ?

Quand elle eut retiré ses patins et remis ses chaussures, je l'ai vue lancé un dernier regard mélancolique sur la piste. Celle-ci grouillait de monde à présent : gamins, adolescents tapageurs, et quelques adultes nostalgiques. En voyant l'expression de ma sœur, j'ai compris ce qu'elle pensait : qu'elle n'aurait plus jamais l'occasion de patiner à nouveau.

Je me suis alors rendu compte que ce jour-là n'était pas seulement destiné à apprendre à London à faire du roller ou à lui fabriquer un souvenir qu'elle conserverait peut-être à jamais… Marge avait également commencé à dire au revoir à ce qu'elle aimait.

Marge et Liz sont parties six jours. Pendant leur absence, j'ai travaillé de longues heures, car j'avais envie d'avancer au maximum sur les nouvelles compagnes de pub, mais surtout je voulais éviter de trop penser à ma sœur. Comme promis, elle m'a envoyé en MMS des photos du sapin de Noël du Rockefeller Center : une de Liz et elle ensemble, et un selfie.

Je les ai fait retoucher sous Photoshop, imprimer puis encadrer, avec l'intention d'en offrir une série à Marge et Liz en guise de cadeau de Noël, et d'en garder une autre pour moi.

Entre-temps d'autres cabinets juridiques m'ont contacté, parmi lesquels une petite firme d'Atlanta qui avait vu mes réalisations récentes postées sur YouTube. Tandis que je mettais en place les présentations requises, je me suis surpris à passer en revue les six derniers mois.

Quand j'avais lancé mon agence, tous mes soucis semblaient liés au business ou à l'argent et, à l'époque, tout ce stress m'avait paru écrasant. Je m'étais alors dit que la situation ne pouvait pas être pire, mais je revoyais distinctement Marge me rassurer en disant que tout finirait par s'arranger.

Elle avait raison, bien sûr.

D'un autre coté, elle n'aurait pu se tromper davantage.

Les fêtes de fin d'année approchaient.

– Quels sont tes projets pour Noël ? Avec London ? m'a demandé Marge.

C'était un dimanche après-midi et elle venait de se réveiller d'une sieste mais semblait encore fatiguée. On était sur son canapé, où elle s'était enveloppée dans un plaid, alors qu'il faisait chaud dans la maison, selon moi. Liz et elle étaient rentrées de New York la veille, et j'avais envie de voir Marge avant que London rentre d'Atlanta.

– Vivian et toi, en avez-vous déjà discuté ? Noël est dans deux semaines à peine, tu sais.

En dévisageant ma sœur, j'avais l'impression qu'elle avait encore maigri depuis que je l'avais vue sur la piste de patinage. Ses yeux étaient enfoncés et sa voix plus haut perchée et plus faible.

– Pas encore, ai-je répondu. Mais ça tombe une fois de plus le week-end.

– Russ, je sais que je te l'ai déjà dit, mais c'est injuste pour toi de ne pas avoir London pour les fêtes.

Certes, mais je n'y pouvais pas grand-chose, alors j'ai essayé de changer de sujet.

– C'était comment, New York ?

– Incroyable, a soupiré Marge. Mais la foule… waouh ! Il y avait des files d'attente dans la rue juste pour entrer dans certains magasins. Les spectacles étaient fantastiques, et on a fait des repas inoubliables.

Elle a alors cité les comédies musicales qu'elles avaient vues et les restaurants où elles avaient dîné.

– Ça valait le coup, alors ?

– Bien sûr. J'ai aussi demandé à l'hôtel de nous organiser deux soirées romantiques pendant qu'on était là-bas. Champagne, fraises au chocolat, chemin de pétales de rose menant au lit. J'avais aussi apporté ma nouvelle lingerie pour exhiber ma silhouette toute svelte, a-t-elle ajouté en battant des cils. Je pense que Liz en est restée comme deux ronds de flan.

– Ça faisait pas un peu lourd avec les fraises au chocolat ?

– Vraiment ? Tu n'as rien trouvé de plus spirituel ?

– Quand ma sœur se met à parler de sa vie amoureuse, je choisis de me retrancher dans la naïveté, ai-je expliqué. Ce n'est pas comme si je te racontais ma vie amoureuse en détail.

– Tu n'en as pas encore une avec Emily. Et, à mon humble avis, il est temps que tu y remédies.

– Ce qu'on vit en ce moment nous convient bien. On se parle tous les soirs au téléphone, on se voit autour d'un café. Et on est sortis vendredi soir.

– Qu'est-ce que vous avez fait ?

– Dîner. Et karaoké.

– Tu as fait du karaoké ! s'est exclamée Marge, interloquée.

– Enfin, elle. Mais bon, c'était son idée. Elle est drôlement douée aussi.

Marge a souri en s'enfonçant davantage dans le canapé.

– Ça m'a l'air sympa, remarque. Pas franchement sexy ou romantique, mais sympa. Tu as eu des touches pour ta maison, au fait ?

– Deux ou trois personnes intéressées, mais rien de sûr encore. D'après mon agent immobilier, décembre est toujours calme côté ventes. Elle veut organiser une visite publique en janvier.

– Préviens-moi quand tu connaîtras la date. Liz et moi, on viendra faire la claque, histoire de vanter les charmes de la maison devant les acheteurs potentiels.

– Tu as mieux à faire que d'aller à une visite de maison.

– Sans doute, a-t-elle concédé. Mais bon, tu sembles toujours avoir besoin de mon aide, d'une manière ou d'une autre. Toute ma vie, j'ai dû m'occuper de toi.

Après avoir lancé un regard vers la cuisine où Liz préparait le déjeuner, elle a poursuivi en soupirant, un soupçon d'appréhension troublant son regard :

– Je suis censée avoir une autre séance de chimio cette semaine. Vendredi, je pense. On ne peut pas dire que j'attends ça avec impatience. Avec ça en tête, on devrait probablement faire notre truc jeudi.

– Quel truc ?

– Notre escapade, tu te souviens ? Mon cadeau de Noël ?

– Tu te rends compte que je n'ai toujours aucune idée de ce dont du parles.

– Pas de problème. Je passerai te prendre à 19 heures. Liz peut se charger de mettre London au lit, si ça te va.

– Bien sûr. (Elle a étouffé un bâillement et j'ai su qu'il était temps pour moi de partir.) J'imagine que je devrais filer. J'ai une tonne de boulot à terminer avant que London rentre à la maison.

– OK. J'ai hâte d'être à jeudi soir. Tâche de t'habiller chaudement.

– J'y veillerai, ai-je promis. (Je me suis levé, hésitant, puis me suis penché pour l'embrasser sur la joue. Elle avait les yeux fermés.) À plus…

Elle a hoché la tête en silence et, au son de sa respiration, j'ai su qu'elle s'était rendormie avant même que j'atteigne la porte d'entrée.

Vivian m'a amené London vers 19 heures ce soir-là. Tandis que le moteur de la limousine tournait au ralenti dans la rue et que London prenait son bain, Vivian et moi avons brièvement discuté dans la cuisine.

Elle est allée droit au but :

— À propos de Noël, je pense que ce serait mieux si on le passait ici. Pour London, je veux dire. Ce sera son dernier Noël dans cette maison. Je peux simplement dormir dans la chambre d'amis, si tu n'y vois pas d'inconvénient. (Elle a ensuite sorti un bout de papier de son sac.) J'ai déjà acheté deux ou trois choses, mais ce serait peut-être plus simple si tu te chargeais de ces autres trucs, pour que je n'aie pas à tout trimbaler ici. J'ai fait une liste. Garde juste les facturettes pour qu'on puisse tout partager à la fin.

— Si c'est plus simple, pas de problème, ai-je accepté en repensant à ce que ma sœur avait dit sur les fêtes de fin d'année et en sachant qu'elle serait satisfaite. J'ai vu Marge aujourd'hui, ai-je ajouté en m'appuyant sur le plan de travail.

— Comment va-t-elle ?

— Elle commence déjà à dormir beaucoup.

Vivian a hoché la tête en baissant le regard.

— C'est juste atroce. Je sais que tu penses que Marge et moi on ne s'est jamais vraiment entendues, mais je l'ai toujours appréciée. Et je sais qu'elle ne mérite pas ça. Je veux que tu le saches. Elle a toujours été une sœur formidable.

— Elle l'est encore.

Mais au moment où les mots sortaient de ma bouche, je me suis demandé combien de temps j'allais encore pouvoir parler d'elle au présent.

Mercredi après l'école, Emily et moi avions prévu d'emmener les enfants dans une exploitation forestière, où on pouvait choisir et faire couper sur place son propre sapin. L'endroit était décoré comme un village du Père Noël, que les enfants pouvaient rencontrer avant de visiter son atelier où on leur servait des cookies et du chocolat chaud. Mieux encore, la ferme livrait l'arbre choisi sur son socle, ce qui m'arrangeait bien car je craignais que ma Prius ne soit écrasée par le poids du sapin.

Quand j'ai parlé à Marge de notre projet, elle a insisté pour que Liz et elle nous retrouvent là-bas.

C'était neuf jours avant Noël.

Sur le parking, Marge est descendue de la voiture. En l'étreignant, j'ai senti ses côtes saillantes – le cancer la rongeait de l'intérieur. Toutefois, elle paraissait avoir davantage d'énergie que juste après son retour de New York.

– Et ce monsieur, j'imagine, c'est Bodhi, a-t-elle dit en serrant la main du petit avec une sorte de solennité touchante. Tu es si grand pour ton âge, a-t-elle observé avant de l'interroger sur ses activités préférées et les cadeaux qu'il souhaitait recevoir à Noël ;

Quand les deux gamins ont commencé à s'agiter, on les a laissés courir vers la ferme, où ils se sont bientôt perdus entre les triangles de conifères.

Emily et moi les suivions en flânant avec Marge et Liz.

– Comment vas-tu passer les fêtes, Em ? a demandé ma sœur. Tu as prévu d'aller quelque part ?

– Non, a répondu Emily. On se réunira en famille comme on en a l'habitude. On ira voir ma sœur et mes parents. Depuis que London a appris à faire du vélo, Bodhi me supplie d'en avoir un, alors j'imagine que je vais lui en acheter un… même si je doute un peu de mes capacités à lui apprendre à rouler.

– Tu vas lui donner un coup de main, hein, Russ ? a dit Marge en me donnant un coup de coude.

J'ai fait la grimace.

– Ma sœur a toujours été douée pour me porter volontaire.

– Je crois m'en souvenir, en effet, s'est esclaffé Emily. Russ m'a dit que vous vous êtes régalées à New York ?

Toutes les deux ont continué à parler entre elles, en marchant quelques pas derrière Liz et moi. J'ai pris Liz par le bras et on a suivi le chemin emprunté par les gamins.

– Comment se passe le roulement avec ma mère ? ai-je demandé.

– Plutôt bien, je dirais. J'ai réduit ma présence à trois jours au travail, si bien que ta mère va passer tous les deux jours.

– Marge a l'air d'aller bien aujourd'hui.

– Elle était un peu fatiguée ce matin, mais elle a repris du poil de la bête sur le trajet. Je pense qu'en faisant ce genre de sorties, elle a l'impression que rien ne cloche chez elle, ne serait-ce que pendant un petit moment. Elle était dans le même état d'esprit à New York.

– Je suis ravi qu'elle ait voulu venir. Je n'ai pas envie de la voir baisser les bras.

– Je lui ai dit la même chose. Et tu sais ce qu'elle m'a rétorqué ?

– Aucune idée.

– Que je ne devais pas m'inquiéter autant, parce qu'elle avait encore un truc important à faire.

– Ça veut dire quoi ?

Liz a secoué la tête.

– Je n'en sais pas plus que toi.

Tandis qu'on s'arrêtait, le temps qu'Emily et Marge nous rattrapent, j'ai médité sur les paroles mystérieuses de ma sœur. Elle avait toujours aimé les surprises et je me demandais quel dernier atout elle avait encore en réserve.

*
* *

Le lendemain soir, Marge et Liz sont arrivées chez moi à 19 heures pile ; sitôt que Liz a franchi la porte, London lui a pris la main pour la conduire dans sa chambre et lui montrer son aquarium.

Malgré la température relativement douce, Marge était emmitouflée dans une écharpe et coiffée d'un bonnet. Elle portait aussi des gants et la longue veste matelassée que je lui avais apportée à l'hôpital.

Il semblait impossible que moins de trois semaines se soient écoulées depuis qu'on l'avait emmenée aux Urgences.

– Tu es prêt ? m'a-t-elle demandé avec impatience.

J'ai attrapé ma veste, une paire de gants et un bonnet, même si je n'en voyais pas vraiment l'utilité.

– On va où ?

— Tu verras, a répondu Marge. Allez, presse-toi. Avant que je me dégonfle.

J'étais toujours aussi perplexe, mais à mesure qu'on roulait j'ai reconnu le chemin. J'ai soudain compris ce qu'elle avait en tête.

— Tu n'es pas sérieuse, ai-je dit quand elle s'est arrêtée devant les grilles et qu'elle a coupé le moteur.

— Mais si, a-t-elle répondu d'un ton ferme. Et c'est le cadeau de Noël que tu m'offres.

J'ai levé le nez et le château d'eau se dressait un peu plus loin… immensément, incroyablement grand.

— C'est illégal de grimper là-dessus.

— Ça l'a toujours été. Ça ne nous a pas arrêtés dans le temps.

— On était des mômes.

— Et maintenant on ne l'est plus, a-t-elle rétorqué. Tu es prêt ? Enfile tes gants et ton bonnet. Ça doit souffler là-haut.

— Marge…

Elle m'a dévisagé.

— Je peux monter, a-t-elle déclaré d'une voix qui ne supportait pas la contradiction. Après une nouvelle séance de chimio, peut-être que j'en serai incapable. Mais là maintenant, je peux encore le faire, et je veux que tu m'accompagnes.

Elle n'a pas attendu ma réponse. En descendant de la voiture, elle a marché vers l'échelle de maintenance en fer, me laissant paralysé par l'indécision. Le temps que je la rattrape tant bien que mal, elle avait déjà grimpé près de deux mètres. Et ça signifiait, bien sûr, que je n'avais d'autre choix que de la suivre. Si elle se fatiguait, faiblissait ou était prise de vertige, je devais être là pour la rattraper. En définitive, c'est la peur de la voir tomber qui m'a incité à lui emboîter le pas.

Marge n'avait pas menti. Même si elle devait faire une petite pause tous les cinq ou six mètres, elle reprenait son ascension et avançait sans relâche. Au-dessous de moi, je voyais les toits de maisons et j'ai senti l'odeur de la fumée s'échappant des cheminées. J'étais ravi d'avoir mis mes gants, car les barreaux métalliques étaient assez froids pour me raidir les doigts.

Quand on a enfin atteint le sommet, Marge s'est approchée petit à petit de l'endroit où je l'avais trouvée, cette nuit terrible, à l'époque où elle était à la fac. Comme ce soir-là, elle a laissé ses pieds se balancer dans le vide, par-dessus l'étroite passerelle, et je me suis empressé de la rejoindre. J'ai passé un bras autour d'elle, au cas où elle serait prise de vertige.

– Tu dois sentir le froid, ai-je dit.

– Parle pour toi, a-t-elle rétorqué. J'ai enfilé un caleçon long avant de venir.

– Parfait. Alors rapproche-toi encore plus pour me réchauffer.

Elle s'est exécutée et, pendant un petit moment, on a profité de la vue panoramique sur les environs. Il faisait trop frais pour entendre les criquets ou les grenouilles ; à la place, j'ai perçu le léger murmure des carillons éoliens et le bruissement des branches d'arbre dans la brise. Et la respiration sifflante de Marge, sourde et humide. Je me demandais à quelle point elle souffrait. Le cancer, après tout, faisait toujours souffrir.

– Je me souviens quand tu m'as retrouvée ici, bourrée comme un coing, a-t-elle dit. Enfin, je ne me rappelle pas grand-chose de cette soirée, hormis le moment où tu as brusquement surgi.

– C'était une sacrée nuit.

– Parfois je me demande ce qui se serait passé si tu ne t'étais pas pointé. Je me demande si j'aurais vraiment sauté… ou peut-être que je serais tombée. Tracey m'avait brisé le cœur, mais quand j'y repense, je me dis malgré tout que c'était une bonne chose. Parce que j'ai rencontré Liz. Et ce qui nous unit, elle et moi, n'a rien à voir avec ma relation avec Tracey. Pas le moins du monde. Elle et moi, ça fonctionne tout simplement, tu vois ?

– Oui, je sais. Toutes les deux, vous partagez quelque chose que tout le monde a envie de connaître.

– Je me fais du souci pour elle. Elle est si douée pour aider les gens à résoudre leurs problèmes et se donne tellement dans son boulot qu'il ne lui reste plus beaucoup de temps pour elle. Et ça m'effraie. Parce que j'ai envie qu'elle aille bien. J'ai envie qu'elle soit heureuse. (Le regard de Marge s'est perdu dans le lointain, comme si elle tentait de deviner l'avenir.) Je veux qu'elle trouve un jour quelqu'un de nouveau, quelqu'un qui l'aime autant que je l'aime. Quelqu'un avec qui elle puisse vieillir.

J'ai dégluti avec peine, essayant d'avaler la boule qui se formait dans ma gorge.

– Je sais…

– Quand on était à New York, elle jurait que ça ne l'intéresserait absolument pas de retrouver quelqu'un un jour. Et ça m'a mise en colère contre elle, en fait. Du coup, on s'est disputées, et après je m'en suis vraiment voulu. On regrettait toutes les deux, mais…

– Il se passe plein de choses dans sa vie, Marge, ai-je dit d'une voix douce. Elle comprend. Et elle s'en sortira.

Si ma sœur m'a entendu, elle n'en a rien laissé paraître.

– Tu sais ce qui m'effraie encore ?

– Quoi donc ?

– Qu'elle perde tout contact avec London. Elle aime tant cette petite… C'est surtout grâce à London qu'on a voulu avoir nos propres enfants. Et maintenant…

Je l'ai interrompue :

– Liz fera toujours partie de la famille. Je veillerai à ce qu'elle joue un rôle important dans la vie de London.

– Et si London déménage à Atlanta ? a insisté Marge.

– Elle continuera à voir Liz régulièrement.

– Mais tu ne l'auras que certains jours fériés et un week-end sur deux, exact ? Peut-être deux ou trois semaines en été ?

J'ai hésité.

– Honnêtement, je ne sais pas ce qui va se passer avec la petite.

Depuis qu'elle était au courant pour ma sœur, Vivian se montrait plus généreuse et moins versatile. Elle n'en demeurait pas moins la personne la moins prévisible de ma connaissance, et ma méfiance m'empêchait de faire des promesses que je ne pourrais tenir.

Marge s'est tournée vers moi :

– Tu dois te battre pour elle. London devrait vivre avec toi.

– Vivian s'y opposera. Et je doute que les tribunaux lui donnent tort.

– Alors tu dois trouver une parade. Parce que, laisse-moi te dire un truc : les filles ont besoin de leur père. Regarde papa et moi. Il n'a peut-être jamais été le gars le plus expressif du monde, mais j'ai toujours su au fond de moi qu'il était là pour moi. Et regarde sa réaction quand j'ai fait mon coming out. On a cessé d'aller à l'église, bon sang ! Il m'a préférée, moi… à Dieu, à notre communauté, à tout le monde ! Alors si tu n'es pas auprès de London quand elle se trouvera elle aussi à la croisée des chemins dans la vie, elle aura l'impression que tu l'abandonnes. Tu dois être là pour elle, chaque jour, pas juste de temps en temps. De toute façon, elle est habituée à toi comme parent principal à présent. Et tu te débrouilles à merveille.

— J'essaie, Marge.

Elle m'a alors attrapé le bras en déclarant d'une voix féroce :

— Tu dois faire encore plus ! Tu dois faire tout ton possible pour rester dans la ville de London. Pas te contenter d'être le papa du week-end ou des vacances, mais celui qui est toujours là pour la prendre dans ses bras quand elle pleurera, la relever quand elle tombera, l'aider à faire ses devoirs. La soutenir quand elle ne trouvera pas la bonne voie. C'est pour tout ça qu'elle a besoin de toi.

J'ai contemplé les rues désertes en contrebas qui baignaient dans la lueur des réverbères.

— Je sais bien, ai-je dit calmement. J'espère seulement ne pas flancher.

*
* *

Le dimanche matin, on nous a livré le sapin de Noël. London et moi avons passé la moitié de la journée à le décorer, en installant les guirlandes sur les branches et en discutant de l'emplacement de chaque décoration. Quand j'ai appelé Marge et Liz dans l'après-midi pour savoir si elles avaient envie de passer boire du lait de poule, Liz a répondu qu'elles ne pourraient pas.

— La journée a été assez pénible, m'a-t-elle expliqué.

Marge avait subi sa deuxième séance de chimio le vendredi, soit le lendemain de notre escapade au château d'eau, et je ne l'avais pas revue depuis. D'après Liz, la nausée et la douleur avaient été pires que la dernière fois et Marge avait à peine pu quitter son lit.

— Je peux faire quelquechose ?

— Non, a-t-elle répondu. Tes parents ont été là quasiment toute la journée. Ils sont encore là. Ton père, ajouta-t-elle en baissant la voix, je crois que ça le rend malade de voir Marge dans cet état. Il trouve sans cesse des nouveaux trucs à réparer. C'est dur pour ta mère aussi, bien sûr, mais elle est passée par là tant de fois qu'elle sait à quoi s'attendre. Ton père fait tout son possible pour ne pas faiblir, mais ça le détruit de l'intérieur. Il l'aime si fort, sa fille. On l'aime tous les deux.

J'ai repensé malgré moi à ce que ma sœur avait dit cette nuit-là au château d'eau, à savoir qu'un père devait toujours être présent en toutes circonstances. Même à la fin, manifestement.

— C'est un père génial, Liz. J'espère lui ressembler le plus possible.

Le lundi, avant-dernier jour d'école pour London avant les vacances d'hiver, je me suis enfin occupé de la liste d'achats de Noël que m'avait laissé Vivian. Le travail m'avait occupé la plupart du temps et, comme je me concentrais uniquement sur Marge et mes clients, la fameuse liste m'était sortie de la tête. Heureusement, Emily avait des courses de dernière minute à faire, si bien qu'on est allés ensemble faire le tour des magasins ce matin-là. Comme nous étions à quatre jours de Noël, je craignais que certains articles soient en rupture de stock, mais j'ai pu tout trouver.

À l'heure du déjeuner, Emily et moi avons fait une pause. Il y avait un café dans le centre commercial et, bien que les plats soient tentants, j'avais peu d'appétit. Sur la balance, ce matin-là, j'avais constaté que je recommençais à maigrir. Je n'étais pas le seul : Liz aussi perdait du poids et j'avais remarqué qu'elle avait l'air parfois un peu débraillée, comme si elle ne se souciait plus vraiment de son apparence. Ses cheveux, souvent tirés en une queue-de-cheval souple, perdaient de leur éclat. Mon père et ma mère accusaient le coup eux aussi. Ces dernières semaines, papa semblait se tenir plus voûté, comme démoralisé, et le visage de maman était chaque jour plus ridé d'inquiétude.

Mais nos souffrances n'avaient rien de comparable à celles de Marge. Elle commençait à peiner pour marcher et devait souvent lutter pour rester éveillée un peu plus d'une heure. Quand j'allais la voir, je m'asseyais parfois dans sa chambre plongée dans la pénombre et l'écoutais lutter pour trouver son souffle, même quand elle dormait. À l'occasion, elle gémissait dans son sommeil et je me demandais si elle rêvait. Si seulement, me disais-je, elle pouvait faire des rêves qui la fassent sourire.

De telles pensées me venaient même en la compagnie d'Emily,

peu importait l'endroit. Quand on nous a apporté nos plats, je les ai contemplés d'un air ahuri, en imaginant le visage émacié de Marge. Je n'ai avalé qu'une bouchée avant de repousser mon assiette.

Si ma sœur ne pouvait s'alimenter, j'imagine qu'une partie de moi devait se dire que je ne le méritais pas non plus.

*
* *

— Faut que tu passes à la maison, m'a dit Marge sans préambule dès que j'ai décroché.

Je venais de raccompagner Emily chez elle quelques minutes plus tôt.

— Pourquoi ? Tu vas bien ?

— Tu veux vraiment que je réponde à cette question ? a répliqué ma sœur avec un vieux reste d'ironie. Certes, je me sens mieux et j'aimerais que tu passes.

— Je dois récupérer London à l'école dans un petit moment. Et d'abord déposer les cadeaux.

— Passe chez nous en chemin et profites-en pour déposer les cadeaux à la maison. Comme ça, London ne les trouvera pas.

À mon arrivée chez elle quelques minutes plus tard, j'ai commencé à sortir les paquets du coffre. En levant le nez, j'ai vu ma mère sur le perron. Malgré son aide, on a dû faire deux voyages pour tout décharger.

— Je ne sais pas trop où on va tout caser, ai-je dit en contemplant la montagne de sacs posés par terre dans la cuisine. Est-ce que London a vraiment besoin de tout ça ?

— Je vais tout mettre dans un des placards, a suggéré ma mère. Va rejoindre Marge. Elle t'attend.

J'ai trouvé ma sœur sur le canapé, enveloppée dans un plaid, comme d'habitude, avec les stores du salon tirés. Les guirlandes de l'arbre de Noël projetaient une lueur chaleureuse, mais depuis la dernière fois que je l'avais vue, Marge semblait avoir encore vieilli de plusieurs années. Ses pommettes saillaient plus que jamais sous ses yeux enfoncés, et ses bras paraissaient malingres et flasques. J'ai essayé de dissimuler mon effarement en m'asseyant auprès d'elle.

— Apparemment, ce n'était pas terrible ces derniers jours, ai-je dit en m'éclaircissant la voix.

— J'ai eu des jours meilleurs, c'est sûr. Je suis à présent en voie de guérison, mais… a-t-elle ricané en grimaçant un sourire, l'ombre de son irrépressible autodérision. Je suis contente que tu sois venu. Je voulais discuter avec toi. Emily m'a appelée tout à l'heure.

— Emily ?

— Ouais. Tu te souviens d'elle, non ? Chevelure magnifique, un fils de cinq ans, la femme que tu aimes ? Mais peu importe, elle m'a appelée parce qu'elle se fait du souci pour toi. Elle affirme que tu ne manges pas.

— Elle t'a appelée ? ai-je dit en sentant mon agacement croître. Marge s'inquiétait pour ma santé ?

— Je lui ai demandé de garder un œil sur toi et de me faire savoir comment tu allais, a répliqué ma sœur d'un ton autoritaire qui m'a rappelé mon enfance. C'est pour cette raison que je t'ai demandé de passer. T'as intérêt à faire un repas correct ce soir, sinon je vais vraiment me fâcher.

— Depuis quand tu demandes à Emily de « garder un œil sur moi » ?

— Depuis qu'on est allés au village du Père Noël pour les sapins.

— Tu as mieux à faire que de te soucier de moi, Marge, ai-je dit, conscient de ma voix boudeuse.

— C'est là où tu te trompes. C'est un truc dont je ne te laisserai pas me priver.

*
**

Mardi 22 décembre, c'était le dernier jour d'école pour London avant les vacances d'hiver, et celui où j'avais prévu d'emballer tous les cadeaux. La veille, avant mon départ, Marge m'avait demandé si elle pouvait me donner un coup de main pour l'emballage, puisque les présents étaient tous stockés dans son placard.

Quand je suis arrivé chez elle avec du papier cadeau, après avoir déposé London, j'ai aussitôt trouvé que Marge avait l'air mieux que la veille. Mais je m'en suis aussi voulu de me faire ce genre de remarque chaque fois que je la voyais, uniquement pour voir mon espoir monter en flèche ou dégringoler selon son état apparent.

Liz était à la maison ce jour-là et respirait une bonne humeur un peu forcée quand on a apporté les cadeaux à la cuisine pour commencer à les emballer. À la demande de Marge, elle nous a préparé des tasses de chocolat chaud, bien épais et mousseux, même si j'ai remarqué que ma sœur n'en a quasiment pas bu.

Marge a emballé deux ou trois petits cadeaux, avant de se réinstaller dans un fauteuil, en laissant Liz et moi nous charger du reste.

— Je suis encore contrarié que tu aies appelé Emily pour me surveiller, ai-je dit d'un ton râleur.

Malgré son état, Marge se régalait manifestement de m'entendre rouspéter, comme le prouvait la lueur dans son regard.

— C'est bien pour ça que je ne t'ai pas demandé la permission. Et si ça t'intéresse, on n'a pas uniquement parlé de ça, soit dit en passant. Mais de plein d'autres trucs.

Je n'étais pas certain que ça me plaise.

— Quels autres trucs ?

— C'est entre elle et moi. Mais pour l'heure, je veux déjà savoir si tu as mangé hier soir. Je veux un rapport détaillé, s'il te plaît.

— J'ai fait des steaks pour London et moi, ai-je répondu en soupirant. Et de la purée de pommes de terre.

— Bien, a-t-elle dit d'un air satisfait. Maintenant, est-ce que tu as parlé avec Vivian de ses projets pour Noël ? Mis à part le fait qu'elle va venir à Charlotte ?

Dans ma famille, la tradition consistait à se réunir chez mes parents pour le réveillon de Noël. Ma mère préparait un dîner de fête et on laissait ensuite London ouvrir les cadeaux en provenance de la famille pendant que *La Vie est belle* passait à la télévision. Le matin de Noël, Vivian et moi avions London pour nous à la maison.

— On n'est pas encore entrés dans les détails, ai-je dit. Elle ne rentre pas avant demain. On verra d'ici là.

— Tu dois sans doute lui acheter quelque chose, a observé Marge. Ne serait-ce que pour London, afin qu'elle voie sa mère ouvrir quelques paquets. Pas besoin de prendre un truc énorme.

— Tu as raison. Je n'y avais pas pensé.

— Qu'as-tu acheté à Emily sinon ?

— Rien pour l'instant.

— Tu n'as pas d'idée ? Tu t'y prends un peu tard…

– J'en sais trop rien, ai-je dit en regardant Marge et Liz en quête d'inspiration. Un pull, peut-être ? Ou une jolie veste ?

– Ça pourrait faire partie de ses cadeaux, mais elle m'a dit ce qu'elle te réservait, alors tu peux mieux faire.

– Genre un bijou ou un truc comme ça ?

– Si tu veux, je suis sûre qu'elle appréciera ça aussi. Mais je pensais que tu devrais offrir quelque chose qui vienne du cœur.

– Mais encore ?

– Je pense que… tu devrais lui écrire une lettre.

– Quel genre de lettre ?

Marge a haussé les épaules.

– Tu écris des slogans pour vivre, Russ. Dis-lui combien elle a compté pour toi ces derniers mois. Combien tu souhaites qu'elle reste dans ta vie. Dis-lui que… tu veux qu'elle t'accorde une seconde chance, a ajouté ma sœur en s'égayant.

Je ne savais plus où me mettre.

– Elle sait déjà ce que je ressens pour elle. Je le lui répète tout le temps.

– Écris-lui quand même une lettre, a insisté Marge. Plus tard, tu seras content de l'avoir fait.

*
* *

J'ai fait ce que ma sœur m'avait suggéré. Comme les cours de piano ne reprenaient pas avant l'année suivante, je suis passé récupérer London à l'école et on est allés directement au centre commercial, où j'ai trouvé des cadeaux pour Vivian : son parfum préféré, un foulard, le nouveau roman d'un auteur qu'elle appréciait. J'ai aussi pris une veste en soie brodée pour Emily, un modèle dont j'étais certain qu'il complèterait sa garde-robe de style bohème chic très coloré, ainsi qu'une chaîne en or avec un pendentif en émeraude qui soulignerait la couleur de ses yeux. Plus tard, une fois London au lit, je me suis installé à la table de la cuisine et j'ai rédigé une lettre pour Emily. J'ai dû déchirer plusieurs brouillons avant d'arriver à la mouture finale : même si j'avais la plume d'un publicitaire, écrire avec son cœur n'avait absolument rien à voir, et j'ai eu du mal à trouver le délicat équilibre entre l'émotion à l'état brut et le sentimentalisme larmoyant.

À la fin, la lettre me plaisait et j'étais ravi que Marge m'ait fait cette suggestion. Je l'ai mise sous enveloppe, et j'allais ranger le bloc et le stylo dans le tiroir quand je me suis soudain rendu compte que je n'avais pas encore fini.

Il était largement plus de minuit, quand j'ai fini d'écrire une lettre pour Marge.

*
* *

Le lendemain, Vivian est arrivée à midi passé, peu après que j'eus déposé les cadeaux chez Emily. Comme le sapin brillait déjà de mille feux, London et moi avions occupé notre matinée à décorer la cheminée et à suspendre les chaussettes de Noël. Je m'y prenais un peu tard, mais London s'en moquait. Elle était fière d'être assez grande pour m'aider.

J'ai laissé Vivian discuter avec la petite un moment, avant de lui faire signe que je souhaitais lui parler. On s'est alors retranchés dans la cuisine pendant que la petite regardait la télé au salon, et j'ai demandé à Vivian ce qu'elle comptait faire pour le réveillon. Elle m'a alors regardé comme si ça coulait de source.

– Enfin, on ne va pas chez tes parents, comme on le fait toujours ? Je sais que ça pourrait sembler un peu bizarre, compte tenu de ce qu'on vit, mais c'est le dernier Noël de Marge et je tiens à ce que London passe du temps avec elle et la famille, comme elle l'a toujours fait. C'est d'abord pour ça que je suis revenue ici.

Bien qu'on ne soit plus amoureux l'un de l'autre, je me suis dit que des moments comme celui-ci me rappelaient pourquoi j'avais épousé Vivian.

*
* *

Le réveillon et le jour de Noël se sont déroulés comme chaque année.

Au début, pour des raisons évidentes, l'atmosphère du réveillon était un peu guindée. Chacun se montrait poli vis-à-vis des autres et on a assisté à un concert d'étreintes et d'embrassades quand Vivian,

London et moi sommes arrivés chez mes parents. Mais alors que je finissais mon premier verre de vin, il était évident que tout le monde n'avait qu'un but ce soir-là : rendre la soirée agréable pour London… et pour Marge.

Vivian a apprécié mes cadeaux ; pour moi, elle avait acheté une tenue de jogging et un bracelet Fitbit. Marge et Liz ont rivalisé de « Ooooh ! » et de « Aaaah ! » lorsqu'elles ont découvert le vase que leur avait confectionné London, en s'extasiant notamment sur la couleur des poissons. Les larmes brillaient dans leurs yeux quand elles ont déballé les cadres avec les photos prises à New York, et ma sœur a pris l'enveloppe contenant ma lettre avec un sourire affectueux. London a reçu toute une série d'accessoires de Barbie de la part de tout le monde et, une fois tous les cadeaux ouverts, on a regardé *La Vie est belle*, tandis que la petite s'amusait avec ses nouveaux jouets.

Le seul événement notable de la soirée a eu lieu après l'ouverture des paquets. Du coin de l'œil, j'ai vu Marge et Vivian s'esquiver du salon pour s'isoler dans le bureau. Leurs murmures étaient à peine audibles derrière la porte qu'elles avaient simplement poussée.

C'était bizarre de les voir toutes les deux se parler de manière aussi complice, et en privé qui plus est, mais je savais exactement ce qui se passait.

Vivian, comme nous tous, avait souhaité profiter de l'occasion pour dire au revoir.

*
**

Le jour de Noël, quand London eut ouvert tous ses cadeaux, je suis sorti pour laisser Vivian passer un petit moment avec sa fille. Jusque-là, on avait été ensemble quasi en continu les deux jours précédents et, si j'avais besoin d'une pause, j'étais certain que Vivian aussi. Au beau milieu d'un divorce et d'un conflit pour la garde de l'enfant, la cordialité – et encore moins la gaieté forcée – n'était facile à maintenir pour personne.

J'ai envoyé un texto à Emily pour lui demander si je pouvais passer, et elle m'a aussitôt répondu de ne pas hésiter. Elle avait un cadeau pour moi et voulait que je le découvre.

Avant même que je descende de voiture, elle quittait la véranda en sautillant et se précipitait vers moi. Arrivée à ma hauteur, elle m'a entouré de ses bras et on s'est étreints sous le pâle soleil d'une fraîche journée de décembre.

– Merci pour la lettre, m'a-t-elle chuchoté. Magnifique.

Je l'ai suivie dans la maison, en me frayant un chemin parmi un maelström de nouveaux jouets et de papier cadeau déchiré, au centre duquel trônait le vélo flambant neuf de Bodhi. Elle m'a entraîné vers l'arbre de Noël, a glissé la main derrière celui-ci pour en sortir un paquet plat et rectangulaire.

– Je pensais te l'offrir avant Noël, mais comme Vivian est chez toi je me suis dit que ce serait mieux de te le donner ici.

J'ai retiré le papier cadeau qui se défaisait facilement. Dès que j'ai vu ce qu'Emily avait réalisé, je ne pouvais en plus détacher mon regard, tandis que les souvenirs me revenaient en abondance. Submergé par l'émotion, je restais sans voix.

– Je l'ai fait encadrer, mais tu peux changer l'entourage, a précisé Emily d'une voix timide. Je n'étais pas sûre que tu aies envie de l'accrocher.

– C'est incroyable, ai-je dit enfin, toujours incapable de me détourner de l'image.

Emily avait peint la photo de London et moi dansant devant l'aquarium, mais le tableau semblait en un sens plus réel, plus vivant que le cliché. C'était de loin le cadeau le plus marquant que j'aie jamais reçu et j'ai enveloppé Emily de mes bras, en comprenant soudain pourquoi Marge avait tant insisté pour que je lui écrive une lettre.

Marge savait qu'Emily allait m'offrir un présent venu du cœur, donc elle tenait à s'assurer que je l'associe à un cadeau personnalisé de mon cru. Une fois de plus, Marge avait veillé sur moi.

*
* *

L'année approchait de son inévitable conclusion. Vivian a regagné Atlanta. J'avais fermé le bureau pour la semaine et je passais la majeure partie du temps avec London. J'allais chaque jour voir Marge et Liz – ma sœur continuait de reprendre du poil de la bête, en réveillant

493

tous nos espoirs – et j'ai vu Emily à trois reprises, quoique deux fois en compagnie des enfants. La seule exception fut le réveillon du nouvel an, où je l'ai emmenée dîner puis danser.

Au douzième coup de minuit, je l'ai presque embrassée. Elle aussi, et on a tous les deux éclaté de rire.

– Bientôt, ai-je dit.

– Oui, bientôt.

Pourtant, aussi romantique que soit cet instant, j'ai senti la dure réalité reprendre le dessus.

En 2015, je croyais avoir tout perdu.

En 2016, je sentais que j'allais perdre encore davantage.

25

Janvier

À New York, Marge avait élaboré toute une mise en scène romantique destinée à Liz, mais ce n'était pas la première fois. Vers la cinquième année de leur relation, Marge avait surpris Liz avec une chasse au trésor particulièrement élaborée pour la Saint-Valentin.

Lorsque Marge m'avait révélé ses projets, je dois admettre que je n'en revenais pas, car ça ne ressemblait pas du tout à la sœur que je connaissais. Après tout, elle était comptable et, même si les généralisations à l'emporte-pièce se révèlent parfois injustes, elle se comportait plus à mes yeux comme une personne pragmatique que comme une passionnée de romans à l'eau de rose.

Mais si Marge montrait rarement son côté sentimental, elle tapait carrément dans le mille quand elle choisissait de le mettre en valeur. À vrai dire, la fameuse chasse au trésor se révéla digne d'un virtuose de l'organisation. New York et les pétales de rose, c'était un jeu d'enfant en comparaison.

La pièce maîtresse de ce jeu de piste amoureux, qui englobait plusieurs sites aux quatre coins de Charlotte, n'était autre qu'une suite de dix énigmes. Celles-ci, rédigées en vers, conduisaient à des indices bien précis. Exemple :

Aujourd'hui, Liz chérie, nous allons nous amuser
Pour te rappeler que tu es ma bien-aimée.
Alors visite l'endroit où tu vois le reflet,
Tôt le matin et tard le soir, de ton joli minois.
Puis regarde à gauche, mon adorée,
Et le premier indice t'apparaîtra.

Marge avait scotché celui-ci près du miroir de la salle de bains — une petite clé — qui ouvrait une certaine boîte postale. À l'intérieur de celle-ci se trouvait un autre indice... et ainsi de suite. Certains indices étaient plus difficiles que d'autres à découvrir ; l'un d'eux obligea Liz à finir un verre de champagne pour trouver le suivant... collé au fond de la flûte. À l'époque, j'étais ébahi par l'ampleur et l'inventivité du projet de Marge.

En y repensant, je ne suis plus surpris par ce scénario sophistiqué pour la Saint-Valentin ou ses manœuvres méticuleuses. Je ne trouve plus du tout que ça ne colle pas avec le personnage. Parce que mettre en œuvre des projets pour le bonheur d'autrui était ce qu'elle faisait le mieux.

Ma sœur, la comptable, avait toujours un plan en réserve... surtout pour ceux qu'elle aimait.

*
* *

Mes souvenirs du début de l'année 2016 se réduisent à une suite des instants pleins d'éclat dans le décor uniforme de mon existence quotidienne.

Je passais mon temps à écrire, filmer, monter les séquences et concevoir des campagnes de publicité ; je m'occupais de London avant et après l'école ; je courais tous les matins ; et il y avait les conversations téléphoniques avec Emily, ainsi que quelques rendez-vous en tête à tête avec elle qui me permettaient de tenir le coup. Autant d'habitudes qui composaient la toile de mes journées et me détournaient momentanément des hauts et des bas de cette phase de ma vie. Depuis lors, je suis sûr d'en avoir oublié beaucoup, d'autant que je me suis efforcé de chasser certains souvenirs de ma mémoire.

Mais d'autres resteront gravés en moi pour toujours.

*
* *

Le nouvel an était passé depuis près d'une semaine quand ma sœur alla faire d'autres analyses. Si je ne l'ai pas accompagnée à l'hôpital, mes parents et moi nous sommes joints à Marge et Liz pour entendre les résultats.

496

On a rencontré le médecin dans son cabinet, en face de l'hôpital. Il se tenait face à nous, derrière un imposant bureau en bois, avec quelques photos de famille disposées près d'une grosse pile de dossiers. Sur les murs, des étagères étaient remplies d'ouvrages, sans parler des habituels diplômes, plaques et autres récompenses. Le seul élément incongru était une grande affiche encadrée du film *Docteur Patch*. Je n'en gardais qu'un vague souvenir – avec Robin Williams dans le rôle principal d'un médecin attentionné, bienveillant et drôle – et me suis demandé malgré moi si le Dr Patel aspirait à lui ressembler.

Cette pièce avait-elle jamais recelé une seule note d'humour ? Les patients ont-il jamais ri en parlant avec leur oncologue ? La moindre plaisanterie pouvait-elle minimiser l'horreur de la situation ?

À nos yeux, Marge semblait se rétablir un peu : elle avait plus d'énergie depuis les fêtes de fin d'année, et sa douleur ne semblait pas aussi aiguë. Même sa respiration paraissait moins laborieuse. Bref, autant d'indices qui auraient dû conduire à de bonnes nouvelles. Je voyais l'espoir s'afficher sur le visage de mes parents ; j'ai remarqué la manière confiante avec laquelle Liz tenait la main de Marge. Elle et moi avions partagé nos attentes en secret la semaine précédente, chacun essayant de puiser en l'autre sa force.

Marge, en revanche, ne semblait pas optimiste. Elle avait affiché un air résigné dès qu'elle s'était assise, et j'ai su tout de suite avec certitude qu'elle serait la seule à ne pas verser une larme cet après-midi-là. Alors que nous étions cantonnés à divers stades du chagrin – déni, colère, contestation, dépression –, Marge était la seule à d'ores et déjà accepter.

Ma sœur savait, avant même que le médecin prononce un seul mot, que le cancer n'avait pas ralenti sa progression. En réalité, elle savait depuis le début qu'il s'était davantage étendu.

*
**

– S'il te plaît, ne me demande pas comment ça va, a dit Marge. Les parents viennent de partir et maman n'a pas cessé de me poser la question, encore et encore. Et papa qui demande sans arrêt s'il n'y a pas d'autres trucs à réparer dans la maison. J'avais envie de lui répondre « moi », mais je ne pense pas qu'ils auraient supporté la blague.

On était assis sur le canapé de Marge – c'était devenu notre habitude – et on regardait le vide où s'était dressé le sapin de Noël. Mon père l'avait retiré quelques jours plus tôt, mais on n'avait pas encore remis les meubles en place, si bien qu'il restait un espace nu dans le coin de la pièce.

– C'est une dure journée pour eux, ai-je dit. Ils font de leur mieux.

– Je sais. Et j'adore le fait que papa vienne tout le temps à la maison. On a plus parlé qu'on ne l'a fait pendant des années, et pas uniquement de base-ball.

Marge a poussé un soupir avant de grimacer soudain. Une vague de douleur – quelque part, partout – a obligé tout son corps à se crisper, avant de se dissiper.

– Tu veux que j'aille te chercher quelque chose ? ai-je demandé, plus désarmé que jamais.

– Je viens de prendre une pilule. Les antalgiques ne me dérangent pas, mis à part qu'ils me font dormir. Ils ne fonctionnent pas aussi bien que je le voudrais, bien sûr. Ils atténuent un peu la douleur, mais c'est tout. Enfin, bref…

Elle a porté son regard en direction de la cuisine, où Liz coloriait avec London. En baissant la voix, elle a ajouté :

– J'ai prévenu Liz que je ne fais plus d'autre séance de chimio, a-t-elle déclaré d'un ton lugubre et déterminé. Ça l'a vraiment bouleversée.

– Elle a peur, c'est tout. Mais tu penses que c'est la bonne décision ?

– Tu as entendu le médecin, a-t-elle répliqué. Ça ne marche pas. Et l'inconvénient, c'est que je me sens encore moins bien. Je ne fais que vomir et dormir, sans compter que je commence à perdre mes cheveux. Des journées entières sont gâchées après le traitement, et il ne m'en reste plus des masses.

– Ne dis pas ça.

– Je suis désolée. Je sais que tu n'as pas envie de l'entendre. Personne n'en a envie.

Marge a fermé les yeux en les plissant fort, tandis qu'une nouvelle vague de douleur la faisait grimacer, avant de mettre trop longtemps à passer selon moi.

– J'imagine que London ne sait pas que je suis malade, si ?

J'ai secoué la tête.

– Elle ne sait même pas encore que Vivian et moi divorçons.

Ma sœur a ouvert un œil en disant :

– Il est sans doute temps de le lui annoncer, tu ne crois pas ?

Je n'ai pas répondu, parce que j'ignorais même par où commencer. Ça faisait beaucoup trop pour une gamine de six ans : le divorce, Marge qui mourait, et le déménagement – peut-être même aussi loin qu'Atlanta –, en laissant derrière elle son père et ses amis.

Je n'avais pas envie de voir London affronter tout ça. Moi-même je refusais de l'affronter. Comme je sentais venir les larmes, Marge a posé sa main sur la mienne.

– Ça va, a-t-elle dit d'un ton apaisant.

– Non, ça ne va pas. Rien de tout ça ne va, ai-je rétorqué en sentant ma voix se briser. Qu'est-ce que je vais faire avec London ? Qu'est-ce que je vais faire avec toi ?

Elle m'a pressé la main avec tendresse.

– Je vais parler à la petite, OK ? Pour que tu n'aies pas à t'en inquiéter. J'ai envie de m'en charger, de toute manière. Pour le reste, je t'ai déjà donné mon point de vue.

– Et si je n'y parviens pas ? Et si je te laisse tomber ?

– Ce ne sera pas le cas.

– Tu n'en sais rien.

– Oh si… Je crois en toi.

– Pourquoi ?

– Parce que je te connais mieux que quiconque. Tout comme tu me connais.

*
* *

Le vendredi suivant, à la mi-janvier, Vivian est venu en jet chercher London pour le week-end. Lorsque j'ai émis l'idée qu'il était probablement temps de parler à London de notre divorce imminent, elle a suggéré qu'on s'en charge à leur retour. Après tout, a-t-elle précisé, elle n'avait pas envie de gâcher le week-end de la petite.

Le lendemain matin, mon agent immobilier a organisé notre première visite publique et, comme promis, Marge et Liz étaient là, s'extasiant haut et fort sur les mérites de la maison devant les acquéreurs potentiels. Par la suite, la vendeuse m'a appelé pour m'annoncer qu'elle avait décelé un intérêt sincère pour la propriété chez un couple en particulier, lequel allait quitter Louisville avec ses enfants pour s'installer à Charlotte.

« À propos, votre sœur a raté sa vocation d'actrice », a observé l'agent.

Le dimanche soir, peu après leur retour d'Atlanta, Vivian et moi avons fait asseoir notre fille à la table de la cuisine pour lui annoncer la nouvelle en douceur.

On a gardé la discussion à un niveau susceptible de convenir à une fillette de six ans, en insistant sur le fait qu'on l'aimait toujours et qu'on resterait toujours ses parents. On lui a dit qu'elle n'avait rien à voir dans le fait qu'on ne pouvait plus rester mariés.

Comme la première fois, Vivian a mené la conversation. Elle a adopté une attitude très affectueuse et j'ai trouvé qu'elle employait le ton adéquat, mais ça n'a pas empêché London de fondre en larmes. Vivian l'a étreinte et embrassée pendant qu'elle pleurait.

– J'ai pas envie que vous divorciez, a imploré la petite.

– Je sais que c'est dur, mon cœur, et on est désolés.

– Pourquoi vous pouvez pas être heureux ensemble ? a dit London en sanglotant.

Son incompréhension pleine de naïveté m'a tellement fait culpabiliser que je me méprisais.

– Il arrive parfois qu'un mariage ne marche plus, ai-je tenté d'expliquer, alors que les mots semblaient dénués de sens, même pour moi.

– C'est pour ça qu'on vend la maison ?

– J'en ai bien peur, ma puce.

– Mais où je vais habiter ?

J'ai alors lancé un regard à Vivian, comme pour lui interdire en silence de prononcer le mot Atlanta. Elle n'a pas baissé les yeux mais a tenu sa langue.

– On en discute encore, ai-je répondu à London en lui passant une main dans le dos. Et je te promets que, quoi qu'il arrive, ta maman et moi on sera toujours là pour s'occuper de toi.

London a fini par se calmer, même si elle était visiblement encore confuse et ébranlée. Vivian est montée à l'étage avec elle et l'a préparée à se mettre au lit. Lorsqu'elle est redescendue, je l'ai interceptée à la porte.

– Comment va-t-elle ?

– Elle est bouleversée, a répondu Vivian, mais selon mon avocate, c'est normal. À terme, ça va aller, tant que tu ne rends pas le divorce plus pénible qu'il ne doit l'être. C'est à ce moment-là que les enfants souffrent le plus et tu n'as pas envie de lui faire subir ça.

Je me suis retenu de lui répondre – ce n'étais pas moi qui compliquais la situation, après tout –, mais je savais que ça ne servirait à rien.

Vivian a rassemblé ses affaires – la limousine et le jet attendaient –, mais elle a marqué un temps d'arrêt dans l'entrée.

– Je sais que ça tombe vraiment mal, avec Marge et tout ça, a-t-elle dit, mais il faut qu'on règle notre protocole d'accord au plus vite. Tu dois juste signer pour qu'on soit débarrassés de tout ça.

Et sur ces mots, elle a disparu.

Tout en ravalant ma rage, j'ai gravi l'escalier pour aller border London.

Elle avait les yeux rougis et gonflés, et c'est à peine si elle m'a regardé.

Plus tard, cette nuit-là, pour la première fois depuis des années, elle a mouillé son lit.

*
* *

Dans les jours qui ont suivi notre discussion avec London, elle s'est manifestement faite plus discrète et a même passé plus de temps que d'habitude dans sa chambre. Elle a encore mouillé son lit, pas toutes les nuits, mais deux autres fois, et n'a plus voulu lire *Deux par deux* avant de s'endormir. Elle me laissait l'embrasser pour lui souhaiter bonne nuit mais ne tendait plus les bras pour m'étreindre.

Sur la recommandation de Marge, j'ai parlé à son institutrice pour l'informer de ce qui se passait entre Vivian et moi. L'enseignante m'a assuré qu'elle n'avait rien remarqué de bizarre chez la petite, hormis un incident récent à la fontaine à eau. London avait éclaboussé son chemiser un matin et avait aussitôt fondu en larmes. Elle était inconsolable et n'avait pas laissé l'institutrice et ses camarades la réconforter.

Autrement dit, ma fille avait des difficultés à vivre la situation actuelle. Après sa leçon de piano du jeudi, j'ai spontanément suggéré qu'on aille prendre une glace, mais ça ne l'a pas franchement enthousiasmée. J'ai réussi à la persuader, mais elle a à peine touché à sa crème glacée sur le trajet du retour, sans se rendre compte des dégâts causés par le cône dégoulinant dans la voiture. Plus tard, ce soir-là, alors qu'elle jouait avec ses poupées, je l'ai surprise qui les faisait parler.

« J'ai pas envie de vivre avec maman à Atlanta, disait Barbie à Ken. Je veux vivre ici avec papa. Il est marrant et on fait des dîners rien que nous deux comme les grands, et il me laisse faire la cuisine aussi. Et puis je veux jouer avec Bodhi tous les jours et voir mamie et papy, et aussi tatie Marge et tatie Liz. »

Cette nuit-là, je ne pus dormir, me repassant encore et encore dans ma tête la scène que London avait jouée avec ses poupées. Marge avait raison, me suis-je dit. Plein de courage, j'ai appelé Taglieri le lendemain matin, en lui annonçant clairement que j'étais prêt à tout pour m'assurer la garde de London.

Ce même jour, mon agent immobilier m'a appelé en me disant que j'avais reçu une offre pour la maison.

*
* *

— Ma foi, vous avez sans doute mis le feu aux poudres, a déclaré Taglieri.

C'était le mercredi, cinq jours après lui avoir transmis mes instructions et il m'avait demandé de passer au cabinet pour discuter de la réaction de la partie adverse. Je me trémoussais sur mon siège, tandis qu'il poursuivait :

— J'ai reçu une lettre de l'avocate de Vivian hier.

— Et ?

— Si vous choisissez de vous battre pour l'obtention de la garde, ça va pas être joli-joli. Pour l'essentiel, l'avocate m'a prévenu qu'elles allaient ardemment vous poursuivre en arguant du fait que vous n'êtes pas un père convenable.

J'ai blêmi.

– Qu'est-ce que ça signifie ?

– Pour commencer, elles veulent faire intervenir un psychologue qui se chargera d'évaluer l'état de London et d'estimer ses besoins et ses préférences. Si vous avez bonne mémoire, je vous ai prévenu au début que ça pouvait se produire. London est si jeune qu'à mon avis une telle démarche se révèle en général assez limitée mais, selon le psychologue auquel elles feront appel, elles espèrent que son compte-rendu viendra renforcer leurs requêtes. Certaines allégations sont vraiment futiles. Elle prétendent que vous ne nourrissez pas London de manière saine : vous lui donnez des cochonneries bourrées de sucre à dîner, par exemple, ou elle s'est fait renvoyer du cours de danse parce que vous avez oublié de l'y amener plusieurs fois. Toutefois il y a d'autres déclarations que le psychologue aurait peut-être envie d'examiner en profondeur.

– Lesquelles ? ai-je demandé en sentant vaguement la nausée m'envahir à mesure que Taglieri présentait les faits.

– Que vous forciez London à sympathiser avec votre nouvelle petite amie, Emily, avant qu'elle soit prête.

– Bodhi, le fils d'Emily, est le meilleur ami de London !

– J'entends bien. Et avec un peu de chance le psychologue le confirmera. Mais on ne sait jamais ce qui peut arriver tant qu'ils ne présentent pas leur rapport à la cour, dit-il, puis il ajouta : la lettre contient d'autres allégations plus graves. Vous auriez volontairement mis London en danger en l'obligeant à dévaler une côte sur son vélo, tout en sachant qu'elle manquait encore d'expérience et ne pourrait relever ce défi. Elles indiquent aussi que vous n'avez pas prévenu Vivian sur-le-champ et que vous avez intentionnellement minimisé les blessures de London lorsque vous avez parlé à Vivian, afin de masquer votre inaptitude.

– Mais c'est… ça ne s'est pas passé comme ça ! ai-je bégayé en me sentant rougir. Vivian sait qu'il s'agit d'un accident. Elle sait pertinemment que je ne mettrais jamais ma fille en danger volontairement !

Taglieri a levé la main.

– Je vous livre seulement le contenu de la lettre. Mais il y encore une chose, et vous allez rester calme, OK ?

J'ai serré les poings en sentant battre les veines de mes tempes.

– Dans la lettre, a continué Taglieri, l'avocate fait allusion aux « soirées en tête à tête » avec votre fille où elle s'habille un peu comme une adulte et où vous faites tous les deux un dîner romantique au restaurant.

– Et alors ?

– Russ… a-t-il repris en m'adressant un regard peiné. C'est écœurant, mais l'avocate laisse supposer que vous auriez avec votre fille une relation malsaine, pour ne pas dire tout à fait inappropriée…

Il m'a fallu une seconde pour saisir les implications d'une telle allégation. J'en avais le souffle coupé.

Oh bon sang… Vivian ne ferait pas ça… Jamais de la vie, elle ne ferait pas une chose pareille…

J'étais carrément pris de vertige et des points noirs flottaient sur les contours de mon champ de vision. J'étais mortifié, dégoûté et fou de rage… mais même ces termes n'étaient pas assez forts pour décrire ce que j'éprouvais.

– Il ne s'agit que d'une insinuation, m'a prévenu Taglieri, mais le fait qu'elle soit mentionnée dans la lettre me trouble. Dans le meilleur des cas, ça indique qu'elle sont prêtes à brosser de vous un portrait sinon ignoble en tout cas extrêmement négatif.

J'ai à peine assimilé les paroles de Taglieri. Vivian n'irait pas jusque-là… Comment pourrait-elle ne serait-ce que sous-entendre une chose pareille… ?

– Je vais parler plus tard au téléphone avec l'avocate, car nous ne pouvons tout bonnement pas ignorer ce genre de menaces déguisées. C'est non seulement une tentative d'intimidation vis-à-vis de vous, mais aussi un manque total de professionnalisme. En même temps, ça nous donne la mesure de ce que Vivian serait prête à faire pour obtenir la garde de London. Et si nous devons aller au tribunal, j'insiste sur le fait qu'on ne sait jamais ce qu'un juge peut décider.

– Qu'est-ce que je peux faire ? Je sais que London veut vivre avec moi…

– Comme je vous l'ai dit, laissez-moi parler à l'avocate. Mais ce qui serait mieux, comme je vous l'ai dit précédemment, c'est d'essayer d'arranger ça entre vous deux. Parce qu'en ma qualité d'avocat vous représentant, je ne suis pas très optimiste quant à vos chances de l'emporter.

Le reste de la journée, j'ai eu l'impression de tituber comme sous l'effet d'un énorme coup de massue.

Je ne suis pas allé au travail. Ni chez moi. Ni chez Marge et Liz, ni chez mes parents.

J'étais si furieux, si épouvanté, que j'ai refusé de parler à quiconque. En revanche j'ai envoyé un SMS à Emily en lui demandant si elle pouvait prendre London à l'école et la garder jusqu'à mon retour. Elle m'a demandé où j'allais et ce qui clochait, mais il m'a été impossible de lui répondre. « J'ai besoin de m'isoler quelques heures, ai-je simplement écrit dans mon texto. Merci ».

Puis je suis monté dans ma voiture et j'ai roulé.

Trois heures et demie plus tard, j'étais à Wrightsville Beach, où je me suis garé.

Le ciel était couvert et le vent piquait. J'ai arpenté la plage près de quatre heures et, tout en marchant, mon esprit tournait en boucle en passant de London à Marge, puis à Vivian, et ainsi de suite. J'étais dans le même temps en proie à l'incertitude, à la crainte, tout en passant de la rage à la confusion, du déchirement à l'effroi, puis j'ai regagné ma voiture, les joues brûlées par le vent et l'esprit engourdi. Je n'avais rien avalé de la journée mais n'avais absolument pas faim.

Je suis rentré à Charlotte et j'ai récupéré London bien après la tombée de la nuit. L'heure du coucher était passée, mais heureusement Emily l'avait fait manger. Pour le moment, je n'avais pas la force ni les mots pour expliquer à Emily ce qui m'arrivait, tant c'était monstrueux.

*
**

C'est vers Marge que je me suis tourné, surtout parce qu'elle ne m'a pas laissé d'autre choix.

C'était le dernier vendredi de janvier et j'avais accepté de rester auprès de ma sœur, pendant que ma mère filait à la pharmacie chercher le renouvellement de l'ordonnance de Marge. Le cancer avait alors progressé au point que personne n'osait laisser ma sœur toute seule, même pour très peu de temps. Une seule lampe de table éclairait le salon et les stores étaient baissés, à la demande de Marge. Elle disait que la lumière trop crue lui faisait mal aux yeux, mais je connaissais la vérité : elle n'avait pas envie qu'on la voie distinctement, car un simple regard suffisait pour révéler à quel point la maladie avait avancé. Marge avait perdu tant de cheveux qu'elle avait pris l'habitude de porter une casquette de base-ball des Atlanta Braves chaque fois qu'elle était réveillée. Même si elle s'enveloppait toujours d'un plaid, sa perte de poids continue se voyait de manière flagrante dans ses mains osseuses et son cou terriblement décharné. Elle respirait avec peine et avait de longues quintes de toux où elle manquait s'étouffer, qui plongeaient Liz et ma mère dans la panique. Elles devaient lui taper dans le dos pour l'aider à éliminer les glaires qu'elle crachait souvent avec du sang. Elle dormait plus de seize heures par jour et la dernière fois qu'elle était sortie, c'était pour venir à la visite publique de ma maison, deux semaines plus tôt.

Elle ne pouvait désormais plus faire que quelques pas toute seule. Le cancer dans son cerveau avait affecté la partie droite de son corps, comme si elle avait eu une attaque. Son bras et sa jambe droits étaient faibles et elle commençait à avoir l'œil tombant. Elle ne pouvait sourire qu'à moitié.

Pourtant, assis auprès d'elle, je la trouvais toujours aussi belle.

— Emily est passée hier, m'a-t-elle dit d'une voix lente et poussive. Je l'aime tellement, Russ. Et elle tient sincèrement à toi. Il faut que tu l'appelles, a-t-elle ajouté d'un air sans équivoque. Tu dois lui parler, lui expliquer ce qui se passe chez toi. Elle se fait du souci.

— Pourquoi est-elle venue ?

— Parce que j'ai demandé à la voir. Je voulais passer un peu de temps avec la femme dont mon frère est amoureux. Le nouveau modèle amélioré, je veux dire. C'est comme ça que je l'ai appelée. Je pense que ça lui a plu.

J'ai souri à mon tour. Malgré son déclin, Marge restait Marge.

Elle a rassemblé toute ses forces puis a poursuivi :

— Je pense qu'il est temps que je parle à London aussi.

— Quand ?

— Tu peux l'amener ce week-end ?

– Elle sera à Atlanta avec Vivian.

– Et pourquoi pas aujourd'hui, après l'école ?

À sa manière, ma sœur me rappelait que le temps lui était compté. J'ai soudain eu du mal à déglutir.

– Euh… d'accord, ai-je murmuré.

– Je veux voir Vivian aussi. Tu peux organiser ça ?

Mon estomac s'est serré en entendant ce prénom et j'ai détourné le regard. Je me sentais toujours furieux et mortifié, l'image de Vivian m'était à peine tolérable, alors encore moins l'idée de lui demander de rendre visite à ma sœur mourante. Marge a vu mon expression mais a insisté.

– J'ai besoin que tu le fasses pour moi. S'il te plaît.

– Je vais lui envoyer un SMS, mais j'ignore si elle viendra. Elle a toujours un planning serré.

– Vois ce qu'elle te répond, a répliqué Marge. Dis-lui que c'est important pour moi.

J'ai pris mon mobile et me suis exécuté. Elle a répondu presque dans l'instant. « Bien sûr. Dis à Marge que je serai là vers 17 heures. »

J'ai informé ma sœur et elle a fermé les yeux. J'ai cru qu'elle s'endormait, mais elle a rouvert les paupières.

– Tu as accepté l'offre pour ta maison ?

J'ai secoué la tête.

– On discute encore un peu du prix.

– Ça prend du temps.

– Les acheteurs potentiels étaient en déplacement. D'après mon agent immobilier, on approche du but. Elle pense qu'on signera la semaine prochaine.

– C'est bien, non ? Comme ça, tu pourras dédommager Vivian ?

De nouveau, le fait d'entendre son prénom me fit tressaillir.

– J'imagine.

Marge m'a dévisagé.

– Tu veux bien me raconter ce qui s'est passé ? Emily m'a dit que tu t'étais absenté toute la journée de mercredi mais que tu n'as pas voulu lui en parler.

Je me suis levé du canapé et approché de la fenêtre pour m'assurer que ma mère ne se garait pas dans l'allée. Je n'avais pas envie qu'elle entende de quoi il retournait ; elle était déjà suffisamment stressée.

Je me suis rassis, j'ai joint les mains et raconté à Marge mon rendez-vous chez Taglieri, en lui parlant de la lettre envoyée par l'avocate de Vivian.

— Eh bien… on pouvait plus ou moins s'y attendre, a observé ma sœur quand j'ai eu terminé. Dès le début, elle a dit clairement qu'elle avait l'intention d'emmener London à Atlanta.

— Mais… la menace. Le sale coup… qu'elle me fait.

— Que dit ton avocat ?

— Qu'il ne me voit pas vraiment l'emporter. Et qu'il pense toujours que Vivian et moi devrions trouver un accord entre nous.

Marge s'est tue un petit moment, mais son regard était si intense qu'il en devenait fébrile.

— D'abord, tu dois savoir ce que tu veux réellement.

J'ai froncé les sourcils.

— Pourquoi tu n'arrêtes pas de me le répéter ? On en a déjà parlé. Je t'ai dit ce que je souhaitais.

— Alors fais ce que tu as à faire.

— Aller jusqu'au tribunal, tu veux dire ? La jouer salaud, comme elle ?

Ma sœur a secoué la tête.

— Je ne pense pas que ça serait bien pour London. Et London est ta priorité.

— Qu'est-ce que tu suggères alors ?

— Je pense que tu le sais, a-t-elle répondu en refermant les yeux.

Et tout en regardant son visage fatigué, j'ai enfin compris que je le savais effectivement.

*
* *

En rentrant de chez Marge, j'ai appelé Emily pour lui demander si on pouvait déjeuner ensemble. Elle a accepté et on s'est retrouvés dans un bistrot, non loin de chez elle.

— D'abord, je tiens à m'excuser pour ne pas t'avoir expliqué ce qui se passait, ai-je dit dès qu'on fut attablés. Pour être franc, je ne savais même pas par où commencer.

— Pas de souci, Russ. On a tous besoin de temps en temps

d'assimiler d'abord les choses tout seul. Je ne te mettrai jamais la pression, sache-le… Je suis là chaque fois que tu te sens prêt à parler. Ou même si tu n'en as pas envie.

— Non, je suis prêt maintenant, ai-je dit en effleurant sa main.

J'ai pris une profonde inspiration et je lui ai tout raconté : la détresse de London, mes instructions à Taglieri, et la réaction de Vivian. Tandis que je lui parlais, elle a porté ses mains à sa bouche, effarée.

— Je n'imagine même pas ce que tu as dû éprouver, a-t-elle dit quand j'ai terminé. Moi, j'aurais été… abasourdie. Et carrément furieuse.

— Je l'étais. Je le suis encore, ai-je admis. Pour la première fois, j'ai vraiment l'impression de la haïr.

— À juste titre. Peut-être que ce n'est pas une si mauvaise idée de laisser un psy parler à London. Tu pourras sans doute éliminer d'emblée ces allégations débiles.

— Reste le problème de l'accident de vélo.

— Les gamins ont des accidents, Russ. C'est pourquoi la loi exige qu'ils portent un casque. Les juges le savent.

— Je n'ai pas envie que cette bataille pour la garde de la petite finisse au tribunal. Je n'ai pas non plus envie que London soit obligée de voir un psy pour ça. Si elle a besoin d'un thérapeute pour l'aider à supporter le divorce, c'est différent. Mais pas question de mettre London en situation de devoir choisir entre sa mère et son père. J'essaie de rester concentré sur ce qui est le mieux pour la petite. Et je sais qu'elle a besoin de moi dans sa vie comme une présence solide et quotidienne… pas occasionnelle et de circonstance. Alors je vais faire ce que j'ai à faire.

Je savais que je restais vague, mais je ne pouvais tout simplement pas dire certaines choses à Emily.

Elle a hoché la tête en rapprochant d'elle le verre d'eau. Mais plutôt que de le porter à ses lèvres, elle l'a fait tourner sur la table.

— J'ai vu Marge hier, a-t-elle déclaré.

— Je sais. Elle me l'a dit. Ça te plaît vraiment d'être surnommée le « nouveau modèle amélioré » ? ai-je demandé en souriant.

— Je suis flattée. C'est une fille tellement chouette, ajouta-t-elle en souriant tristement.

– La meilleure.

Il ne restait plus rien à ajouter.

*
* *

Après l'école, j'ai amené London chez Marge. Comme elle était allée plusieurs fois chez elle dans le mois passé, elle savait que sa tante était malade, même si elle ne réalisait pas la gravité de sa maladie. Lorsque Marge a écarté les bras, la petite est allée l'embrasser tendrement comme à son habitude.

J'ai alors articulé en silence la question : *Tu veux que je reste ?* en regardant ma sœur. Mais elle a secoué la tête.

– Je vais aller parler un petit moment avec mamie, OK, London ? Tu veux bien garder un œil sur tatie Marge pour nous ?

– OK, a répondu ma fille.

Et je les ai laissées au salon. Ma mère et moi nous sommes assis sur la terrasse de derrière, qui communiquait avec la cuisine, sans dire grand-chose.

Quelques instants plus tard, quand j'ai vu London rentrer dans la cuisine, je suis retourné à l'intérieur et je l'ai prise dans mes bras, car elle était en larmes.

– Pourquoi Dieu ne fait-il rien pour que tatie Marge aille mieux ? a-t-elle demandé, un sanglot dans la voix.

J'ai ravalé la boule qui me nouait la gorge et serré fort son petit corps contre le mien.

– Je ne sais pas, mon cœur, ai-je dit. Je ne sais vraiment pas.

*
* *

Vivian m'a signalé par texto qu'elle prévoyait de se rendre directement chez Marge, après son atterrissage ; en conséquence, elle n'arriverait pas à la maison avant 18 h 30.

Dès que j'ai vu la limousine dans la rue, j'ai pensé à la lettre de son avocate. J'ai laissé la porte d'entrée ouverte, mais je me suis retiré dans la cuisine tandis qu'une vague de dégoût m'envahissait. Même si elle venait de passer plus d'une heure en compagnie de ma sœur, je n'éprouvais toujours aucune envie de lui adresser la parole.

J'ai entendu Vivian entrer dans la maison, puis la petite voix chevrotante de London qui lui demandait si elle devait vraiment aller à Atlanta. Bien que Vivian lui promette qu'elles allaient bien s'amuser là-bas, London a fondu en larmes. Je l'ai entendue courir comme elle se précipitait dans la cuisine pour se jeter dans mes bras.

— Je veux pas partir, papa ! sanglota-t-elle. Je veux rester ici. Je veux voir tatie Marge !

Je l'ai soulevée et gardée dans mes bras, comme Vivian entrait dans la cuisine, le visage de marbre.

— Tu as besoin de passer du temps avec ta maman, ai-je dit. Tu lui manques beaucoup. Et elle t'aime aussi beaucoup.

London a continué à pleurnicher.

— Tu vas t'occuper de tatie Marge pendant que je serai pas là ?

— Bien sûr. On va tous s'en occuper.

*
* *

Avec London à Atlanta, j'ai passé le plus clair du week-end chez Marge, comme je l'avais promis à ma fille. Mes parents étaient là aussi, auprès de Liz.

On a passé de longues heures autour de la table de la cuisine à échanger des anecdotes sur ma sœur, comme si nos souvenirs vivaces et les récits extravagants des exploits de Marge pouvaient la maintenir plus longtemps en vie. J'ai enfin raconté à mes parents et à Liz cette fameuse nuit où j'avais sauvé Marge du château d'eau ; Liz a évoqué la chasse au trésor romantique. On a ri des obsessions de Marge pour le patin à roulettes et les films d'horreur, et on s'est remémoré la journée idyllique que Marge et Liz avaient passé avec Emily et moi au domaine Biltmore. On s'est émerveillés de l'esprit de Marge et du fait qu'elle me considérait toujours comme un petit frère ayant toujours désespérément besoin de ses conseils avisés.

J'aurais aimé qu'elle soit là pour entendre toutes ces anecdotes, mais elle n'en a entendu qu'une petite partie. Le reste du temps, elle dormait.

511

Le dimanche soir, London est rentrée d'Atlanta. Vivian a dit au revoir à notre fille en restant près de la limousine mais n'est pas entrée dans la maison.

C'était le dernier jour de janvier. Marge et moi étions tous deux nés en mars : elle le 4 et moi le 12. On était tous les deux du signe des poissons que le Zodiaque décrit comme des personnes compatissantes et dévouées. J'ai toujours cru que c'était plus vrai pour Marge que pour moi.

J'ai réalisé que son anniversaire tombait dans moins de cinq semaines et je savais qu'elle ne serait pas là pour le fêter.

Comme Marge, je le savais, voilà tout.

26

Se dire au revoir

Mes parents n'avaient pas une vie sociale des plus actives quand Marge et moi étions jeunes. Si mon père allait boire une bière de temps en temps avec des copains, c'était relativement rare, et ma mère sortait à peine. Entre le travail, la cuisine, le ménage, les visites dans la famille et l'éducation des enfants, elle n'avait pas beaucoup de temps libre. Mes parents ne sortaient pas non plus très souvent en couple ; le restaurant était considéré comme une petite folie, à laquelle ils ont dû succomber – si j'ai bonne mémoire – peut-être une demi-douzaine de fois. Si on considérait les anniversaires, les anniversaires de mariage, la Saint-Valentin, la Fête des Mères et la Fête des Pères, six dîners en amoureux en dix ans, ce n'était pas grand-chose.

Donc, lorsqu'ils sortaient effectivement, Marge et moi ne tenions plus en place à l'idée d'avoir la maison pour nous seuls. Dès que leur voiture sortait de l'allée, on se faisait du pop-corn ou des marshmallows grillés – ou les deux – et on regardait des films avec le volume à fond, jusqu'à ce qu'une des copines de Marge finisse inévitablement par appeler. Dès qu'elle était au téléphone, elle m'oubliait d'un coup... mais en général ça ne me dérangeait pas, puisque j'avais encore plus de marshmallows.

Un soir, alors qu'elle avait environ treize ans, elle m'a convaincu de construire un fort dans le salon. On a déniché une corde à linge dans la remise et on l'a tendue entre la tringle à rideaux, l'horloge de parquet et une bouche d'aération, avant de revenir à la tringle à rideaux. On a sorti des serviettes de bain et des draps du placard, qu'on a tous suspendus avec des pinces à linge. Un autre drap a formé le plafond et on a meublé notre forteresse avec les coussins du canapé. Marge a ajouté à l'ensemble une lampe de camping au propane, récupérée au garage.

J'ignore comment on s'est débrouillés pour l'allumer sans mettre le feu à la maison — mon père aurait été furieux s'il avait su — et Marge a éteint toutes les autres lumières avant qu'on se glisse dans notre fort.

Installer tout ça nous avait pris plus d'une heure et allait nécessiter autant de temps pour tout défaire et tout ranger : donc, on ne pourrait passer que quinze à vingt minutes dans notre citadelle avant le retour de nos parents. Même lorsqu'ils sortaient, ils ne rentraient jamais bien tard.

Je me souviens encore de cette nuit comme d'une expérience quais magique. À huit ans, c'était nouveau et aventureux, et le fait qu'on enfreignait les règles me donnait l'impression d'être plus vieux que je ne l'étais ; pour la première fois, je me sentais davantage l'égal de Marge qu'un petit gamin. Et, en regardant ma sœur à la lueur inquiétante de la lanterne dans notre forteresse improvisée, je me souviens clairement de m'être dit que Marge était non seulement ma sœur mais aussi ma meilleure amie. Déjà à cette époque, je savais que ça ne changerait jamais.

*
**

C'est le 1ᵉʳ février : les températures maximales sont de 21° C ; cinq jours plus tard, les maximales n'atteignent plus que 10° C et les minimales – 4° C. Les chocs thermiques de cette première semaine de février paraissaient affaiblir Marge encore plus. Son état empirait de jour en jour.

Ses seize heures de sommeil se prolongeaient jusqu'à dix-neuf, et chaque respiration était un combat. La paralysie de son côté droit se faisait encore plus prononcée et on avait loué un fauteuil roulant pour la déplacer plus facilement dans la maison. Elle articulait avec peine et n'avait guère d'appétit, mais ce n'était rien comparé à ses douleurs. Ma sœur prenait une telle quantité d'antalgiques que je me disais que son foie devait se transformer en bouillie, mais le seul moment où elle semblait éprouver un vrai soulagement c'était quand elle dormait.

Non pas que Marge ait jamais fait allusion à ses souffrances. Ni auprès de mes parents, ni de Liz, ni de moi. Comme toujours, elle s'inquiétait plus pour les autres que pour elle-même, mais sa douleur était évidente quand elle se crispait ou quand ses yeux s'embuaient soudain de larmes. Assister à son agonie était une torture pour nous tous.

Souvent je m'asseyais avec elle au soleil, quand elle dormait sur le canapé ; à d'autres moments, j'occupais le rocking-chair dans la chambre. Tandis que je contemplais sa silhouette endormie, les souvenirs me revenaient en remontant le temps, comme un film qu'on passerait à l'envers – un film dont elle était la star aux mémorables répliques. Elle était à jamais éclatante, débordante de vie, et je me demandais si mes souvenirs resteraient intacts ou s'ils se flétriraient avec les années. Je luttais de toutes mes forces pour voir au-delà de sa maladie, en me disant que je lui devais de me souvenir de tout ce qu'elle était avant sa maladie.

Le jour où le mercure a dégringolé à – 4° C, je me suis rappelé ce que mon père m'avait dit au sujet des grenouilles des bois, qu'on trouve en Caroline du Nord et jusqu'au cercle Arctique. Créature à sang froid, la grenouille des bois était sensible aux basses températures et pouvait geler au point de se mettre en arrêt cardiaque. Néanmoins, l'espèce avait évolué de telle manière qu'elle stockait du glycogène dans le foie pour fabriquer davantage de glucose, lequel agissait comme une sorte d'antigel naturel. Ces batraciens pouvaient donc rester congelés et immobilisés des semaines entières, mais lorsque la météo redevenait enfin clémente, la grenouille battait des paupières et son cœur redémarrait ; le temps de reprendre son souffle et elle bondissait en quête de son partenaire, comme si Dieu avait simplement appuyé sur Pause.

En regardant ma sœur dormir, je me suis surpris à souhaiter qu'un tel miracle de la nature se produise.

*
* *

Étrangement, le reste de ma vie continuait à progresser rapidement.

Le travail constituait parfois un excellent dérivatif, et l'enthousiasme de mes clients pour mes réalisations me mettait du baume au cœur pendant cette période difficile. J'ai rencontré mon agent immobilier et signé sur la ligne en pointillés ; le couple qui venait de Louisville avait demandé une vente longue, car ils souhaitaient que leurs enfants achèvent leur année scolaire, si bien que la vente serait finalisée en mai. Un jour qu'on déjeunait ensemble, Emily m'a demandé nonchalamment le nom de mon agent immobilier, en me révélant du même coup qu'elle songeait elle aussi à vendre sa maison.

– Je crois que j'ai besoin d'un nouveau départ, m'a-t-elle annoncé, dans un endroit où je n'ai pas vécu avec David.

Sur le moment, je l'ai soupçonnée de vouloir seulement me témoigner son soutien moral dans ma propre décision de vendre, une décision dont Emily savait qu'elle me tiraillait encore. Mais quelques jours plus tard, elle m'a envoyé un MMS avec la photo du panneau « À vendre » dans son jardin côté rue.

Rien ne restait longtemps inébranlable ; sa vie, comme la mienne, allait de l'avant. J'aurais seulement aimé savoir exactement dans quelle direction allait la mienne.

*
* *

Mon père a continué à se rendre chez Marge avec sa boîte à outils quasiment chaque après-midi. Les « réparations nécessaires » du début se sont peu à peu transformées en importante rénovation. Le jour où Marge et Liz étaient venues à la visite publique de ma maison, il avait entièrement démonté la salle de bains pour invités, dans l'intention de la moderniser pour en faire une pièce digne de ce que méritait sa seule et unique fille.

Du point de vue technologique, mon père était un vrai dinosaure. Il n'avait jamais vu l'intérêt d'acheter un portable. Son patron connaissait toujours l'adresse du chantier où il travaillait et tous les autres membres de l'équipe possédaient un mobile, si bien qu'on pouvait toujours le contacter. Qui d'autre l'aurait appelé ? se demandait mon père. Pourquoi s'inquiéter ?

Pourtant mon père s'est adressé à moi juste après le nouvel an, afin que je l'aide à s'acheter un téléphone. Comme il ne connaissait rien à ces « gadgets cellulaires », il m'a demandé de lui en choisir un. « Assure-toi juste qu'il fasse tous ces trucs compliqués, m'a-t-il dit, mais qu'il ne soit pas trop cher ».

Bien que mon père n'y ait pas fait allusion, j'ai sélectionné un modèle qui, selon moi, serait facile à utiliser pour lui. Je lui ai donc procuré l'appareil et j'ai ensuite passé du temps avec lui pour lui expliquer comment passer un appel et en recevoir, ainsi que des SMS. Dans ses contacts, j'ai rentré les numéros de Marge, de Liz, de ma mère et le mien. Je ne voyais pas qui ajouter d'autre.

– Je peux prendre des photos ? m'a-t-il demandé. J'ai vu des téléphones qui peuvent faire ça maintenant.

Quasiment tous les modèles peuvent le faire depuis des années, ai-je pensé, mais je me suis contenté de répondre :

– Oui, tout à fait.

Je lui ai alors montré quelle fonction utiliser puis l'ai regardé s'entraîner à prendre des photos, et les examiner. Je lui ai aussi expliqué comment effacer celles qu'il ne souhaitait pas garder. Tout en ayant l'impression que la plupart de ces informations devaient lui donner le tournis, je l'ai regardé glisser avec soin le mobile dans sa poche, avant de partir vers sa voiture.

Je l'ai revu chez Marge le lendemain. Elle se levait de sa sieste et notre mère avait préparé de la soupe au poulet. Marge a mangé la moitié du bol – moins que ce qu'on espérait ; et quand on lui a retiré le plateau, notre père s'est assis à côté d'elle. Il avait presque l'air timide en lui montrant les photos de différents robinets, lavabos et autres porte-serviettes, ainsi que les carrelages pour le sol et les murs. De toute évidence, il était passé au magasin de bricolage et c'était la seule façon pour lui de s'assurer que Marge puisse participer à la nouvelle décoration.

Marge savait que notre père n'avait jamais été loquace, pas plus qu'il n'exprimait ouvertement ses sentiments. Mais à travers tous les efforts qu'il déployait pour elle, ma sœur voyait bien qu'il lui criait son amour à s'en égosiller, dans l'espoir qu'elle puisse entendre ce qu'il avait toujours trouvé si difficile à dire.

Papa a pris des notes à mesure qu'elle sélectionnait les articles et, lorsqu'ils eurent terminé, Marge s'est penché contre lui, en ne lui laissant pas d'autre choix que de la serrer dans ses bras. « Je t'aime, papa », a-t-elle murmuré. Il s'est ensuite levé du canapé et a quitté la maison à pas lourds. Tout le monde savait qu'il partait acheter ce qu'elle avait choisi mais, quelques minutes plus tard, j'ai réalisé que je n'avais pas entendu sa voiture démarrer.

Quand je me suis levé pour scruter l'allée par la fenêtre, entre les rideaux, j'ai alors vu mon père, l'homme le plus robuste que j'aie jamais connu, assis derrière son volant, la tête baissée et les épaules secouées de spasmes.

*
* *

De merveilleuses odeurs s'échappaient ces jours-ci de la cuisine de Marge pendant que ma mère s'escrimait à cuisiner des plats susceptibles d'inciter ma sœur à manger davantage. Il y avait des potages, des ragoûts, des sauces et des pâtes ; des tartes à la banane, des tartes au citron meringuées, de la crème glacée à la vanille maison. Le réfrigérateur et le congélateur débordaient et, chaque fois que je passais, elle me donnait des plats pour mon propre frigo, qui se remplissait aussi au fur et à mesure.

Chaque fois que Marge était réveillée, ma mère lui posait un plateau sous le nez ; dès la deuxième semaine de février, ma mère avait commencé à lui donner à manger car son côté droit s'affaiblissait à son tour. Elle portait doucement la cuillère à ses lèvres, qu'elle lui essuyait entre deux bouchées, puis offrait à ma sœur quelque chose à boire à la paille.

Pendant que Marge s'alimentait, ma mère parlait. De papa et du nouveau jeune patron de son entreprise de plomberie qui lui en faisait baver pour ses nombreuses absences au travail. À ce moment, mon père avait sans doute plein de congés cumulés sur plusieurs années, mais le patron était du genre à n'être jamais satisfait et exigeait beaucoup plus de ses employés que de lui-même.

Elle décrivait les tulipes qu'elle avait plantées pour mon père, la conférence à laquelle elle avait assisté avec ses amies de la Red Hat Society ; elle régalait aussi Marge de tout ce que lui avait raconté London, aussi futiles que soient ses petites histoires. Plus d'une fois, j'ai vu ma mère faire mine de s'offusquer de ne pas avoir été prévenue que Marge et London avaient patiné ensemble.

« Je t'ai amenée tant de fois à cette piste que mes pneus ont laissé des traces sur le parking – et tu as oublié de me dire quand ma petite-fille s'est essayée au patinage à roulettes pour la toute première fois ? »

Je savais qu'elle ne taquinait Marge qu'à moitié, car elle aurait adoré être là, et je m'en suis voulu en silence. Après tout, ma mère ne désirait pas seulement voir la petite sur des patins, ce jour-là ; elle souhaitait voir sa propre fille, s'abandonner avec bonheur aux joies du patinage… une dernière fois.

*
* *

À mesure que la deuxième semaine de février avançait, j'avais l'impression que le temps s'accélérait et ralentissait simultanément. Les heures que je passais chaque jour avec Marge semblaient s'écouler au ralenti, marquées par de longues périodes de silence et de sommeil ; en revanche, chaque fois que j'arrivais chez elle, son état paraissait se détériorer encore plus. Un après-midi, avant d'aller chercher London à l'école, j'ai fait un saut chez Marge et l'ai trouvée éveillée au salon. Comme Liz et elle discutaient à voix basse, j'ai proposé de m'en aller, mais Liz a secoué la tête.

– Reste. De toute manière, je devais contacter un de mes patients. C'est une urgence. Bavardez un peu tous les deux. J'espère que ce ne sera pas long.

Je me suis assis à côté de ma sœur. Je ne lui ai pas demandé comment elle allait, car je savais qu'elle détestait cette question. Au lieu de quoi, comme toujours, elle m'a demandé des nouvelles d'Emily et de mon travail, de London et de Vivian, d'une voix entrecoupée et métallique.

Comme elle se fatiguait vite, j'ai parlé la plupart du temps. Vers la fin, je lui ai demandé si je pouvais lui poser une question.

– Bien sûr, a-t-elle répondu en mangeant ses mots.

– Je t'ai écrit une lettre pour Noël, mais je n'ai jamais su ce que tu en avais pensé.

Elle m'a gratifié de son demi-sourire auquel je m'étais habitué.

– Je ne l'ai pas encore lue.

– Pourquoi ?

– Parce que je ne suis pas encore prête à te dire au revoir.

*
* *

Je dois avouer que je me suis parfois demandé si elle avait jamais eu l'occasion de la lire. Dans les jours qui ont suivi, chaque fois que je passais chez elle, Marge dormait toujours, en général dans la chambre.

Je restais une heure ou deux à discuter avec Liz ou ma mère, ou la personne qui se trouvait là. J'admirais les dernières réparations ou rénovations que mon père avait effectuées, et la plupart du temps je mangeais l'énorme assiette de nourriture que ma mère me collait sous le nez.

On restait toujours dans la cuisine. Au début, je pensais que c'était pour ne pas déranger Marge pendant qu'elle dormait, mais j'ai écarté cette idée en réalisant que si les coups de marteau de mon père ne la réveillaient pas, nos conversations à voix basse encore moins.

Je m'en suis finalement rendu compte un après-midi, quand Liz est sortie balayer la véranda. Un peu désœuvré, je suis allé au salon et me suis assis sur le canapé, là où Marge et moi avions l'habitude de nous retrouver.

Mon père travaillait paisiblement dans la salle de bains, mais j'entendais un bruit étrange et régulier, comme une sorte de ventilateur ou un conduit d'aération qui fonctionnait mal. Incapable de localiser l'origine du son, je me suis d'abord rendu à la cuisine puis dans la salle de bains, où j'ai vu mon père allongé sur le dos, la tête sous le nouveau lavabo qu'il achevait de fixer. Mais le bruit était plus faible dans ces deux pièces ; il a seulement augmenté quand j'ai commencé à traverser le couloir, et j'ai alors compris d'où provenait ce son horrible.

C'était ma sœur.

Malgré la porte close, à l'autre bout de la maison, ce que j'entendais n'était autre que la respiration de Marge.

*
* *

La Saint-Valentin tombait un dimanche cette année-là. Marge avait prévu une petite fête chez elle, où elle avait même invité Emily et Bodhi, et j'y ai amené London dès son retour d'Atlanta.

Pour la première fois en deux semaines, la petite et moi sommes arrivés pour découvrir ma sœur assise bien droite sur le canapé. Quelqu'un – peut-être ma mère, peut-être Liz – l'avait aidée à se maquiller un peu. Au lieu de la casquette de base-ball, Marge portait un magnifique foulard en soie et un épais col roulé qui l'aidait à dissimuler sa maigreur. Malgré la tumeur qui lui ravageait le cerveau, elle était capable de suivre la conversation et je l'ai même entendue rire une ou deux fois. Par moments, on avait presque l'impression de vivre un samedi ou dimanche après-midi chez nos parents.

Presque.

La maison elle-même n'avait jamais été aussi pimpante. Mon père avait terminé la salle de bains pour invités, avec le nouveau carrelage et le lavabo rutilant à l'image de l'aménagement dernier cri. Il avait aussi passé le dernier week-end à repeindre toutes les moulures intérieures du logement. Ma mère avait disposé un véritable festin sur toutes les surfaces planes de la cuisine et, dès l'arrivée d'Emily, lui avait fait promettre d'emporter avec elle les restes quand elle repartirait, y compris les desserts.

On a échangé quantité d'anecdotes familiales, mais le clou de la soirée a eu lieu quand Liz a offert son cadeau de Saint-Valentin à Marge. Elle avait confectionné un album de photos qui commençait par des clichés d'elles deux quand elles étaient toutes petites puis continuait ainsi tout au long de leur vie. Les pages de gauche montraient des portraits de Liz, celles de droite des portraits de Marge. Je savais que ma mère avait dû aider Liz à rassembler les photos et, à mesure que Marge tournait les pages, je regardais ma sœur et Liz grandir en duo sous mes yeux.

Puis l'album commençait à présenter des images d'elles ensemble, certains dans les lieux exotiques où elles étaient allées, tandis que d'autres étaient des clichés pris sur le vif ici ou là dans la maison. Qu'elles soient posées ou décontractées, chacune des photos semblait choisie pour illustrer un moment particulièrement marquant de leur vie commune. L'album entier était le témoignage de leur amour, et j'en avais les larmes aux yeux.

Les deux dernières pages m'ont fait craquer.

Sur la gauche apparaissait la photo de Marge et Liz sous le sapin de Noël du Rockefeller Center à New York, le dernier voyage qu'elles feraient jamais ensemble ; sur la droite, un cliché qui semblait dater de quelques heures à peine, avec Marge semblable à ce qu'elle était à ce moment-là.

Liz a expliqué que mon père l'avait pris lui-même et l'avait fait développer à son insu dans un drugstore du quartier. Au retour, il avait demandé à Liz de l'ajouter sur la dernière page de l'album.

Tous les visages se sont alors tournés vers lui.

– J'ai toujours été fier de toi, a dit mon père, un sanglot dans la voix, en regardant sa fille, et je veux que tu saches que je t'aime aussi.

*
**

Au lendemain de la Saint-Valentin, l'attente a commencé.

Je crois à présent que la veille Marge avait épuisé ses dernières réserves d'énergie. Elle a dormi presque toute la journée du lundi et n'a plus mangé d'aliment solide à partir de ce moment-là, aspirant uniquement de la soupe tiède au poulet à la paille.

Si mes parents étaient en permanence chez Marge, je faisais des allers-retours, surtout à cause de London. Elle était d'une humeur inhabituellement changeante depuis qu'elle avait appris la vérité au sujet de Marge ; elle piquait des colères ou fondait en larmes pour des choses insignifiantes. Elle se montrait particulièrement rebelle quand je refusais de l'emmener voir Marge, mais il était difficile de lui expliquer que sa tante dormait presque tout le temps à présent.

Néanmoins, quelques jours après la fête de la Saint-Valentin, Liz m'a appelé dans la soirée.

– Tu peux amener London ? m'a-t-elle demandé d'une voix pressante. Marge veut la voir.

J'ai appelé la petite, qui était déjà en pyjama dans sa chambre, avec les cheveux encore humides après son bain. Elle a dévalé l'escalier et se serait carrément ruée sur la voiture, mais j'ai réussi à lui barrer le passage pour lui faire passer un vêtement chaud. Quand j'ai vu qu'elle était pieds nus, elle a pris au hasard une paire de bottes en caoutchouc dans le placard et les a enfilées, en dépit du fait qu'il ne pleuvait pas.

J'ai vu qu'elle tenait une Barbie, qu'elle a refusé de poser même pour enfiler son manteau.

Quand on est arrivés chez Marge, Liz a embrassé London et lui a aussitôt montré la direction de la chambre à coucher.

Bien qu'elle se soit précipitée un peu plus tôt vers la voiture, London a un peu hésité avant de s'engager lentement dans le couloir. Je l'ai suivie de quelques pas. De nouveau, j'entendais ma sœur, que la vie abandonnait un peu plus à chaque respiration. Dans sa chambre, la lampe de chevet projetait une flaque de lumière douce sur le plancher.

London s'est arrêtée dans l'embrasure.

– Salut… ma puce, lui a dit Marge qui peinait à articuler mais demeurait audible.

London s'est approchée prudemment du lit, en se déplaçant tout doucement comme pour ne pas déranger sa tante malade. Je me suis appuyé contre le chambranle de la porte et j'ai regardé ma fille rejoindre Marge.

– Qu'est-ce… que tu… as là ? a-t-elle demandé.

– Je t'ai apporté un cadeau, a répondu ma fille en lui tendant la poupée qu'elle agrippait depuis le début. C'est ma Barbie préférée parce que je l'ai depuis toute petite. C'est ma première Barbie et je veux te la donner.

Comme London réalisait que Marge n'avait pas la force de la prendre, elle l'a posée à côté de ma sœur, allongée sous les couvertures.

– Merci. Elle est jolie… mais tu… es encore plus jolie.

London a baissé la tête, puis l'a redressée.

– Je t'aime, tatie Marge. Je t'aime très fort. Je veux pas que tu meures.

– Je sais… et… je t'aime aussi… Mais j'ai… quelque chose pour toi. Tatie Liz l'a posé sur la commode. Un jour… quand tu seras assez grande… peut-être que tu pourras… le regarder avec ton papa… OK ? Et peut-être… qu'en le regardant… tu penseras à moi. Tu peux… me le promettre… ?

– Je te le promets.

Mon regard s'est tourné vers la commode. J'ai vu le DVD que Marge avait offert à ma fille et j'ai refoulé mes larmes en battant des paupières quand j'ai reconnu le titre.

Pretty Woman.

— Marge pense que je devrais quand même avoir un enfant, m'a confié Liz autour d'un café dans la cuisine.

Elle était à la fois épuisée et perplexe.

— Quand est-ce qu'elle t'a dit ça ?

— Eh bien, elle en a parlé la première fois quand on est allés à New York. Elle n'arrête pas de me dire que je suis suffisamment en bonne santé pour le faire, mais…

J'ai attendu qu'elle poursuive, mais elle semblait perdue.

— Tu en as envie ? ai-je demandé d'une voix hésitante.

— Je n'en sais rien, Russ… C'est tellement dur à envisager, là maintenant. Je n'arrive pas à me voir faire ça toute seule, mais elle a relancé le sujet hier.

Pendant quelques instants, Liz a gratté nerveusement la table, creusant un petit sillon dans le bois.

— Elle m'a dit qu'elle avait déjà pris des dispositions financières, au cas où je changerais d'avis en cours de route. Que je pourrais me permettre une fécondation *in vitro*, une nounou si je le souhaitais, même les frais de scolarité.

Comme je penchais la tête en me demandant quand et comment Marge avait pris ces dispositions, Liz se passa une main dans les cheveux en essayant de lisser quelques mèches de sa queue-de-cheval en désordre.

— Apparemment, juste après avoir passé son diplôme d'expert-comptable, elle a pris un bouquet d'assurances vie. Deux polices distinctes, en fait. Elle les a alimentées au fil des années et ça fait pas mal d'argent. La plus grosse police m'a désignée comme bénéficiaire, et c'est plus d'argent que je n'en aurai jamais besoin, même si je décide d'avoir un enfant toute seule. Marge a récemment changé le bénéficiaire du deuxième contrat au profit de tes parents. Afin que ton père puisse prendre sa retraite. J'ai demandé ce qu'il advenait de toi…

Je l'ai interrompue en levant une main :

— Je suis ravi que ça vous revienne, à mes parents et à toi, ai-je dit.

Elle m'a adressé un regard confus, comme si aucune des informations qu'elle venait de me communiquer n'avait de sens à ses yeux.

– Ce qui me taraude depuis qu'elle m'a parlé de tout ça, a repris Liz, c'est comment elle pouvait se douter ? Je lui ai posé la question et elle m'a répondu que c'était à cause des antécédents familiaux, et même si elle ignorait qui seraient au final les bénéficiaires – je pense qu'elle t'avait inscrit toi et tes parents au début –, elle voulait s'assurer d'avoir ces contrats juste au cas où elle en aurait besoin un jour.

– Elle ne m'en a jamais parlé.

– À moi non plus, a admis Liz. Quand on envisageait la possibilité d'avoir un bébé, avant qu'elle tombe malade, j'imagine que je ne me suis jamais vraiment intéressée aux frais à engager. On gagne bien notre vie et on a quelques économies, mais je crois que je me suis toujours plus ou moins dit que si Marge pensait qu'on pourrait se le permettre, alors ce serait le cas…

Pendant un bref instant, un voile de désespoir troubla son regard.

– J'arrive à peine à tenir le coup. Je lui ai dit que je ne me sentais pas capable d'élever un enfant sans elle. Elle a toujours été la plus maternelle de nous deux. Et tu sais ce qu'elle m'a rétorqué ?

J'ai regardé Liz, j'attendais la suite.

– Elle m'a dit que j'étais pour elle une source d'inspiration et que tout enfant que j'élèverais rendrait ce monde meilleur. Et que si le paradis existait, elle me promettait de veiller sur notre enfant à jamais.

*
* *

Le lendemain, ce fut à mon tour de dire au revoir.

Quand je suis arrivé à la maison, Marge dormait comme d'habitude. Je suis resté un petit moment, tout en gardant un œil sur la pendule pour ne pas arriver en retard à l'école, mais le babyphone posé dans la cuisine n'a pas tardé à grésiller, et Liz et ma mère se sont précipitées dans la chambre. Quelques minutes plus tard, maman revenait dans la cuisine.

– Marge veut te voir, m'a-t-elle dit.

– Comment elle est ?

– Elle a l'air assez cohérente, mais tu devrais sans doute y aller tout de suite. Parfois elle devient confuse et ne reste pas longtemps éveillée.

À en croire l'attitude constante de ma mère, je voyais bien qu'elle se révélait tout aussi solide que mon père, car elle supportait chaque jour l'insupportable.

Je l'ai serrée dans mes bras, puis j'ai traversé le couloir en direction de la chambre. Comme pour la Saint-Valentin, Marge portait un joli foulard et j'ai deviné qu'elle avait demandé à Liz de le lui mettre avant que j'entre.

J'ai attrapé une chaise dans le coin de la pièce pour la rapprocher du lit. Liz est sortie et j'ai pris la main de ma sœur. Je la sentais tiède mais inerte dans la mienne. Sans vie. J'ignorais si elle pouvait le sentir, mais je l'ai pressée tendrement.

– Salut, frangine… ai-je murmuré.

En m'entendant, elle a battu des paupières avant de lutter pour s'éclaircir la voix.

– Lis… a-t-elle dit dans un souffle.

J'ai mis quelques instants à comprendre, puis j'ai repéré l'enveloppe que Liz avait posée sur sa table de chevet et je m'en suis emparé. Je l'ai ouverte, puis j'ai sorti l'unique feuillet qu'elle contenait, j'ai pris une profonde inspiration et j'ai commencé à lire.

Marge,

Il fait nuit et il est tard, et je lutte pour trouver les mots en regrettant qu'ils ne me viennent pas plus facilement. À vrai dire, je ne suis même pas sûr qu'il soit possible de dire avec des mots tout ce que tu as toujours représenté pour moi. Je pourrais te dire que je t'aime et que tu es la sœur la plus géniale qu'un garçon puisse souhaiter avoir ; je pourrais admettre que je t'ai toujours admirée. Et pourtant, comme je t'ai déjà dit tout ça auparavant, ça me semble cruellement insuffisant. Comment puis-je dire au revoir à la meilleure personne que j'aie jamais connue, de la manière qu'elle mérite sincèrement ?

C'est alors que l'idée m'est venue que tout ce que j'avais besoin de te dire se résumait en un mot.

Merci.

Merci d'avoir veillé sur moi toute ta vie, d'avoir essayé de me protéger de mes propres erreurs, d'avoir été l'exemple vivant de ce courage que j'aurais tant aimé posséder. Mais plus que tout, merci de me montrer ce que signifie aimer vraiment et être aimé en retour.

Tu me connais : le champion des grands gestes romantiques, des dîners au chandelles et des bouquets de fleurs. Mais ce que je n'ai compris que récemment, c'est que ces moments tendres et soigneusement orchestrés ne signifiaient rien s'ils n'avaient pas lieu en présence d'une personne qui t'aime tel que tu es.

Pendant trop longtemps j'ai vécu une relation où l'amour semblait toujours sous condition ; je cherchais tout le temps, mais en vain, à devenir digne d'un amour sincère. Mais en songeant à Liz et toi et à ce que vous représentiez l'une pour l'autre, j'ai enfin compris que l'acceptation, et non le jugement, était au cœur même du véritable amour. Être totalement accepté par l'autre, même dans ses moments de faiblesse, revient à se sentir enfin en paix.

Liz et toi vous êtes mes héroïnes et mes muses, parce que votre amour réciproque a toujours laissé de la place à vos différences, tout en faisant la part belle à tout ce que vous aviez en commun. Et dans ces heures sombres, votre exemple a été pour moi une lumière qui m'a permis de me recentrer sur ce qui comptait le plus. Je prie seulement pour connaître moi aussi un jour le genre d'amour que vous partagez toutes les deux.

Je t'aime, ma tendre sœur...
Russ

Mes mains tremblaient en repliant la lettre pour la replacer dans l'enveloppe. Je n'osais pas parler, mais le regard de Marge, empreint de sagesse, m'a fait comprendre que c'était inutile.

– Emily... a-t-elle dit de sa respiration sifflante. Tu... as... ça... avec... elle.

– Je l'aime.

– Ne... la... laisse... pas... s'en aller...

– Bien sûr.

– Et... ne... la... trompe pas... encore une fois... ou au moins... ne le lui... dis pas, murmura-t-elle en esquissant l'ombre d'un sourire espiègle.

Je n'ai pu m'empêcher de rire. Ma sœur, au seuil de la mort, n'avait pas changé d'un iota.

– Je ne le ferai pas.

Elle a mis un petit moment pour reprendre son souffle.

– Maman et... papa... ont besoin de... voir London... Qu'ils fassent... partie de sa vie.

– Ils en feront toujours partie. Tout comme Liz.

– Je… m'inquiète… pour eux.

J'ai songé à ma mère et à tous les êtres chers qu'elle avait perdus ; j'ai revu mon père, qui pleurait dans sa voiture.

– Fais… le.

– Je le ferai. Promis.

– Je… t'aime.

J'ai serré tendrement la main de ma sœur, puis je me suis penché pour l'embrasser.

– Je t'aime plus que tu ne le sauras jamais, ai-je dit.

Après m'avoir adressé un tendre sourire, elle a fermé les yeux.

C'était la dernière fois que je lui parlais.

*
* *

Mon père a repris sa boîte à outils ce soir-là, et on a tous embrassé Liz en lui disant au revoir. Il était temps pour elles de se retrouver seules.

J'ignore ce qu'elles se sont dit pendant les deux ou trois jours qui ont suivi. Liz ne m'en a jamais parlé, hormis pour préciser que Marge a profité d'une journée étonnamment lucide avant de sombrer dans le coma. Je suis content que Liz se soit trouvée là, et je prie pour qu'elles aient eu l'occasion de se dire tout ce qui leur restait à se dire.

Un jour plus tard, ma sœur s'éteignait.

*
* *

Les obsèques, au cimetière, ne se sont pas éternisées. Marge avait apparemment laissé des instructions strictes à ce sujet, mais la brève cérémonie attira des dizaines de personnes, toutes emmitouflées sous le ciel froid et lugubre.

J'ai fait une oraison funèbre épurée, dont je me souviens peu, hormis que j'ai repéré Vivian un peu à l'écart du groupe, loin de ma famille, de Liz et d'Emily.

Avant l'enterrement, London m'avait demandé si elle pourrait danser pour sa tatie Marge une dernière fois. Alors, quand les gens se sont dispersés pour regagner leurs voitures respectives, j'ai aidé London à enfiler ses ailes transparentes. Sans aucune musique, avec moi pour unique public, London a voleté avec grâce autour de la terre fraîchement retournée, tel un papillon virevoltant entre ombre et lumière.

Une chose est sûre : Marge aurait adoré ça.

Épilogue

Je suis au parc, assis à l'ombre, tandis que London court, grimpe et s'amuse sur les balançoires. Il fait chaud depuis deux semaines et l'air est tellement chargé d'humidité que je garde des tee-shirts dans le coffre de la voiture pour me changer dans des moments comme celui-ci. Ils ne restent pas secs longtemps, mais je suppose que c'est typique de la fin juillet.

Ces quatre derniers mois, l'agence Phénix a signé avec trois nouveaux cabinets d'avocat et elle possède désormais des clients dans trois États différents. J'ai dû trouver un nouveau bureau et engager il y a deux mois mes premiers employés. Marc a deux ans d'expérience dans une société de marketing sur le Net à Atlanta, et Tamara est une jeune diplômée de l'université de Clemson, spécialisée dans le cinéma. Tous deux sont des « enfants du numérique » et ils envoient leurs textos en utilisant leurs deux pouces avec dextérité, contrairement à leur patron qui pianote en cherchant encore les touches. Ils sont intelligents et avides d'apprendre, et ils ont fait le maximum pour que je passe du temps avec London cet été.

Comme l'été dernier, ma fille est toujours en vadrouille. Tennis, piano, atelier d'arts, sans parler de la danse dans un autre studio, dirigé celui-là par quelqu'un que les élèves n'hésitent pas à embrasser en arrivant au cours. Je la véhicule d'une activité à l'autre et je travaille quand elle est occupée ; l'après-midi, on peut souvent nous trouver à la piscine du quartier ou au parc, selon l'humeur de London. Je n'en reviens pas de voir combien elle a changé depuis notre premier été ensemble. Elle est plus grande et plus sûre d'elle et, quand je la conduis ici ou là, je l'entends souvent déchiffrer à voix haute les mots qu'elle voit sur les panneaux publicitaires.

Ma maison n'est pas aussi vaste que la précédente mais confortable, et les deux toiles d'Emily – celle que j'ai achetée à la galerie et celle qu'elle m'a offerte avec London et moi – décorent les murs du salon. Même si je vis ici depuis fin mai, il reste encore des cartons que je n'ai pas déballés, et j'ai dû louer un garde-meuble pour le mobilier de mon ancien logement, dont je n'ai plus l'utilité. Je vais sans doute finir par en vendre la plupart ; mais, avec les récents changements survenus dans ma vie, je n'en ai tout bonnement pas eu le temps. Je dois encore m'habituer à vivre à Atlanta, après tout.

Vivian et moi nous sommes retrouvés après l'enterrement et, en moins d'une heure, on a tout réglé. Bien que je le lui aie proposé, elle a refusé que je lui verse une pension alimentaire ; quant au règlement des biens matrimoniaux, elle n'a demandé que la moitié de la valeur résiduelle de la maison, des économies et des comptes d'investissement. Elle m'a laissé les fonds placés sur notre compte joint d'épargne-retraite, mais bon… l'argent n'était plus vraiment un problème pour elle désormais. Lors de cette même discussion, elle m'a révélé qu'elle était fiancée en secret avec Spannerman – les autres l'apprendraient quand notre divorce serait prononcé ; et, si la nouvelle aurait pu me blesser, j'ai découvert à ma grande surprise que ça ne me dérangeait absolument pas. J'étais amoureux d'Emily et, comme Vivian, prêt à entamer un nouveau chapitre de mon existence.

Malgré tout, l'argent n'avait jamais été la véritable pomme de discorde entre nous… contrairement à la garde de London. Si bien que j'ai été la fois soulagé et un peu sceptique quand Vivian s'est penchée vers moi pour me dire d'une voix sérieuse : « Je tiens à te présenter mes excuses pour la lettre envoyée par mon avocate, m'a-t-elle dit en posant une main sur son cœur. Je passais ma colère dans son cabinet et je n'ai pas réalisé à quel point mes propos pouvaient être déformés. Je sais que tu ne ferais jamais rien de déplacé avec London, et quand j'ai fininalement découvert sa fameuse lettre, j'en ai eu la nausée. Je n'ose pas imaginer ce que tu as dû penser de moi. »

Elle a fermé les yeux et, sur le coup, j'ai décidé de la croire. Une partie de moi le souhaitait ardemment ; je ne voulais pas penser qu'elle ait pu être capable de faire une chose pareille… mais le fait est que je ne saurai jamais ce qui s'est réellement passé avec l'avocate.

« Quand Marge a demandé à me voir ce soir-là, elle m'a dit tout net que la petite avait besoin de nous deux, que je ferais du mal à London en t'attaquant en justice pour obtenir la garde exclusive. Inutile de te dire que j'étais en colère. Sur le coup, je me suis dit qu'elle se mêlait de ce qui ne la regardait pas. Mais ses paroles m'ont affectée davantage que je voulais bien l'admettre… et avec le temps je me rends compte que ta sœur pourrait bien avoir raison. »

Vivian ne cessait de faire tourner un mince bracelet en or autour de son poignet.

« Chaque fois que London venait à Atlanta, elle ne faisait que parler de toi. Elle s'amusait beaucoup, elle me racontait tous ses jeux avec toi, citait tous les endroits où vous étiez allés. »

La voix de Vivian tremblait.

« Je n'ai jamais voulu te prendre London. Je souhaitais juste l'avoir auprès de moi. Alors quand Marge m'a annoncé que tu déménagerais à Atlanta… j'en ai eu les jambes coupées. Je n'aurais jamais imaginé que tu puisses quitter Charlotte ou tes parents. J'ai toujours cru que tu avais lancé ta propre affaire parce que tu ne voulais vraiment pas trouver du travail dans une autre ville. »

Comme j'allais protester, elle a levé une main pour me faire taire.

« C'est pour cette raison que je désirais la garde exclusive en premier lieu. Parce que j'aime London aussi et la voir uniquement le week-end me rendait malade. J'imagine que je n'aurais jamais cru te voir aller aussi loin pour rester dans sa vie. »

Elle m'a regardé droit dans les yeux.

« Tu es un père fabuleux, Russ. Je le sais à présent. Si tu es prêt à t'installer à Atlanta comme Marge le disait et que tu souhaites la garde alternée de London, je pense qu'on peut sans doute trouver un accord. »

C'est exactement ce qu'on a fait. Pour commencer, London a eu le droit de rester avec moi à Charlotte afin de terminer l'année scolaire ; deux jours plus tard, le camion de déménagement rempli de nos affaires partait pour Atlanta. Quand Vivian est en déplacement

– ce qui lui arrive encore trois ou quatre soirs par semaine –, London dort chez moi. J'ai aussi ma fille un week-end sur deux, et London et moi organisons toujours une soirée en tête à tête les vendredis soirs où elle est chez moi. Pour éviter de recommencer comme l'an dernier, Vivian et moi avons décidé dans l'avenir d'alterner les jours fériés. Pour que je puisse continuer à lire des histoires à ma fille avant qu'elle ne s'endorme quand elle est chez sa mère, je lui ai acheté un mini iPad : London le cale contre un oreiller pour me voir *via* FaceTime. Mieux encore : dès la rentrée scolaire, je pourrai toujours aller la chercher chaque jour à l'école et elle restera chez moi jusqu'à ce que Vivian sorte du bureau. Je suppose donc que London et moi dînerons parfois ensemble ; à d'autres moments, elle dînera avec sa mère ; mais je suis sûr que Vivian et moi, on trouvera le moyen de s'arranger.

Bref, je me suis surpris à remercier Vivian pour tout ça, conscient du fait que depuis toutes ces années que je la connaissais, mon ex-femme n'avait jamais cessé de me surprendre.

Même, parfois, agréablement.

*
* *

J'appréhendais d'annoncer mon déménagement à Emily.

La plupart des gens auraient applaudi ma décision de préférer ma fille à une nouvelle relation amoureuse, mais je savais aussi qu'on ne rencontrait qu'une fois dans sa vie une femme comme Emily. Charlotte et Atlanta étaient certes assez proches pour une relation à court terme, mais est-ce que ça pouvait réellement marcher sur le long terme ? Comme moi, Emily était née et avait grandi à Charlotte, et ses parents et sa sœur vivaient aussi dans les environs. On ne s'était pas vus depuis très longtemps ; à ce stade de notre relation, on s'était à peine embrassés.

« Tu pourrais trouver mieux que moi » : voilà comment j'ai commencé la conversation. Il existait des hommes plus intelligents et plus gentils, des prétendants plus riches et plus séduisants, ai-je continué. Quand Emily m'a interrompu pour me demander où je voulais en venir, je lui ai dit toute la vérité : mes discussions avec

Marge ; mon rendez-vous avec Vivian le lendemain des obsèques ; le fait que j'avais pris conscience que je devais, et voulais m'installer à Atlanta. Pour London. Pourrait-elle me pardonner ?

Emily m'a alors entouré de ses bras. On se trouvait dans sa cuisine et, au même moment, mon regard s'est porté sur son atelier, où elle travaillait sur une nouvelle toile. Un tableau qu'elle avait l'intention d'offrir à Liz. Comme elle l'avait fait avec la photo de London et moi, Emily peignait sa propre version de l'image de Marge et Liz au pied de l'arbre de Noël du Rockefeller Center.

« Je savais depuis un petit moment que tu comptais partir à Atlanta, m'a-t-elle chuchoté à l'oreille. Marge me l'a confié quand je suis allée la voir. Pourquoi ai-je mis ma maison en vente, d'après toi ? »

*
* *

Emily et moi vivons désormais à moins de quinze cents mètres l'un de l'autre. Pour le moment, on est locataires, car on sait tous les deux que ce n'est plus qu'une question de temps avant qu'on décide d'acheter les alliances. Certains pourraient trouver cela un peu tôt – je ne suis officiellement divorcé que depuis trois mois –, mais je pourrais leur rétorquer : « Combien de personnes ont-elles la chance d'épouser leur meilleur(e) ami(e) ? »

Quant à London, dès qu'elle a su que Bodhi habitait non seulement dans les parages mais aussi fréquenterait la même école qu'elle à la rentrée – il y en a une excellente dans le coin –, elle n'a eu aucun mal à s'adapter au changement.

Je venais de la regarder glisser sur le toboggan quand j'ai jeté un œil sur le parking et vu Emily se garer. Bodhi est sorti d'un bond de la voiture et s'est précipité droit sur London. Et lorsque Emily m'a souri en me faisant signe, j'ai su avec certitude que ma journée serait encore meilleure.

À propos, juste pour ceux que ça intéresse… La première nuit qu'Emily a passé à Atlanta – elle s'y est installée une semaine après London et moi –, on a fêté ça au champagne et on a fini au lit. Depuis, j'ai l'impression d'être enfin chez moi.

*
* *

Ça n'a pas été facile pour mes parents, ni pour Liz. Les week-ends où Vivian a London, je rends visite à mes parents à Charlotte, et Liz est souvent là ; et nos conversations dérivent forcément sur Marge. Depuis quelque temps on n'a plus les larmes aux yeux en prononçant son prénom, mais son absence nous pèse toujours. Je ne suis pas certain qu'un de nous pourra un jour combler le vide qu'elle a laissé en nous quittant.

Pourtant il y a quelques lueurs d'espoir.

Quand Liz et moi bavardions le week-end dernier, elle m'a demandé de but en blanc si je la trouvais trop vieille pour devenir une mère célibataire. Comme je lui ai certifié que non, elle s'est contentée de hocher la tête. Je n'ai pas insisté, mais je sentais bien que le cadeau de Marge portait déjà ses fruits.

Plus tard, ce même après-midi, mon père a annoncé que le patron de son entreprise de plomberie était en train de la faire couler et que lui-même n'était pas sûr de vouloir y rester et assister au désastre. Quand mes parents sont venus nous voir, London et moi, à Atlanta en début de semaine, j'ai surpris ma mère qui consultait la page des annonces immobilières du journal.

Comme je l'ai déjà dit, ma sœur avait toujours tout prévu.

*
* *

Quant à moi, Marge savait depuis le début ce que je devais faire ; et, dans les semaines qui ont suivi ses obsèques, je me suis souvent demandé pourquoi elle ne m'avait pas simplement dit d'aller à Atlanta, plutôt que de me laisser tâtonner avant de trouver la réponse tout seul.

Je n'ai compris que récemment pourquoi elle s'était retenue : après avoir passé ma vie à lui demander conseil, elle savait que j'avais besoin d'apprendre à me fier à mon propre jugement. Elle savait que son petit frère avait juste besoin d'un dernier coup de pouce pour devenir l'homme qu'il pouvait devenir – ce dont elle me croyait capable depuis toujours –, celui qui a enfin eu l'aplomb nécessaire pour agir au moment crucial.

*
* *

Ce fut une année à garder en mémoire et une année à oublier, et je ne suis pas l'homme que j'étais il y a douze mois. En fait, j'ai trop perdu ; le chagrin que j'éprouve en songeant à Marge est encore trop vif en moi. Elle me manquera toujours et je sais que je n'aurais pas pu supporter l'année écoulée sans elle. Pas plus que je ne peux imaginer qui je serais aujourd'hui sans London ; et chaque fois que je regarde Emily, j'envisage clairement l'avenir avec elle à mes côtés. Marge, Emily et London m'ont soutenu quand j'en avais le plus besoin, d'une manière qui semble désormais quasi prédestinée.

Mais voilà… Avec chacune d'elles, j'étais quelqu'un de différent. J'étais un frère, un père, et un petit ami, et je crois bien que ces distinctions reflètent l'une des vérités universelles de l'existence. À n'importe quel moment, je ne suis pas totalement moi, mais une version partielle de ma personne, et chaque version diffère légèrement des autres. Mais chacune, je le crois à présent, a toujours eu quelqu'un à ses côtés. J'ai survécu à cette année parce que j'ai pu avancer en binôme avec les personnes que j'aimais le plus et, même si je ne l'ai jamais admis devant quiconque, à certains moments même encore maintenant, je sens Marge à mes côtés. Je l'entends chuchoter la réponse quand je suis confronté à une décision à prendre ; je l'entends m'inciter à relâcher la pression quand le monde entier semble peser sur mes épaules. C'est mon secret. Ou plutôt, c'est notre secret. Et je me dis que j'ai eu de la chance, car personne ne devrait jamais être forcé à avancer tout seul dans la vie.

Remerciements

Comme toujours, il y a énormément de personnes à remercier après avoir terminé l'écriture d'un roman.

Mes enfants : Miles, Ryan, Landon, Lexie et Savannah, qui continuent de m'inspirer.

Theresa Park, mon agent littéraire, et Jamie Raab, mon éditrice, sont à mes côtés depuis vingt ans, et j'apprécie toujours leurs idées et leurs efforts lorsqu'il s'agit de rendre mes romans les meilleurs possible.

Chez Park Literay + Media, la fabuleuse équipe d'Emily Sweet, Abby Koons, Alex Greene, Andrea Mai, Vanessa Martinez et Blair. Ils accomplissent pour les auteurs ce que personne d'autre ne fait dans la profession et je dois une grande partie de mon succès à leurs efforts considérables.

Chez United Talent Agency, Howie Sanders et Key Khayatian sont depuis près de vingt ans mes principaux conseillers, mes infatigables avocats, et mes experts créatifs. Ils m'ont vu vivre bien des hauts et des bas, et je salue leur virtuosité stratégique et leur fidélité indéfectible hors pair. Je ne remercierai jamais assez Larry Sals de tous ses efforts énergiques pour le compte de NSP TV, mais je lui suis à jamais profondément reconnaissant. David Herrin sera toujours mon gourou et mon prophète en matière de réseaux sociaux, et un véritable génie dans son domaine. David Hertz fut indispensable aussi à mon équipe, et je lui souhaite bonne chance dans sa captivante nouvelle carrière.

Scott Schwimer, mon avocat et mon ami, n'est autre que mon épée et mon bouclier depuis vingt ans à présent. Sa fidélité et son sens aigu des affaires dépassent de beaucoup ce qu'on peut attendre de son avocat ; il a aussi toujours été à mon écoute dans toutes sortes de situations éprouvantes.

Mes attachés de presse Catherine Olim, Jill Fritzo et Michael Geiser sont allés bien au-delà de leur devoir ces dernières années. Personne ne pourrait demander des représentants plus vigilants et plus talentueux qu'eux – leur engagement personnel et leur efficacité professionnelle m'ont toujours épaté.

LaQuishe « Q » Wright est la leader incontestée dans le domaine des réseaux sociaux liés au spectacle, et elle ne manque jamais de m'éblouir par son intelligence et son professionnalisme. Mollie Smith est elle aussi un membre très précieux de mon équipe consacrée aux réseaux sociaux, et sa fiabilité, sa réactivité et son sens du design continuent d'embellir tout ce que je fais.

Chez Hachette États-Unis et Grande-Bretagne, les personnes que je dois remercier sont trop nombreuses pour êtres toutes citées, mais j'espère qu'elles sauront à quel point j'apprécie les efforts de chacune d'elles. Pour n'en citer que quelques-unes :

Arnaud Nourry, Michael Pietsch, Amanda Prizker, Beth DeGuzman, Brian McLendon, Anne Twomey, Flamur « Flag » Tonuzi, Claire Brown, Chris Murphy, Dave Epstein, Tracy Dowd, Caitlin Mulrooney-Lyski, Matthew Ballast, Maddie Caldwell, Bob Castillo, Kallie Shimek, Ursula Mackenzie, David Shelley, Catherine Burke.

Chez Warner Bros. TV, j'aimerais remercier Peter Roth, Susan Rovner et Clancy Collins-White pour leur soutien et leur profession-nalisme bienveillant, ainsi que Stacey Levin, Erika McGrath et Corey Hanley pour leurs efforts chez NSP TV.

Je n'oublie pas Denise DiNovi et Marty Bowen, de fabuleux producteurs qui ont donné vie à nombre de mes romans en les portant à l'écran.

À Peter Safran, à sa charmante femme Natalia, à Dan Clifton et au talentueux Ross Katz, je tiens à exprimer du fond du cœur toute mon appréciation pour leur travail sur *Un choix*.

D'autres méritent aussi toute ma gratitude, parmi lesquels Jeannie Armentrout et Tia Scott, qui gèrent à merveille ma vie quotidienne.

Andy Sommers, Mike MacAden, Jim Hicks, Andy Bayliss, Theresa Sprain, le Dr Eric Collins m'aident tous dans différents aspects de ma vie, et je ne les remercierai jamais assez.

Je n'oublie pas non plus Pam Pope et Oscara Stevick, qui font des miracles avec les chiffres.

Il y aussi des amis qui méritent un grand coup de chapeau, parmi lesquels Michael Smith, Victoria Vodar, David Geffen, le Dr Todd Lanman, Jeff Van Wie, Jim Tyler, Chris Matteo, Paul DuVair, Rick Muench, Robert Jacob, Tracey Lorentzen, Missy Blackerby, Ken Gray, le Dr Dwight Carbloom, David Wang et Catherine Sparks.

Compte tenu des contraintes de place, j'omets forcément un nombre incalculable de personnes qui méritent d'être remerciées, mais j'espère qu'elles savent tout ce que leurs efforts représentent à mes yeux. La création est un travail d'équipe, et j'ai eu le privilège de travailler en permanence avec une équipe extraordinaire.